French Theory

François Cusset
French Theory

Foucault, Derrida,
Deleuze & Cie
et les mutations de
la vie intellectuelle
aux États-Unis

Postface inédite de l'auteur

La Découverte / Poche

9 *bis*, rue Abel-Hovelacque
75013 Paris

Cet ouvrage a été précédemment publié en 2003 aux Éditions La Découverte.

ISBN 2-7071-4673-0

Si vous désirez être tenu régulièrement informé de nos parutions, il vous suffit d'envoyer vos nom et adresse aux Éditions La Découverte, 9 *bis*, rue Abel-Hovelacque, 75013 Paris. Vous recevrez gratuitement notre bulletin trimestriel *À La Découverte*. Vous pouvez également nous contacter sur notre site **www.editionsladecouverte.fr**.

Pour C.
À L. et Y.

« La théorie est elle-même une pratique, autant que son objet. Elle n'est pas plus abstraite que son objet. C'est une pratique des concepts, et il faut la juger en fonction des autres pratiques avec lesquelles elle interfère. »

Gilles DELEUZE, *Cinéma 1.*
L'image-mouvement

Introduction

L'effet Sokal

Quelques noms de penseurs français ont acquis aux États-Unis, dans les trois dernières décennies du XXᵉ siècle, une aura qui n'était réservée jusqu'alors qu'aux héros de la mythologie américaine, ou aux vedettes du *show business*. On pourrait même jouer à rabattre le monde intellectuel américain sur l'univers du western hollywoodien : ces penseurs français, souvent marginalisés dans l'Hexagone, y tiendraient sûrement les premiers rôles. Jacques Derrida y pourrait être Clint Eastwood, pour ses rôles de pionnier solitaire, son autorité incontestée et sa tignasse de conquérant. Jean Baudrillard y passerait presque pour Gregory Peck, mélange de bonhomie et d'un sombre détachement, plus leur aptitude à chacun à n'être jamais où on les attend. Jacques Lacan y camperait un Robert Mitchum irascible, au titre de leur commun penchant pour le trait meurtrier et l'ironie indécidable. Gilles Deleuze et Félix Guattari, plutôt que les westerns spaghetti de Terence Hill et Bud Spencer, évoqueraient le duo hirsute, éreinté mais sublime, de Paul Newman et Robert Redford dans *Butch Cassidy*. Et pourquoi Michel Foucault n'y deviendrait-il pas un Steve McQueen imprévisible, pour sa connaissance de la prison, son rire inquiétant et son indépendance de franc-tireur, figurant au sommet d'un tel générique la coqueluche du public ? Sans oublier Jean-François Lyotard en Jack Palance, pour leur âme burinée, Louis Althusser en James Stewart, pour la silhouette mélancolique, et, du côté des femmes, Julia Kristeva en Meryl Streep, mère courage ou sœur d'exil, et Hélène Cixous en Faye Dunaway, féminité libre de tout modèle. Western improbable, où les décors deviendraient personnages, où la

ruse des Indiens les ferait victorieux, et où jamais n'arriverait la
suante cavalerie.

C'est qu'en effet, de la musique électronique aux communautés
d'internautes, de l'art conceptuel au cinéma grand public, justement,
et surtout de l'arène universitaire au débat politique, ces auteurs
français ont atteint aux États-Unis, vers le tournant des années 1980,
un seuil de notoriété officielle et d'influence souterraine auquel ils
n'avaient jamais accédé chez eux. Sans être ceux d'idoles du grand
écran, leurs noms ne s'y sont pas moins trouvés surcodés, graduellement américanisés, largement *dé-francisés* ; noms devenus incontournables outre-Atlantique sans que le pays dont ils sont issus ait
jamais pris la mesure du phénomène. Sauf en un récent automne, au
hasard d'une controverse de saison.

En ce début d'octobre 1997, la France est décidément sous les
projecteurs des médias mondiaux. Quelques semaines plus tôt, une
princesse adulée y mourait dans un accident de voiture. Quelques
mois plus tard, s'y déroulerait, dûment préparée, la dernière coupe
du monde de football du siècle. En attendant, l'un de ces débats
d'idées qui divisent régulièrement les éditorialistes fait cette fois,
l'une après l'autre, la une des journaux, traçant au cœur de l'arène
médiatico-intellectuelle une ligne de partage mouvante, un peu
obsolète, dont on avait presque oublié les termes. Le motif en est
un livre, *Impostures intellectuelles*, publié aux éditions Odile Jacob
et signé de deux physiciens, l'Américain Alan Sokal et le Belge Jean
Bricmont[1]. Les deux auteurs y décortiquent ce qu'ils nomment le
« jargon » et la « charlatanerie », la « véritable intoxication verbale »
et le « mépris pour les faits et la logique » de la part d'un courant
intellectuel qu'ils présentent « pour simplifier » comme le « postmodernisme ». Il est caractérisé par « le rejet plus ou moins explicite de
la tradition rationaliste des Lumières » et « un relativisme cognitif
et culturel qui traite les sciences comme des "narrations" ou des
constructions sociales ». Ses inspirateurs, surtout français, sont
« Gilles Deleuze, Jacques Derrida, Félix Guattari, Luce Irigaray,
Jacques Lacan, Bruno Latour, Jean-François Lyotard, Michel Serres
et Paul Virilio[2] », auxquels s'ajouteront, au fil des pages, les noms
de Jean Baudrillard, Julia Kristeva et Michel Foucault. Sokal et

---

1. Alan SOKAL et Jean BRICMONT, *Impostures intellectuelles*, Paris, Le Livre de poche,
coll. « Biblio essais », 1999 [1997]. Le livre, dont les auteurs voulaient réserver la primeur à
la France, paraît l'année suivante en anglais, chez St Martin's Press, sous le titre plus cru de
Fashionable Nonsense.

2. *Ibid.*, p. 38-40, 33 et 36.

Bricmont dénoncent « l'absence manifeste de *pertinence* de la terminologie scientifique » qu'ont pu, à l'occasion, employer ces auteurs, et qui les mènerait non seulement aux « confusions intellectuelles » mais à « l'irrationalisme et [au] nihilisme ». Ils entendent donc, moyennant une parenthèse un peu vite évacuée, « défendre les canons de la rationalité et de l'honnêteté intellectuelle qui sont (*ou devraient être*) communs aux sciences exactes et aux sciences humaines [3] ». Sûrs de leur fait, ils souhaitent montrer, selon une formule récurrente, que « le roi est nu » : depuis la « nouvelle religion » de la mathématique lacanienne jusqu'à l'« hyperespace à réfraction multiple » selon Baudrillard, Sokal et Bricmont estiment tout simplement de ces auteurs que « s'ils semblent incompréhensibles, c'est pour la bonne raison qu'ils ne veulent rien dire [4] ».

À quoi prescripteurs et journaux dominants répondent en ordre de bataille. Dans *Le Monde*, Marion Van Renterghem stigmatise la « vieille rengaine » d'une telle « opération scientiste », rejointe par Julia Kristeva selon qui cette « entreprise intellectuelle antifrançaise » trahirait la « francophobie » que suscite outre-Atlantique l'« aura » des penseurs incriminés [5]. Roger-Pol Droit brocarde, à leur suite, le « scientifiquement correct », tandis que Robert Maggiori, dans *Libération*, préfère convoquer les surréalistes en s'inquiétant de savoir si l'on ne va pas bientôt « demander s'il est scientifiquement légitime de dire de la Terre qu'elle est bleue comme une orange [6] ». De son côté, Jean-François Kahn renvoie dos à dos la « morgue scientiste » et une « logorrhée intellectualiste qui dissimule sous un jargon scientifique un vide absolu », exigeant de « l'idéologie pré- et post-soixante-huitarde » (où il range les penseurs en question) qu'elle accepte « d'esquisser [son] examen de conscience [7] ». Pendant que Jean-Marie Rouart loue ce « revigorant courant d'air frais » contre la « rhétorique du verbiage [8] », Angelo Rinaldi moque avec sa verve coutumière ces « médecins de Molière » que seraient nos penseurs si enviés, « surpris [ici] en flagrant délit de chapardage [9] ». Jean-François Revel, quant à lui,

---

3. *Ibid.*, p. 48-49 et 40-41 respectivement.

4. *Ibid.*, p. 74, 65, 204 et 39 respectivement.

5. Marion VAN RENTERGHEM, « L'Américain Alan Sokal face aux "imposteurs" de la pensée française », *Le Monde*, 30 septembre 1997.

6. « Sokal contre les intellos : la pensée du k.o. », *Libération*, 30 septembre 1997.

7. Jean-François KAHN, « Morgue scientiste contre impostures intellectuelles », *Marianne*, 13-19 octobre 1997.

8. Jean-Marie ROUART, « Fumée », *Le Figaro*, 16 octobre 1997.

9. Angelo RINALDI, « La comédie française vue d'Amérique », *L'Express*, 16 octobre 1997.

déverse un fiel moins ordinaire pour attaquer, avec plus de virulence que ne l'auraient rêvé Sokal et Bricmont, l'« arrogance postmoderne » révélée par ce « sottisier de la *French Theory* », celle de
« réactionnaires [qui ont] érigé la tricherie en système » : effacer,
comme Revel accuse Derrida ou Deleuze de le faire, les différences
« entre le vrai et le faux, le bien et le mal » reviendrait à rien moins
que « retomber dans les conceptions nazies [...] et tourner le dos à
toutes les conquêtes de la vraie gauche depuis un siècle[10] » — soit
la même hargne qui permet à un Jean-Jacques Salomon, dans *Le
Monde*, de comparer bientôt les thèses de Bruno Latour et de
Mussolini. Le ton est plus modéré du côté du *Nouvel Observateur*,
où chacun profite de l'« affaire » pour faire son tri, défendre sa
chapelle : Pascal Bruckner loue l'essayisme à la française, tel que
l'incarnerait Baudrillard, contre les « jargonneurs du structuralisme », là où Didier Éribon, choisissant Foucault contre certains de
ses émules, appelle à ne pas confondre le « constructionnisme »
hérité de ces pensées et sa dérive « irrationaliste[11] ». Au milieu du
tumulte, deux types de remarques passent inaperçues. Sur le ton
satirique qui est le sien, c'est la suggestion du *Canard enchaîné* que
les auteurs traqués par Sokal et Bricmont seraient aux États-Unis
« l'équivalent en philosophie des Post-it en papeterie : il paraît
qu'on les colle partout[12] », rare allusion à toute une machinerie
américaine de la citation en vogue et du croisement des textes. Et
autrement significatif, mais sur un mode presque aussi anodin, c'est
l'aveu ici et là que les œuvres en question seraient en France mortes
et enterrées. *Marianne* annonce que « sont bien finis les grands
débats de l'après-guerre (*sic*)[13] », tandis que *Le Monde* se demande
« pourquoi donc publier en France [...] un livre condamnant des
dérives philosophiques qui n'y ont plus lieu[14] ».

Plus que les fortunes outre-océan d'une certaine pensée française,
que relatent de temps à autre nos magazines sur le thème réducteur
du « French intello [comme] denrée exportable[15] », c'est donc un
double décalage franco-américain que révèle soudain la polémique.
Le premier est un décalage d'histoire intellectuelle, dans les termes

10. Jean-François REVEL, « Les faux prophètes », *Le Point*, 11 octobre 1997.
11. « Les intellectuels français sont-ils des imposteurs ? », *Le Nouvel Observateur*, 25 septembre-1er octobre 1997.
12. « Les agités du Sokal », *Le Canard enchaîné*, 8 octobre 1997.
13. Philippe PETIT, « Voilà où en est la philosophie au pays d'Astérix », *Marianne*, *op. cit.*
14. Marion VAN RENTERGHEM, « L'Américain Alan Sokal face aux "imposteurs" de la pensée française », art. cit.
15. Titre d'un dossier spécial de *L'Événement du Jeudi*, 27 mars-2 avril 1997.

duquel les batailles théoriques françaises des années 1970, soldées depuis longtemps dans l'Hexagone (au nom du nouvel « humanisme antitotalitaire » qui en sortit vainqueur), enflamment toujours aujourd'hui, et depuis plus de vingt ans, les universités américaines. Se fait jour alors, conséquence du premier, un décalage cette fois entre deux champs de savoir, qui explique que tant d'observateurs français aient interprété à tort la démarche de Sokal et Bricmont à travers le vieux prisme transatlantique, comme déclaration de guerre à nos grands penseurs, incapables d'y lire les débats intellectuels américains des vingt dernières années : car Sokal et Bricmont visaient moins, en fin de compte, les penseurs français que les universitaires américains qui, en s'en réclamant, auraient favorisé dans l'université, selon eux, une double « régression » communautariste et relativiste, comme l'analyse le Canadien Michel Pierssens [16]. Derrière l'« affaire », se profilent donc des termes dont les lecteurs français n'ont eu au mieux que des échos indirects, ou superficiels, et des enjeux qu'ils ne sauraient déchiffrer dans toute leur ampleur : *Cultural Studies*, constructionnisme, posthumanisme, multiculturalisme, querelle du canon, déconstruction, « politiquement correct ». Ces mots, au-delà de leurs résonances faussement familières, ont partie liée avec les bouleversements, depuis trente ans, non seulement du champ des humanités mais de toute l'université américaine. Plus loin encore, ils renvoient à l'articulation problématique qui s'y est mise en place, peu à peu, de crise en polémiques, entre le champ intellectuel et l'arène politique, entre discours et subversion, mais aussi entre nation et identités. D'une telle évolution dépendent aujourd'hui, pour le meilleur ou pour le pire, les lignes de force du débat intellectuel mondial ; et elle explique, par contrecoup, autant la nouvelle donne impérialiste et néoconservatrice de l'après-11 septembre 2001, que l'impuissance d'une force de gauche transversale à s'y opposer. C'est tout l'enjeu de cette curieuse catégorie de *French Theory* et, partant, de ce livre : explorer la généalogie, politique et intellectuelle, et les effets, jusque chez nous et jusqu'à aujourd'hui, d'un malentendu créateur entre textes français et lecteurs américains, un malentendu proprement structural — au sens où il ne renvoie pas à une mésinterprétation, mais aux différences d'organisation interne entre les champs intellectuels français et américain. Aussi se gardera-t-on de le juger à l'aune d'une « vérité » des textes, préférant à cette notion suspecte la fécondité des

---

16. Michel PIERSSENS, « Sciences-en-culture outre-Atlantique », *in* Baudoin JURDANT (dir.), *Impostures scientifiques. Les malentendus de l'affaire Sokal*, Paris, La Découverte/ Alliage, 1998, p. 106-117.

quiproquos et les surprises de la lecture biaisée, ou ce qu'en un tout autre contexte culturel, les Japonais rangent sous la rubrique d'une « beauté de l'usage » (*Yoo-no-bi*). Mais, pour comprendre ces divergences de champs, et leur rôle créatif, il faut rappeler d'abord qu'avant l'affaire Sokal, mettant au jour plus nettement ses enjeux politiques américains, avait eu lieu — avec beaucoup moins d'échos en France — le « canular » du même nom.

Le même Alan Sokal avait en effet soumis en 1996 au comité éditorial de la célèbre revue de « *Cultural Studies* [17] » *Social Text*, un long article intitulé « transgresser les frontières : vers une herméneutique transformative de la gravitation quantique ». Florilège de formules pseudo-scientifiques et de citations réelles des auteurs (toujours principalement français, de Derrida à Kristeva) qu'il appelle du « postmodernisme », l'article est une parodie de remise en question de la réalité physique et des postulats de la science. Mais une parodie qui se cache derrière un argument d'autorité, une parodie d'autant plus troublante qu'elle s'appuie sur des auteurs et des concepts célébrés de longue date aux États-Unis, et que la revue, incapable d'y débusquer les contre-vérités scientifiques dont Sokal a truffé l'article, l'accepte aussitôt pour la publier dans son numéro spécial sur « la guerre des sciences » [18]. Pour démontrer les ravages, selon lui, du « relativisme cognitif » hérité de la « théorie française », Sokal y force les parallèles, mettant sur le même plan l'« égalité » dans la théorie des ensembles et dans le féminisme radical, le « déplacement » dans l'inconscient lacanien et dans la physique quantique, ou encore la « relativité générale » chez Einstein et chez Derrida — sans que les lecteurs de *Social Text*, au premier rang son directeur Andrew Ross, y aient trouvé à redire. Un mois après la parution de l'article, Sokal révélait le canular dans le magazine *Lingua Franca* : son texte n'était qu'un pastiche destiné à prendre sur le fait « l'arrogance intellectuelle de la Théorie — de la théorie *littéraire* postmoderne, s'entend », et à démasquer une « idiotie qui se proclame de gauche [19] ». La polémique gagna vite la presse généraliste, dans un pays où il est rare que celle-ci rende compte de débats intellectuels, à plus forte raison de querelles universitaires. Le *New York Times* y consacra un article de « une », donnant bizarrement pour exemples du jargon postmoderne visé par Sokal « des

---

17. On a choisi de ne pas traduire le terme en français afin de souligner sa spécificité anglo-saxonne — et d'éviter la confusion avec l'histoire ou la sociologie *culturelles*.

18. Alan SOKAL, « Transgressing the Boundaries : Toward a Transformative Hermeneutics of Quantum Gravity », *Social Text*, n° 46-47, printemps-été 1996, p. 217-252.

19. Alan SOKAL, « A Physicist Experiments with Cultural Studies », *Lingua Franca*, mai-juin 1996, p. 82-84.

mots comme *hégémonie* et *épistémologique*[20] », avant qu'une flopée
d'articles aux relents populistes et violemment anti-intellectualistes,
du *Boston Globe* au *Los Angeles Times*, n'attaquent à leur tour le
« verbiage » et le « relativisme » d'une « fausse gauche » universitaire « abreuvée » de références françaises[21]. Des tabloïds plus
conservateurs, à l'instar du *New York Post*, s'en prirent aux « modes
afrocentriste » et féministe qui pervertiraient les étudiants et leur
feraient perdre « leurs précieuses années de premier cycle[22] ».

Deux aspects spécifiquement américains de cet *effet* Sokal sont
particulièrement révélateurs. D'une part, les réactions des universitaires américains visés se firent rares, comme si les embarrassait la
traduction d'un tel débat dans la langue vulgaire de la presse généraliste ; si l'on excepte l'intervention provocatrice du célèbre théoricien littéraire Stanley Fish, comparant dans le *New York Times*
« les lois de la science » et « les règles du baseball[23] ». D'autre part,
intellectuels et revues marxistes firent preuve d'une virulence particulière, défendant le pedigree politique de Sokal en rappelant qu'il
avait enseigné les mathématiques au Nicaragua sous les sandinistes,
et déniant aux chantres des *Cultural Studies* ou de la déconstruction
le droit de se réclamer de l'extrême gauche (*leftists*) — label dont les
affuble la droite, pourtant, bien plus qu'eux-mêmes ne le revendiquent. Du Brésil à l'Italie et du Japon aux colonnes du *Monde*, la
grande presse mondiale reprit bientôt en écho les termes de l'affaire.
Elle dénonça le plus souvent le « scientisme » de Sokal, tout en critiquant les excès d'une « clique » académique dont presque tous ces
pays — à l'exception de la France — connaissent des équivalents
locaux, pour avoir importé les *Cultural Studies* ou le « constructionnisme » américains. Bruno Latour, en une parabole restée célèbre,
évoqua de son côté la vision sokalienne de la France comme d'une
« autre Colombie » avec ses « dealers de drogues dures »
(« derridium et lacanium ») menaçant les universitaires américains
d'une dépendance pire que celle du crack, jusqu'à leur faire oublier

---

20. Janny SCOTT, « Postmodern Gravity Deconstructed, Slyly », *New York Times*,
18 mai 1996.

21. Voir le dossier de presse rassemblé dans le volume *The Sokal Hoax. The Sham that
Shook the Academy*, dirigé par la rédaction de *Lingua Franca* (Lincoln, University of
Nebraska Press, 2000).

22. Scott McCONNELL, « When Pretention Reigns Supreme », *New York Post*, 22 mai
1996.

23. Stanley FISH, « Professor Sokal's Bad Joke », *New York Times*, 21 mai 1996.

les « joies » de la vie de campus et la « dose quotidienne de philosophie analytique » qu'ils absorbaient auparavant[24].

Ce qui fut donc en France, pour beaucoup, une découverte
— celle d'une telle imprégnation du tissu intellectuel américain par
des auteurs français, mais aussi celle de pareille bataille pour le
monopole symbolique du terme de « gauche » — n'avait ainsi été
aux États-Unis, l'année précédente, qu'un épisode de plus, juste un
peu mieux relayé par les médias, du conflit opposant depuis un
quart de siècle « humanistes » et « maîtres du soupçon », ou
« conservateurs » et « multiculturalistes », dans l'université et
certains pans de la société américaines. Un épiphénomène, en un
mot, par rapport à une polarité idéologique entièrement entrée dans
les mœurs intellectuelles américaines — mais absente de la scène
française. Faire la généalogie d'une telle polarité exige de passer en
revue certains modes de lecture américains des auteurs français en
question, qui ont permis de les décontextualiser, de se les approprier, de leur faire jouer un rôle souvent crucial dans les débats
sociaux et politiques de l'Amérique contemporaine. On pourra ainsi
tenter de saisir par quelles « opérations de sélection et de
marquage », pour emprunter les termes de Bourdieu[25], quelques
universitaires américains — non sans arrière-pensée carriériste —
ont pu en tirer les nouveaux mots d'ordre des années 1980. Et
mobiliser ainsi leurs troupes, piétaille de lecteurs prêts à foncer sur
l'ennemi : le « texte » comme produit d'un « auteur » et recelant un
« sens », la fausse neutralité d'une Raison « impérialiste », l'« universalisme » en tant qu'arme de l'Occident, ou encore les « corpus
canoniques » comme forme de colonialisme littéraire. Ces mots
d'ordre scandèrent une radicalisation politique des discours universitaires, une démarche dans laquelle les auteurs français, pour ceux
qui purent en être témoins, ne se reconnaissaient pas vraiment. Il a
donc fallu plusieurs opérations pour produire, à partir des textes
français, un nouveau discours politique. La première de ces
opérations, l'une des plus difficiles à saisir empiriquement, est celle
qui permet peu à peu de réunir en une même entité homogène
— véritable corpus naturalisé, opérateur de connivence parmi ses
usagers — la variété des auteurs concernés. Il ne reste plus qu'à
appeler le *package* final « *French Theory* », conformément à l'appellation apparue dans la seconde moitié des années 1970,

---

24. Bruno LATOUR, « Y a-t-il une science après la guerre froide ? », *Le Monde*, 18 janvier
1997.

25. Pierre BOURDIEU, « Les conditions sociales de la circulation internationale des
idées », *Actes de la recherche en sciences sociales*, n° 145, décembre 2002, p. 3-9.

« poststructuralisme » en termes d'histoire intellectuelle[26], ou encore
« postmodernisme français » selon le mot qu'emploient plus
volontiers ses détracteurs. Il est d'ailleurs intéressant de noter qu'en
France le culte éphémère des « grands prêtres de l'université française[27] » (trop proches, en un sens, pour être coiffés sous une même
rubrique), puis leur éclipse rapide empêchèrent de les réunir en une
seule catégorie. Seule une démarche de rejet, ou d'opposition
frontale, permit de leur apposer un label unifiant — qu'il s'agisse
de la fameuse « herméneutique du soupçon » qu'évoquait Paul
Ricœur au début de *Freud et la philosophie*, ou du mythe d'une
« pensée 68 » homogène et localisable popularisé sur un mode plus
polémique par Luc Ferry et Alain Renaut, qui rangèrent sous ce
terme les auteurs en question, dont ils dénoncèrent l'« antihumanisme » et l'« irrationalisme », alors même que les militants de mai
se référaient beaucoup plus à Marcuse, Henri Lefebvre ou même
Guy Debord qu'à Deleuze, Foucault ou Derrida[28].

Car cette dizaine d'auteurs, à peu près contemporains, dont les
émules américains et les opposants français aiment à faire une école
de pensée, un mouvement unifié, ne peut être associée à ce point
qu'au prix de rapprochements contestables. Quelques refrains
d'époque permettent de former entre eux une communauté exclusivement négative : la triple critique du sujet, de la représentation et
de la continuité historique, une triple relecture de Freud, Nietzsche
et Heidegger, et la critique de la « critique » elle-même puisqu'ils
interrogent tous à leur façon cette tradition philosophique allemande. On ne saurait donc rapprocher spontanément la « microphysique du pouvoir » foucaldienne, la « dissémination » des traces
chez Derrida, « flux » et « branchements » sur les plans d'immanence deleuziens et l'« espace hyperréel » de la simulation baudrillardienne que *par défaut* — parce qu'on n'y trouve aucune des
filiations, kantienne, dialectique ou phénoménologique, dont se
réclamaient leurs prédécesseurs. Sans compter qu'un grand nombre
de différends, intellectuels et politiques, les divisèrent au fil des
années. Il n'est que de citer le débat entre Derrida et Foucault sur
folie et raison chez Descartes, au terme duquel le premier pouvait
dénoncer le « totalitarisme structuraliste », tandis que le second lui

---

26. Ce que les Allemands appellent *Neostrukturalismus* (*Cf.* Manfred FRANK, *Qu'est-ce que le néostructuralisme ?*, Paris, Cerf, tr. fr. Christian Berner, 1989).

27. Pour reprendre le titre d'un reportage célèbre du *Nouvel Observateur* (7 avril 1975).

28. Luc FERRY et Alain RENAUT, *La Pensée 68. Essai sur l'antihumanisme contemporain*, Paris, Gallimard, coll. « Folio essais », 1988 [1985].

reprochait alors sa « petite pédagogie [de] la textualisation [29] ». De même qu'à l'encontre du « textualisme » souvent reproché à la déconstruction derridienne, Deleuze a pu lancer : « Un texte, pour moi, n'est qu'un petit rouage dans une machine extra-textuelle [30]. » On peut rappeler aussi l'appel de Baudrillard à *Oublier Foucault* en 1977, auquel l'intéressé rétorquait que son « problème serait plutôt de [se] rappeler Baudrillard [31] ». Ou évoquer les échappées de ce dernier, qui a pu moquer l'idée de Lyotard selon laquelle « seul le capital jouit » (tandis que celui-ci dénonçait vigoureusement les thèses de Baudrillard sur la « fin du social »), puis critiquer de même l'« atterrante versatilité du désir chez Deleuze [32] ».

Plutôt que de forcer la « boîte noire » des textes, l'approche adoptée pour raconter cette aventure américaine de la théorie française consiste à lui préférer la circulation sociale des signes, l'usage politique des citations, la production culturelle des concepts. Mais il n'en reste pas moins qu'une telle catégorie, pour exister, suppose une certaine violence taxinomique aux dépens de la singularité des œuvres, comme de leurs divergences explicites. Aussi l'emploi qui sera fait, sans guillemets, du terme de théorie française renvoie-t-il moins à l'éventuelle validité intellectuelle d'un tel regroupement qu'à la seule omniprésence de ces deux mots dans l'université américaine depuis la fin des années 1970 — sigle de classement, sceau d'une affiliation, objet discursif mal identifié mais repris en chœur par des milliers de commentateurs. C'est une manière, avant tout, d'en prendre acte.

Après le geste de rassemblement, viennent les opérations de marquage, de réorganisation des concepts, de redistribution dans le champ des pratiques. Ces opérations, il importe de les passer en revue elles aussi, dans leur audace et toute leur ingéniosité. Ce sont elles qui ont donné à ces textes une valeur d'usage politique spécifiquement américaine, qui ont parfois même — au gré des relectures critiques ou des contresens productifs — réinventé des œuvres figées en France dans leur gangue éditoriale. Elles aménagèrent en *terra americana* un espace d'accueil original pour des œuvres que rien ne prédisposait à y être plus largement lues qu'en France. Car elles le furent. Jusqu'à infiltrer leurs traces dans les recoins les moins prévisibles de l'industrie culturelle dominante, de la musique

---

29. Cité *in* Didier ÉRIBON, *Michel Foucault*, Paris, Flammarion, coll. « Champs », 1991 [1989], p. 145-146.

30. Gilles DELEUZE, « Discussion », *in Nietzsche aujourd'hui ?*, Colloque de Cerisy, Paris, UGE/10-18, 1973, vol. 2, p. 186.

31. Cité *in* Didier ÉRIBON, *op. cit.*, p. 292.

32. Jean BAUDRILLARD, *Simulacres et Simulation*, Paris, Galilée, 1981, p. 34 et 109.

électronique à la science-fiction hollywoodienne, du pop art au roman *cyberpunk*. Jusqu'à saupoudrer d'allusions à leurs thèses ou à leurs auteurs les références subjectives et les codes conversationnels propres à certains milieux, les disséminer peu à peu dans les replis d'une culture labile, processuelle, entièrement vouée aux lois du marché.

L'analyse d'un phénomène de transfert intellectuel principalement universitaire, dans les conditions d'isolement qui sont celles de l'université aux États-Unis, n'interdit pas, en effet, d'aller débusquer ses curieux avatars chez les galeristes new-yorkais ou les scénaristes californiens, dans les romans à clé ou même l'usage à contre-emploi, chez le tout-puissant Michael Crichton, d'une vague référence à Baudrillard et Virilio pour dénoncer « dissolution mentale » et « technologie qui nous déshumanise[33] ». Par-delà l'anecdote, la question est de savoir comment des textes aussi tranchants, parfois aussi difficiles d'accès, ont pu s'inscrire aussi profondément dans la fabrique culturelle et intellectuelle américaine — au point d'inciter un journaliste à comparer cette « invasion française » à « l'invasion de la musique pop anglaise une décennie plus tôt[34] ». La réponse mène à quelques thèmes qui, pour être mal connus en France, n'en sont pas moins déterminants dans le contexte politique et culturel mondial passablement agité de ce début de millénaire : l'histoire et les crises récentes de l'université aux États-Unis ; la fabrique culturelle américaine, avec ses ressorts *et* ses limites identitaires ; l'inventivité d'une *pragmatique* des textes (leur aptitude à l'usage, à l'opération, comme c'est le cas de tous les produits culturels) qu'un certain élitisme français a trop longtemps jugée avec mépris ; mais aussi le déploiement dans les interstices de la domination, et bien loin de Paris, d'un nouveau discours mondial sur la résistance micropolitique et la subalternité, un discours sans rapport direct avec l'altermondialisation dont se gargarisent nos humanistes de gauche, un discours volontiers « textualiste » et trop rarement militant, mais un discours où puiser peut-être quelques idées nouvelles.

Il s'agit, en fin de compte, des vertus de la décontextualisation, ou de ce que Bourdieu appelait la « dé-nationalisation » des textes. Si elles perdent en quittant leur contexte d'origine une partie de la force politique qui y motiva leur irruption, ces « théories voyageuses » (selon le mot d'Edward Said) peuvent aussi gagner à

33. Jared SANDBERG, « PC Forum Attendees Hear Fighting Words on High Technology », *Wall Street Journal*, 26 mars 1997.
34. Steven MOORE, « Deconstructing Ralph », *Washington Post*, 28 novembre 1999.

l'arrivée une puissance nouvelle. Cette puissance tient aux déblocages qu'autorisent les théories recomposées, à l'énigme de décalages institutionnels féconds entre les champs d'origine et d'accueil, qui sont rarement homologiques : que des philosophes français aient été importés par des littéraires américains, que la question de la révolution y ait été entendue comme celle de la minorité, que des auteurs publiés chez Gallimard et Minuit l'aient été aux États-Unis chez des presses universitaires ou des petites maisons alternatives forment autant de dissymétries créatrices. C'est cette même force d'un arrachement au contexte d'origine qui fit qu'autrefois, en privilégiant chez Hegel les dimensions existentielle et historique sur la logique et la philosophie de la nature, et chez Husserl les questions de l'émotion et de l'imagination (ou de la conscience « éclatant » vers les choses) sur la méthode de la réduction transcendantale, leurs passeurs français (Lévinas, Groethuysen, Wahl, Kojève) donnèrent naissance à la phénoménologie et à l'existentialisme français, radicalement inédits — et à ces « objets philosophiques » nouveaux que furent, dans la France d'après guerre, le garçon de café ou le musicien de jazz. Cette inventivité a bien ses naïvetés et ses effets pervers, mais il sera d'autant plus utile de l'explorer, dans le cas de l'appropriation américaine de la théorie française, qu'on est ici au cœur du chiasme culturel francoaméricain. Car, au moment où Foucault, Lyotard et Derrida devenaient incontournables dans l'université américaine, leurs noms connaissaient en France une éclipse systématique. Cette mise à l'écart idéologiquement motivée, pour barrer la route au « folklore » communautaire et à l'« émiettement » du sujet, n'est pas étrangère au fait que, vingt ans plus tard, notre bel « universalisme » ne soit souvent plus que le cache-misère d'un certain provincialisme intellectuel. En 1979, un mot de Bernard-Henri Lévy annonçait clairement le programme du nouvel anticommunautarisme français, et la triste passation de pouvoir en train de se jouer : « Toutes les politiques fondées sur le primat de la différence sont nécessairement fascistes[35] », tempêtait-il en citant pêle-mêle Guy Hocqenghem et le néoféminisme, après avoir clairement identifié ses ennemis deux ans plus tôt — « la technique, le désir et le socialisme », d'où la nécessité d'aller « contre le matérialisme donc et contre lui seul[36] ». Quelques mois plus tard, en tête du premier numéro du *Débat*, Pierre Nora

---

35. « C'est la guerre » (entretien avec Bernard-Henri Lévy), *Tel Quel*, n° 82, hiver 1979, p. 19-28.
36. Bernard-Henri LÉVY, *La Barbarie à visage humain*, Paris, Grasset et Fasquelle, 1977, p. 143 et 217.

énonçait les nouvelles règles, morales et idéologiques, du « régime de démocratie intellectuelle » que la revue appelait de ses vœux, pour ne plus être l'« esclave des maîtres du soupçon[37] ». Et cinq ans après, dans un essai très controversé avant qu'il ne devienne la norme, Luc Ferry et Alain Renaut attaquaient les « philosophies de la différence », leur démarche « terroriste » et, en des formules sokaliennes avant l'heure, l'illisible « absurdité » de ces « philosophistes[38] ».

Changement d'époque. Un changement que cette aventure américaine simultanée de la théorie française permettra ainsi de réinterroger, pour y dégager peut-être quelques perspectives d'avenir. Car le détour par ce faux ailleurs américain, par l'humble histoire de ces passeurs et traducteurs de campus, nous parle aussi *a contrario* de ce « paysage intellectuel français » que sociologues et journalistes décrivent aujourd'hui comme un champ de ruines — enrichissant à chaque fois leurs éditeurs repus, sans jamais nous expliquer ce paysage lunaire. En somme, les parcours américains, de chair et d'os, de ces médiateurs effacés, les microrécits de vie de ces colporteurs anonymes sans lesquels ne sauraient avoir lieu les vrais détournements intellectuels, les trahisons salutaires, pourraient bien nous renvoyer à nous-mêmes bien plus qu'aux rituels universitaires ou aux ironies du transfert. Ils pourraient nous réapprendre à écouter ces fulgurances d'il y a trois décennies, étiquetées par l'histoire des idées, désamorcées par la pensée dominante, ou sagement muséifiées depuis comme l'ultime avant-garde d'un monde révolu, alors que ceux et celles qui les émirent, témoins de l'avènement d'un temps, décrivaient déjà précisément ce qui compose ce présent-ci, et ses peurs inédites — le pouvoir de vie, les tribus sans sujet, la terreur sans visage, le réseau impérial et ses machinations, le sabre réactionnaire et le goupillon identitaire, mais aussi la microrésistance et ses interstices hors écran. À l'invention de la *French Theory*, puissent donc répondre aujourd'hui, mieux vaut tard que jamais, les quelques leçons de l'*American Experience*.

---

37. Pierre NORA, « Que peuvent les intellectuels ? », *Le Débat,* n° 1, mai 1980, p. 3-19.
38. Luc FERRY et Alain RENAUT, *La Pensée 68, op. cit.,* p. 17, 55 et 52 respectivement.

I

L'invention d'un corpus

1

Préhistoires

« La culture américaine en tant que distincte de la nôtre, comme l'est la culture chinoise, est une invention pure et simple des Européens. »

André MALRAUX, *Les Conquérants*

L'aventure américaine de la théorie française plonge ses racines dans une histoire elle-même trop ancienne, chaotique et multiple pour qu'il soit possible d'en retracer les contours en quelques lignes – ou d'épuiser tous ces facteurs contextuels, de l'histoire politique à la mémoire des exils, avec lesquels l'histoire intellectuelle entretient un curieux rapport, délicat, incertain, loin du causalisme en vigueur à d'autres chapitres du grand récit historique. Mieux vaut donc se contenter ici de poser des jalons, de pointer quelques passages, plantant le décor d'une vague scène primitive. Et, en l'occurrence, s'intéresser à quelques exemples de frottements immédiatement antérieurs (des années 1930 aux années 1950) entre les traditions intellectuelles française et américaine ; deux cultures conquérantes entre lesquelles le rapport hiérarchique, vers le milieu du siècle, est en train de s'inverser.

Trois histoires sont à évoquer, beaucoup trop succinctement. La première est celle de l'exil artistique et intellectuel français aux États-Unis entre 1940 et 1945, dont le statut est moins celui d'une origine que d'une préfiguration ; la seconde, celle de trois grands produits d'exportation intellectuels français de l'immédiat après-guerre (le surréalisme d'école, l'existentialisme sartrien et l'histoire des *Annales*) ; et la dernière, celle d'une date inaugurale, le symposium de l'université Johns Hopkins d'octobre 1966, devenu à titre rétrospectif un événement fondateur. Ce sera l'occasion d'évoquer aussi quelques grands paradigmes américains en crise dans les années 1960, pour comprendre en quoi la lecture des auteurs français a pu représenter une alternative providentielle, le seul moyen de réconcilier démarche d'opposition et foi dans l'avenir, de renouer avec une certaine tradition de liberté américaine – puisque, en un sens, « le texte dont on *tombe amoureux* est celui dans lequel on ne cesse d'apprendre ce qu'on savait déjà[1] », selon le mot de Vincent Descombes.

D'exil en export

Jusqu'en décembre 1941, et l'attaque japonaise sur Pearl Harbour, les États-Unis représentent, pour l'Europe des exodes et des coups d'État, la seule terre d'asile viable – une antipode provinciale, certes, mais un eldorado de paix et de prospérité. De fait, pendant les dix années d'ascension du nazisme, l'Amérique devient peu à peu le refuge des arts et lettres européens. Les années d'exil américain, qui vont marquer *de facto* la fin de l'isolationnisme culturel des États-Unis, ont été décisives à plus d'un titre : dans l'itinéraire d'abord des exilés qui, s'ils évoquèrent rarement cette période, n'y composèrent pas moins certaines de leurs œuvres majeures ; dans le parcours ensuite de certains artistes américains qui purent s'imprégner sur place de l'avant-garde européenne ; et comme charnière enfin, puisque cette période est aussi celle d'un transfert historique d'hégémonie artistique et culturelle, de Paris à New York. Si New York « vola l'idée d'art moderne » échafaudée en Europe, selon la thèse polémique de Serge Guilbaut, ce transfert d'hégémonie est moins le fait d'une stratégie d'ensemble délibérée, malgré le zèle antidécadentiste et bientôt anticommuniste des critiques Clement Greenberg et Harold Rosenberg, que la conséquence d'une promiscuité historique sans précédent. Et la peinture n'est ici pas seule en cause. Dans tous les domaines, les contacts inévitables, plus ou moins heureux, entre les innovateurs locaux (souvent eux-mêmes arrivés d'Europe entre les deux guerres) et ces « étrangers au paradis » qu'y furent les exilés contribueront à dessiner l'orientation après guerre de plusieurs tendances de fond de la culture occidentale – par un mélange d'influence souterraine et de démarquage critique. Ce sont les collaborations éphémères entre sciences sociales

---

1. Vincent DESCOMBES, *Le Même et l'Autre. Quarante-cinq ans de philosophie française (1933-1978)*, Paris, Minuit, 1979, p. 14.

américaines et chercheurs de Francfort en exil, et les divergences croissantes qui s'ensuivent entre l'école fonctionnaliste et bientôt cybernétique américaine (de Paul Lazarsfeld à Harold Lasswell) et le paradigme critique allemand. C'est le passage d'une école de pensée « positiviste-logique » encore isolée avant guerre, et liée à l'émigration germanophone, à une polarité nouvelle que viendra pérenniser la guerre froide entre philosophies « analytique » et « continentale ». C'est l'impact de l'expressionnisme allemand, et de romanciers convertis en scénaristes pour arrondir leurs fins de mois, sur la production hollywoodienne des années 1940. Et c'est bien sûr, déniée par les deux partis, l'influence du surréalisme en exil sur la jeune garde artistique américaine. Autant de croisements auxquels on ne peut faire justice en quelques lignes, mais dont le souvenir vivant, même refoulé, marquera pour plusieurs décennies les relations intellectuelles transatlantiques.

De l'arrivée au pouvoir de Hitler jusqu'à l'occupation définitive de la zone libre en France, et des premières associations de secours jusqu'aux exploits en 1941 de l'Emergency Rescue Committee (et de son représentant à Marseille, Varian Fry), ce ne sont pas moins de 130 000 Allemands et 20 000 Français qui rejoignent alors les États-Unis, malgré les restrictions migratoires et les dangers au départ. On y compte bon nombre des figures majeures de l'art et de la culture européens : Theodor Adorno, Hannah Arendt, Ernst Bloch, Bertolt Brecht, André Breton, Ernst Cassirer, Marc Chagall, Walter Gropius, Max Horkheimer, Fernand Léger, Claude Lévi-Strauss, Maurice Maeterlinck, Thomas et Heinrich Mann, Jacques Maritain, André Masson, Henri Matisse, Mies van der Rohe, Piet Mondrian, Benjamin Péret, Jules Romains, Denis de Rougemont, Saint-Exupéry, Saint-John Perse, Arnold Schönberg... Outre les ministres du culte, les seuls réfugiés à être admis hors quotas par l'administration américaine sont les professeurs d'université. Aussi, dès le milieu des années 1930, les institutions d'éducation supérieure américaines vont nouer des liens durables avec les cercles intellectuels européens. L'université de Columbia accueille l'Institut für Sozialforschung (la future école de Francfort). La New School d'Alvin Johnson crée une faculté des sciences sociales et politiques où enseigneront les plus grands chercheurs européens. L'université de Chicago soutient le travail des réfugiés du Bauhaus. Et le comité mis en place par la fondation Rockefeller, qu'intéresse au premier chef cet exode des cerveaux, signe des accords avec l'Institut d'ethnologie du Musée de l'homme et le Centre de documentation sociale à Paris. C'est sous l'égide de plusieurs universités qu'est fondée à New York en novembre 1941, à l'initiative d'Alexandre

Koyré et Louis Rapkine, l'École libre des hautes études, la seule
institution d'enseignement supérieur française jamais créée aux
États-Unis. Les cours de Georges Gurvitch et Claude Lévi-Strauss,
les conférences sur Baudelaire ou Valéry, mais aussi le séminaire de
Denis de Rougemont sur l'« idée de pouvoir » sont suivis avidement
par beaucoup d'auditeurs libres américains, étudiants en goguette ou
intellectuels de gauche profitant de l'aubaine. La revue de l'école,
Renaissance, reflète la richesse des recherches en cours.

On connaît l'importance, dans l'itinéraire des philosophes de
l'école de Francfort, de l'industrie culturelle de masse qu'ils décou-
vrirent outre-Atlantique. Il reste pourtant difficile, plus largement,
d'évaluer les conséquences théoriques et esthétiques à long terme
d'un exil souvent mal vécu, riche de ses rencontres et de l'étrangeté
de la ville américaine, mais marqué aussi par la fin des privilèges.
Seule certitude : les exilés ont tous fait, plus ou moins brutalement,
l'expérience d'une marge sociale, d'un déracinement culturel, d'une
dépossession normative dont leurs œuvres garderont les traces. Car
cette épreuve revient « pour un intellectuel à se rendre disponible,
plus qu'il ne l'avait jamais été, au voyageur plutôt qu'au puissant,
au risque et à l'éphémère aux dépens de l'habitude, à l'innovation et
aux pratiques expérimentales contre le *statu quo* imposé[2] », comme
le note Edward Said. D'une telle condition de passager, de ce dépeu-
plement de soi, mais aussi de cette nouvelle écoute, on retrouvera
les échos chez les intellectuels français de l'après-guerre, dédra-
matisés bien sûr par le contexte de paix. Tandis que Sartre « nulle
part ne [s'est] senti plus libre qu'au sein des foules new-
yorkaises[3] », Foucault vantera la liberté de « l'étranger [qui peut]
faire fi de toutes les obligations implicites[4] », et Julia Kristeva,
traversant pour la première fois l'océan en 1973, célébrera la
« thérapie de l'exil[5] ». En attendant, les surréalistes arrivés à New
York en 1941 n'ont pas cet enthousiasme. Sur leur carte du monde,
les États-Unis jusqu'alors n'existaient pas. Aragon espérait « que
l'Amérique au loin croule de ses buildings blancs au milieu des
prohibitions absurdes » et Breton, fidèle à lui-même avant puis
après la guerre, allait de l'écœurement à l'abomination pour décrire

2. Edward SAID, « Intellectual Exile : Expatriates and Marginals », *in* Moustafa BAYOUMI
et Andrew RUBIN (dir.), *The Edward Said Reader*, New York, Vintage, 2000, p. 369.

3. Jean-Paul SARTRE, « New York, ville coloniale », *in Situations III*, Paris, Gallimard,
1949, p. 121.

4. « An Interview with Stephen Riggins », *Ethos*, vol. 1, n° 2, automne 1983, p. 5.

5. Julia KRISTEVA, *Étrangers à nous-mêmes*, Paris, Fayard, 1988, p. 113-138.

leur « pragmatisme de pacotille » et leur « dessein impérialiste[6] ».
Pourtant, tandis que Breton et Max Ernst s'intéressent plus aux arts
amérindien et antillais qu'à l'Amérique de Charles Sheeler et
d'Edward Hopper, les jeunes successeurs de ceux-ci, d'Arshile
Gorki à Robert Motherwell, et bientôt Jackson Pollock ou Wilhelm
de Kooning, tirent de ces contacts – même lointains – une inflexion
décisive de leur travail.

Des liens existent bien entre les surréalistes et des Américains tels
que Calder ou Joseph Cornell, entre Breton et Gorki à l'occasion,
ou entre les ateliers des Français (11ᵉ rue) et des Américains (8ᵉ et
10ᵉ rues), où Roberto Matta initie les peintres américains à l'association libre et au cadavre exquis – rebaptisé en anglais Male &
Female. Mais si les Américains s'essaient à un éphémère « surréalisme abstrait », les frictions l'emportent à mesure qu'ils s'en
prennent, galvanisés par Greenberg et ses collègues, à l'arrogance
française, au favoritisme francophile des grands musées de la ville
et au formalisme jugé moribond des Européens. Un tri est effectué
entre les diverses facettes du surréalisme, un tri qui donnera naissance à « l'expressionnisme abstrait » de l'école de New York, et
préfigure dans le champ artistique, trente ans plus tôt, les tactiques
de déplacement anamorphique, sélection puis réagencement, qui
permettront à une poignée d'universitaires d'*inventer* la théorie
française. Car il s'agit, en 1945, de faire la part des « mauvais
peintres » (Dali et Magritte, selon Greenberg) et d'expérimentateurs
dont les postures peuvent encore servir (Ernst, de Chirico, Man
Ray). Il s'agit d'effectuer sur la toile un travail autrement rigoureux,
jusqu'à pouvoir « remplacer l'automatisme psychique par l'automatisme plastique » selon le mot de Motherwell. Il s'agit de s'approprier les stratégies surréalistes mais au service de ce qu'on considère
comme une idéologie plus juste, plus jeune, et un plus grand sérieux
esthétique, tels que les théorisera Greenberg dans les termes virils
d'un nouveau « vitalisme américain[7] ». Séparer le bon grain de
l'ivraie : garder des surréalistes leur riche réflexion sur le mythe et
l'irrationalité, mais vouer aux gémonies débauche ludique et dérive
communiste. Comme le résumait Meyer Schapiro, « ce n'est pas
l'automatisme que les Américains ont appris des surréalistes, mais
comment être *héroïque* ». De l'exposition new-yorkaise de 1942,
« First Papers of Surrealism », à la première présence remarquée des

---

6. Cité *in* Philippe ROGER, *L'Ennemi américain. Généalogie de l'antiaméricanisme
français*, Paris, Seuil, 2002, p. 526-527.
7. *Cf.* Martica SAWIN, *Surrealism in Exile and the Beginning of the New York School*,
Cambridge, MIT Press, 1995.

Américains au sein de la rétrospective de la galerie Maeght (1947), l'avant-garde artistique glisse d'un continent à l'autre.

Loin des frictions franco-américaines, cette période est aussi, à New York, l'âge d'or de la célèbre revue marxiste hétérodoxe *Partisan Review*, qui rompit avec l'URSS en 1937. C'est l'ère d'une extrême gauche urbaine de bourgeois éclairés réunis sous le label de New York Intellectuals – l'un des rares cercles non universitaires d'intellectuels critiques qu'ait connus l'histoire américaine, autour de Dwight Mc Donald, Mary Mc Carthy, Lionel Trilling et Edmund Wilson, bientôt rejoints par les cadets Norman Mailer et William Styron. Cette intelligentsia sans parti, volontiers engagée, alliant le brio littéraire et le courage politique, anime un débat ininterrompu dans le New York de l'après-guerre, et invite les grandes plumes européennes à s'exprimer dans ses revues, de Sartre à Arendt et à son ex-mari Günther Anders. La disparition progressive de cette précieuse arène, dispersée par les trajectoires individuelles et les revirements politiques, achevée bientôt par le retour de bâton maccarthyste, ouvrira un vide au cœur de l'espace public américain. Au même moment, le boom démographique étudiant et l'essor des grandes universités de recherche, autour des nouveaux paradigmes du savoir américain (légalisme, positivisme, fonctionnalisme), contribuent à techniciser et à compartimenter un champ intellectuel de plus en plus spécialisé, et désormais presque exclusivement universitaire. C'est dans ce contexte que traversent l'Atlantique trois courants intellectuels en vogue dans la France de la reconstruction.

Antécédents transatlantiques

Rien ne reflète mieux une telle évolution que les réceptions comparées du surréalisme français aux États-Unis avant et après la guerre. À partir de 1931, date de la première exposition surréaliste, l'accueil se fait loin des campus. D'un côté, les premiers magazines de mode, de *Vogue* à *Harper's Bazaar*, et plusieurs agences de publicité, relayées par le galeriste et impressario Julian Levy, font des fantaisies « superréalistes » (comme ils les appellent dans un premier temps) un formidable argument de vente. Salvador Dali joue la carte de la surenchère, jusqu'à être envoyé à Hollywood pour peindre le portrait d'Harpo Marx, et aboutir en décembre 1936 en couverture de *Time*. L'historien Dickran Tashjian peut même en conclure que le surréalisme est « le premier mouvement d'avant-garde qui ait fait l'objet d'une consommation avide dans les médias de masse américains[8] », au point d'avoir suscité, en réaction, la création à New York d'un mouvement « surréaliste social » puis à Los Angeles, moyennant un préfixe qu'on retrouvera souvent, d'une école « *post*-surréaliste ». Mais si le surréalisme devient la marchandise dernier cri, il fait scandale en revanche chez les ligues de vertu, qui jurent de tout faire pour en préserver la pieuse Amérique. Même levée de boucliers chez les rationalistes de gauche, cette fois contre l'obscurantisme de Breton et ses émules : à l'instar du critique Herbert Muller, ils les accusent d'être « alignés en réalité sur le mouvement le plus réactionnaire de notre époque » et « [d'exploiter] les pouvoirs des ténèbres pour réduire l'homme à l'esclavage[9] ».

La situation n'est plus la même après 1945 : ces débats se sont tus, et le champ d'accueil a changé. À part la création à Chicago, en 1965, d'un authentique (mais très confidentiel) Mouvement surréaliste américain, les décennies qui suivent sont celles de la domestication académique et de l'institutionnalisation universitaire du surréalisme. La virulence anticléricale et procommuniste du mouvement y est soigneusement passée sous silence, au grand dam de Guy Ducornet qui brocarde ce surréalisme des *sixties* « essoré, époussé avec sollicitude, épinglé sur liège et pédagogiquement programmable », placé « sous l'étiquette *French Literature*, quelque part entre le symbolisme et l'existentialisme[10] ». La réappropriation du surréalisme en objet docile de l'histoire littéraire ouvre, à partir des années 1950, l'ère des spécialistes. Anna Balakian, biographe de Breton, y voit « un nouveau mysticisme » en littérature française. Roger Shattuck, auteur d'un *Surrealisme réévalué*, l'ampute de ses dimensions cognitive et politique pour n'en faire qu'une « activité artistico-littéraire ». Plus intéressants, les travaux de J. H. Matthews, qui fit connaître Benjamin Péret, et de Mary-Ann Caws, qui dirige la revue *Dada/Surrealism*, proposent du mouvement une approche plus complète, autrement audacieuse[11]. Mais c'est au moment où Breton et ses compagnons, après la parution de *Surréalisme et sexualité* de Xavière Gauthier[12], font l'objet d'un tout autre débat – la querelle féministe. Des déformations grossières de Gwen

---

8. *Cf.* Dickran TASHJIAN, *A Boatload of Madmen : Surrealism and the American Avant-Garde*, Londres, Thames & Hudson, 1996.

9. Cité *in* Guy DUCORNET, *Le Punching-Ball et la Vache à lait. La critique universitaire nord-américaine face au surréalisme*, Angers, Actual/Deleatur, 1992, p. 9.

10. *Ibid.*, p. 18 et 29.

11. *Ibid.*, p. 34-47.

12. Selon laquelle « les surréalistes se servaient de la femme [...] pour régler leur rebellion contre le Père » (cité *in ibid.*, p. 108).

Raaberg, conspuant les errances « proxénète » et « homophobe » du premier surréalisme, aux analyses plus fines de Susan Suleiman sur l'objectivation des corps, la question surréaliste est dès lors surtout, signe des temps, celle de l'exclusion ou non des femmes du mouvement, de son « sexisme essentialiste » ou encore de son rapport à la prostitution [13]. Pendant ce temps, hormis quelques rétrospectives dans les musées de l'Union, le surréalisme disparaît des États-Unis – sauf entre les murs des campus.

Il fut remplacé un temps par l'existentialisme, conformément à cette succession de vogues à laquelle l'observateur américain réduit souvent la vie culturelle européenne : « Sartre est automatiquement à la mode aujourd'hui chez ceux qui trouvèrent jadis le surréalisme automatiquement à la mode », note le *New Yorker* fin 1945 [14]. Reste qu'aux États-Unis, le cas de l'existentialisme rappelle à plus d'un titre celui du surréalisme. C'est d'abord le paradoxe d'une élite intellectuelle abandonnée à sa fascination pour Jean-Paul Sartre, pour l'homme autant que pour cette figure si française de l'« intellectuel total » – en net contraste avec l'héroïsme américain de la normalité, cette vertu de l'humanité moyenne qui fit aux États-Unis de tous les « hommes simples », du révolutionnaire John Adams au président Reagan, les vrais héros de la nation. Paradoxe aussi dans la mesure où Sartre n'a jamais caché son antiaméricanisme foncier, culturel puis idéologique, par-delà ses enthousiasmes sur place en 1945. Il refusera souvent par la suite de dialoguer avec les Américains, car pour Sartre, conclut Philippe Roger, « tout vrai *commerce* intellectuel avec les États-Unis est une impossibilité *a priori* [15] ». C'est, ensuite, le même grand écart entre un effet de mode extra-universitaire de courte durée, qui s'appuie sur l'exotisme de Saint-Germain des Prés et la vogue de quelques refrains journalistiques, et une imprégnation universitaire plus graduelle, et plus profonde, dont les ressorts sont entièrement endogènes. Le champ philosophique américain, de plus en plus éloigné de la tradition continentale, fait pourtant une place ici et là aux études sartriennes, en lisant le maître sélectivement afin de pouvoir américaniser ses propositions – quitte à jouer justement des fragilités de cette discipline aux États-Unis. Un pont fut ainsi jeté vers le déisme et la question religieuse, en façonnant une version subjectiviste-spiritualiste du système sartrien ; un autre vers les étudiantes en inscrivant au programme certains textes de Simone de Beauvoir, avec pour

---

13. *Ibid.*, p. 68-102.
14. Janet FLANNER, « Paris Journal », *New Yorker*, 15 décembre 1945.
15. Philippe ROGER, *L'Ennemi américain, op. cit.*, p. 570.

effet d'aider à féminiser les départements de philosophie, et de commencer à théoriser la question féministe ; un autre encore vers l'« empirisme global » d'un William James, le père du pragmatisme américain, au nom de leur souci commun pour la façon dont la conscience se construit un monde, et en produit le sens ; un dernier, plus largement, vers la tradition libérale d'un « individualisme radical » plus acceptable outre-Atlantique que le composite sartrien de marxisme et d'existentialisme allemand [16]. Ainsi formaté pour l'université américaine, où l'intérêt des étudiants pour Sartre permet à certains départements de philosophie d'enrayer le déclin des inscriptions, l'existentialisme rentre peu à peu dans les mœurs académiques : *L'Être et le néant* est traduit en 1956 puis maintes fois réédité, l'American Philosophical Association consacre à Sartre colloques et conférences, la création en 1962 de la Society for Phenomenology and Existential Philosophy signale la reconnaissance définitive du phénomène. Pourtant, même américanisée, la bibliothèque existentialiste reste un corpus d'importation, dont la fortune américaine décline à partir des années 1970 sous la pression de changements qui la dépassent – mouvements étudiants, spécialisation des savoirs, crises de la discipline philosophique et du champ des humanités.

Quant à l'école des Annales, son impact aux États-Unis tient à des facteurs plus classiquement disciplinaires. Comme en France, le travail pionnier de Marc Bloch et Lucien Febvre, fondateurs en 1947 de la sixième section de l'École pratique des hautes études et de la revue *Annales*, permit de renouveler la discipline historique à la fois par l'extension horizontale, du côté de l'histoire des mentalités, des champs de savoir ou de la longue durée, et par la métaréflexion verticale, inspirée notamment par la sociologie allemande. De même qu'était visée, en France, l'histoire chronologique des diplomates, l'histoire américaine des patriotes et des dates pionnières en fut à son tour ébranlée. Mais parce qu'elle intervint en une période de bouleversement de l'historiographie américaine, la démarche des Annales suscita moins la création d'une « école » équivalente aux États-Unis qu'elle ne participa simplement au renouvellement de la discipline. Elle inspira ici de jeunes chercheurs, comme Steven Kaplan, servit là de caution théorique, chez un Peter Burke par exemple, devint ailleurs elle-même l'objet d'une métahistoire, comme dans le travail de Georg Iggers, ou se combina plus

---

16. *Cf.* Ann FULTON, *Apostles of Sartre : Existentialism in America 1945-1963*, Evanston, Northwestern University Press, 1999, notamment le chapitre 1, « Importing a Philosophy ».

largement à un courant neuf de l'histoire sociale anglo-américaine, dont les plus illustres représentants étaient alors E. P. Thompson et Ira Berlin. Il s'agit ici de convergence autant que d'influence. En outre, en historicisant et en dénaturalisant des pans entiers de la vie sociale, du lien conjugal aux institutions médicales, l'influence des Annales préparait le terrain pour la grande importation américaine de la décennie suivante – l'œuvre de Michel Foucault.

En fin de compte, un double phénomène caractérise la réception successive du surréalisme, de l'existentialisme et de la « nouvelle histoire » dans l'université américaine, un processus à double détente qui les distingue par là même de l'*invention* à venir de la théorie française. Ils sont d'abord transplantés tels quels comme produits d'importation, dans toute l'étrangeté de leur exotique provenance, une distance dont on escompte même qu'elle attirera les étudiants ; puis ils connaissent alors, au contact des disciplines concernées, autant d'ajustements et d'adaptations qu'il est de convergences entre ces courants français et quelques thèmes américains du moment – poésie et mysticisme pour le surréalisme, individu et pragmatisme avec l'existentialisme, histoire sociale et des mentalités dans le cas des Annales. Au contraire, la théorie française constituera une création *ex nihilo* de l'université américaine, répondant à quelques stratégies précises et, plus largement, à une crise axiologique du champ des humanités. Elle est plutôt composition inédite qu'importation adaptée, d'où son impact plus profond, et plus durable. Il n'en reste pas moins que cette logique des convergences jouera à son tour un rôle précieux dans les premiers succès de la théorie française. Un rôle qui exigerait que, à elles seules, ces convergences fissent l'objet d'un relevé systématique, plutôt que d'une évocation fragmentaire, simple recueil de traces. Car plus de dix ans avant leurs traductions anglaises, au moment où Foucault et Deleuze rédigeaient leurs œuvres majeures, et sans qu'ils en aient eu connaissance (ou qu'ils en aient fait usage), le thème de la « pluralisation du moi » contre les « politiques de la représentation » et les contrôles de la psychanalyse était déjà au cœur de l'œuvre de Norman Brown[17] ; les questions de la thérapie alternative et de la résistance à l'institution asilaire occupaient le mouvement antipsychiatrique de David Cooper et Ronald Laing[18] ; et les travaux pionniers de Gregory Bateson et Frieda Fromm-Reichmann avançaient une définition élargie de la schizophrénie comme « mode de vie » traversant des « *plateaux* d'intensité » sans

---

17. Norman Brown, *Love's Body*, New York, Random House, 1966, p. 130-142
18. *Cf.* Ronald Laing, *Soi et les autres*, Paris, Gallimard, 1972.

limites[19]. Bien sûr, des liens effectifs existent entre ces œuvres presque contemporaines : Deleuze et Guattari se réfèrent à Bateson, tandis que Laing et Cooper, sous les couleurs de l'antipsychiatrie, assurent à Foucault sa première réception anglo-saxonne. Mais l'important est ailleurs. Par-delà les facilités du motif de la convergence, c'est d'une même recherche d'outils théoriques qu'il s'agit chez ces auteurs, contre les impasses politiques et les blocages disciplinaires de champs intellectuels très différents, mais confrontés tous deux, à Berkeley comme à Paris, à l'urgence d'un monde en train d'éclore, de certitudes volant en éclats, de réflexes politiques soudain obsolètes. La différence entre les infiltrations surréaliste ou existentialiste des années 1950 et l'émergence de la *French Theory* vingt ans plus tard est, en ce sens, avant tout historique, liée aux énigmes d'un présent électrique.

C'est une crise ouverte, maintes fois racontée, des régimes démocratiques capitalistes du « bloc de l'Ouest » vers la fin des années 1960 qui a inspiré, des deux côtés de l'océan, cette floraison simultanée d'œuvres radicalement nouvelles, comme autant de sismographes placés sur un système de valeurs ébranlé. Côté américain, cette crise des paradigmes, parce qu'elle n'est pas assourdie, canalisée par les institutions politiques d'opposition dont dispose la France de De Gaulle, est peut-être encore plus tangible. Crise du fonctionnalisme, celui des sociologues et des études de marché, accusé de quantifier le *socius* et d'accroître les inégalités. Crise du légalisme, qu'invalident les marches des droits civiques en obtenant ce qu'il n'a pu gagner, et les va-t-en-guerre du Vietnam en imposant la seule loi du plus fort. Crise de la légitimité technocratique, que la nouvelle génération des professions libérales et techniciennes soupçonne d'être sans pilote, soumise à la machine, privée de toute autonomie de décision. Crise de l'utopisme pionnier, à mesure que les ritournelles du messianisme libéral et des Pères fondateurs cessent de convaincre les jeunes générations. Crise de la raison administrative, face à la corruption larvée d'équipes managériales pléthoriques. Crise politique enfin, devant l'inanité de la classe politique – le président Nixon en tête – révélée par l'affaire du Watergate. Plus que d'un contexte, les éléments déployés ici sont ceux d'un décor surchargé, d'un cadre au bord de l'effritement, à l'intérieur duquel une université renonçant à ses principes humanistes opte pour la fuite en avant – spécialisation, compétition, adaptation aux nouvelles contraintes du marché du travail. C'est dans ce paysage politique et intellectuel agité, au début de cette décennie

---

19. *Cf.* Gregory BATESON, *Vers une écologie de l'esprit*, tome 1, Paris, Seuil, 1977.

pivot, qu'a lieu sans grand écho l'un de ces colloques internationaux qui font la réputation des campus les accueillant, et qu'on réinterprétera ensuite, en partie à raison, comme la date de naissance *avant l'heure* de la théorie française.

L'invention du poststructuralisme (1966)

Si les étudiants de Nanterre et de Columbia parlent un même esperanto anti-impérialiste, les champs intellectuels français et américain n'ont jamais, apparemment, été aussi éloignés qu'en cette année 1966. C'est, en France, l'« année lumière » du structuralisme, selon l'expression de François Dosse[20] : des textes majeurs paraissent de Barthes (*Critique et vérité*) et Lacan (*Écrits*), *Les Mots et les choses* de Foucault, sorti au printemps, rencontre un succès public inattendu, jusque sur les plages des vacances, et les slogans de la « mort de l'homme » et du « changement de paradigme » font la une des journaux grand public. Si l'image d'une école cohérente, d'un mouvement structuraliste concerté, a pu être largement diffusée, c'est bien cette année-là. Et si, de la linguistique à l'histoire et à la psychanalyse, les diverses entreprises de *décentrement* de la question du sens, ou de *dé-sémantisation*, en œuvre dans les sciences humaines ont été un temps solidaires les unes des autres, c'est bien alors qu'elles le furent. Comme l'a très bien résumé Deleuze trois ans plus tard, « les auteurs que la coutume récente a nommés structuralistes n'ont peut-être pas d'autre point commun [...] : le sens, non pas tant comme apparence, mais comme effet de surface et de position, produit par la circulation de la case vide dans les séries de la structure[21] ». Sauf que cette case vide, qui n'obsédait jusqu'alors que les arpenteurs de très abstraites surfaces, prend soudain les couleurs plus romantiques du feu politique, de l'émotion esthétique, de l'investissement pathique. « Rage expérimentale », comme le reconnaît lui-même Derrida, que cette folle « passion structuraliste[22] ».

Pendant ce temps, aux États-Unis, les cloisons tiennent bon entre la contestation étudiante, le sage contenu des cours, et l'attentisme perplexe de la société civile. Les premiers lisent Marcuse ou Norman Brown, les seconds enseignent rituellement les positivistes logiques (en philosophie) ou les formalistes russes (en littérature),

20. François DOSSE, *Histoire du structuralisme*, tome 1, Paris, La Découverte, 1992, p. 384.

21. Gilles DELEUZE, *Logique du sens*, Paris, Minuit, 1969, p. 88.

22. Jacques DERRIDA, *L'Écriture et la différence*, Paris, Points/Seuil, 1979 [1967], p. 14.

tandis que l'Amérique des *comic books* et des bluettes ne connaît pas de best-seller franchement subversif. Si c'est aux États-Unis qu'eut lieu la rencontre décisive de Lévi-Strauss et de Jakobson, la vogue structuraliste n'y a de place ni en librairie ni sur les campus. Les principales traductions du français en philosophie et en sciences humaines, en cette fin des années 1960, y sont des essais d'Émile Bréhier, Paul Ricœur, Merleau-Ponty et du toujours très étudié Pierre Teilhard de Chardin. C'est dans la plus totale indifférence que paraissent, en 1966, la traduction de *La Pensée sauvage* de Lévi-Strauss et un numéro spécial de la revue *Yale French Studies* consacré au structuralisme. Son coordonnateur, Jacques Herman, qui enseigne la littérature française à Yale, est même le seul enseignant américain à proposer alors un cours d'introduction au structuralisme. C'est justement pour rattraper ce retard que les professeurs de l'université Johns Hopkins Richard Macksey et Eugenio Donato ont eu l'idée d'organiser un colloque réunissant quelques grands noms français. Avec le soutien de la fondation Ford, ce campus de Baltimore accueille donc, du 18 au 21 octobre 1966, une rencontre internationale intitulée « The Language of Criticism and the Sciences of Man » – moyennant une formule si peu familière aux Américains qu'elle révèle, derrière la notion de « sciences humaines », un objet encore intraduisible aux États-Unis. Parmi la centaine d'interventions programmées, les plus attendues sont celles des dix invités d'honneur français : Barthes, Derrida, Lacan, René Girard, Jean Hyppolite, Lucien Goldmann, Charles Morazé, Georges Poulet, Tzvetan Todorov et Jean-Pierre Vernant. Trois invités n'ont pu faire le voyage, Roman Jakobson, Gérard Genette et Gilles Deleuze, mais ils ont pris soin d'envoyer un texte ou une lettre dont les organisateurs font part aux centaines d'auditeurs.

Ce qui a lieu au cours du colloque n'est pas immédiatement déchiffrable par les auditeurs et les intervenants américains, à commencer par les liens qui s'y nouent en marge des débats : Derrida y rencontre ainsi pour la première fois Jacques Lacan, et surtout le critique Paul de Man, futur héraut de la déconstruction américaine, pour l'heure en train de plancher, comme son cadet Derrida (c'est alors ce qui les rapproche), sur *L'Essai sur l'origine des langues* de Rousseau. En un premier geste américain de rassemblement des auteurs français, les deux organisateurs, dans leur discours d'ouverture, associent ceux-ci dans leur diversité à une filiation nietzschéenne française : « Nietzsche en est venu à occuper la position centrale qui était depuis les années 1930 celle du Hegel français », si bien que dans « les œuvres récentes de Foucault,

Derrida, Deleuze [...], *tout*, y compris les ombres, la "généalogie", les espaces vides, y appartient à Nietzsche[23] ». Mais, de façon significative, ils vont attendre la seconde édition des actes du colloque pour en faire précéder le titre de la formule « la controverse structuraliste », et ajouter dans une préface mise à jour qu'un tel nom d'école est « plus opérationnel » pour ses détracteurs que pour ses émules, et que l'événement de 1966 en constituerait en réalité, là où on attendait sa présentation didactique, la première « remise en cause théorique », et publique[24]. De fait, les débats qui ont suivi chaque intervention ont révélé des différends imprévus, tant entre orateurs et auditeurs (parmi lesquels on trouve J. Hillis Miller, autre futur grand « derridien » américain, et Serge Doubrovsky) qu'entre les invités français eux-mêmes. Ainsi, Georges Poulet y défend l'imaginaire littéraire contre l'analyse structurale barthésienne ; Lucien Goldmann prend ses distances avec Derrida au nom de la « socialisation » des textes ; et Jean Hyppolite lui-même, qui a commencé son intervention par une question restée célèbre (« n'est-il pas trop tard aujourd'hui pour parler de Hegel ? »), demande à Derrida s'il est cohérent de parler de « centre » d'une structure. Comme si ce déplacement en terrain neutre libérait chez les Français une parole contrainte en France par la grande notoriété du structuralisme, le colloque témoigne d'une double translation : des hégéliens et des marxistes vers une prise en compte plus ouverte de la question de la structure, et des deux intervenants les plus couramment associés au structuralisme (Barthes et Derrida) vers une première distance critique à son endroit. Outre la conférence de Barthes sur *écrire* comme verbe intransitif, c'est l'intervention de Derrida, qu'il dit avoir écrite en dix jours, qui fera date, restée l'événement du colloque et aujourd'hui encore l'un des textes les plus lus de la *French Theory*.

Derrida y constate d'abord la « rupture » ou « disruption » contemporaine de la « structure centrée » ; puis il renvoie, pour l'éclairer, à la triple critique de la « complicité métaphysique », ou de la « détermination de l'être comme présence », que proposent Nietzsche, Freud et Heidegger[25]. Suit une lecture critique de Lévi-Strauss, qui séparerait « la *méthode* de la *vérité* » et userait sans cesse de cet « empirisme » qu'infirme sa théorie. Contre l'« éthique

---

23. Richard MACKSEY et Eugenio DONATO (dir.), *The Structuralist Controversy : The Language of Criticism and the Sciences of Man*, Baltimore, Johns Hopkins University Press, 1972 [1970], p. XII.

24. *Ibid.*, p. VIII-IX.

25. Jacques DERRIDA, « La structure, le signe et le jeu dans le discours des sciences humaines », *in L'Écriture et la différence, op. cit.*, p. 411-412.

de la présence » et la « nostalgie de l'origine » dont serait encore
imprégné le structuralisme, Derrida introduit alors les concepts
décisifs de « supplément » et de « jeu »[26] – ce dernier mot dont les
traducteurs, avec *freeplay*, peineront à rendre la double dimension
d'ironie et de marge de manœuvre. La critique derridienne de la
sémiologie triomphante des années 1960 commence là : le signe n'est
qu'une « addition flottante » qui vient « suppléer un manque du
côté du signifié », il ne saurait remplacer le centre absent dont il se
contente de « [tenir] lieu ». D'où cette « *surabondance du signifiant,
son caractère supplémentaire* », qui ouvre la voie à la déconstruction comme approche des textes *en deçà* du signifié, en l'absence
de tout référent[27]. Les formules finales seront bientôt canoniques
aux États-Unis. Derrida y invite à dépasser cette « thématique structuraliste de l'immédiateté rompue », face « négative, nostalgique,
coupable [...] de la pensée du jeu », vers sa face « joyeuse » et
« nietzschéenne », simple « affirmation d'un monde de signes sans
faute, sans vérité, sans origine » : entre les « deux interprétations de
l'interprétation », il est urgent de substituer, conclut Derrida sur un
ton programmatique, à celle qui « rêve de déchiffrer une vérité [...]
échappant au jeu » celle qui, au contraire, « affirme le jeu et tente
de passer au-delà de l'homme et de l'humanisme[28] ». La chose est
entendue : ce structuralisme altier aux enjeux lointains, dont
l'université américaine ne connaît que le versant narratologique
(Genette et Todorov), serait en fait à dépasser vers un plus
réjouissant *post*-structuralisme. Le mot ne fera son apparition qu'au
début des années 1970, mais tous les Américains présents à Johns
Hopkins en 1966 ont estimé qu'ils venaient d'assister, en direct, à sa
naissance publique.

Ainsi, le colloque qui devait présenter le structuralisme aux
Américains servit plutôt à lui inventer, à quelques années d'intervalle, un successeur ouvert, autrement maniable, qui présente le
double avantage d'une définition plus lâche, donc plus accueillante,
et de ne pas exister comme catégorie homogène sur le Vieux
Continent – où s'est vite dispersée la bande de penseurs un moment
rassemblée. Un critique américain en conclura, un peu hâtivement,
au caractère de mirage, ou d'ectoplasme, du structuralisme, à son
autodissolution immédiate dans l'histoire des idées : « Personne ne
peut être un structuraliste sans cesser par là même d'en être un »,

---

26. *Ibid.*, p. 417-423.
27. *Ibid.*, p. 423-425.
28. *Ibid.*, p. 427.

énonce Hashem Foda[29]. Pourtant, sauf quelques traductions encore
confidentielles (dont l'autre texte décisif de Derrida, sur les « fins
de l'homme ») et les remous discrets de quelques départements de
français, il faudra attendre plus de dix ans pour que les pistes théoriques et pratiques dégagées par cette rencontre, et annoncées par
Derrida, soient effectivement explorées. Cette rencontre, que tous
reliront plus tard comme la scène liminaire, le moment fondateur, a
eu pour seuls effets immédiats des conséquences moins enthousias-
mantes. Au plan institutionnel, elle va renforcer utilement les liens
entre universités françaises et américaines, grâce à des accords
d'échanges d'étudiants et de visites de professeurs, signés dès cet
automne-là avec non seulement Johns Hopkins mais aussi Cornell
et Yale, futur « triangle d'or » de la déconstruction américaine. Au
plan idéologique, elle a droit aux foudres de l'extrême gauche qui,
regrettant l'absence d'intervenants marxistes (« sauf, peut-être,
Lucien Goldmann »), stigmatisent l'« idéologie antihumaine » et
l'« idéalisme bourgeois » de ces « jeux de langage spectaculaires »
d'intellectuels français[30]. Car c'est par l'entremise d'un bastion
marxiste encore solide dans l'université américaine qu'eut lieu alors,
notamment avec Fredric Jameson, la seule introduction au structuralisme français, une introduction critique dénonçant le « textualisme » d'une lutte des classes « purement verbale[31] ».

Mais les bouleversements qui agitent alors l'université américaine
– contestation puis répression, crise budgétaire et morale, pression
démographique – vont bientôt changer la donne, et donner une
seconde chance, décisive, aux quelques « idées » françaises
présentées pour la première fois, hors contexte, à Baltimore en
octobre 1966.

---

29. Hashem FODA, « The Structuralist Dream », *SubStance*, n° 20, hiver 1978, p. 133.

30. Richard MOSS, « Review », *Telos*, n° 6, hiver 1971, p. 354-359.

31. *Cf.* Fredric JAMESON, *The Prison-House of Language*, Princeton, Princeton
University Press, 1972.

2

L'enclave universitaire

« Deux courants en apparence opposés, pareillement néfastes dans
leurs effets, réunis enfin dans leurs résultats, dominent actuellement
nos établissements d'enseignement : la tendance à l'*extension*, à l'*élargissement* maximal de la culture, et la tendance à la *réduction*, à
l'*affaiblissement* de la culture elle-même. »

Friedrich NIETZSCHE,
Sur l'avenir de nos établissements d'enseignement

La fabrique sociale américaine doit beaucoup au formidable
isolement spatio-temporel de la vie étudiante. En amont, ce sont la
cellule familiale et une enfance elle-même définie comme un monde
à part, et en aval les responsabilités de l'adulte et les contraintes du
marché du travail. Entre la dépense fantasque de l'enfance et
l'éthique du travail qui suivra, les *college years* (les quatre premières
années d'études supérieures) constituent une zone de répit, vouée à
la fois au renforcement des normes et à la possibilité, dans des
conditions nettement délimitées, de leur subversion. Tout concourt
à faire de cet espace de transition, véritable moratoire entre l'insouciance du *teenager* (l'adolescent) et la lutte du *grown-up* (l'adulte)
pour la survie, un univers plus nettement à l'écart qu'il ne l'est dans
les sociétés européennes : l'éloignement géographique des campus et
la rupture plus forte qu'il implique avec le cocon familial, l'établis-
sement pour cet âge de la vie particulier (*studentry*) de règles
communautaires et morales en partie dérogatoires, et la prégnance
dans chaque université de rituels ancestraux. C'est à cet isolement
que se mesure la distance maintenue, aux États-Unis, entre un
champ intellectuel presque entièrement limité à l'institution

universitaire et une société civile habituée à voir dans ces quelques années d'initiation un simple passage, étape technique, heureuse parenthèse. Cette relative autonomie du phalanstère universitaire explique aussi la violence toute rhétorique des débats académiques : leurs termes sont d'autant plus tranchants qu'ils ont rarement à passer les portes du campus. D'injures en exagérations, sur un ton autrement polémique que celui qui a cours en Sorbonne, le débat intellectuel confie à une scène séculaire l'art de sa dramatisation, dans un théâtre qu'on s'efforce de garder isolé des fureurs de la rue. Pourtant, ces « tempêtes dans une théière » ne s'y limitent pas toujours, sauf à oublier le rôle politique majeur que joue l'éducation supérieure dans un pays d'immigration, où ces quelques années sont aussi l'occasion de socialiser – donc d'américaniser – les nouvelles recrues.

Mondes à part

Des premiers cycles humanistes et polyvalents (ceux des *liberal arts colleges*) aux académies des télévangélistes du Sud, et des grands campus publics (de Berkeley à la City University de New York) aux célèbres universités privées de l'Ivy League, on compte près de 4 000 institutions d'éducation supérieure aux États-Unis. Mais celles qui sont intégrées dans des centres-ville, et dont la vie étudiante se confond avec la culture urbaine locale, se comptent sur les doigts de la main – et en sont peut-être d'autant plus célèbres : New York University déborde allègrement sur Greenwich Village, UCLA a pour prolongement culturel l'ex-quartier hippie de Venice, et le campus de Berkeley ne fait qu'un avec la vie grouillante de Telegraph Avenue. Mais la norme, en la matière, est plutôt le campus en lisière de forêt, conformément à la mythologie agraire du XIXᵉ siècle américain selon laquelle un cadre bucolique éloigné des vices de la ville garantira probité, force de caractère et excellence scolaire. Chacun de ces campus a son bâtiment des sciences (*science center*) plus ou moins neuf et ses dortoirs de style gothique, son vallon coloré par les feuillages d'automne et ses rituels inaccessibles à l'étranger. Les sociétés étudiantes, *fraternities* pour les garçons et *sororities* pour les jeunes filles, y arborent fièrement les lettres grecques de leur nom (Kappa Alpha, Sigma Phi) et des règlements internes stricts hérités des premiers salons littéraires de campus des années 1820. Au printemps, les cérémonies de remise des diplômes déploient des codes inchangés, robes et toques frappées à l'effigie du campus et le discret camaïeu des disciplines (bandes bleu marine pour la philosophie, bleu ciel pour les sciences de l'éducation, etc.).

Issu lui aussi de l'influence anglaise, l'internat presque systématique, avec des dortoirs autrefois étroitement surveillés, doit assurer
entre les étudiants émulation scolaire et communauté éthique. Une
promiscuité à laquelle les campus doivent aussi la tradition des
revendications d'étudiants pour l'amélioration des conditions de vie,
sur le modèle de cette « rébellion du beurre rance » (*Bad Butter
Rebellion*) déclenchée à Harvard dès 1766.

Le *college* traditionnel a multiplié les particularismes. Ils forment
les éléments d'une formation extra-scolaire – jusqu'aux menus
plaisirs de la culture estudiantine (*collegiate culture*) –, les moyens
d'une autodéfinition de l'étudiant à mesure qu'il s'approprie des
codes inconnus hors des campus. Tout, même la transgression, y
joue ce rôle : « Un habit distinctif signalait l'étudiant ; l'hédonisme
était l'occasion d'expériences nouvelles ; la contestation régulière des
modes d'enseignement autorisait une forme sublimée de rébellion
adolescente ; et pour certains, la concurrence entre pairs ouvrait des
opportunités nouvelles [1] », résume Helen Horowitz. Car le *college*
américain est plus ludique que stakhanoviste. Par-delà ses influences
anglaise puis allemande, les dimensions de jeu, d'insouciance, de
camaraderie sont au cœur de sa justification historique. L'interlude
existentiel qu'il constitue doit être avant tout un moment plaisant,
prolongeant l'enfance, repoussant les rudesses de la vraie vie, sans
obligation de résultats ni même d'assiduité en classe – au point,
révèle Christopher Lucas, que « certains étudiants parvenaient jadis
à ne pas acheter un seul manuel scolaire pendant tout leur premier
cycle [2] ». Si les *colleges* contemporains, à commencer par les plus
prestigieux (Vassar, Wellesley, Smith, etc.), sont un peu plus
studieux, l'étudiant n'y est jamais dans l'obligation d'étudier. D'où,
entre autres facteurs, le taux très élevé d'étudiants n'achevant pas
leur premier cycle (*college dropouts*), puisque 80 % des lycéens
entrent au *college* mais que 30 % d'entre eux seulement en sortent
avec le diplôme de licence (*bachelor's degree*). Reste qu'une telle
autonomie de fonctionnement, qui confine souvent à l'autarcie, y
favorise la constitution de cliques, de chapelles intellectuelles,
d'écoles de pensée groupusculaires raffermies par les liens de solidarité et les indices de reconnaissance caractéristiques d'un univers
surcodé. C'est ainsi que peuvent se côtoyer paisiblement sur un
campus, partageant cette vie à l'écart et ses codes initiatiques,

---

1. Helen Lefkowitz HOROWITZ, *Campus Life : Undergraduate Culture from the End of
the Nineteenth Century to the Present*, New York, Alfred Knopf, 1987, p. 271.
2. Christopher J. LUCAS, *American Higher Education : A History*, New York, St
Martin's Press, 1994, p. 200.

« managers d'entreprise et marxistes tiers-mondistes, libre-échangistes et libres sculpteurs, sinologues et danseurs postmodernes, entraîneurs de football et féministes déconstructionnistes », pour citer l'inventaire à la Prévert proposé par Gerald Graff[3].

Plus sérieusement, l'isolement du système universitaire explique aussi l'absence aux États-Unis de cette figure transversale de l'intellectuel tout-terrain, présent du colloque universitaire au débat général, ce « spécialiste de l'universel » qu'inventa le champ littéraire français du XIXᵉ siècle[4]. Simone de Beauvoir s'en était émue en 1948, lors de sa première visite, regrettant « le divorce très net entre le monde universitaire et le monde intellectuel vivant », et ce « défaitisme » des écrivains qui, de leur côté, n'ont « pas la possibilité de remuer profondément l'opinion publique[5] ». Elle aurait pourtant pu citer en exemple un métier que certains aspects, *ethos* littéraire et interventions idéologiques dans les médias de masse, rapprochent de la fonction de l'intellectuel telle qu'elle existe en France, ou du moins *rapprochaient* encore il y cinquante ans : le métier de président d'université, à l'image des projets humanistes de Clark Kerr (Californie), des opinions sur son temps d'un James Conant (Harvard) ou des envolées lyriques de Robert Maynard Hutchins (Chicago). Au-delà du monopole qu'exerce dans ce domaine l'institution universitaire, l'absence d'un champ intellectuel public a aussi sa source, bien sûr, dans l'histoire politique américaine. Elle a trait à l'imbrication de la référence religieuse et des principes démocratiques, qui interdit que soit sacralisée comme en France la fonction généraliste de l'intellectuel laïque. Elle renvoie aussi à la célébration de l'homme ordinaire comme héros politique, qui rend suspects le brio trop distinctif ou la prolixité intellectuelle – et à la diversité ethnique d'une nation de migrants, auxquels ne s'impose aucune autre norme culturelle que les libertés de culte et d'expression, libertés formelles plus à même de rassembler un pays-mosaïque qu'un improbable débat public *commun*. Sans oublier les facteurs récents qu'on évoquera plus avant : à partir des années 1950, spécialisation universitaire et polarisation nouvelle du champ intellectuel américain achèvent de l'éloigner du modèle occidental de *l'espace public des idées*, transversal et unifié.

---

3. Gerald GRAFF, *Beyond the Culture Wars*, New York, W. W. Norton, 1992, p. 8.

4. Pierre BOURDIEU, *Les Règles de l'art. Genèse et structure du champ littéraire*, Paris, Seuil, 1992, p. 295.

5. Simone de BEAUVOIR, *L'Amérique au jour le jour*, Paris, Paul Morihien, 1948, p. 312 et 348.

Quels qu'en soient les facteurs, le résultat est là : aux États-Unis, le débat intellectuel, qualifié aussi de « théorique » – et sans préjuger pour autant de l'ampleur de ses enjeux –, n'est que l'une de ces activités spécialisées auxquelles l'université doit sa raison d'être. La dernière génération d'intellectuels publics américains était celle de Jack London (1876-1916) et d'Edmund Wilson (1895-1972) : l'invention par le premier d'un journalisme engagé et d'une littérature mise au service de la condition ouvrière, et le zèle de polygraphe inégalé du second, du magazine *Vanity Fair* au *New Yorker*, et du roman historique au commentaire de Freud et Marx, ont fait du premier tiers du XXᵉ siècle la dernière période où fut possible, aux États-Unis, un débat intellectuel accessible à tous, et favorisé par (presque) tous. Au contraire, les grandes figures de l'après-guerre seront avant tout des universitaires, qui ne devront une plus large reconnaissance, outre les stratégies de leurs éditeurs (comme pour le scientifique Carl Sagan), qu'aux résonances politiques de polémiques qui éclatèrent *d'abord* sur les campus : contre la ségrégation raciale (Henry Louis Gates ou Leonard Jeffries), contre les impasses du féminisme (Gayle Rubin ou Catherine McKinnon), contre la culture officielle (Susan Sontag), contre l'histoire à courte vue (Randall Kennedy ou Arthur Schlesinger), contre la propagande médiatique (Noam Chomsky), contre les clichés orientalistes (Edward Said) ou contre l'intellectualisme étranger (Camille Paglia) – mais toujours à partir d'une position *universitaire*, en lien avec le débat *universitaire*, au titre d'une légitimité *universitaire*. Surtout, à côté de ces rares noms connus au-delà des campus, combien de *stars* intellectuelles, combien de *divas* de campus que le fonctionnement microcosmique de l'université américaine loin de la société civile a limité à la reconnaissance, aussi révérencieuse soit-elle, de leurs seuls pairs ? Stanley Fish, lui-même cador redouté à l'université de Duke, s'en amuse souvent : « Quelle que soit la réponse à la question de savoir comment on devient un intellectuel public, on sait juste que ce ne sera pas en rejoignant l'université », ironise-t-il, avant de suggérer aux campus d'embaucher des lobbyistes pour que leurs vedettes aient une chance d'accéder aux médias de masse[6]. Une telle distance, objective *et* subjective, du champ universitaire par rapport à l'espace public américain, et aux industries culturelle et médiatique qui en occupent le centre, a son pendant dans le secteur éditorial.

---

6. Stanley FISH, *Professional Correctness : Literary Studies and Political Change*, New York et Londres, Oxford University Press, 1995, p. 118 et 126.

Ainsi, à côté des maisons d'édition généralistes (*trade houses*), filiales de grands groupes ou rares indépendants, les presses universitaires américaines sont les derniers éditeurs voués à la publication d'essais théoriques ou de sciences humaines (*serious non-fiction*) et à la traduction de leurs équivalents étrangers – dans le contexte d'un déclin général des traductions : le taux d'in-traduction aux États-Unis a chuté de 8,6 % en 1960 à 4,95 % en 1975 et moins de 3 % aujourd'hui des nouveaux titres annuels, contre 15 à 20 % dans tous les pays d'Europe continentale. Les quelque 120 presses universitaires de l'Union (plus les filiales des deux grandes presses britanniques, celles d'Oxford et de Cambridge) ont des modes de financement distincts, liés à la recherche et aux campus qui les accueillent, et des circuits de diffusion souvent parallèles, de librairies en bibliothèques universitaires. Aussi garantissent-elles la circulation des innovations intellectuelles, mais nettement en marge du système général, celui des *megastores* et des tirages millionnaires. En outre, le désengagement graduel des universités et le nombre croissant de thèses à publier (pour que leur auteur-enseignant ait une chance d'être titularisé) soumettent depuis une vingtaine d'années les presses universitaires à une pression financière inédite. Elles ont du dès lors explorer des alternatives du côté des publications régionales (littérature ou histoire de leur État) ou même plus commerciales (*semi-trade books*), aux dépens le plus souvent des sciences humaines, sacrifiées en priorité.

En somme, le séparatisme caractéristique de l'institution universitaire américaine fonctionne à tous les niveaux : géographiquement par l'isolement des campus, démographiquement en soustrayant 80 % d'une génération (de deux à quatre années de suite) aux structures sociales, sociologiquement en soumettant les étudiants à des normes partiellement dérogatoires, intellectuellement en assignant au seul champ académique la tâche d'animer le débat d'idées, et aux plans éditorial et communicationnel en gérant, à l'écart du grand marché culturel américain, les instances de dissémination des productions intellectuelles – y compris sur les réseaux numériques des universités, pour l'usage desquels Internet fut mis au point il y a vingt ans. Mais un tel isolement n'empêche pas l'université de constituer un enjeu national aux États-Unis, et de se faire souvent la caisse de résonance, ou le relais dramatisant, des questions les plus brûlantes qui agitent la société américaine. Pour reprendre la distinction de Gramsci, on pourrait même dire que, pour être éloignée de la *société civile*, l'université n'en entretient pas moins un lien beaucoup plus étroit avec la *société politique* américaine, par son rôle de carrefour idéologique et de formation des élites. D'où les larges échos, bien au-delà de ces campus vallonnés, des polémiques qu'y déclenchera la théorie française.

Gentlemen et savants

Une ambiguïté historique est logée au cœur du système universitaire américain : l'hésitation qui le caractérise, depuis ses origines, entre approches universaliste et professionnaliste, généraliste et technicienne, ou encore – dans les termes de la pédagogie américaine – entre « humanisme » et « vocationnalisme ». Pour voir à l'œuvre cette double postulation, et comprendre la place que pourront jouer dans ce débat certains auteurs français, il faut se pencher brièvement sur l'histoire de l'université américaine. De Harvard College (fondé en 1636) à Dartmouth College (en 1769), l'Amérique coloniale ouvre, avant 1776, neuf premières institutions calquées sur le modèle britannique, et dont les fonctions de morale civique et d'utilité publique sont déclarées d'autant plus précieuses sur cette terre de pionniers. Avec sur leurs bancs des quakers, des baptistes et des catholiques, elles ont pour premiers principes de tolérer la diversité religieuse et de transmettre, pour rassembler ces communautés, les connaissances de l'érudition classique – latin, grec, rhétorique, logique, astronomie. Puis la période révolutionnaire est aussi celle d'une brève influence française. Avant le retour au XIXᵉ siècle de la stricte orthodoxie religieuse, le déisme, le rationalisme et les idéaux des Lumières fleurissent quelques années sur les campus, où l'alliance contre l'Angleterre favorise l'enseignement du français (qui commence à Columbia en 1779) et l'impact sur les programmes de quelques physiocrates expatriés, comme Quesnay de Beaurepaire[7]. De 1776 à 1860, le nombre des *colleges* passe de 9 à 250, mais sans que progresse au même rythme la qualité de l'enseignement. En 1828, le *Yale Report* tire la sonnette d'alarme et recommande l'adoption d'un curriculum généraliste : « Notre objet n'est pas d'enseigner ce qui est singulier à chacune des professions, mais d'exposer les fondements qui leur sont communs à toutes[8] », conclut le rapport. Mais la balance penche ensuite à nouveau dans l'autre sens. Les éducateurs du milieu du siècle, qui exigent que le *college* soit utile avant tout « au producteur d'industrie, au marchand, au chercheur d'or », demandent sur un mode polémique si les « grandes avancées [récentes] de la civilisation » sont à mettre

---

7. W. H. Cowley et Don Williams, *International and Historical Roots of American Higher Education*, New York, Garland, 1991, p. 101-103.

8. Cité *in* Christopher J. Lucas, *American Higher Education : A History, op. cit.*, p. 133.

sur le compte « de la littérature ou de la science[9] ». La période de reconstruction qui suit la guerre de sécession voit alors la transition du *college* traditionnel à l'université moderne, sous la pression de l'industrialisation et de l'urbanisation du pays, des progrès de la science, d'une démographie qui fait affluer les fils de la bourgeoisie et, rayonnant jusqu'outre-océan, du grand modèle universitaire allemand.

L'évolution, ici encore, est double, scientifique et industrieuse à la fois : vers l'université comme pôle de recherche, jusqu'à faire dire au philosophe Charles Sanders Pierce en 1891 que celle-ci « n'a rien à voir avec l'instruction », et vers un savoir « pertinent » (*relevant*), alliant l'« école de l'expérience » et « la seule connaissance requise pour les triomphes à venir » des futurs capitaines d'industrie, dans les termes cette fois d'Andrew Carnegie[10]. C'est à cette époque que se développent non seulement les collèges agricoles (*land-grant colleges*) et les universités municipales, mais aussi les institutions réservées exclusivement aux étudiants noirs (*Black colleges*) et aux jeunes filles (*Women's colleges*). Ces dernières sont en effet « épargnées » par les éducateurs, qui craignent qu'en les soumettant au même enseignement que les garçons on ne leur apporte que crises de nerfs et corruption d'esprit. Du côté des grandes universités, à mesure que leurs présidents partent visiter celles de Berlin et de Tübingen, c'est le triomphe de l'exemple allemand : mise en place des principes de la polyvalence du curriculum (le *Lernfreiheit*, ou liberté d'instruction) et de la priorité de la recherche sur la carrière enseignante (le *Lehrfreiheit*, ou liberté d'enseigner), développement du doctorat (le premier Ph. D est attribué à Yale en 1860) et des études graduées (les *graduate schools*, au-delà du *college*), financement privé d'instituts de recherche fondamentale sur les campus, et même la division en départements et en disciplines – que l'université Johns Hopkins est la première à organiser sur un mode concurrentiel, pour attirer à elle les meilleurs professeurs et étudiants. Passée du *college* paternaliste mais peu studieux, où sont imposés les langues mortes et les savoirs classiques, à la grande université de recherche, libérale et impersonnelle, censée non seulement transmettre mais aussi *produire* le savoir, l'éducation supérieure américaine n'est plus la même.

Le début du XXe siècle est l'ère des grands présidents d'université, ceux que Thorstein Veblen appelle les « capitaines d'érudition[11] »,

9. *Ibid.*, p. 135-136.
10. *Ibid.*, p. 144-145.
11. *Ibid.*, p. 188.

mais aussi d'une première mainmise forte des patrons d'industrie sur le système universitaire. Ils l'avaient déjà préempté en partie dans la période précédente en donnant leur nom aux nouvelles universités qu'ils finançaient, comme le firent Johns Hopkins à Baltimore, James Duke en Caroline du Nord et Leland Stanford près de San Francisco. Cette fois, les nouvelles fondations philanthropiques, celles de Rockefeller ou de Carnegie, s'impliquent dans le contenu des programmes et la gestion des campus, qu'elles contribuent à bureaucratiser, et s'opposent à tout ce qui pourrait nuire à leurs intérêts industriels – jusqu'à exiger l'éviction des professeurs de gauche, comme ce Scott Nearing de Chicago qui, en 1915, avait osé dénoncer publiquement le travail des enfants dans les mines de charbon. Le contrôle des grands trusts ne se relâchera plus, responsables des faveurs budgétaires faites à certaines disciplines aux dépens d'autres jugées moins utiles, des orientations de la recherche scientifique, des tentatives de standardisation des procédures universitaires et souvent, aussi, du recrutement des personnels dirigeants. La nouvelle idéologie entrepreneuriale (*corporate culture*) imprégnera l'université, lui dictant sa morale utilitaire et ses objectifs de spécialisation, et s'assurant les bons et loyaux services du pédagogue professionnel : « Là où le philosophe a pu dire un jour que toute la vie n'est qu'une préparation à la mort, [le pédagogue] estime aujourd'hui que toute la vie est une préparation aux affaires », conclut amèrement le sociologue Benjamin Barber[12]. À ce pouvoir des managers, les deux guerres mondiales et la crise des années 1930 vont ajouter une mainmise nouvelle de l'État fédéral, impensable au siècle précédent. Les enseignants pacifistes seront rappelés à l'ordre par Washington en 1917, tandis que le New Deal de Roosevelt impose aux professeurs de déclarer officiellement leur loyauté au gouverneur comme au président. Mais c'est la Seconde Guerre mondiale qui se révèle décisive. La mobilisation des centres de recherche, des radiotransmetteurs à la physique nucléaire, et des cursus généraux, pour expliquer les peuples européens à leurs futurs libérateurs, entraîne ce que l'historien Clyde Barrow appelle la « construction d'un complexe militaro-académique[13] ». S'il faut attendre 1973 pour que soit institué le premier système d'aides fédérales au paiement des droits d'inscription (*tuitions*), la loi sur le retour des soldats, la fameuse *G.I. Bill of Rights* de 1944 (qui assure

12. Benjamin BARBER, *An Aristocracy of Everyone : The Politics of Education and the Future of America*, New York, Ballantine, 1992, p. 205.

13. Clyde BARROW, *Universities and the Capitalist State*, Madison, University of Wisconsin Press, 1990, p. 124.

aux héros de la victoire alliée protection sociale, avantages fiscaux et gratuité des études), subventionne alors leur réintégration dans le système universitaire. La cohorte des militaires démobilisés s'ajoute ainsi au baby-boom et à l'allongement de la durée des études pour provoquer, après 1945, une flambée démographique sur les campus : de 1950 à 1970, la population étudiante a plus que doublé, sa part dans la population totale passant de 15,1 à 32,5 % (elle passe, dans le même temps, de 4 à 10 % en France), tandis que s'accroît la taille moyenne des établissements [14]. La chasse aux sorcières maccarthyste marque les années 1950, au cours desquelles « rouges » et « roses » sont traqués, les bibliothèques universitaires sont débarrassées de leurs titres « subversifs », et la « liberté universitaire » elle-même est présentée comme « la ligne du Parti communiste américain en matière d'éducation supérieure [15] » – autrement dit, comme une dangereuse dérive soviétique qu'il s'agit d'endiguer. Mais le maccarthysme ne change rien à ces évolutions de fond. L'université américaine moderne, à la veille des mouvements étudiants des années 1960, se veut une préparation égalitaire à la vie d'entreprise et aux devoirs du citoyen, déchirée entre ses deux vocations historiques antagonistes, moralisation et spécialisation. En témoignent les débats des années 1961-1963 entre les priorités technologiques de l'administration Kennedy, qui entend former des experts et gagner la course à la conquête spatiale qui l'oppose à l'URSS, et les appels adverses à « renforcer [plutôt] les connaissances générales » que lancent quelques grands noms, à l'instar de Daniel Bell dans son manifeste *The Reforming of General Education*.

Ce conflit ancestral s'est focalisé aux États-Unis sur des enjeux significatifs. En 1869, le président d'Harvard Charles Eliot déclenchait une vive polémique en instaurant un système de choix individuels entre les différentes disciplines (*elective curriculum*) et en supprimant par là même les matières principales imposées (*core curriculum*). À l'idée d'un corps de connaissances fixe, absolu et anhistorique, se substitue peu à peu le seul principe de l'« égalitarisme curriculaire ». Les canons inchangés de la culture libérale, celle qui faisait l'« honnête homme », laissent place aux mille combinaisons d'une culture personnalisée. Les humanistes classiques s'y opposèrent, mais moins au nom de la culture générale pour elle-même qu'en rappelant la *pertinence* pratique de son enseignement. « Même en ces temps utilitaires, saupoudrer un peu plus

14. *Cf.* M. DEVÈZE, *Histoire contemporaine de l'université*, Paris, SEDES, 1976, p. 439-440.

15. Christopher J. LUCAS, *American Higher Education : A History, op. cit.*, p. 226.

largement les textes des théoriciens, des rats de bibliothèque, et même des pédants, ne peut pas faire de mal à notre pays », lançait ainsi avec mépris le président de Middlebury College, C. B. Hulbert, en 1890. Le compromis qui se généralise au tournant du XXᵉ siècle, associer une ou plusieurs disciplines d'approfondissement (*majors*) et la dispersion des autres matières choisies (*minors*), ne satisfait aucune des deux parties. Pour le philosophe John Dewey, l'unité des connaissances, qui est au cœur du débat, doit être à la fois référentielle et méthodologique. Aussi propose-t-il en 1902 une synthèse historique et logique sous le nom d'*éducation générale* – et sous la forme de cours novateurs, axés sur la méthodologie, mais qui resteront expérimentaux[16]. Érudition et savoir-faire semblent décidément irréconciliables. Après guerre, l'essor de la recherche appliquée, grâce aux fonds fédéraux des années 1942-1945, et des paradigmes fonctionnaliste et quantitatif en sciences sociales renforceront le pôle de la spécialisation. Pourtant, au pays de l'université-entreprise et du savoir-utile, deux facteurs historiques plus anciens constituent les derniers remparts contre la professionnalisation triomphante.

En premier lieu, et même si Harvard osa remplacer en 1936 « *Christo et Ecclesiae* » sur son sceau officiel par le seul mot de « *Veritas* », la religion continue de jouer aux États-Unis, sans cours obligatoire ni sermon explicite, le rôle que joue la Raison, ou la *Wissenschaft*, comme clé de voûte de la doctrine éducative en France et en Allemagne. Dans un pays où le rapport à l'État comme instance de référence n'a pas remplacé le rapport à l'Église, la vérité n'est pas d'essence scientifique, mais théologique. Et le seul cours qui ait jamais eu la fonction d'une discipline transversale aux États-Unis était le cours de philosophie morale, décalque à peine laïcisé du dogme protestant. Comme s'en étonne le critique anglais Jonathan Culler, dans les départements de littérature américains, dont on verra le chaudron idéologique qu'ils sont devenus, on peut être marxiste, lacanien ou lesbienne radicale, mais « il est très rare que quelqu'un attaque sérieusement la religion[17] ». Le spectre religieux se retrouve aussi bien, finalement, dans l'obsession des théoriciens littéraires pour la question de l'interprétation des textes, que dans la méfiance contraire des humanistes traditionnels envers la

---

16. *Ibid.*, p. 212-214.
17. Jonathan CULLER, *Framing the Sign*, Norman, University of Oklahoma Press, 1988, p. 78.

vogue « théoriste[18] », dans la tradition cette fois de l'anti-intellectualisme évangélique des premiers pasteurs. Bref, en l'absence d'un
savoir transversal qui pût rendre compte de toutes les compétences
particulières, le régime des fins dernières reste la seule opposition
valable à la spécialisation sans limite. Mais un autre frein subsiste.
C'est la tâche confiée à l'université, depuis l'avènement du modèle
de l'État-nation dans les pays européens, d'inculquer, de définir et
de préserver une conscience nationale et une identité culturelle
spécifiquement *américaines*. La philosophie ne constituant pas
comme en Allemagne (ni l'histoire, comme en France) *la* tradition
nationale, cette mission de « réflexion sur l'identité culturelle » fut
confiée « par l'État-nation américain », au tournant du XXᵉ siècle, à
la discipline littéraire : dès lors, résume Bill Readings, « la culture
devenait littéraire[19] ». Au nom des vertus civiques et éthiques de la
littérature, le grand critique Matthew Arnold défendit avec ferveur
une telle orientation. Mais elle allait vite devenir problématique
– parce que la littérature (au contraire de la philosophie) est en
conflit axiologique avec la science, alors même qu'elle évoluera
comme discipline vers un idéal technique et scientifique ; parce que
le canon littéraire renvoie aux États-Unis à des classiques britanniques plutôt qu'américains ; et, plus largement, parce que le déclin
de l'État-nation, et avec lui de cette tâche d'unification culturelle,
va plonger le champ littéraire dans un certain vide normatif, et une
crise latente, bientôt révélée, de ses traditions.

L'excellence et le marché

Après les années de la contestation étudiante, l'université américaine qui aborde en 1970 la décennie du retour à l'ordre et des
récessions économiques se conçoit de plus en plus comme un simple
sas d'entrée sur le marché du travail. Ses 8,5 millions d'étudiants
inscrits (15 millions aujourd'hui), répartis entre 2 550 institutions,
sont en majorité des étudiantes. Les études graduées ont crû
elles-mêmes à un rythme plus soutenu que l'ensemble des études
supérieures. Et les détenteurs de Ph. D ne sont pas toujours sûrs
de décrocher un emploi. Il s'agit, pour des établissements qui se
pensent sur le modèle de la nouvelle « économie de service », de

---

18. On emploiera ce terme, comme il est de coutume en anglais (*theorist*), pour désigner
certaines dérives rhétoriques de l'usage de la théorie dans les départements de littérature
américains — des dérives que les conservateurs jugent littéralement *terroristes*.

19. Bill READINGS, *The University in Ruins*, Cambridge, Harvard University Press, 1996,
p. 70-71.

garantir à leurs « client(e)s » les meilleures chances d'emploi, de traiter le savoir qu'ils dispensent comme une marchandise dont les qualités doivent être optimisées (et dont les formats et les emballages se mesurent en unités de valeur, en notes, en semestres), et de recourir pour leur propre gestion aux principes qui ont cours alors dans la grande entreprise : rentabilité, en augmentant le rendement de ces « usines à connaissance », productivité, en enseignant plus et plus vite, réduction des délais en assurant un débouché professionnel au plus vite, et cure d'amaigrissement (*downsizing*) s'il le faut, en recourant aux licenciements pour enrayer la hausse des dépenses. Surtout, chaque université vit au rythme d'une concurrence effrénée. Il faut avoir les meilleurs étudiants, obtenir les subventions fédérales, recruter les meilleurs professeurs, faire grimper en haut du classement son équipe de basket-ball ou de football, classer chacun de ses départements au palmarès annuel, et ses centres de recherche parmi les partenaires préférés des grandes entreprises locales. Deux mots résument une telle évolution : « *Learn to earn !* » (apprends à gagner de l'argent), devise informelle de l'étudiant des années 1970, et le néologisme de « *multiversity* » pour désigner une institution compartimentée qui n'a plus grand-chose à voir avec les préceptes d'*unité* et d'*universalité* de l'université traditionnelle. C'est l'émergence, selon le terme alors en vogue chez les premiers gourous du management, de l'« université de l'*excellence* ».

« L'activité intellectuelle et la culture qu'elle alimentait sont remplacées par la poursuite de l'excellence et des indices de performance[20] », note Bill Readings pour résumer l'avènement de cette « université posthistorique » sans référent – puisque l'excellence y est elle-même, dans cette logique, une notion sans contenu. D'où sa porosité en deçà des normes, son pouvoir d'intégration, capacité nouvelle d'absorption de ce qui autrefois eût menacé ses « valeurs » : l'université de l'excellence est celle qui développera bientôt les études féministes pour attirer les étudiantes, et les recherches sur les minorités ethniques ou sexuelles pour gagner des points auprès de ces nouvelles franges de la clientèle étudiante ; c'est même elle qui, plus largement, intégrera dans ses programmes la critique de l'idéologie et les nouveaux discours d'opposition, à mesure que décline sa propre fonction traditionnelle de surveillance idéologique. Car il faut développer les produits les plus vendeurs. L'absorption de l'ennemi pour en détourner l'énergie à son profit – un thème qu'interrogent alors, en un tout autre contexte, les

---

20. *Ibid.*, p. 55.

nouvelles théories du pouvoir de Deleuze et Foucault. Ce motif de l'excellence, que Bill Readings appelle aussi la « dé-référenciali-sation[21] », joue ainsi, par son élasticité même, le rôle fonctionnel qui fut celui de la philosophie dans l'université allemande du XIXᵉ siècle, seul élément de transversalité sous lequel ranger les différents savoirs spécifiques qui sont enseignés. Sauf que cette transver-salité-ci était aussi le garant d'une certaine autonomie du savoir universitaire par rapport au marché social ; là où celle-là devient, dans l'université américaine pourtant séparatiste, l'outil d'une alliance sans précédent entre transmission du savoir et ordre écono-mique. Comme le note Alain Touraine en analysant le système universitaire américain à la veille des années 1970, sa fonction socio-logique semble avoir fait place à un rôle directement économique : « Le système universitaire assure moins [désormais] la reproduction de l'ordre social, il participe beaucoup plus directement à sa production[22]. » Une telle évolution, si elle tient aussi à des facteurs conjoncturels (le durcissement du marché de l'emploi) et direc-tement idéologiques (la réaction contre-révolutionnaire aux désordres des « sixties »), n'en comporte pas moins trois consé-quences de fond sur l'institution universitaire qui seront détermi-nantes pour le transfert imminent du « poststructuralisme » français.

Premier effet de ce modèle de l'excellence, l'isolement social de l'université se renforce paradoxalement, là où le nouveau réalisme économique et professionnel aurait pu faire croire à une évolution inverse. En effet, l'accent mis sur les fonctions de recherche et de professionnalisation, donc de division disciplinaire, au détriment des fonctions civique et politique transversales de l'université l'éloigne, de fait, encore un peu plus de la société civile. En deuxième lieu, cette *excellence* sans référent signifie aussi l'inflation des méthodes pédagogiques et des discours métaéducatifs *en lieu et place* des savoirs à transmettre : sous l'influence de la psychologie et du prag-matisme béhavioriste en vogue chez les « experts », ainsi que l'observait Hannah Arendt dans son diagnostic sur la crise de l'éducation aux États-Unis, « la pédagogie est devenue une science de l'enseignement en général, au point de s'affranchir complè-tement de la matière à enseigner[23] ». L'enseignement devient une technique sans objet, plus que la maîtrise et la transmission d'un contenu. Les programmes eux-mêmes, comme ce sera le cas de la

21. *Ibid.*, p. 166.
22. Alain TOURAINE, *Université et société aux États-Unis*, Paris, Seuil, 1972, p. 121
23. Hannah ARENDT, *La Crise de la culture*, Paris, Gallimard, coll. « Folio/Essais », 1989 [1972], p. 234.

lecture des philosophes français en cours de littérature, deviennent le théâtre d'une réflexion sur la pédagogie ; on s'arc-boute sur des textes sans rapport avec le thème de l'éducation pour renforcer les principes d'une éducation elle-même sans objet prédéfini. Enfin, dans ce paysage ultra-concurrentiel, le champ des humanités, et en son sein le champ des études littéraires subissent beaucoup plus durement ces nouvelles conditions que les sciences exactes, la gestion, le droit ou les sciences sociales. L'éducation dite généraliste, associée traditionnellement au champ des humanités, est même devenue « une zone de l'université en plein désastre » selon les conclusions du rapport du Carnegie Council en 1977[24]. De même, toutes les enquêtes des années 1970 notent que les *colleges* généralistes (*liberal arts*) voient leur nombre d'admissions décliner au profit des *colleges* spécialisés, que les cours de philosophie, d'histoire et de littérature sont de moins en moins souvent choisis sauf s'ils « technicisent » leur programme, et que les aides financières publiques et privées connaissent une baisse drastique dans ces disciplines, y entraînant précarisation du professorat et fermeture des instituts de recherche[25]. Si le rapport Carnegie n'explicite pas ce qu'il entend par « technicisation » des études littéraires, la crise qu'elles traversent alors tient à leur double orientation contradictoire vers une « science des textes » aux définitions variables et vers une réflexion politico-culturelle plus générale. Des questions qui exigent de revenir en arrière vers le milieu du siècle – et d'interroger le courant spécifiquement américain du New Criticism[26], dont les apports furent décisifs pour la future *French Theory*.

New Criticism et modernisme littéraire

Au début du XXᵉ siècle, le champ des études littéraires présente, en réduction, la même tension que l'université américaine dans son ensemble entre une tradition libérale anglaise, qui lui a légué les valeurs humanistes et l'approche par le style et les thèmes, et une tradition allemande plus pointue. Celle-ci se manifeste aussi bien par un questionnement identitaire, quand il s'agit d'isoler une littérature *américaine* du corpus anglais général, que par une démarche

---

24. Cité *in* Christopher J. LUCAS, *American Higher Education : A History, op. cit.*, p. 268.

25. Stanley ARONOWITZ et Henry GIROUX, *Education Under Siege*, Boston, Bergin & Garvey, 1985, p. 171-175.

26. On gardera le terme anglais pour souligner la spécificité américaine d'une telle école, qui ne traversa pas l'océan, et éviter toute confusion avec notre plus récente « nouvelle critique ».

plus théorique que celle de l'« explication de texte » française de la
même époque. Au cœur du discours que tient l'université américaine sur la littérature, on trouve en effet, dès la seconde moitié du
XIXᵉ siècle, une interrogation systématique des procédures de lecture
et d'interprétation des œuvres. Une interrogation qui n'ira que
s'affinant. Aussi, avant même que le nazisme ne fasse converger vers
les campus américains philologues et théoriciens littéraires
européens, le paysage de la critique et de la théorie littéraires aux
États-Unis est remarquable par sa richesse et sa diversité. Jusqu'à
faire passer, en comparaison, la France de Sainte-Beuve et de
Gustave Lanson pour un pays qui n'*interroge* pas la littérature.
Après la Première Guerre mondiale, discours critiques et écoles
nouvelles s'épanouissent donc sur les campus, en y débattant aussi
bien de la tradition critique que de l'avenir de la littérature.

Les envolées polémiques déjà anciennes de Matthew Arnold sur
la fonction morale de la littérature, contre les ravages de la technique et de l'industrie, sont encore l'objet d'âpres débats. Comme
le sont les remarques antérieures de John Henry Newman, dans *The
Idea of a University*, sur la littérature comme mère de toutes les
disciplines. Au même moment, sa fonction politique est au cœur de
la réflexion d'Edmund Wilson, et sa fonction épistémologique
élargie (celle de mettre en œuvre *tous* les savoirs) hante les essais
d'un Kenneth Burke, tandis que le rôle de l'érudition classique
comme fondement de la vie collective est défendu ardemment par
T. S. Eliot et F. R. Leavis, plus « arnoldiens » en cela que leur aîné.
Tous s'accordent à donner à l'œuvre de Shakespeare, référence
constante, un rôle aussi important dans la formation de l'Occident
qu'à la philosophie grecque et au droit romain. Moins normative,
l'école du « nouvel aristotélisme » que fonde Ronald Crane à
l'université de Chicago s'intéresse aux questions des genres littéraires et de leur historicité, de la composition et de la narration,
mais aussi de la lecture comme construction du sens. De même que
l'idée d'*appréciation* littéraire, avancée au XVIIᵉ siècle par l'Anglais
John Dryden, est remise au goût du jour pour comprendre le rôle
de la lecture dans la construction esthétique de l'œuvre. Des années
1920 aux années 1950, toutes les pistes sont ainsi explorées : socio-
lecture et psycholecture chez Lionel Trilling, la formation littéraire
de l'*américanité* chez F. O. Matthiessen et Alfred Kazin, un premier
structuralisme littéraire avec le relevé des invariants formels et des
schèmes narratifs qu'effectue après guerre Northrop Frye, et même
les questions plus théoriques de la représentation esthétique et du
réalisme littéraire au cœur du chef-d'œuvre d'un autre grand
réfugié, *Mimesis* d'Erich Auerbach (1946). Ces différentes

orientations, malgré les divergences idéologiques de leurs défenseurs, coexistent paisiblement au sein du champ littéraire universitaire. Celui-ci fonctionne déjà comme une *agora* de discours critiques, accumulant les innovations, collectionnant les pistes inédites, plutôt que de privilégier une école sur les autres. C'est dans ce riche contexte intellectuel qu'apparaît à la fin des années 1930 le New Criticism. Il va achever de conférer à la critique littéraire une place centrale et un prestige sans égal au cœur du monde intellectuel américain.

Sa démarche fut formulée d'abord par Cleanth Brooks et Robert Penn Warren dans leur classique de 1938, *Understanding Poetry*, puis systématisée par René Wellek et Austin Warren en 1942 dans leur manuel de troisième cycle *The Theory of Literature*. Le court essai didactique *The New Criticism*, que publie John Crowe Ransom en 1941, et l'ambitieuse rétrospective de Wellek *History of Modern Criticism* sont les deux autres titres de référence. La grande idée du New Criticism est celle d'une critique « intrinsèque » : sa méthode est une lecture rapprochée de l'œuvre (*close reading*), et son but la mise au jour du statut ontologique du texte (selon la devise « un poème ne doit pas signifier mais *être* ») et de l'horizon intransitif du langage (contre les théories naissantes de la communication). Mais, pour accéder à l'œuvre comme système clos et stable, il faut d'abord se débarrasser des trois « hérésies » de la critique extrinsèque, que traquèrent W. K. Wimsatt et Monroe Beardsley dans trois célèbres essais éponymes : l'illusion intentionnelle (*intentional fallacy*), consistant à lire le texte comme le produit direct du projet d'un auteur, l'illusion affective (*affective fallacy*), qui limite le texte à une série d'émotions subjectives – et la critique, par conséquent, à n'en être que la tremblante paraphrase –, et l'illusion personnelle (*personal fallacy*), qui ajoute aux deux premières les dérives biographiste et historiciste de la critique traditionnelle. Les New Critics dénoncent moins ici l'idée d'une subjectivité de l'auteur, qu'ils ne nient pas, que le psychologisme des déterminants biographiques et le simplisme d'une « intention » pleinement réalisée dans le texte. Plus largement, ils substituent une « histoire interne » et autonome des textes au recours habituel à l'histoire générale, réduite dans leurs essais à « une affaire de porridge et de vêtements » (ce que mangeait ou portait l'auteur) et à n'être donc qu'une « question de notes de bas de page pour éclaircir quelques allusions locales », ainsi que le résume Gerald Graff[27]. L'accent est

---

27. Gerald GRAFF, *Professing Literature. An Institutional History*, Chicago, University of Chicago Press, 1987, p. 188-189.

mis plutôt sur une irréductible polysémie comme critère de littérarité, et sur la structuration des grands textes à partir de leurs
ambiguïtés mêmes, des tensions et contradictions qui les traversent
– jusqu'à parler, trente ans avant Derrida, d'une « ironie » structurale de l'œuvre littéraire. Au plan disciplinaire, un triple enjeu se
dégage : professionnalisation de la critique littéraire universitaire,
respect des grands textes critiques dans la continuité de celui qui
est dû aux œuvres du corpus, et intégration des fonctions les plus
nobles de la critique au sein du département d'anglais, ce phare de
l'université moderne. Au nom de la toute-puissance des textes, le
cours de littérature doit l'emporter sur le cours d'histoire, qui les
limite à n'être qu'un reflet, et de philosophie, qui en parle comme
d'un simple « contenu », narratif ou linguistique. L'université de
Yale, berceau du New Criticism, devient le modèle de cette
université *littéraire*.

L'influence du New Criticism ne déclinera qu'à partir des années
1960, notamment parce qu'en privilégiant les corpus classique et
moderne reconnus (jusqu'à Proust et Virginia Woolf), il est resté
sourd aux innovations littéraires de la contre-culture *beat* et du
nouveau formalisme. De même qu'il n'aurait pu faire sien l'anti-
académisme des *sixties*, d'une culture sortie de sa tour d'ivoire pour
en appeler – y compris au plan théorique – aux impulsions
collectives et à ce que Susan Sontag appellera l'« érotique de l'art ».
Pressentant son éclipse, le critique de gauche Irving Howe rend au
mouvement, dès 1958, un vigoureux hommage, déjà nostalgique
d'un âge d'or : « Le moment le plus intense dans l'histoire de la
critique moderne, le moment de ses plus puissants effets sur l'imagination des jeunes gens sérieux, ce moment est probablement déjà
derrière nous [28]. » Pourtant, c'est moins le New Criticism comme
démarche critique qui a disparu depuis quarante ans de l'université
américaine, où certains de ses livres sont restés des manuels de référence, et où la déconstruction prolongera certaines de ses propositions, que l'éthos plus large du « haut-modernisme » intellectuel
américain. Car cet éthos libéral élitaire, incarné à merveille par les
chefs de file du New Criticism, a été supplanté depuis lors par un
mixte d'ironie et de spécialisation, les deux approches privilégiées
de la culture de masse et de la vie « postmoderne ». Par « modernisme », les Américains désignent en fait leurs quelques grandes
plumes du demi-siècle, des arnoldiens de droite aux New York
Intellectuals de gauche, qui vouèrent tous un culte tragique autant

---

28. Cité *in* Jonathan ARAC *et al.* (dir.), *The Yale Critics : Deconstruction in America*,
Minneapolis, University of Minnesota Press, 1983, p. 177.

qu'esthétique à la haute culture comme sphère autonome, et y virent la dernière résistance aux conformismes en plein essor de la société industrielle. De ce point de vue-là, le New Criticism n'est plus.

En attendant, au lendemain de la victoire alliée, le nouveau courant représente un tournant historique pour les études littéraires aux États-Unis. La rupture qu'il entérine avec les traditions européennes de la philologie et de l'histoire littéraire, au profit d'une rhétorique et d'une poétique mises à jour, correspond à une redéfinition en profondeur du champ littéraire. Il s'agit de substituer à sa fonction politique nationale (celle de forger une identité littéraire) une fonction cognitive générale autrement ambitieuse, et d'opposer à la dichotomie traditionnelle entre textes premier et second le principe d'une communauté inédite entre l'œuvre et sa critique, entre littérature et théorie. Ce dernier mot est au cœur du projet des New Critics : « La théorie littéraire, et son *organon* de méthodes, est ce dont a le plus besoin la recherche en littérature aujourd'hui », soutiennent Wellek et Warren en 1949[29]. Cette exigence théorique contribuera même à familiariser les étudiants en littérature de ces années-là, futurs professeurs titulaires des années 1980, avec quelques concepts clés de la philosophie continentale. Mais l'insistance des New Critics sur l'existence de mécanismes autonomes en critique et en littérature, sur leur irréductibilité à l'histoire et aux structures sociales, s'est traduite aussi par l'ambivalence de leur rapport au champ politique. L'antiréférentialisme d'une beauté sans objet, qui hante la modernité depuis le projet flaubertien du « livre sur rien », y annonce comme par avance les exagérations américaines du mot d'ordre derridien de 1967, « il n'y a pas de hors-texte[30] ». Ce qui se trame ici est un retrait de la littérature loin des affaires du monde, le refus d'une génération intellectuelle de souiller le Texte en le mêlant de trop près à l'esprit de son temps – même si elle souhaite sincèrement une grande littérature pour tous.

Car ce projet d'une méthodologie critique universelle procède aussi d'un principe démocratique. La seule connaissance requise est celle du langage et de son fonctionnement, plus accessible aux classes défavorisées, estiment les New Critics, que l'histoire littéraire, les allusions culturelles, les connaissances biographiques, toutes élitistes. Tandis que les soldats revenus du front européen affluent vers les campus, après le vote de la *G.I. Bill of Rights*, les New Critics vantent l'efficacité de leur approche pour la

---

29. Cité *in ibid.*, p. 247.
30. Jacques DERRIDA, *De la grammatologie*, Paris, Minuit, 1967, p. 227.

transmission à tous des valeurs littéraires[31]. Pourtant, ils assisteront passivement à l'épuration maccarthyste des campus, transformant leurs départements en refuges formalistes éloignés des luttes politiques. Un scandale est significatif de cette attitude. En 1949, un jury comprenant T. S. Eliot et deux célèbres New Critics attribue le prestigieux prix Bollingen au recueil *Pisan Cantos* d'Ezra Pound, dont les errances antisémites et mussoliniennes sont désormais connues. Il suscite ainsi les fureurs de toute la gauche intellectuelle, à laquelle ces mêmes jurés rétorquent, en guise de justification, que « tenir compte d'autre chose que de la seule qualité de l'œuvre poétique » serait une grave menace « contre la société civilisée »[32] – limite, s'il en fut, du désengagement politique prôné par les New Critics. L'émergence de nouvelles formes littéraires et politiques sur les campus, au cours des années 1960, achève de placer le New Criticism en porte-à-faux, et de souligner son intenable indifférence à la *politique* des textes. Vieux tenants et jeunes disciples du New Criticism, de Wellek à Paul de Man, préféreront alors aller explorer les quelques alternatives disponibles. Certains opteront pour le militantisme tardif, d'autres pour la vie universitaire européenne, et la majorité, en lisant les structuralistes français et en fondant les premiers départements de littérature comparée, pour une critique politique des Lumières et du langage ordinaire *à partir* de la théorie. Une manière de prolonger l'étude des « ambiguïtés » et des « tensions » du texte par celle, plus légitime politiquement, des « déplacements » et des « glissements » de l'écriture. La théorie française, qu'on n'appelle pas encore telle, fera ainsi, pour les jeunes émules du New Criticism, figure de troisième voie entre les impasses du formalisme critique et les blocages politiques d'une institution universitaire soumise à l'État autant qu'au marché – et prise au piège d'un vieux rêve thélèmite en train de tourner au cauchemar.

Pourtant, par-delà les continuités d'une « révolution » à l'autre du champ littéraire américain, les différences l'emportent entre le New Criticism des années 1940 et la déconstruction bientôt triomphante des années 1980. Au contraire de leurs successeurs derridiens, les New Critics redoutaient sans cesse de mêler la littérature à la vulgaire « histoire des idées ». Et l'exagération formaliste, en analysant par exemple le fonctionnement d'un article de journal

31. Wlad GODZICH, *The Culture of Literacy*, Cambridge, Harvard University Press, 1994, p. 16-17.

32. *Cf.* Lazare BITOUN, « Intellectuels et écrivains du Village à Harlem », *in* André KASPI (dir.), *New York 1940-1950*, Paris, Autrement, série « Mémoires », 1995, p. 118-120.

comme on peut le faire d'un sonnet de Shakespeare, mènerait selon eux au relativisme textuel et à la disparition du canon, compromettant l'universalisme esthétique anhistorique qu'ils défendent si chèrement. Surtout, ils ne jetèrent jamais les bases de cette *critique de la raison critique* que vont bientôt déployer Derrida et ses émules américains pour dévoiler les illusions rationalistes de la lecture ordinaire – sur le *tout* du texte, son autonomie, son articulation sémantique. Paul de Man leur reprochera même d'avoir « confondu leur propre projection de la totalisation, comme caractéristique de la démarche interprétative, et une propriété du texte lui-même, qu'il leur fallait dès lors voir comme une unité », ainsi que le résume Wlad Godzich[33]. Si le texte peut être totalisé, c'est que sa cohérence l'emporte nécessairement, reconstruite sur les ruines du sens premier. Au contraire, en se concentrant sur les apories du texte et ses incohérences sans retour, les déconstructionnistes considéreront qu'ils procèdent à une lecture « plus rapprochée » encore (*closer reading*), plus proche du texte en son opacité.

En fin de compte, comme l'évolution de toute l'université américaine depuis la guerre, l'expérience du New Criticism révèle par ses ambivalences la même tension indémêlable entre expertise et pertinence générale, science pure et engagement historique, culture et politique. Ces antagonismes, s'ils sont logés au cœur du projet universitaire depuis ses origines, ont été renforcés dans le cas américain par l'isolement des établissements d'enseignement supérieur, et leur course ébahie, jusqu'en littérature et en philosophie, à la spécialisation comme horizon progressiste du pays-modèle – voué à gagner la paix après avoir libéré le monde. Une série de contradictions que vont révéler au grand jour, sous des formes explosives, les mouvements étudiants des années 1960 puis la curieuse décennie studieuse et libertaire à la fois des années 1970 – transformant l'université américaine, et les discours qu'elle tient sans cesse sur elle-même, en l'une de ces « spirales de savoir-pouvoir », instables et affolées, qu'avait décrites Foucault.

---

33. Wlad GODZICH, « The Domestication of Derrida », *in* Jonathan ARAC *et al.* (dir.), *The Yale Critics : Deconstruction in America, op. cit.*, p. 24.

3

Le tournant des « seventies »

> « À quel historien fera-t-on croire qu'une mode, un enthou-
> siasme, un engouement, des exagérations même ne trahissent pas, à
> un moment donné, l'existence d'un foyer fécond dans une culture ? »
>
> Michel FOUCAULT, texte inédit

Des campus aux *ashrams*, du parti au bureau, de révolution en contre-révolution, prises entre une peur nouvelle et ses antidotes d'existence, les « *wild seventies* » forment décidément une décennie paradoxale. Y compris pour la théorie française, qui fait alors une première apparition aux États-Unis, sans qu'un territoire spécifique ne lui soit encore assigné. C'est la décennie de ses tentations contre-culturelles, de son épanouissement anarchique entre revues alternatives et concerts *rock*, mais la décennie aussi des premiers usages académiques de la théorie française, fût-ce comme instrument d'une subversion toute discursive de l'institution universitaire. Sauf que ce qui s'y met en place, d'errance en revirement, va boule-verser de fond en comble le champ intellectuel américain de cette fin de siècle.

De la militance à l'existence

En dix ans d'activisme, des premières marches pour les droits civiques de 1962 aux *sleep-ins* libertaires du début des années 1970, le vaste mouvement étudiant américain a évolué peu à peu d'une opposition politique organisée à une démarche spontanée à visée surtout existentielle – de l'anticapitalisme militant à une célébration mystique des corps « libres » et des drogues hallucinogènes. À l'image des chansons de Bob Dylan, qui passent dans le même temps du *folk* anti-impérialiste au spiritualisme psychédélique. Cette métamorphose de la rébellion étudiante, matée aussi par les répressions brutales de 1970, est l'un des facteurs sociologiques déterminants de la réception puis du détournement de la théorie française. Mais elle l'est indirectement : par le déplacement des luttes sur le seul terrain des discours, par la nostalgie oppositionnelle que laisseront les années 1960, par le romantisme des formes de vie libertaires, par la béance idéologique enfin que creuse au sein de l'université l'apparent assagissement des années 1970. Ce changement d'optique est surtout la première étape d'une aventure intellectuelle inédite, qui mènera aux politiques identitaires et au multiculturalisme radical des années 1980. Des dernières émeutes des années 1960 jusqu'à l'élection de Ronald Reagan en novembre 1980, il s'agit de comprendre comment l'Amérique sociale est passée de la contestation étudiante au communautarisme radicalisé, ou d'un combat transversal mais sporadique à des luttes continues mais désormais segmentées. Dans cette perspective, un retour en arrière s'impose pour saisir, dans son histoire, les dimensions humaniste et existentielle constitutives du mouvement étudiant américain – lesquelles favoriseront aussi son éclatement communautaire.

En février 1960, la protestation qui répond à l'exclusion de quatre étudiants noirs d'une cafétéria blanche de Greensboro, en Caroline du Nord, lance dans l'université le mouvement pour les droits civiques. En 1961 et 1962, les premiers « rebelles culturels » mobilisent sur les campus. Ils sont inspirés autant par la nébuleuse *beat* que par les écrits de Paul Goodman, qui compare alors la société américaine à une course de rats dans une pièce sans fenêtre[1], et du sociologue C. Wright Mills dénonçant le pouvoir des élites sous le voile démocratique. On est encore loin des 350 grèves étudiantes et des 9 500 manifestations de l'année 1969-1970 (environ 30 % des 8 millions d'étudiants déclareront cette année-là avoir pris part à l'une d'entre elles)[2]. L'année 1962 voit la création dans le Michigan du syndicat de gauche étudiant SDS (Students for a Democratic Society), dont un jeune responsable de vingt-deux ans, Tom Hayden, précise alors les positions politiques dans la déclaration de Port Huron : outre un appel à la « démocratie participative » et aux

---

1. *Cf.* Paul GOODMAN, *Growing Up Absurd : Problems of Youth in the Organized System*, New York, Random House, 1983 [1960].
2. Helen Lefkowitz HOROWITZ, *Campus Life, op. cit.*, p. 223.

communautés égalitaires à petite échelle, il s'agit de remplacer « le pouvoir ancré dans la propriété, les privilèges et les circonstances, par un pouvoir et une singularité ancrés dans l'amour, la réflexivité, la raison et la créativité[3] ». Hayden a en tête les thèses de C. Wright Mills, mort la même année, sur la mission politique de l'intelligentsia de gauche quand il souligne la nécessité de réduire la distance entre « nos concepts techniques [qui] sont hautement ésotériques et nos concepts moraux [qui] sont trop simplistes ». En octobre 1964, deux mille étudiants repoussent une voiture de police venue arrêter un militant, propulsant le campus de Berkeley sur le devant de la scène. Sous l'impulsion de jeunes leaders comme Mario Savio, sont créés la coalition du Free Speech Movement puis, en 1965, la Free University de Berkeley, qui dispense des cours improvisés de « politique radicale » mais aussi de « développement personnel » et de « *self-help* »[4]. À mesure que se précise l'engagement américain au Vietnam, le mouvement étudiant adopte une rhétorique pacifiste et patriotique, pour que le grand « humanisme américain » ne cède pas devant l'« anticommunisme libéral et l'esprit d'entreprise », dans les termes cette fois du jeune Carl Oglesby[5]. À l'image de ces fils d'enseignants démocrates devenus des militants zélés, les références à l'histoire de vie l'emportent sur l'idéologie, l'engagement personnel sur les idées abstraites.

À partir de 1965, le fossé se creuse peu à peu entre une minorité d'étudiants radicalisés, liés aux activistes noirs du Black Power (qui en excluront bientôt les Blancs) et appelant à ne pas participer à l'« université capitaliste », et la majorité des étudiants composée de militants très occasionnels, intéressés surtout par les nouvelles formes de vie alternatives et les moyens les plus sûrs d'échapper à la conscription. L'année 1968 est marquée par une double scission. Le Black Power et le SDS cessent de coopérer et, au sein du SDS, une rupture intervient entre réformistes attentistes et extrémistes partisans de l'action directe. La même année, le *Strawberry Statement* du jeune James Simon Kunen connaît un grand succès, symptôme d'un désir de prolonger la fête plus que de prendre les armes : l'étudiant y réclame surtout le droit aux cheveux longs et à la grasse matinée, sous prétexte que « [sa] ferveur révolutionnaire met environ une demi-heure de plus à se réveiller que le reste de [sa] personne », avant de rassurer ses lecteurs, si besoin était – « puisque

---

3. Cité *in ibid.*, p. 229.
4. *Ibid.*, p. 231.
5. Cité *in* Todd GITLIN, *The Twilight of Common Dreams*, New York, Henry Holt, 1995, p. 69.

la Première république des États-Unis a 192 ans, et que je n'en ai que 19, je suis prêt à lui donner une chance de plus[6] ». Mais, en avril, l'occupation d'un bâtiment de Columbia par des étudiants noirs et l'intervention violente de la police mettent le feu aux poudres. Au cri de « deux, trois, mille Columbia ! », des émeutes éclatent sur des centaines de campus. À la Maison-Blanche, Nixon continue d'appeler les manifestants des « fainéants » (*bums*), tandis que son vice-président parle de « snobs impudents ». En mai 1970, alors que des marches spontanées ont lieu dans soixante universités contre les bombardements américains au Cambodge, la Garde nationale tire à balles réelles sur les manifestants non violents des universités de Kent State et Jackson State, tuant six d'entre eux et en blessant des dizaines d'autres. Malgré l'émoi national, pareille réaction militaire froide et déterminée signale la fin d'une époque. Elle entraîne la rapide retombée du mouvement, la rentrée d'octobre 1970 s'effectuant dans un calme étonnant, et achève d'isoler la minorité radicale. Cette brusque démonstration de force s'ajoute aux autres violences politiques de l'époque, marquée par les assassinats successifs de Malcolm X, Robert Kennedy puis Martin Luther King. Fin de la récréation : coupable d'avoir fait couler le sang – selon le vieux paradoxe qui veut que les non violents « désarment », si l'on peut dire, en s'accusant eux-mêmes de la brutalité de la répression –, l'élan politique des années 1960 s'arrête net.

Mais l'enthousiasme existentiel qui en constituait le ressort va, lui, trouver à se prolonger sous d'autres formes. Aux luttes contre l'impérialisme et la marchandisation, succèdent les revendications de la liberté sexuelle et des drogues psychédéliques, liées à la défense d'un individualisme radical autant qu'à des formes expérimentales de désubjectivation – mourir psychiquement pour renaître aux régions inexplorées du cosmos, en une version déformée et reformatée du bouddhisme shamanique. La drogue, que d'aucuns suspectèrent la CIA d'avoir fait circuler sur les campus pour mieux neutraliser le mouvement étudiant, peut être très librement consommée dans l'université « contre-révolutionnaire » des années 1970 : joints ou acides ne valent à leurs consommateurs aucune sanction, tandis que la moitié des étudiants de 1979 sont favorables à la dépénalisation de la marijuana[7]. « *Protest songs* » et tactiques d'occupation, de leur côté, laissent place aux séances d'expression spontanée et aux soirées débridées du week-end. Le vieux conflit

---

6. Cité *in* Helen Lefkowitz HOROWITZ, *Campus Life, op. cit.*, p. 238-239.
7. *Ibid.*, p. 249-250.

entre étudiants des humanités et des sciences ou des sports, transféré
quelques années durant sur le terrain idéologique (les premiers
épousant en général les positions de la protestation, contre le
conservatisme des seconds), retrouve l'espace disciplinaire où il
s'était toujours épanoui, à coups de moqueries réciproques et de
concurrences budgétaires. L'attention des médias ne se relâche pas,
mais la vie des campus n'anime plus que les pages « société » et
« culture » des grands journaux. Si ces enjeux de style de vie
prolongent, selon les étudiants, les utopies politiques de la décennie
précédente, la presse de son côté ne s'y trompe pas – le danger est
passé. C'est que le mouvement étudiant est moins lié au conflit
qu'au *relais* des générations. En 1965 comme en 1975, il s'agit plutôt
de « réaliser les idéaux de ses parents », ménages urbains de la classe
moyenne dont les enquêtes sociologiques ont montré qu'ils
lorgnaient eux aussi sur ces valeurs de santé, de liberté morale et
d'épanouissement personnel[8]. Nul besoin, pour ce faire, de
renverser l'ordre social. De façon significative, les seuls motifs
d'action commune sur des campus de plus en plus divisés en
communautés affinitaires (ethniques ou sexuelles) seront, pendant
les années 1970, un bien vague tiers-mondisme et l'appel plus flou
encore à « généraliser » Woodstock (*Woodstock Nation*) – plus
quelques revendications studieuses en faveur de bibliothèques
ouvertes plus tard, de maîtres-assistants plus compétents et de droits
d'inscription moins élevés[9].

Les éléments de continuité l'emportent donc d'une décennie sur
l'autre, tant pour l'éthos contestataire, dont Alain Touraine notait
déjà en 1969 qu'il « [évoque] plus le monachisme oriental ou le
joachimisme que des luttes politiques[10] », qu'au plan des thèmes
eux-mêmes de la contestation – aliénation des rapports humains,
destruction des ressources naturelles, manipulation médiatique des
imaginaires. De cet « appel de la fraise » de James Kunen, en 1968,
aux fanzines contemporains, l'art de la provocation bénigne et de
la dissidence ludique s'est lui-même mué en tradition, jusqu'à la
minorité d'étudiants qui optent aujourd'hui au *college* pour une vie
de bohème, une maison communautaire et les signes extérieurs d'un
« refus » largement dépolitisé – tresses reggae (*dreadlocks*), *piercing*,
tatouages, ou les atours déguenillés du déserteur social. Mais provocation n'est pas politique. Leurs aînés des années 1970 eux aussi, à
côté des tenues *hippies* et des états seconds, rêvaient surtout

---

8. *Ibid.*, p. 236.
9. *Ibid.*, p. 258.
10. Alain TOURAINE, *Université et société aux États-Unis, op. cit.*, p. 197.

d'épanouissement professionnel, ce compromis éthique entre l'arrivisme cupide des plus libéraux et l'anticapitalisme jugé obsolète de leurs prédécesseurs. Quand ils ne cherchaient pas, contre le spectre nouveau du chômage, à trouver juste un emploi décent et faire mieux que le grand frère, vivotant alors de petits jobs et d'aides sociales pour avoir « gâché » ses précieuses années d'études dans l'activisme de ses vingt ans.

En fin de compte, entre les contraintes de l'ordre économique et les libertés de mœurs du campus, comme entre les missions d'éducation générale et de préparation professionnelle de l'université, un décalage se fait jour. Il se trouve en général régulé, tant bien que mal, par l'institution universitaire. Mais il peut aussi, en certaines circonstances, ou chez certains étudiants, évoluer vers l'antagonisme conflictuel, vers des zones hors norme, angles morts de la grande machine conformiste américaine : critique politique radicale pour peu que les urgences nationales (droits civiques) et internationales (Vietnam) permettent de cristalliser un mécontentement diffus ; exagérations libertaires (la « fuite » psychédélique) ou même communautaires (violences sexuelles sur les filles dans les *fraternities*, ou vies entièrement séparées de certains groupes) ; et plus généralement, sous Nixon comme sous George W. Bush, cette curieuse forme de rébellion passive, sans objet, le plus souvent solitaire (par le *piercing* ou le désœuvrement plus que la mobilisation), ce refus moins politique que mutique et anomique de l'ordre social, qui caractérise le *college kid* américain beaucoup plus que son homologue européen. Alain Touraine l'avait entrevu lorsqu'il analysait l'impasse de ces « jeunes bourgeois qui [...] se refusent à jouer le jeu [mais] sans être capables d'échapper à leur condition », ou l'« aliénation » de ces « rebelles virtuels » déchirés entre leurs comportements « marginaux » et la tradition qu'ils ne sauraient briser du « *non-commitment*[11] ». Cette anomie étudiante, conséquence du séparatisme de l'université comme de ses soubresauts politiques, explique aussi la réceptivité particulière des étudiants à toutes les représentations du contre-monde, musiques rebelles ou penseurs schizoïdes, une réceptivité plus pathique que politique, plus personnelle qu'idéologique. C'est d'abord pour rendre habitable l'univers contradictoire de l'Amérique de 1975, libertaire *et* répressive, scolaire *et* déserteuse, qu'ils liront William Burroughs, Allen Ginsberg, Kathy Acker, ou Foucault et Deleuze – ces derniers grâce aux revues alternatives qui font alors florès dans les départements de littérature.

---

11. *Ibid.*, p. 247.

Revuisme éclectique

En ces années de retour au calme, c'est entre les pages de quelques revues para-universitaires, simples tapuscrits ronéotypés dans un premier temps, que s'infiltre outre-Atlantique le nouveau « virus » théorique – sous la forme d'un premier contingent de textes français traduits. La mystique de la théorie française commence là, avec ces textes agrafés et tapés à la machine, souvent maladroitement traduits, qu'on se passe de main en main en classe ou en soirée. Elle commence par le travail souterrain, artisanal et passionné, de quelques jeunes universitaires que rassemblent ces voix étrangères, et qui traduisent, présentent ou éditent les premiers textes – Allan Bass, Tom Conley, James Creech, Janet Horn, John Rajchman, Mark Seem et beaucoup d'autres. Elle commence par ces pans de textes français, fragments majeurs ou simples entretiens de presse, qu'on reprend un peu au hasard, sans en demander les droits, et qu'on tentera d'enseigner parallèlement à leur première publication en anglais – mais encore au sein des seuls départements de français, où exercent la plupart de ces passeurs. Le caractère amateur initial de ces revues, aujourd'hui largement consacrées dans le champ littéraire, les distingue du revuisme français de la décennie précédente, celui du structuralisme triomphant. Plus établies, des revues comme *Communications* (créée en 1961), mais aussi *Langages* (en 1966), *Poétique* (en 1970), *Littérature* (en 1971) et surtout *Tel Quel* (en 1960) étaient en France les lieux privilégiés où articuler les nouveaux concepts de la « science » des textes, ou des structures sociales, et les impératifs de la révolte. « Dans le jargon de l'époque, nous voulions joindre théorie et pratique », rappelle Jean-Claude Chevalier, fondateur de *Langue française* [12]. Ces revues, *Tel Quel* en tête, justifieront le tournant maoïste « dur » des années 1970-1974 par l'idée que le « bouleversement de l'écriture » n'est qu'un « préalable à la réalisation de la révolution [13] ». Au contraire, leurs cadettes américaines, nées sur des campus démobilisés mais plus festifs, exploreront de Derrida à Deleuze les pistes d'une pensée qu'elles conçoivent souvent comme « postpolitique », alternative intellectuelle à l'héritage marxiste plutôt que sa continuation intensive. Mais toutes les revues d'alors ne partagent pas cette vision. Ainsi, de leur côté, comparables aux *Lettres françaises* ou à *La nouvelle critique* plus qu'à *Tel Quel*, les revues de la gauche intellectuelle américaine, *Partisan Review* et surtout *Telos*,

---

12. Cité *in* François DOSSE, *Histoire du structuralisme, op. cit.*, p. 199.
13. *Ibid.*, p. 201-203.

présenteront ces nouveaux noms d'auteurs comme ceux de marxistes français particulièrement hétérodoxes, des continuateurs dissidents du projet critique marxien : elles décriront Baudrillard en héritier iconoclaste de l'école de Francfort, interrogeront Foucault sur la prison d'Attica (qu'il a visitée) et la crise du système carcéral américain, et présenteront Lyotard comme un critique « libidinal » d'Adorno[14].

Pourtant, c'est moins le modèle politique de *Partisan Review* que la tradition littéraire expérimentale des revues alternatives des années 1950, gravitant autour de la mouvance *beat* de San Francisco ou de l'école poétique de New York, qui inspire ces nouveaux *intellozines* de campus. Ils lorgnent moins vers la tribune de débats, le périodique intellectuel engagé sous sa forme classique, que vers ces revues de poésie formelle ou de textes bruts qui inventèrent, dans les deux décennies précédentes, une langue littéraire nouvelle, une typographie inédite, un revuisme proprement créateur : leur nostalgie serait plutôt du côté de *Semina*, *Beatitude* ou de la revue *Black Mountain* du poète Robert Creeley, ces machines autonomes d'expression littéraire que mirent au point les marginaux de la scène littéraire et artistique américaine, du groupe d'expérimentation L=A=N=G=U=A=G=E aux tenants de la « poésie concrète ». À la double différence près, mais elle est de taille, d'un culte nouveau du texte *théorique* et, malgré tout, d'une assise universitaire : ces revues sont créées à l'initiative de jeunes professeurs, soutenues par leur département, produites bénévolement par un petit groupe d'étudiants dévoués à la cause et, bien que diffusées sur le mode impromptu, à demi clandestin, du samizdat de campus, rattachées pleinement à l'université.

Outre les premiers textes sur la déconstruction ou la micropolitique, elles importent d'Europe une autre innovation significative : la forme de l'essai-recension, sur le modèle de la revue française *Critique*, longs articles qui s'élaborent *à partir* du livre qu'ils rapportent. Comme le suggère l'historien Dominick LaCapra, l'adoption de ce genre textuel révèle une « conception de la recherche comme conversation avec le passé » et une « reconnaissance que le discours critique est de nature dialogique, qu'il tente de traiter à la fois des problèmes [...] et des mots des autres sur ces

14. Mark POSTER, « Review », *Telos*, n° 18, hiver 1974, p. 171-178 ; Jean-François LYOTARD, « Adorno as the Devil » et « Michel Foucault on Attica : An Interview », *Telos*, n° 19, printemps 1974, p. 128-137 et 154-161.

problèmes [15] ». Elle suppose, par là même, une éthique plus universitaire que rebelle de la discussion, une fidélité moins anarchiste que démocratique à la forme-débat, elle aussi largement privilégiée dans ces revues. C'est que leurs lecteurs, dispersés, dépolitisés, introuvables souvent, loin de former une clique organisée, relèvent de cette communauté invisible que décrivait Bataille, celle de ceux qui n'ont pas de communauté, et que réunit seulement à leur insu une même couverture entre leurs mains, de livre ou de revue. Ces lecteurs, en un mot, il faut aller les cueillir.

Ce sont, au total, quelque seize revues qui apparaissent en une dizaine d'années aux États-Unis, de *Glyph* à *Diaspora*, *Semiotext(e)* ou *Boundary 2*, avec pour objectif avoué, souvent dès la page de titre, d'introduire outre-Atlantique les nouveaux paradigmes venus d'Europe. Les thèmes mis en avant, dans le choix des extraits traduits ou au fil de leurs commentaires, renvoient tous à la critique du sujet sous des modalités variées : « fin de l'homme » et « dislocation » de l'écriture autour de Derrida, mort de l'auteur et sociétés de contrôle chez Foucault, dispositifs pulsionnels englobant les individualités avec Lyotard, et premières célébrations des « lignes de fuite » et des sujets « schizo » autour de Deleuze et Guattari. Pourtant, la communauté de ces revues est moins thématique qu'énonciative, tonale même. D'acronymes en jeux de mots, une relation ludique aux concepts traduits réduit leur distance culturelle. Un même rapport allusif ou parodique à sa propre érudition signale une autocritique des procédures universitaires. Et un discours plus injonctif que descriptif – fût-ce pour « rapporter » l'injonction de l'auteur cité – répond à l'exigence d'un *autre* registre, loin de l'objectivisme académique comme des naïvetés de la narration. Outre le cas de *Semiotext(e)*, dont on verra le rôle d'entraînement, les deux revues pionnières pour l'introduction de la théorie française naissent dans un département de français – *Diacritics* à Cornell et *SubStance* à l'université du Wisconsin.

Diacritics est créée en 1971 par les professeurs David Grossvogel et Robert Matthews. Elle se fait connaître dès les premiers numéros grâce à l'échange de propos très vif qu'elle publie entre Foucault et George Steiner, suite à l'article du *New York Times* où ce dernier décrivait l'auteur d'*Histoire de la folie* (qui sort alors en anglais)

---

15. Dominick LaCapra, *Rethinking Intellectual History*, Ithaca, Cornell University Press, 1983, p. 20-21.

comme « le mandarin du moment[16] ». Mais elle publie aussi les futurs hérauts de la déconstruction, Harold Bloom ou Paul de Man, des articles sur Artaud ou Lacan, une recension de *De la grammatologie* de Derrida mais aussi du *Sade Fourier Loyola* de Barthes... ou même de la série BD complète des *Superman*. À l'instar des autres revues, et des professeurs eux-mêmes qui les animent, *Diacritics* évolue peu à peu d'une position lacano-derridienne, qui autorisait tous les jeux sur le seul *texte*, à une démarche deleuzo-lyotardienne de subversion *hors texte*, en comparant *L'Anti-Œdipe* à *L'Antéchrist* de Nietzsche (en 1974), en publiant de Martin Jay un bilan des rapports comparés à Marx de l'école de Francfort et du post-structuralisme (en 1976), ou en retournant à Derrida mais pour un compte rendu de l'obscur *Glas* (en 1977) – dont il est dit dès la première phrase qu'il doit être « lu comme un rite ancestral ». Signe d'un rapport affectif, joueur plus qu'argumentatif, à ce nouveau corpus, la revue publie en quatrième de couverture, en 1973, ce poème parodique d'une enseignante de Boston : « Avant de laisser ce patient entrer/Racontez-nous Doc Lacan s'il vous plaît/Les derniers excitants/De Lévi-Strauss Derrida ou de Man/[...] Peut-on encore structurer les référents dialectiques après Hegel ?/Les concrétions nominales subsumeront-elles le bagel ?/ô *merde*, Lacan, votre patient s'est suicidé...[17] »

SubStance, créée aussi en 1971, se veut en page 2 un « véhicule de la pensée française d'avant-garde ». De fait, on note la même inflexion, plus nette encore, d'une première période marquée par des inédits de Saussure, Kristeva ou Derrida, et des articles encore en français sur le structuralisme (en 1971-1973), à des numéros présentant des expériences typographiques de poètes et discutant les thèses deleuzo-guattariennes, sur la schizo-analyse ou la Terre « œdipianisée » (en 1974-1976). Défilent ensuite des motifs moins textualistes encore : critique de Freud (en 1976), retour à Artaud (en 1977), ou cet « accent [mis] sur les marges » dans un numéro sur Deleuze et Foucault (en 1978) – dont est même publié le premier extrait en anglais de *La Volonté de savoir*. Un peu plus convenue, la revue *Glyph*, créée en 1976 à Johns Hopkins par Samuel Weber et Henry Sussman, se présente en page de titre comme un lieu de « [questionnement] de la représentation et de la textualité » et de « confrontation des sciences critiques américaines et continentales ».

---

16. George STEINER, « The Mandarin of the Hour », *New York Times Book Review*, 28 février 1971, suivi de Michel FOUCAULT, « Monstrosities in Criticism » et George STEINER, « Steiner Responds to Foucault », *Diacritics*, vol. 1, n° 1 et 2 respectivement, 1971.
17. Texte de Vera LEE, *Diacritics*, vol. 3, n° 2, été 1973.

Elle passe, plus discrètement, d'articles sur Derrida (en 1976-1977) à des textes plus relâchés « appliquant » la déconstruction aux romans de Melville ou de Gœthe (en 1978-1979). *Social Text*, la future cible du canular de Sokal, fut créée à Duke en 1979 par Stanley Aronowitz et Fredric Jameson. Dotée de moyens supérieurs, revendiquant davantage son appartenance culturelle à la gauche, la revue publiera quelques-uns des grands textes de la théorie française et de la pensée minoritaire, de Michel de Certeau à Edward Said, Foucault ou Cornel West.

Viennent ensuite, plus académiques ou plus marquées politiquement, toutes les revues qui, pour avoir conservé une plus grande distance face à cette première vogue, n'en ont pas moins été des supports de débat et de diffusion cruciaux pour la théorie française. C'est le cas de la revue *Critical Inquiry*, créée en 1974 à l'université de Chicago. Elle publia des textes pionniers de Stanley Fish ou Paul de Man, engagea le débat sur Foucault ou sur la question même de la théorie, mais conserva toujours une optique plus dialogique, plus historiciste, moins engagée – traitant pêle-mêle de Camus, Borges, ou du féminisme en art. Les revues qui rendent ainsi compte de cette rénovation française de la « théorie », plus qu'elles n'en épousent directement les propositions, sont les plus nombreuses : on peut citer *Raritan*, *Representations*, *Public Culture*, *Signs* dans le champ féministe (qui publie, entre 1975 et 1980, les premiers textes traduits de Luce Irigaray et Hélène Cixous) ou encore *Contention*. Un cas à part est celui d'*October*, créée en 1976 par Rosalind Krauss et Annette Michelson, et justifiant son titre par un hommage liminaire à « ce moment de notre siècle où pratique révolutionnaire, investigation théorique et innovation artistique furent associées d'une façon exemplaire ». La revue croise théorie esthétique et philosophie politique, couvre les grandes expériences artistiques de son temps (de Trisha Brown à Richard Serra ou Laurie Anderson), revendique plus volontiers la filiation de Georg Lukàcs ou Walter Benjamin que de Foucault ou Derrida, et se trouve liée au groupe de *Tel Quel* puis de *L'Infini* – notamment par l'intercession de Denis Hollier. Pourtant, de Lyotard sur Daniel Buren à Derrida sur la peinture et Hubert Damisch sur la photo, *October* sera la seule revue à explorer sérieusement les enjeux de la théorie française pour l'art et les pratiques artistiques. Enfin, les revues de gauche non universitaires complètent ce paysage, dont elles forment le cadre plus ancien, l'intersection précieuse avec l'espace public. *Partisan Review*, *New Left Review*, *Dissent*, *Public Interest* ou *The Nation* entrent en résonance avec la nouvelle vogue intellectuelle, dont elles rappellent utilement les faits d'arme politiques dans le contexte français, mais peuvent aussi conspuer, sur un ton plus idéologique, le « textualisme petit-bourgeois ».

Tant dans les pages de ces revues prestigieuses que dans celles de *Diacritics* ou *October*, les années 1970 sont pour la théorie française celles d'un objet discursif neuf, électrique, mal contrôlé. On expérimente autour de lui des variations graphiques ou poétiques, des croisements plus ou moins heureux qu'on croit seuls adaptés à sa radicale nouveauté. On utilise la revue pour ce qu'elle est, ou devrait être – technologie culturelle, laboratoire conceptuel. Mais ce revuisme évoluera, s'assagira lui aussi. Signe des temps, le plus beau succès de librairie pour une revue liée à la théorie française sera, quinze ans plus tard, le très élégant *Zone* (12 000 à 14 000 exemplaires vendus par numéro), créé par Michel Feher et maquetté par le designer Bruce Mau : cette revue d'une grande tenue enchâsse références à Foucault et hommages discrets à Deleuze dans un récit d'histoire intellectuelle plus soutenu, plus didactique aussi, sur l'histoire des corps ou les théories de la ville. Bien loin du tapuscrit corné de 1975, de ses codes d'initiés et du lyrisme opaque des premiers *french-théoristes*. C'est qu'entre-temps, la théorie française est entrée dans les mœurs – et dans les salles de cours.

Contre-culture : un rendez-vous manqué ?

S'il est un *autre* de l'université, c'est bien ce concept problématique de « contre-culture ». Mot trompeur, dont le préfixe adversatif dissimule la formidable aptitude de l'industrie culturelle américaine à intégrer continument ses marges, à en intensifier les rages pour célébrer à profit le bel égalitarisme américain. Il n'en reste pas moins qu'au milieu du XXᵉ siècle, au moment où Burroughs, Kerouack et Ginsberg se rencontrent sur les bancs de Columbia, et où des romanciers juifs (Norman Mailer) et noirs (Richard Wright) modifient soudain la donne littéraire, se produit un déplacement irréversible : l'innovation culturelle américaine, son avant-garde exportable, passe peu à peu de la tradition agraire et jeffersonienne, celle des romanciers du Sud et de la Nouvelle-Angleterre, à une sous-culture urbaine de parias et de déviants – que sa créativité, du jazz à la poésie, va vite transformer en modèle. Les années 1960 inventent ensuite la rébellion « culturelle » (*rock'n roll* et poésie *beat* contre l'ordre établi), et favorisent le tissage, à New York et à San Francisco, d'un réseau contre-culturel serré, de périodiques sauvages en lieux alternatifs. Puis, en dénonçant certains d'entre eux au profit d'une culture jeune plus inoffensive, la contre-révolution des années 1970 les fait passer dans une semi-clandestinité – c'est l'émergence de l'*underground*. Or les revues alternatives nées sur les campus et les premiers importateurs de textes français se trouvent souvent, par leur âge et leur mode de vie, à la croisée de l'institution universitaire et de ces circuits parallèles, qui vivent eux-mêmes principalement de la clientèle étudiante. Aussi la diffusion de ce qu'on n'appelle pas encore théorie française se fait-elle alors à la lisière de l'espace contre-culturel, sur la ligne de démarcation encore floue séparant les campus des lieux de dissidence.

On édite, pour faire lire les nouvelles revues, des tracts émaillés de slogans théoriques et distribués dans les squats d'artistes, les salles de concert ou les réunions de militants gauchistes. On collabore au coup par coup avec des éditeurs anarchistes, comme Black & Red Press à Detroit ou Something Else Press à New York. Les réseaux personnels des uns et des autres autorisent des connexions ponctuelles avec quelques figures de la contre-culture, du cinéaste John Waters à la musicienne Laurie Anderson. À New York, on se passe le mot, ou un exemplaire froissé de telle revue, dans les lieux fréquentés par les jeunes intellectuels de Columbia, galeries d'art improvisées dans les arrière-boutiques de l'East Village ou clubs en vogue de Manhattan, ceux où émergent les nouveaux courants musicaux, Punk et New Wave – Max Kansas City, Danceteria, Mudd Club, Beat Lounge ou le légendaire CBGB's. Qu'on évoque Foucault ou Deleuze à l'arrière d'une salle de concert ou dans les dernières pages des magazines alternatifs (*Bomb*, *Impulse* ou *East Village Eye*), la théorie française, diffuse et encore indéfinie, circule ainsi dans les marges de la marge, invisible parfois aux invisibles eux-mêmes. Quelques chroniqueurs de cette scène contre-culturelle, parce qu'ils se sont entichés d'un auteur ou parce qu'un ami professeur les y incite, font une place à ces idées nouvelles dans les colonnes des journaux généralistes où ils sévissent, comme c'est le cas des critiques musicaux du *New York Times*, Adam Shatz, et du *Village Voice*, le très « soixante-huitard » Richard Goldstein. Mais au-delà de ces circuits parallèles, les années 1970 sont surtout celles d'une rencontre possible *directement* entre auteurs français et américains.

On connaît l'intérêt marqué de Foucault et Deleuze pour la contre-culture américaine. Si Foucault n'y fait allusion qu'en interview, Deleuze évoque Ginsberg, à peine nommé, pour louer la « psychopathologie » du poète[18], et confie plus d'une fois sa passion pour la musique répétitive de John Cage et Steve Reich. Outre

---

18. Gilles DELEUZE, *Logique du sens*, op. cit., p. 179.

l'amitié fidèle qui relia les deux hommes jusqu'à la fin[19], des affinités fortes existent entre le *panopticon* de Foucault et les « Nova » de Burroughs, « appareils de méfiance totale et circulante », figures d'un contrôle froid, post-totalitaire. Richard Goldstein insistait sur cette communauté d'esprit, jetant un pont entre philosophie et science-fiction politique : l'auteur de *Junkie* « partage » selon lui avec la jeunesse européenne et ses têtes pensantes, Foucault en tête, « le [même] désir de rompre avec les forces du contrôle de la pensée, avec l'État, avec le passé, et avec le dernier fétiche de la sémiotique des années 1970 – le sujet intégré[20] ». Il faut dire qu'une certaine avant-garde intellectuelle française travaille depuis déjà longtemps (le passage par Paris des écrivains *beat*, en 1958) à relier ces deux pôles, en faisant mieux connaître en France les audaces politiques et artistiques des *Beatniks* et du nouveau formalisme. Il n'est que de citer *Tel Quel*, qui dialogue avec Ginsberg en 1974, présente en 1976 les « *cut up* » de Brian Gysin ou les notes de mise en scène de Richard Foreman, et oppose en 1977, dans son numéro américain, le « postmodernisme » des Burroughs, Brautigan et William Gass au « modernisme » plus narratif de Flaubert et Joyce[21]. Pourtant, les rencontres effectives furent plus rares que l'entrelacs des textes. Foucault croise John Cage, l'artiste Kathy Acker rencontre Félix Guattari, qui recevra lui-même Ginsberg à Paris pour quelques séances d'analyse, et Baudrillard entamera, pour l'avoir rencontré en Californie, une correspondance avec le romancier J. G. Ballard. Mais rien là de durable – à l'image des deux grands événements contre-culturels de l'époque auxquels la théorie française a été associée, et dont a pris l'initiative le jeune professeur de Columbia Sylvère Lotringer.

Pour préparer le numéro éponyme de sa revue *Semiotext(e)*, Lotringer organise en novembre 1975 la conférence « Schizo-Culture », qui voit affluer vers l'amphithéâtre géant de Teacher's College des centaines d'auditeurs de tous horizons, bien au-delà des campus. Deleuze, dont c'est le seul voyage qu'il ait jamais fait outre-Atlantique, est interrompu dans son débat avec Ronald Laing par une militante féministe d'extrême gauche, Ti-Grace Atkinson, qui fend la foule et vient les insulter, Guattari et lui, les traitant de « phallocrates » et les empêchant de poursuivre. Foucault, de son

---

19. L'ultime fête que donne Foucault chez lui, en avril 1984, est organisée en l'honneur de Burroughs.
20. Richard GOLDSTEIN, « Nietzsche in Alphaville », *Village Voice*, 11 décembre 1978.
21. Harry BLAKE, « Le post-modernisme américain », *Tel Quel*, n° 71-73, 1977, p. 171 *sqq*.

côté, est interrompu au milieu de son exposé sur « les nouvelles formes de fascisme » par un membre du comité syndicaliste-révolutionnaire Larouche, qui l'accuse d'être à la solde de la CIA – et se voit rétorquer qu'il doit lui-même œuvrer pour le KGB. Échaudés, remontés contre Lotringer, les trois penseurs français, rejoints par Lyotard, se réfugient au Chelsea Hotel, où ils logent, et refusent de se prêter plus longtemps au « dernier événement contre-culturel des années 1960[22] », selon le mot rageur de Foucault. L'artiste et agitateur Jean-Jacques Lebel (qui fit connaître en France le *happening* et la poésie *beat*), bien introduit dans les milieux alternatifs new-yorkais, les prend ensuite en charge. Il les conduit chez Ginsberg sur la 10ᵉ rue puis à un concert donné dans le Massachusetts, où Deleuze et Guattari rencontrent *backstage* Bob Dylan et Joan Baez – mais ceux-ci n'ont pas lu *L'Anti-Œdipe*, et ceux-là n'ont guère l'habitude de la marijuana. Lebel prolonge le voyage jusqu'à San Francisco, où Deleuze et Guattari rencontrent Lawrence Ferlinghetti et vont entendre Patti Smith, puis à Los Angeles où ils visitent le quartier noir de Watts et s'entretiennent avec des militants Black Panther, comparant leurs expériences respectives de la « défense active » et de la « résistance de quartier ». Les quatre Français, pourtant, déclinent l'invitation de Lotringer lorsque, trois ans plus tard, il monte cette fois la Nova Convention, afin de confronter la théorie française et le travail de Burroughs. En fait de quoi, ralliés par le poète John Giorno, plusieurs vedettes de la musique pop se joignent à l'événement, dont Patti Smith, Frank Zappa et les B-52's. On annonce même Sid Vicious, des Sex Pistols, et Keith Richards, des Rolling Stones. En cette première semaine de décembre 1978, leurs concerts improvisés attirent vers Irving Plaza, où a été déplacée la rencontre, une foule de jeunes qui déborde les organisateurs, et éclipse presque entièrement le prétexte théorique et le dialogue politique qui avaient d'abord motivé le projet de Lotringer[23].

On peut toujours imaginer les rencontres qui auraient pu s'y produire entre Foucault, Lyotard ou Deleuze et les Américains présents, dont le gourou des hallucinogènes et professeur à Harvard Timothy Leary ou le musicien Philip Glass. De même, encore plus vainement, peut-on rêver aux dialogues qui n'ont pas eu lieu avec des figures aussi singulières de la création américaine que le cinéaste David Lynch, le romancier Thomas Pynchon ou le metteur en scène

---

22. Cité *in* Sylvère LOTRINGER, « Doing Theory », *in* Sande COHEN et Sylvère LOTRINGER (dir.), *French Theory in America*, New York, Routledge, 2001, p. 140.
23. *Cf.* « Avant-garde Unites Over Burroughs », *New York Times*, 4 décembre 1978.

Robert Wilson. Et les musiciens du groupe de rock californien Anti-Œdipus auraient sûrement aimé rencontrer les auteurs du livre. Reste que les œuvres des auteurs français ne font alors qu'effleurer la scène contre-culturelle, sans vraiment s'y arrêter – avec les quelques étincelles qu'allument toutefois ces frôlements à grande vitesse. C'est que l'université n'est jamais loin, qui veille au grain. Si les *dominatrix* new-yorkais(es) (animateurs de clubs sado-masochistes), de Terence Sellars à Miss Victoire, se sont alors intéressé(e)s à quelques textes français, lisant même en séance des passages de la traduction de *Présentation de Sacher Masoch* de Deleuze, c'est par l'entremise, et sans doute pour le seul plaisir, de quelques universitaires francophiles. Et si Julia Kristeva a pu découvrir tel lieu de l'*underground* et raconter ensuite « l'impression [qu'elle a eu] d'être dans les catacombes des premiers chrétiens [24] », c'est au cours d'un semestre passé surtout sur le campus de Columbia. À la limite, l'expérience la plus proche de la fièvre contre-culturelle des années 1970 est sans doute celle qu'ont faite les nombreux Français – Lyotard, Baudrillard, Derrida, Bruno Latour, Louis Marin ou Michel de Certeau – qui vinrent enseigner sur le campus mythique de l'université de Californie à La Jolla, sur une île de la baie de San Diego. Entre la figure tutélaire d'Herbert Marcuse, les escarmouches avec les militants marxistes ou gays, l'omniprésence de la plage et de ses feux de joie, et les boîtes de nuit alternatives en vogue (le jésuite de Certeau serait même allé « en anthropologue » au fameux Barbaricos [25]), le campus de La Jolla était alors un haut lieu de la contestation politique et des formes de vie libertaires. Tout en restant un campus, largement isolé du monde.

Pourtant, il n'est pas question ici d'opposer terme à terme la vie « authentique » de la contre-culture et le ronronnement des nantis de l'université. Ne serait-ce que parce qu'étudiants ou même enseignants, par-delà leurs parcours, ne sont que les *locataires* d'un savoir qu'ils empruntent, qu'il s'agisse de l'affadir ou de l'électriser, là où certains marginaux habiles se sont faits de leur côté les propriétaires d'une telle marque de fabrique – *la* marge –, « d'où ne sort plus », dans les termes de Deleuze, « que la parole microfasciste de leur dépendance et de leur tournoiement : "nous sommes

---

24. Julia Kʀɪꜱᴛᴇᴠᴀ, Marcelin Pʟᴇʏɴᴇᴛ, Philippe Sᴏʟʟᴇʀꜱ, « Pourquoi les États-Unis ? », *Tel Quel, op. cit.*, p. 4.
25. Selon François Dᴏꜱꜱᴇ, *Michel de Certeau. Le marcheur blessé*, Paris, La Découverte, 2002, p. 412.

l'avant-garde", "nous sommes les marginaux"...[26] » Et les deux
mondes ne sont alors pas si nettement imperméables l'un à l'autre,
loin s'en faut. La théorie française intervient précisément sur la
frontière qui sépare la contre-culture de l'université, là où leurs
propositions deviennent indiscernables, et où leurs médiateurs sont
souvent les mêmes, enseignants anticonformistes ou poètes-noceurs
fréquentant encore les amphithéâtres des campus. Elle délimite une
zone où expérimentations artistiques et cours de théorie novateurs
entrent en résonance. Surtout, elle surgit dans un champ culturel
américain où s'affrontent alors l'élitiste austérité du « modernisme », accusé d'avoir figé la vie dans les musées et les bibliothèques, et les expériences libératoires de ce qu'on n'appelle pas
encore le « postmodernisme », une culture foncièrement expérimentale sans territoire assigné ni cloisons disciplinaires. C'est la
culture novatrice et spontanément politique des John Cage et des
William Burroughs, culture déjà *post*-culturelle en quelque sorte,
irréductible aux hiérarchies culturelles convenues, une culture dans
laquelle se reconnaissent les rebuts autant que les agités de
l'université, de part et d'autre des limites du campus – et pour
laquelle les auteurs français jouent alors le rôle de pendants théoriques à l'« axe Duchamp-Cage-Warhol[27] », avant-garde officielle.

En attendant, ces années 1974-1978 sont celles d'une idylle éche-
velée, d'autant plus précieuse qu'elle sera de courte durée, entre le
monde de l'errance libertaire, trajets déviants ou lignes de traverse,
et celui de la pensée intensive. S'entremêlent alors, dans quelques
parcours de vie, lecture théorique et expérience des corps, l'effet du
LSD et celui de Foucault, le souvenir de Jimmy Hendrix et des
phrases de Deleuze – singulière contiguïté des noms propres dans
chaque itinéraire, croisements bio/bibliographiques qui forment le
scrap book de chacun, boîte à souvenirs et répertoire d'existence.
Sans qu'il soit possible d'en inférer les conclusions un peu générales
que tire un Greil Markus, de son côté, des noces (improbables)
entre musique punk et ritournelles situationnistes[28]. Seule cette
étrange période, si récente finalement, mais que peinent à retracer
les historiens de la culture, aurait pu donner le jour à un numéro
de revue aussi audacieux, aussi joyeux dans ses limites mêmes, que
celui que *Semiotext(e)* consacre à Nietzsche en 1978. Sa justification

---

26. Gilles DELEUZE, Claire PARNET, *Dialogues*, Paris, Flammarion, coll. « Champs »,
1996 [1977], p. 167-168.
27. L'expression est d'Andreas HUYSSEN, « Mapping the Postmodern », *New German
Critique*, n° 33, automne 1984, p. 16.
28. *Cf.* Greil MARKUS, *Lipstick Traces*, Paris, Allia, 1998.

est claire : « Nous avons décidé que Fred doit faire un retour dans le rôle de clairon de la contre-culture. » Tout y est déployé pour faire du philosophe allemand celui qui annonce, célèbre, rend possible les années 1970 : ses moustaches ornent chaque page, John Cage et Merce Cunningham expliquent la « pratique » qu'ils en ont, ses textes flottants ouvrent sur un « certain droit à la mésinterprétation », des articles repris de Foucault, Lyotard et Derrida explicitent sa valeur politique *aujourd'hui*, et une bande dessinée finale confirme en lui le superhéros d'un monde à libérer[29].

L'aventure de Semiotext(e)

Postés à ce point de passage entre université et réseaux contre-culturels, le collectif, la revue puis la maison d'édition Semiotext(e) jouèrent un rôle pionnier dans la diffusion initiale de la théorie française. Ses animateurs furent même parmi les tout premiers à employer l'expression, dont leur aventure n'a cessé d'explorer l'ambiguïté, de déployer délibérément tous les paradoxes américains, par jeu autant que provocation. Premier paradoxe : cette étiquette nationale décrirait bien mal le produit. Sylvère Lotringer va en effet répétant – intuition décisive – que le nom de théorie française, en tant qu'« invention américaine [...] liée à la réception américaine continue de toutes sortes d'imports européens », serait devenu surtout celui d'une *pratique* américaine, celle d'artistes et d'activistes sans lieu propre, peintres et militants, musiciens et poètes, tous redevenus ces « nègres blancs de la terre » selon le mot repris à Rimbaud par la chanteuse Patti Smith, et décidés à ébranler *de l'intérieur* névroses et conventions américaines en les intensifiant à titre expérimental – John Cage en disjoignant musique et mélodie, Merce Cunningham en inventant ses chorégraphies puissantes, presque telluriques, et l'écrivain Kathy Acker en improvisant une autofiction polyphonique, mélange de plagiat et d'errance autour d'un sujet d'écriture schizo, démultiplié, un « je » plus polémique qu'égocentré. En ce sens, affirme Lotringer, « le premier livre de théorie française publié aux États-Unis est un livre de John Cage[30] », qui ferait de la théorie française en quelque sorte sans le savoir, ou sans lui donner ce nom français, qui n'est qu'ultérieur. Pareille antériorité de l'*expérience* de la théorie sur sa fixation

---

29. *Semiotext(e)*, vol. 3, n° 1, 1978, « Nietzsche's Return ».

30. Sande COHEN et Sylvère LOTRINGER (dir.), *French Theory in America*, *op. cit.*, p. 1 et 126 respectivement. Par une autre ironie, le livre de Cage, *Pour les oiseaux*, a été publié en France avant de l'être en anglais.

textuelle est au cœur de l'itinéraire de Lotringer. Après des études à la Sorbonne pendant lesquelles il travaille pour la Maison des lettres d'Olivier Burgelin et pour les *Lettres françaises*, et rencontre ainsi Barthes, Sollers ou Robbe-Grillet, il débarque aux États-Unis en 1970 puis se trouve titularisé dès 1972 par le département de français de Columbia, dirigé par Michel Riffatterre. Chargé de cours à l'école d'été parisienne de Columbia, Reid Hall, il y convie et y rencontre notamment Guattari, Genette et Lacan. Ses dialogues avec eux et le désœuvrement de l'expatrié l'incitent à monter, en 1973, la revue *Semiotext(e)*, avec ses collègues ou étudiants Wlad Godzich, Denis Hollier, Peter Caws et John Rajchman. Il crée la revue à Columbia, mais pour y moquer l'institution universitaire. De même, il la consacre d'abord au travail de Saussure, mais en révélant avec ses obscurs « anagrammes » (un manuscrit exhumé par Lotringer de la bibliothèque de Genève) qu'il existerait en réalité « deux Saussure », le maître du langage mais aussi ce joueur qui nous invite à « tenir le signe linguistique pour suspect » : une telle découverte annoncerait, pour le critique Jean Starobinski, « la seconde révolution saussurienne[31] ». Et il la nomme *Semiotext(e)* pour mieux subvertir ou machiner la sémiologie, en relayant l'appel de Lyotard à une « dé-sémiologie » ou en publiant un texte sur « l'en-signement de la sémiotique » par Guattari – grâce auquel il s'assure, en outre, la collaboration du CERFI et de sa revue *Recherches*.

Après un volume sur Bataille en 1976 – qui reprend l'article de *L'Arc* où Derrida dit de Hegel « qu'un certain éclat de rire [de Bataille] l'excède et en détruit le sens[32] » –, les numéros sur l'*Anti-Œdipe* (1977), Nietzsche, puis la schizo-culture (1978), marquent un tournant deleuzo-guattarien plus conséquent, et plus joyeusement subversif, que celui des revues *Diacritics* ou *SubStance*. Y sont traduits les textes programmatiques de Deleuze (sur la nomadologie) ou Lyotard (*Dispositifs pulsionnels*) que publie alors la collection 10/18. Des textes de thérapeutes alternatifs comme François Péraldi font bientôt leur apparition, d'artistes activistes également (du groupe de rock The Ramones à la troupe Mabou Mines), mais aussi de schizophrènes créateurs (Louis Wolfson ou Jean-Jacques Abrahams) et de terroristes notoires (Ulrike Meinhof). L'usage du style direct y invalide de fait l'argument scolastique, humour et décalage remplacent la vieille distance critique, tandis que s'y

---

31. Jean STAROBINSKI, « Introduction », *Semiotext(e)*, vol. 1, no. 2, 1974, « The Two Saussure », p. 10.

32. Jacques DERRIDA, « De l'économie restreinte à l'économie générale. Un hégelianisme sans réserve », *in L'écriture et la différence, op. cit.*, p. 371.

généralisent, à la façon des détournements, les tactiques du « pillage » des textes et de l'inversion des symboles. Les pages sont envahies par des fausses publicités, pour les tranquillisants, l'excision ou la chaise électrique, et par un arsenal iconique ingénieux (photos floues ou bandes dessinées détournées) qui relève parfois du brouillage visuel délibéré – sinon de ce « principe de la maculature » visé jadis sur la page par Mallarmé, « surface où tous les niveaux de langage s'écrasent, se traversent et s'enchevêtrent[33] ». Le numéro sur l'autonomisme italien marque un coup d'arrêt dans cette évolution : l'énonciation y est plus directement politique, même pour définir l'autonomie comme « le corps sans organes du politique[34] », et l'ensemble est plus austère, plus élégant, témoignage historique au présent. Mais ses délais techniques font paraître le numéro en 1980, après la répression brutale du mouvement italien, et sans qu'y participent les marxistes universitaires (notamment la revue *Telos*) sollicités en vain par Lotringer. Après cet échec politique, une certaine dérive ludique reprend de plus belle : du journal grand format consacré avec autant d'audace que d'humour à « l'amitié homme-garçon » (« *Loving Boys* », 1980) aux numéros sur la polysexualité (1981), l'Allemagne (1982), puis les États-Unis (1987), on évolue vers le régime de l'intervention ponctuelle, vers l'éclectisme d'un périodique publié à chaque fois par un groupe différent, et qui échappe à ses fondateurs. Cette même logique du débordement, sinon de la dépossession, est à l'œuvre, on l'a vu, dans les deux événements qu'organisent alors Lotringer et son groupe, Schizo-Culture et la Nova Convention – auxquels, défi nostalgique, viendra s'ajouter « Chance » en 1995, symposium sur le hasard réunissant poètes, disc-jockeys et agents de change dans un casino du désert, un « *rave* théorique » dont les participants purent voir un Baudrillard « nonchalant » égrener ses textes sur scène vêtu de la veste en strass du vrai « sultan de la simulation[35] ».

L'année 1983 est un tournant. Tirant les leçons du revuisme et de son instabilité temporelle, Lotringer se diversifie dans l'édition. Associé à l'éditeur gauchiste Jim Fleming et sa structure de diffusion Autonomedia, il propose, sous le label « agent de l'étranger » et au même format que les « little black books » de l'éditeur berlinois Merve Verlag (un pionnier allemand en matière de théorie française), trois premiers titres qui vont connaître un succès de librairie

---

33. Sylvie MERZEAU, « La voix du Livre », *Littérales*, automne 1986, p. 55.
34. Sylvère LOTRINGER, « The Return of Politics », *Semiotext(e)*, vol. 3, n° 3, 1980, « Autonomia », p. 8.
35. M. CORRIGAN, « Vive Las Vegas », *Village Voice*, 12 novembre 1995.

inattendu – *Simulations*, repris de *Simulacres et Simulation* de Baudrillard (plus de 20 000 exemplaires vendus), *Pure War*, long entretien avec Paul Virilio, et *On the Line*, compilation d'extraits de Deleuze et Guattari. Suivront des titres de Lyotard, Guattari, Pierre Clastres ou Toni Negri, des recueils librement agencés de textes de Foucault (*Remarks on Marx* et *Foucault Live*, ou même en 2000 sa conférence mythique de Berkeley sur la *parrhésia*, inédite en français), mais aussi les notes de prison de trois militants noirs (dont le bientôt célèbre Mumia Abu-Jamal) ou encore, dans la collection « Native Agents » confiée à la compagne de Lotringer Chris Kraus, des autofictions politiques ou des recueils de nouvelles lesbiennes. De même que la revue était décrite comme « une publication sérieuse qui attire aussi bien les punks et les activistes que les têtes pensantes[36] », ces volumes bon marché atteignent des lectorats variés, la maison d'édition tentant d'infiltrer sa production d'un genre nouveau entre les deux milieux qui la jouxtent, l'édition grand public et l'université. C'est par ces petits livres de théorie « portative », grâce à leur maquette anticonformiste et leur ton joyeusement désacralisant, qu'un grand nombre de jeunes Américains se familiariseront avec la théorie française – quand ils n'en liront pas là, et là seulement, les textes de première main. Mais les limites, une fois encore politiques, de la démarche de Semiotext(e) relèvent justement de ce non-lieu fuyant, d'un tel choix des interstices, ou de l'entre-deux-mondes, contre l'enracinement social de la lecture. D'où l'échec final de l'alliance entre Semiotext(e) et le collectif Autonomedia, éditeur local (*grassroots*) lié au réseau syndical et militant du quartier de Brooklyn où il est basé. Annoncée par la brouille graduelle de Fleming et Lotringer, puis officialisée par la décision de celui-ci de confier en 2000 la réimpression de son fonds aux presses du MIT, cette rupture signale l'incompatibilité d'une logique politique de l'ancrage et du principe plus théorique, cher à Lotringer, de la dissémination aléatoire et du coup « ponctuel ».

De même, les éloignements successifs de ses premiers collaborateurs font du réseau élargi de Lotringer une anticommunauté, un collectif en état de désaffiliation permanente, voué aux malentendus politiques et aux trahisons amicales. Méprendre les textes, distendre les liens, se déprendre de soi – telle pourrait être la triple devise de ce collectif sans sujet, sa justification foucaldo-deleuzienne. L'intérêt de Lotringer pour le thème baudrillardien d'une « disparition de la

---

36. « Schizo-Culture », *Soho Weekly News*, 7 décembre 1978.

théorie dans la production de ses effets[37] », de même que cet effacement de soi propre au travail du médiateur ont tous les deux leur source dans son itinéraire personnel, celui d'un artiste de la fugue, d'un expérimentateur en exil : Juif caché à Paris pendant l'Occupation, il a été voué par l'histoire à un long silence sur la Shoah ; il manqua mai 1968 (il est alors en Australie) mais fut hanté ensuite par l'énigme de l'autodissolution des avant-gardes ; exilé volontaire dans une autre langue, il s'est fait ventriloque pour faire parler aux Américains le langage de la *French Theory* ; et écrivain de vocation, il n'en a pas moins laissé derrière lui des œuvres inécrites à mesure qu'il se consacrait à faire connaître celles de ses auteurs fétiches. Paradoxes d'une cohérence.

Sylvère Lotringer incarne ainsi, peut-être plus qu'aucun autre, la figure radicalement singulière, toujours menacée d'invisibilité, de ces passeurs de théorie française pris entre adhésion et ironie, contournant sur ses deux bords le rouleau compresseur de son institutionnalisation – d'un côté vers le monde vécu d'un riche parcours américain, où motifs théoriques et expériences de vie entrent sans cesse en résonance, de l'autre vers la légèreté du joueur, l'intuition furtive qu'il y aurait là comme une intense gageure. Rien ne résume mieux l'enjeu contradictoire de cette catégorie de théorie française que l'ambivalence de Lotringer face à l'université, un double jeu devenu chez lui véritable morale de l'ubiquité. Il y enseigne et y tient maints colloques, mais continue de brocarder ses « hommes du ressentiment ». Il passe, entre 1973 et 1978, du costume de l'enseignant convenu aux atours du punk new-yorkais, mais ne quitte pas pour autant Columbia. Il y diffuse le premier les textes français, mais condamne vite cette « extermination des idées par saturation du commentaire[38] ». Car, s'il œuvra sans cesse à jeter des ponts entre art et théorie, percepts et concepts, il en eut néanmoins la certitude, mâtinée de tristesse, avant tout le monde : la théorie française sera universitaire ou ne sera pas.

---

37. Sylvère Lotringer, « La découverte de l'Amérique » (interview), *Artpress*, avril 1999.

38. « Agent de l'étranger » (entretien), *in* Rainer Ganahl (dir.), *Imported : A Reading Seminar*, New York, Semiotext(e), 1998, p. 216.

4

Littérature et théorie

> « Mon avis est que les théories sont elles-mêmes des récits, mais
> dissimulés ; qu'on ne doit pas se laisser abuser par leur prétention à
> l'omnitemporalité. »
>
> Jean-François LYOTARD, *Instructions païennes*

La décontextualisation est d'abord affaire de territoires disciplinaires : la théorie française entre aux États-Unis par les départements de littérature. Les auteurs concernés ont certes été lus en
France aussi dans les cours de théorie littéraire. Mais celle-ci, passée
sa vogue des années 1970, s'est vite « rangée [et] attend les étudiants
à l'heure dite », limitée dans ses effets par des traditions « soli-
dement implantées dans l'Éducation nationale » comme l'explication de texte ou la dissertation[1] – alors qu'elle domine toujours
aujourd'hui le champ américain des humanités. De plus, Derrida,
Foucault, Deleuze et Lyotard sont non seulement philosophes de
formation mais se sont mobilisés pour la défense de la philosophie
en tant que discipline – comme en témoignent leur opposition
tenace à la réforme Haby de 1975 et leur rôle dans la création du
GREPH puis du Collège international de philosophie. Alors
qu'outre-Atlantique, leurs écrits, regroupés sous ce label de théorie
française, seront surtout *littérarisés*, passés au tamis littéraire. Au
plan statistique, le tournant se produit entre 1975 et 1980. En
comparant les textes de et sur Derrida publiés en France et aux

---

1. Antoine COMPAGNON, *Le Démon de la théorie. Littérature et sens commun*, Paris,
Seuil, 1998, p. 11-12.

États-Unis sur une période de quinze ans, la sociologue Michèle Lamont a pu dater de 1975 l'inversion nette des courbes : décollage de Derrida aux États-Unis dans le champ littéraire, et décrue d'ensemble de ses mentions en France[2]. Et, en se limitant au quatuor Barthes-Lacan-Foucault-Althusser, elle a démontré qu'à partir de 1980, date de leur « fixation » disciplinaire définitive, plus de 50 % des articles qui leur sont consacrés aux États-Unis sont publiés dans des revues du champ littéraire[3]. Les textes de tous les auteurs en question sont peu à peu traduits, commentés, inscrits au programme des cours de littérature, française d'abord puis anglaise et comparée. Ils donnent à beaucoup l'impression d'un boule-versement sans précédent : « Quelle libération c'était pour nous qu'une table rase épistémologique aussi audacieuse... », se souvient Edward Said[4].

Son succès va vite transformer la théorie française en enjeu idéo-logique et institutionnel majeur. Et, dans le contexte d'une concur-rence accrue entre campus à coups de colloques et de vedettes invitées, il va en faire l'objet d'une surenchère sans précédent entre universités. La bataille du *showcasing*, pour pouvoir « montrer » sur ses terres Derrida ou Foucault en conférence, oppose par exemple Berkeley, Buffalo et New York University (pour Foucault) ou Yale, Cornell et Irvine (pour Derrida). Même certains campus sans renom parviennent à s'en faire un comme haut lieu d'interprétation des Français – par exemple Oxford University, à Miami (Ohio), où exercent les féministes francophiles Jane Gallup et Peggy Kamuf. Comme pour les sports collectifs, chaque université se forge une spécialité qu'elle entend bien imposer sur le marché national : déconstructionnistes de Yale contre épistémologues littéraires de Cornell, psychocritiques de Harvard contre postcoloniaux de City University, néohistoricistes de Berkeley contre derridiens d'Irvine, néoaristotéliciens de Chicago contre moralistes de Stanford, etc. Mais, pour en arriver là, il a fallu que la théorie française, importée puis réinventée, propulsât peu à peu des départements de littérature

---

2. Michèle LAMONT, « How to Become a Dominant French Philosopher ? The Case of Jacques Derrida », *American Journal of Sociology*, vol. 93, no. 3, novembre 1987, p. 602-604.

3. Michèle LAMONT et Marsha WITTEN, « Surveying the Continental Drift : The Diffusion of French Social and Literary Theory in the United States », *French Politics & Society*, vol. 6, n° 3, juillet 1988, p. 20.

4. Edward SAID, « The Franco-American Dialogue : A Late Twentieth-Century Reas-sessment », *in* Ieme VAN DER POEL et al. (dir.), *Traveling Theory : France and the United States*, Teaneck, Fairleigh Dickinson University Press, 1999, p. 143.

décomplexés, parfois même galvanisés, au sommet du vieux champ
des humanités.

Conflit des facultés : la victoire du récit

Absence d'une discipline reine, crise des paradigmes, repli protectionniste de certaines disciplines, concurrence budgétaire accrue
entre programmes d'études, professionnalisation et exode des
étudiants vers les sciences et les affaires : tous les ingrédients sont
réunis, en ce milieu des années 1970, pour que fassent rage dans
l'université américaine cette lutte écologique entre champs de savoir,
ce *conflit des facultés* structural (selon le mot de Kant en 1798 pour
désigner les rapports entre la philosophie et les autres disciplines)
qu'avait apaisé aux États-Unis l'essor de l'après-guerre. C'est en
brandissant quelques concepts opératoires et quelques noms
d'auteurs nouvellement traduits que le champ littéraire va sortir
vainqueur d'un tel conflit. Son arme : le relativisme narratif (plus
que normatif) qui permet de relire les discours philosophique,
romanesque, sociologique ou historique comme autant de *récits*,
enchâssés dans une vaste structure narrative. Sa tactique : l'usage
d'un tel soupçon pour modifier la cartographie des savoirs, étendre
son pouvoir disciplinaire à des champs contigus et, plus largement,
jouer sur la « tentation des conflits *frontaliers* » et « transformer les
frontières en sujets » de débat – puisque c'est en théorisant la frontière, comme l'a montré le sociologue Randall Collins, qu'un
courant intellectuel « reste vivant[5] ». Trois phénomènes ont eu lieu
qui assurèrent cette victoire : une interprétation littéraire des textes
français, une offensive institutionnelle pour imposer ce discours
neuf et, facteur clé, l'extension du nouveau paradigme narratif à des
sous-champs plus ou moins rattachés au champ littéraire – comme
c'est le cas des études de cinéma, de l'analyse critique du droit et,
non sans paradoxe, de la théologie.

Tout commence donc au sein des départements de français, restés
pourtant assez conventionnels et qui continueront à l'être. Car la
théorie française n'y a modifié que marginalement les approches
convenues par l'histoire littéraire et le contexte culturel.
Simplement, une poignée de professeurs de français nord-
américains, d'horizons eux-mêmes très variés (Fredric Jameson,
Michel Pierssens, Jeffrey Mehlman, Leo Bersani, Mark Poster, pour
n'en citer que quelques-uns), n'ont fait alors, en pleine crise du

---

5. Randall COLLINS, *The Sociology of Philosophies*, Cambridge, Harvard University
Press, 1998, p. 783-784.

champ littéraire, que ce que leurs prédécesseurs avaient fait avec le surréalisme ou l'existentialisme : promouvoir outre-Atlantique ce qui fait débat à Paris, y faire rayonner les produits français les plus brillants du moment. Très vite, dès qu'en sont disponibles quelques traductions, ces textes émigrent vers le plus noble département d'anglais. Puis ils intègrent les tout nouveaux départements de littérature comparée, dont le premier ouvre à Yale en 1973 : successeurs des anciens départements de « littérature universelle » (*Weltlite-ratur*), ils s'en distinguent par une démarche plus autoréflexive, en interrogeant la littérature et sa relativité culturelle et, de ce fait, plus transversale – ce pourquoi ils seront des terres d'accueil naturelles pour les premiers programmes interdépartementaux, en études ethniques ou en psychanalyse. À mesure qu'ils s'éloignent des départements de français, les premiers textes lus de Foucault, Derrida, Deleuze ou Lacan sont soumis à un recentrage disciplinaire qui consiste à les *tirer* vers le champ littéraire, à mettre en avant en priorité leurs analyses du *texte* (ou de la textualité) et même à *litté-rariser* leurs propositions philosophiques.

Le cas de Foucault est particulièrement éclairant. Après un recours limité à l'exemple littéraire, conçu comme « le repos, la halte, le blason », il disait être « passé de l'expectative (signaler la littérature là où elle était, sans indiquer ses rapports avec le reste) à une position franchement négative, en tentant de faire réapparaître positivement tous les discours non littéraires ou paralittéraires (...) et en excluant la littérature » : il cherchait moins « des discours inté-rieurs à la littérature [que] des discours extérieurs à la philo-sophie »[6]. Or, l'usage américain de Foucault est, au contraire, de plus en plus littéraire. Publiée en anglais pour la première fois en 1979, sa conférence de 1969 « Qu'est-ce qu'un auteur ? » est l'un des textes de Foucault qui circule le plus largement – notamment son mot fameux « qu'importe qui parle ». On cite aussi ses textes de jeunesse, méconnus en France, sur Maurice Blanchot ou le critique Jean-Pierre Richard[7]. On compare, comme deux figures exem-plaires du genre du récit, la chevalerie selon Don Quichotte et la folie selon Foucault[8]. On relit Virginia Woolf à partir des concepts foucaldiens, comme véritable cas d'école des dispositifs sexuels

---

6. Extraits d'un entretien inédit publiés *in* Roger POL DROIT, « Foucault, passe-frontières de la philosophie », *Le Monde*, 6 septembre 1986.
7. Michel FOUCAULT, « La pensée du dehors », *Critique*, n° 229, juin 1966 et « Le Mallarmé de J.-p. Richard », *Annales ESC*, n° 5, septembre-octobre 1964.
8. André BRINK, *The Novel : Language and Narrative from Cervantès to Calvino*, New York, New York University Press, 1998, p. 10-28.

analysés par Foucault[9]. L'étude de D. A. Miller *The Novel and the Police*, l'un des essais les plus célébrés du nouveau champ littéraire américain – parce qu'il parvient à *sexualiser* et à *politiser* un objet d'histoire littéraire, le genre romanesque –, se veut même une application directe du concept de « société disciplinaire » à cette autre grande institution du XIXᵉ siècle qu'est le roman[10]. Mais une certaine illusion textualiste est ici à l'œuvre, derrière cette continuité postulée, et ininterrogée, de la prison ou de l'hôpital au texte romanesque. Articles et ouvrages abondent qui proposent aux étudiants un bilan des rapports entre Foucault et la littérature, ou une liste des concepts foucaldiens les plus opératoires en critique littéraire – à l'image de l'étude classique de Simon During[11]. Lyotard, puis Deleuze et Guattari connaissent eux aussi un sort comparable.

Pour avoir distingué entre petits et grands récits, jeux paralogiques et mythes totalisants, Jean-François Lyotard a permis, dans le champ littéraire, de généraliser la notion de postmodernité et de rapprocher les genres théorique et littéraire. Tout discours, y compris sur le récit, y régresse vers le statut lui-même de récit : « Il faut rappeler au discours narratologique » qui voit des récits partout, propose Bill Readings, comme pour soumettre le champ littéraire à son propre pouvoir, « qu'il est lui-même un récit[12] ». Rien, dès lors, n'y saurait échapper. Reconnus plus tardivement dans le champ littéraire, Deleuze et Guattari y ont, de leur côté, servi d'abord de caution au nouveau discours américaniste sur les littératures « minoritaires ». Soit un glissement du concept de littérature *mineure*, qu'avait introduit l'essai majeur sur Kafka[13], à celui de corpus *minoritaire*, dans lequel les auteurs de *L'Anti-Œdipe* auraient vu sans doute la résurgence d'un régionalisme plutôt œdipien. Un colloque sur « nature et contexte des discours minoritaires », organisé à Berkeley par deux américanistes, Abdul Jan-Mohamed et David Lloyd, inaugure en 1986 un courant critique consacré aux littératures minoritaires en terre américaine – l'afro-américaine, l'irlandaise, l'amérindienne. Analysant « stylistique »

9. Peggy KAMUF, « Penelope at Work : Interruptions in *A Room of One's Own* », *in Novel : A Forum on Fiction*, vol. 16, nº 1, automne 1982.

10. D. A. MILLER, *The Novel and the Police*, Berkeley, University of California Press, 1988, p. 16-17.

11. Simon DURING, *Foucault and Literature : Towards a Genealogy of Writing*, New York, Routledge, 1992.

12. Bill READINGS, *Introducing Lyotard : Art and Politics*, New York, Routledge, 1991, p. 71.

13. Gilles DELEUZE et Félix GUATTARI, *Kafka, pour une littérature mineure*, Paris, Minuit, 1975.

minoritaire et écriture « oppositionnelle », certains s'en inspirent, comme le dix-neuviémiste francophone Ross Chambers et le critique Louis Renza, mais au service d'une démarche fort peu deleuzo-guattarienne : celui-ci, à partir d'une seule nouvelle de la romancière bostonienne Sarah Orne Jewett, appelle à « une critique *mineure* de la littérature mineure » mais se fait le seul juge de ces catégories (tout en prévenant que certains prendront sa « critique mineure » pour une « surlecture inflationniste »), tandis que celui-là applique les outils conceptuels de la narratologie à un repérage des audaces politiques dans la littérature du XIXᵉ siècle[14]. Quant aux auteurs davantage associés en France au champ littéraire, de Barthes à Kristeva, ils sont eux-mêmes l'objet d'un surinvestissement littéraire par la lecture « tonale » ou stylistique qui en est proposée. Dans un essai sur la pensée postmoderne, le critique Allan Megill peut même interroger chez Derrida (comme il le fait chez Heidegger) les « figures de style », le motif de la « nostalgie » ou les allusions à Edgar Poe, pour mettre en scène une « radicalité » plus esthétique, ou apocalyptique, que politique[15]. La référence à Nietzsche, qui est au cœur de l'étude d'Allan Megill, est elle-même traitée souvent sur un mode littéraire, la figure fantomatique de l'auteur du *Crépuscule des idoles* venant fournir aux théories post-structuralistes, au dire de leurs commentateurs, leur tonalité, leur champ lexical, et leur *motif* au sens pictural du terme.

Si la philosophie est ainsi *littérarisée*, la littérature de son côté devient une simple région de la théorie. Car ces tactiques *littérarisantes* arriment le texte littéraire au discours théorique, qui l'encadre et semble le justifier : par un « renversement de la hiérarchie », la littérature désormais, comme le regrette Antoine Compagnon, « trouve sa légitimation dans la critique et la théorie[16] ». Pourtant, pour imposer les nouvelles références françaises et faire valoir les ambitions politiques inédites du champ littéraire, ce lent processus d'indistinction des corpus littéraire et philosophique ne saurait suffire ; il y faut un bras armé institutionnel. Ce rôle a pu être tenu par les premiers instituts de recherche interdépartementaux, ou les regroupements entre campus comme l'influente « school of criticism and theory » : basé a Irvine puis à Cornell, cet aréopage de

---

14. *Cf.* notamment Ross CHAMBERS, *Room for Maneuver : Reading (the) Oppositional (in) Narrative*, Chicago, University of Chicago Press, 1991, et Louis RENZA, *A White Heron* and the Question of Minor Literature, Madison, University of Wisconsin Press, 1988.

15. Allan MEGILL, *Prophets of Extremity*, Berkeley, University of California Press, 1985.

16. Antoine COMPAGNON, « The Diminishing Canon of French Literature in America », *in Stanford French Review*, vol. 15, nᵒ 1-2, 1991, p. 106-108.

théoriciens littéraires organise chaque été des séminaires d'initiation aux nouvelles théories, surnommés « *theory camps* » en référence aux « *summer camps* » de la jeunesse américaine. Mais il ne s'agit là encore que de prêcher des (presque) convertis. Pour imposer un champ littéraire en plein bouleversement sur le devant de la scène, le rôle institutionnel majeur va être joué par l'auguste Modern Language Association (MLA), fondée en 1883. Sorte de barreau des littéraires, elle est aux États-Unis le principal organisme officiel de représentation des enseignants et des chercheurs appartenant au champ, dont environ 30 000 sur 50 000 sont alors adhérents de la MLA. Jusqu'aux années 1960, l'association faisait figure de bastion du conservatisme. Mais déjà, sa convention annuelle très suivie faisait et défaisait polémiques et réputations : en 1948, le discours inaugural du président de la MLA, un dénommé Douglas Bush, fit beaucoup de tort au New Criticism en y dénonçant l'« intellectualité floue », le « rejet des valeurs morales » et le commentaire comme « fin en soi [17] ». En 1980 encore, rien ne semble annoncer l'orage, sa présidente Helen Vendler louant, comme au XIXe siècle, « ce goût sur la langue [...] d'un style individuel » et cette « première attitude d'entière réceptivité et d'innocence devant le texte », contre les dérives « interdisciplinaires » de la littérature [18].

Or, en quelques années, la MLA va devenir le chaudron des innovations les plus audacieuses (comme des plus saugrenues) du champ littéraire et la cible des réactionnaires excédés par ses provocations politiques – hommage à Ginsberg, honneurs au castrisme, ou invitation de délégations d'enseignants du bloc soviétique. Rien ne résume mieux l'évolution du champ, entre 1980 et 1990, que celle des thèmes des quelque 2 000 panels et tables rondes organisés pour chaque convention de la MLA. Aux discussions convenues de seiziémistes ou d'hispanisants sur la poésie baroque ou le théâtre de Calderòn, vont peu à peu s'ajouter, pour n'en retenir qu'une sélection très arbitraire, des thèmes aussi impensables avant 1980 que « déconstruction et mort de Dieu », « gynécologie et maladies vénériennes au XVIIIe siècle » ou « l'avenir du féminisme marxiste » en 1983, en 1989 « imagerie clitoridienne et masturbation chez Emily Dickinson » ou « sortir du placard en tant que femme obèse » (en référence au « placard » de l'homosexualité cachée, dont « sort » celui qui l'assume) – et encore, pour l'édition de 1990, « le touriste sodomite » ou « sous-vêtements victoriens et représentation du corps féminin ». Chaque année désormais, entre Noël et le jour de

---

17. Cité *in* Gerald GRAFF, *Professing Literature, op. cit.*, p. 248.
18. *Ibid.*, p. 254.

l'an, ce rassemblement excentrique d'universitaires proprets défraie la chronique. C'est à travers ce curieux baromètre du champ littéraire, et les comptes rendus peu flatteurs qu'en donne la presse, que le grand public va découvrir ses nouvelles orientations – déconstruction, études gay puis *queer*, marxistes et postmarxistes, postcoloniales, black ou chicano. Pareille évolution de la MLA est à mettre autant sur le compte de celle de ses adhérents, qu'elle représente fidèlement, que de l'influence de ses présidents successifs, qu'on songe au derridien J. Hillis Miller, à la féministe Catharine Stimpson, à l'historienne du surréalisme Mary-Ann Caws ou à l'afro-américaniste Houston Baker.

Lecture littéraire des philosophes et provocation institutionnelle à date fixe relèvent encore de stratégies disciplinaires. Au-delà, c'est plus profondément toute l'*épistémé* littéraire de l'université que vient bouleverser le soupçon instillé par la théorie française – ou par sa lecture américaine. Ce soupçon peut être *pan-textualiste*, lorsqu'on se propose d'expliquer de l'intérieur *tous* les phénomènes culturels grâce aux seuls (dys)fonctionnements du langage. Ou bien *pan-narratif*, si l'on met à plat *toutes* les formes de discours, de la science à la psychanalyse, comme autant de récits. Le résultat en est un élargissement *ad infinitum* de la catégorie même de littérature, restée sciemment indéfinie, et devenue simplement synonyme d'un tel soupçon sans limite. Sa fluctuation définitionnelle garantit sa porosité à tous les champs voisins et, plus tactiquement, le succès de ses velléités d'empiètement sur ces derniers. Si tout est littérature, autrement dit, qui pourrait lui résister ? C'est une autre différence avec la France. Là où cette « ère du soupçon » y avait provoqué quelques années durant un mouvement centrifuge d'auto-réflexion, de repli sur la question de la définition – c'est l'obsession d'époque pour les « critères de littérarité » et les limites de l'« espace littéraire » –, le même influx théorique suscite aux États-Unis un mouvement centripète d'expansion territoriale, par absorption ou contamination – en laissant béante la définition de la littérature (ou du récit) comme pour y mieux inclure ses *autres* disciplinaires. Soupçon méthodique, scientifique d'un côté, pour prendre dans ses rets un objet qui échappe ; soupçon politique, pragmatique de l'autre, pour qu'un champ d'études en crise en sorte revigoré. Car il est utile ici, sans verser dans une psychologie de vendetta, de rappeler le complexe d'infériorité d'une majorité de littéraires dans l'université américaine traditionnelle, malgré Matthew Arnold et malgré le New Criticism : regardés de haut par leurs collègues des champs voisins, ils avaient encore l'image de plaisants compagnons bien éloignés des vraies questions, ce que rend le terme

condescendant de « belle-lettriste » (*bellelettristic*). Cette fois, au
contraire, c'est de chez eux que viendrait la question sérieuse, ou du
moins celle qui fâche. En soupçonnant la philosophie de logocentrisme, le canon littéraire d'arrière-pensées coloniales, les sciences
sociales d'impérialisme culturel, et même d'autisme les intouchables
sciences exactes (pour leur légitimation purement interne [19]), les
littéraires devenaient les champions de la subversion. Et leur discipline, l'arme *critique* la mieux affûtée du moment. Depuis cette
nouvelle Rome qu'était le département d'anglais, partiraient des
conquêtes prodigieuses, des croisades pour évangéliser les territoires
lointains – ainsi que l'illustrent trois exemples de sous-champs littéraires inattendus, *film studies*, *legal studies* et *theological studies*.

Les *film studies* américaines présentent une double particularité :
un rattachement ancien au champ des humanités, au nom d'une
distinction entre écoles de cinéma (*film schools*) et discours *sur* le
cinéma, et une forte influence française dès avant 1970, comme en
témoigne le succès du travail de Jean Mitry et des écrits de la
nouvelle vague. Mais l'usage des nouveaux textes français va transformer ces cours jusqu'alors empiriques (sur l'adaptation des
romans ou les règles de *La Poétique* d'Aristote) en véritables laboratoires théoriques. La fortune américaine, dès 1975-1976, des écrits
de Lacan et surtout du lacanien Christian Metz, sur la perception
visuelle ou l'onirisme filmique, assure en outre aux *film studies* une
certaine identité disciplinaire au sein du champ littéraire. Dans des
articles freudo-marxiens d'inspiration française – auxquels s'ajoutent
ceux des Britanniques de la revue *Screen* –, l'accent est mis sur les
« machinations » du producteur, « l'idéologie inconsciente » du
spectateur ou la « fonction auctoriale » du réalisateur [20]. En fait, *film
studies* et cours de littérature parlent alors le même langage. Les
nouvelles revues en vogue multiplient les articles sur le cinéma, de
Diacritics à *October*, et le mot le plus employé par ces théoriciens
du cinéma est celui de « lecture » des films, titre du manuel de référence sorti en 1977, *How to Read a Film* – où rien n'est dit en
revanche sur la nouvelle ère qu'aborde au même moment le cinéma
américain, avec *Les Dents de la mer* (1975) et *Rocky* (1976). Au
contraire, une seconde phase voit les *film studies* évoluer, à l'instar
des *Cultural Studies* dans le champ littéraire, vers les problématiques identitaires (ethniques ou féministes) et la question de la

---

19. *Cf.* par exemple Stanley ARONOWITZ, *Science as Power : Discourse and Ideology in Modern Society*, Minneapolis, University of Minnesota Press, 1988.

20. Dudley ANDREW, « The "Three Ages" of Cinema Studies and the Age to Come », *PMLA*, vol. 115, n° 3, mai 2000, p. 343-344.

culture de masse et des rapports interculturels, virage brusque qu'explique Dudley Andrew par le seul impératif d'innovation universitaire : « Si l'édifice sémiotique, marxiste et psychanalytique des études de cinéma fut laissé en friche alors que son plâtre était encore frais, [...] cherchez-en surtout l'explication dans un système qui encourage les chercheurs à créer de nouvelles subdivisions au lieu de réparer ou de renforcer le centre du champ [21]. » Enfin, dans une dernière période, les *film studies* s'éloignent depuis quelques années du champ littéraire en dénonçant, au nom d'un âge « post-théorique », la réduction théorique de l'objet filmique, retour de bâton anti-intellectualiste aussi excessif que le lacanisme « dur » de 1975 [22]. Trois phases pendant lesquelles, de leur côté, les études de cinéma dans l'université française sont restées largement inchangées, autour d'une double approche historique et esthétique aussi éloignée de Lacan que de Deleuze : histoire du cinéma et de ses réalisateurs, esthétique de l'image et techniques de plans et de découpage, et la « filière cinématographique » complète, du scénario à la distribution. Tout au plus y interroge-t-on au passage la validité de l'approche sémiologique, ou l'utilité des théories du *genre* littéraire pour délimiter d'improbables *genres* filmiques.

Plus significatives encore sont les incursions des théoriciens littéraires sur le terrain du droit, ou plutôt – loin des programmes en coupe réglée des Law schools – sur celui des commentaires à propos du droit, sans effets bien sûr sur ce dernier. Le critique Peter Brooks explore ainsi la place de la confession dans la culture occidentale à partir d'une double lecture des classiques littéraires et de la jurisprudence – en un livre que les romanciers recommandent aux avocats, et vice versa [23]. Plus corrosif, le travail de Stanley Fish, qui enseigne au département d'anglais *et* à l'école de droit, consiste à soumettre les principes juridiques au double test de la cohérence logique et rhétorique. De son côté, Gayatri Spivak, théoricienne postcoloniale et spécialiste de Derrida, a pu critiquer le « phonocentrisme » du droit qui, de l'interrogatoire au témoignage, postule qu'une parole ponctuelle, fragmentaire, souvent soutirée, serait

---

21. *Ibid.*, p. 344.
22. *Cf.* David BORDWELL et Noël CARROLL (dir.), *Post-Theory : Reconstructing Film Studies*, Madison, University of Wisconsin Press, 1996. En un acronyme plutôt acrimonieux, les éditeurs y condamnent les effets du vieux *package* français « SLAB » (pour Saussure-Lacan-Althusser-Barthes).
23. Peter BROOKS, *Troubling Confessions : Speaking Guilt in Law and Literature*, Chicago, University of Chicago Press, 2000.

l'expression pleine et entière du sujet[24]. L'impact de l'œuvre de Derrida, en particulier de *Force de loi*, sur cette critique « littéraire » des fondements du droit vaudra d'ailleurs à l'intéressé une collaboration avec la Cardozo Law School de New York, où il prononce en 1989 une série de conférences sur « déconstruction et possibilité de la justice ». Au confluent de cette déconstruction logique et d'une critique politique du droit américain, se situe le courant des « *critical legal studies* », développé entre 1978 et 1985 autour des travaux de Richard Delgado et Roberto Ungar (à Harvard). Il prolonge à la fois la critique par John Dewey de l'abstraction juridique et de son « objectivité », au début du siècle, et le mouvement dit du « *legal realism* » des années 1930, selon lequel le vocabulaire juridique exclut à tort de son champ d'action un certain nombre de réalités humaines (passion, conflit, événement). Il y ajoute les concepts plus récents de la théorie littéraire pour mieux invalider les prétentions du droit à la justice « universelle », et critiquer notamment sa trompeuse « idéologie de la neutralité » en matière raciale[25].

Enfin, le cas de la théologie offre un exemple plus probant encore des capacités de circulation transdisciplinaire du nouveau discours théorique, d'infection virale même, pourrait-on dire, tant il opère ici à contre-emploi. À l'exception de Michel de Certeau, aucun des auteurs du corpus n'aborda de front les thèmes de la pratique et du discours religieux – ni le travail de Derrida sur Lévinas ni, *a fortiori*, les envolées de Lyotard sur Jésus en « prostituée calculatrice » ne rentrant véritablement dans ce cadre. Pourtant, face à la désaffection des étudiants et au désarroi des religieux confrontés à leur époque (marquée par la dépolitisation et les nouvelles technologies), les études universitaires de théologie se sont saisies à leur tour de la théorie française, pour y explorer les voies d'une « chrétienté postmoderne ». Menés par Mark Taylor, les « chrétiens derridiens » ont d'abord proposé une « théologie déconstructive » liée à la doctrine de l'« errance » et aux vertus du doute[26]. Puis, dans les années 1990, une relecture systématique de la Bible à la lumière de « l'antirationalisme » français a permis d'en revaloriser les dimensions « contre-idéologique » et « antitotalisante », contre l'éthique abstraite et le

24. Gayatri Chakravorty SPIVAK, *In Other Words : Essays in Cultural Politics*, New York, Routledge, 1998, p. 213.

25. *Cf.* la récente mise au point de Richard DELGADO *et al.* (dir.), *Critical Race Theory : An Introduction*, New York, New York University Press, 2001.

26. Mark TAYLOR, *Deconstructing Theology*, Minneapolis, Crossroad, 1982 et *Erring. A Postmodern A/theology*, Chicago, University of Chicago Press, 1984.

scientisme « objectivant »[27]. Suivront diverses innovations, promues par les nouvelles collections « postévangéliques » de quelques éditeurs confessionnels (comme Intervarsity Press), mais aussi quelques scandales, lorsque des enseignants s'éloignent par trop du dogme[28]. Si les mêmes concepts qu'a décentrés la théorie française, dont elle a décomposé la fausse évidence – raison, identité, science, individu – sont ceux par lesquels ces théologiens expliquent le déclin de la foi, la communauté de cible n'en est pas moins indirecte : la critique de la raison engagée par la théorie française n'avait pas vraiment pour enjeu une ultime Révélation. Le postmodernisme biblique n'aura finalement pas enrayé le déclin des inscriptions, ni celui des vocations ; mais il reste une stimulante planche de salut.

En fin de compte, le détour théorique français aura permis ce double tour de force : placer au cœur du champ littéraire les enjeux politiques et philosophiques les plus brûlants de l'époque, et justifier la traque (qu'ont bientôt commencé à faire les littéraires) des ellipses, des analepses et des métonymies cachées derrière le langage supposé « neutre » de la philosophie et des sciences sociales. La victoire de la littérature, et de son nouvel arsenal théorique, n'est pas seulement celle du soupçon, mais d'une méthode critique générale, aussi gratifiante qu'élastique.

En citant en détournant

Avant d'aller voir quelles forteresses résistèrent aux conquêtes du récit, il faut revenir sur les procédés éditoriaux (l'agencement des textes) et lexicaux (l'instauration d'un langage commun) sans lesquels l'*invention* d'un tel discours théorique n'aurait pu avoir lieu. Ces procédés doivent accomplir une double tâche d'*arrachement* puis de *rassemblement*. Car pour s'approprier les textes étrangers, il faut en déplacer les thèmes et les rhèmes, les scinder de leur mémoire et du contexte qu'ils véhiculent, puisque tout « art de faire est aussi un art d'oublier » selon la formule de Michel de Certeau[29]. Et pour rassembler, autour de ces textes désamarrés, une nouvelle société de discours, seconde étape de l'*invention* en question, il faut déployer les éléments d'une communauté de langage inédite, d'un véritable *modus loquendi* redonnant aux

---

27. J. Richard MIDDLETON et Brian WALSH, *Truth is Stranger Than it Used to Be : Biblical Faith in a Postmodern Age*, Westmont, Intervarsity Press, 1995.

28. *Cf.* Charlotte ALLEN, « The Postmodern Mission », *Lingua Franca*, décembre 1999, p. 55-59.

29. Michel de CERTEAU, *La Fable mystique. XVIᵉ-XVIIᵉ siècles*, Paris, Gallimard, 1982, p. 178.

lecteurs qui les croisent l'initiative de l'énonciation. Le caractère fortement *codé* du nouveau discours intervient là – moins stratégie de carrière, ou d'exclusion, qu'une façon d'organiser la répétition, de rendre un langage appropriable, scriptible, de faire rimer entre eux des *topoi* pour qu'ils créent de la relation entre leurs usagers. Sans qu'on pût faire la part, dans ces divers procédés, de ce qui relève de tactiques délibérées et du destin aléatoire des textes.

Les procédés éditoriaux ont pour effet de créer, entre des textes ou des auteurs que rapproche leur publication dans le même recueil ou la même collection, une impression de promiscuité intellectuelle – figure déformée, mais efficacement unifiante, d'un espace inter-textuel soudain resserré. La théorie française est d'abord là, dans la promiscuité d'un sommaire de volume collectif, ou dans celle des catalogues d'éditeurs. Le resserrement peut impliquer l'amputation, comme lorsque Pantheon Books, pour des raisons commerciales, choisit en 1967 l'édition très réduite d'*Histoire de la folie* de Foucault, ou quand les presses de Columbia publient en 1984 *La Révolution du langage poétique* de Julia Kristeva comme traité de théorie littéraire, en supprimant sa dernière partie sur Mallarmé, Lautréamont et la révolution. Mais il signifie surtout invention d'un label, création *sui generis* d'une famille intellectuelle, en ménageant entre les noms propres circulation et ouverture, comme y parvinrent les plus célèbres collections consacrées, pour tout ou partie, à la théorie française : « Theory and History of Literature » aux presses du Minnesota, « Post-Contemporary Interventions » aux presses de Duke, « Foreign Agent » bien sûr chez Semiotext(e) et, dans une moindre mesure, « European Perspectives » aux presses de Columbia et « French Modernist Library » aux presses du Nebraska. Leurs directeurs peuvent aussi renforcer cet effet de promiscuité en publiant des volumes à double face, Janus éditoriaux. *Zone*, par exemple, a publié ensemble l'article de Foucault déjà cité sur Blanchot et le texte de ce dernier intitulé *Michel Foucault tel que je l'imagine*[30] – mettant ainsi en scène un dialogue entre deux auteurs dont ce sont là, parmi un corpus profus, les seules références qu'ils aient jamais faites l'un à l'autre. Et lorsque Deleuze et Guattari, solidaires de Foucault, menacent de rompre avec Semiotext(e) si Lotringer publie en traduction le texte de Baudrillard *Oublier Foucault*, l'éditeur a l'idée d'y ajouter, commençant au verso, un long entretien qu'il réalise avec

---

30. *Foucault/Blanchot*, New York, Zone Books, 1988.

Baudrillard et intitule *Oublier Baudrillard*[31]. Plus généralement, éditeurs et médiateurs privilégient les textes coécrits, les articles réciproques, les regards croisés, plus à même que tous les artefacts éditoriaux de produire la figure d'un corpus commun. C'est ainsi, pour ne prendre que l'exemple de Deleuze et Foucault, que les textes qu'ils écrivirent ensemble ou consacrèrent l'un à l'autre, maintes fois republiés aux États-Unis, y sont parmi les plus célèbres. C'est le cas de « Theatrum philosophicum », compte rendu par Foucault pour la revue *Critique* de *Logique du sens* et *Différence et répétition*, de l'article « Un nouveau cartographe », recension de *Surveiller et punir* par Deleuze pour la même revue, mais aussi du *Foucault* de Deleuze publié d'abord à Londres et, pour leurs textes communs, de la préface novatrice qu'ils rédigèrent ensemble aux *Œuvres complètes* de Nietzsche chez Gallimard et, bien sûr, de l'entretien pour *L'Arc* qui les réunit en 1972 sur « les intellectuels et le pouvoir[32] ». Ce texte fut d'abord publié en anglais par *Telos* puis *Semiotext(e)*, et enfin en recueil. Il fut critiqué bientôt par Gayatri Spivak, pour leur obstination à « prouver que le travail intellectuel est comme le travail manuel » et leur façon de « réintroduire dans le discours sur le pouvoir, au nom du désir, un sujet indivis[33] ». Il n'en est pas moins resté, outre-Atlantique, le texte de référence sur la question des *usages* de la théorie, pour la définition qu'y proposent Deleuze et Foucault de la théorie comme simple « boîte à outils », une *toolbox* politique appelée aux États-Unis à un avenir agité.

Dans un autre ordre d'idées, les *Readers* proposés aux étudiants produisent ce même effet de naturalisation d'un corpus par la promiscuité des noms propres. Volumes didactiques et anthologiques, ils couvrent un thème (postmodernité ou littérature homosexuelle) ou l'œuvre d'un seul penseur – chacun des auteurs français ayant le sien, et Foucault et Derrida disposant même de plusieurs *Readers* variant les angles d'attaque. S'y ajoute souvent l'argument plus commercial d'une miniaturisation de la pensée : la collection « Great Philosophers » de Routledge se targue de faire découvrir l'itinéraire de Derrida ou Foucault en 64 pages, et « Postmodern Encounters » chez Totem Books résume une œuvre en lui associant

31. *Forget Foucault/Forget Baudrillard*, New York, Semiotext(e), Foreign Agent Series, 1987.
32. Michel FOUCAULT et Gilles DELEUZE, « Les intellectuels et le pouvoir », *L'Arc*, n° 49, 2ᵉ trimestre 1972, p. 3-10.
33. Gayatri Chakravorty SPIVAK, « Can the Subaltern Speak ? », *in* Lawrence GROSSBERG et Cary NELSON (dir.), *Marxism and the Interpretation of Culture*, Chicago, University Press of Illinois, 1988, p. 274-275.

un lieu commun de la vulgate postmoderne, ainsi des volumes sur « Derrida et la fin de l'histoire » ou « Baudrillard et le millénaire ». Mais la tactique éditoriale est toujours la même, qui consiste à substituer à la logique argumentative de chaque œuvre la magie d'un croisement de noms réenchanteur : « quand des noms célèbres sont mis côte à côte, objets sacrés mais rivaux », observe Randall Collins sur trente siècles d'histoire intellectuelle, ils imprègnent toujours « leurs lecteurs de la confrontation de leurs auras[34] ». Une autre forme de production *éditoriale* du nouveau discours théorique est l'ajout d'un abondant péritexte – préface, postface, notes, intertitres, et la tradition américaine de la quatrième de couverture. À moins qu'on ne demande à l'un des auteurs, justement, une préface inédite, qui imprégnera l'œuvre traduite du prestige de son préfacier. Ce fut le cas lorsque Mark Seem sollicita de Foucault un texte d'introduction à la traduction qu'il venait d'achever de *L'Anti-Œdipe*, et que Foucault, avec une grande intelligence des déplacements, choisit un ton programmatique et le mode de l'impératif pour inviter les Américains à faire de ce « grand livre » un « guide de la vie quotidienne[35] ». En fin de compte, ces procédés éditoriaux décident, d'année en année, du destin américain des textes français, dont ils recomposent la hiérarchie. Ils placent en des points névralgiques du nouveau corpus des textes croisés, des extraits qui se répondent les uns les autres, et quelques formules fétiches extraites de leur contexte que déclineront tour à tour les divers commentateurs. Ainsi, c'est pour avoir été reprise, paraphrasée, évoquée allusivement, citée comme caution en préface ou même tournée en slogan sur un bandeau d'éditeur que la célèbre formule de Foucault sur Deleuze, pourtant à double tranchant, est devenue l'une des ritournelles les plus souvent entonnées de la théorie française aux États-Unis : « Un jour, peut-être, le siècle sera deleuzien[36]. »

Procédés lexicaux et syntaxiques sont, de leur côté, les opérateurs d'une complicité entre lecteurs. D'une part, ils théâtralisent le texte, premier ou second, en y déployant ce que Michel de Certeau appelait une « dramatique de l'allocution[37] ». D'autre part, du ton des notes de bas de page à la récurrence de certains motifs obligés, ils servent d'indices de classification en permettant de distinguer en un instant textes ordinaires et textes novateurs, ces derniers qu'on

---

34. Randall COLLINS, *The Sociology of Philosophies*, *op. cit.*, p. 74.

35. Michel FOUCAULT, « Preface », *in* Gilles DELEUZE et Félix GUATTARI, *Anti-Œdipus*, Minneapolis, University of Minnesota Press, 1983, p. XI-XIV.

36. Michel FOUCAULT, « Theatrum philosophicum », *Critique*, n° 282, novembre 1970, p. 885.

37. *La Fable mystique*, *op. cit.*, p. 223.

pourrait appeler *théori-morphes* – au sens où certains critères les désigneraient au premier coup d'œil comme relevant du nouveau discours théorique. Le comble en la matière, qu'explique peut-être un souci trop manifeste d'originalité, est le recours au régime de l'illisible, à un jargon sexualisé confondant davantage son auteur que ses lecteurs : « L'anus-pénis fonctionne(nt) dans une continuité métonymique dévaluée », écrit par exemple un dénommé Calvin Thomas dans son essai *Male Matters* (1995), « alors que la notion d'étron phallomorphique fonctionne dans le champ de la substitution métaphorique[38]. » Plus courant, l'usage du néologisme substitue à la paraphrase soumise l'initiative du créateur de concepts, qui peut même croiser deux auteurs en un mot-valise, comme le fait Ian Douglas en mêlant le biopouvoir foucaldien et les thèses de Virilio sur la vitesse au sein d'une « bio/dromologie[39] ». La souplesse de l'anglais autorise, plus souvent encore, des abréviations et des acronymes dont le dimension d'oralité et les accents ludiques contribuent à désacraliser les textes français, les rendant partageables sur le mode informel de la conversation, ou même du slogan : « décon » pour déconstruction, « Derridoodle » pour son inspirateur, « DWEM » pour le canon littéraire honni (soit les auteurs *dead*-morts, *white*-blancs, *european*-européens et *males*-mâles), « we-men » pour souligner toute l'ambivalence de la revendication féministe, ou encore « pomo lingo » pour le jargon postmoderne, etc. Enfin et plus largement, parce qu'elle est elle-même transfert et réappropriation, la traduction participe à son tour – et peut-être plus puissamment que les autres procédés – de ces modes de production du discours théorique. Elle en est même l'étape liminaire.

La première raison en est que les difficultés incessantes de traduction (pour rendre « aveu » ou « dispositif » chez Foucault, « jeu » ou « hors-texte » chez Derrida, et « jouissance » ou « objet partiel » chez Lacan) imposent au traducteur un métadiscours de justification, autocritique ou prétéritif, qui le place d'emblée au-delà de ses prérogatives – de passeur de langue, il devient herméneute. Et, en désignant la lacune, il invite les lecteurs à surmonter une perte. Ainsi la constellation de signifiés que cache le monosyllabe « Sa », dans *Glas* de Derrida, impose-t-elle à sa traductrice un heureux détour explicatif pour relier le Savoir absolu hégélien, l'abréviation de signifiant, le « ça » lacanien et l'adjectif possessif

---

38. Cité *in The Sokal Hoax, op. cit.*, p. 224.

39. Ian R. DOUGLAS, « The Calm Before the Storm : Virilio's Debt to Foucault », article en ligne à l'adresse www.proxy.arts.uci.edu/ñideffer/_SPEED_/1.4/articles/douglas. html

féminin ; de même que les implications thérapeutiques du « panser »
dans le verbe « penser », sur lesquelles joue le même Derrida, sont
l'occasion d'une utile digression[40]. En cherchant des solutions
viables pour contourner l'intraduisible, les traducteurs effectuent ce
premier geste grâce auquel les lecteurs pourront à leur tour *habiter
l'écart*, répéter au stade de la lecture un bricolage effectué avant eux,
entre deux langues-cultures, par le traducteur. Car c'est bien de
« bricolage des ajustements contextuels » qu'il s'agit, selon le mot
de Jean-René Ladmiral, dans ces tactiques de contournement :
« paraphrase synonymique », « calque », « théorème du contresens
minimal », souci de « resocialiser les connotations »[41] – en assumant
l'inévitable changement de registre, ou les effets d'assourdissement
d'un mot amputé de ses allusions. Le traducteur fait toujours l'expérience d'une limite, et d'une négativité première, du langage. La ruse
dont il doit faire preuve est aussi une façon de remplacer l'impossible neutralité d'un simple passage sémantique par le geste plus
volontaire, plus affirmatif, d'une appropriation. Il lui faut *parler*, en
somme, au lieu de simplement rapporter. Comme le font, plus
librement, les exégètes américains du corpus français lorsque, au lieu
d'essayer de rendre l'équilibre des arguments au sein d'une œuvre,
ils y opèrent un tri et se saisissent d'un seul motif, d'une formule,
d'un thème entier – la mort du sujet, la fable de la carte et du territoire, la dissémination du pouvoir, le désir comme flux : ils les
testent et les déplient, les détournent à leur profit, en jouent jusqu'à
les faire glisser de symboles en indices, désormais isolables, manipu-
lables, critiquables, en un mot *habitables*.

Le travail de la citation est au cœur de ces procédés. Elle agit
comme microcosme, suffit à transmettre un argument complexe, une
œuvre entière, et parvient littéralement à les *présenter* : non pas les
résumer, les re-présenter, mais les rendre présents – ou en
convoquer du moins les fantômes. La citation forme en fin de
compte la matière première de ce composite intellectuel nommé
théorie française, qui tient lui-même en entier dans une poignée
d'entre elles. Ce peut être le faux épigraphe de *L'Ecclésiaste*, « le
simulacre est vrai », placé par Baudrillard en tête de *Simulacres et
Simulation* et dont ses lecteurs américains ne savent plus s'il est
lui-même authentique ; ce peut être cette capsule de Lyotard
résumant la postmodernité à une « incrédulité à l'égard des

---

40. Gayatri Chakravorty Spivak, « Translator's Preface », *in Of Grammatology*,
Baltimore, Johns Hopkins University Press, 1976, p. XXXVII-XXXVIII et XXXVI.
41. Jean-René Ladmiral, *Traduire. Théorèmes pour la traduction*, Paris, Payot, 1979,
p. 168-169, 19, 246 et 145 respectivement.

métarécits » ; ce peut être l'assertion de Derrida, traduite de maintes façons, si souvent répétée elle-même *hors* de son texte, selon laquelle « il n'y a pas de hors-texte ». Même la formule de Deleuze suggérant de « faire un enfant dans le dos » à l'histoire de la philosophie, ou celle de Foucault à la fin des *Mots et les choses* sur l'homme s'effaçant « comme à la limite de la mer un visage de sable », furent elles-mêmes reprises et déformées si souvent qu'en a comme disparu la lettre d'origine. La citation entre alors dans un espace de flottement, une zone transdiscursive traversée de noms propres et de concepts volants, où elle peut échapper au cité comme au citant, où s'indistinguent l'emprunt français et l'ajout américain. Devient possible en elle non pas tant une « possession » de la référence théorique, qui supposerait « clôture » et enracinement, qu'une plus furtive appropriation, un « rapt » : parce qu'elle « parle autrement le discours de l'autre », parce qu'elle est brandie finalement « au nom de personne », la citation, comme le soulignait Antoine Compagnon, permet moins de « prendre possession d'autrui que de soi[42] ». Il s'y produit aussi cet « éloignement du nom propre » qu'analysait Bourdieu en un autre contexte[43], quand à force d'être cité, l'« individu empirique » qui est sujet de son discours *hic et nunc* cède la place peu à peu à l'« individu doxique », nom d'une œuvre départageant des opinions, puis à l'« individu épistémique » plus abstrait, sans visage ni nom propre, indice de classement des savoirs et source presque anonyme d'une chaîne d'innovation conceptuelle.

Si bien qu'*inventer* la théorie française ne signifie rien d'autre qu'arriver, de tour rhétorique en ruse lexicale, à faire de Foucault ou Derrida moins des références que des noms communs, une forme de respiration du discours. Les citations sont les matériaux sans cesse réutilisables d'une construction changeante, montable et démontable. L'étudiant de premier cycle qui les a croisés au détour d'un seul cours, l'enseignant humaniste qui les conspue au nom de la Littérature pure, et même le jeune salonnard qui les assimile à son tour pour compléter sa culture générale d'une touche « radical chic[44] » ont tous été mis en contact avec ces fragments de *French Theory*, unités détachables d'un discours à géométrie variable.

42. Antoine COMPAGNON, *La Seconde Main, ou le travail de la citation*, Paris, Seuil, 1979, p. 351 et 356.

43. *Cf.* son analyse de la « construction » universitaire de Lévi-Strauss (*in* Pierre BOURDIEU, *Homo academicus*, Paris, Minuit, 1984, p. 34-37).

44. Comme l'y invite, non sans ironie, le chapitre « What Was Structuralism ? » d'un guide de savoir-vivre lettré tel que celui de Judy JONES et William WILSON, *An Incomplete Education*, New York, Ballantine, 1987.

L'ordre interne d'un tel discours relève de la scansion plus que de l'argument linéaire, du charisme d'un *nom-du-concept* plus que de son explicitation. C'est en quoi cette analyse syntaxique, à peine esquissée, de la théorie française est indissociable de sa description sociologique comme nouvel éthos universitaire – dont les traits majeurs sont la démarche ludique, la logique de l'injustifiable, l'impératif d'originalité, l'hétérodoxie productive mais aussi la conformité stratégique à certaines allégeances communautaires. Et bien sûr l'écart maximal, garant de la surprise, entre un personnage lisse, enseignant sans histoires, et son discours tranchant. Autant d'aspects qui ne contribueront pas peu à liguer philosophie et sciences sociales contre la *French Theory*.

Résistances : de l'histoire à la philosophie

L'insolente vitalité du champ littéraire a en effet suscité, en son sein autant que chez ses voisins, une forte résistance à la théorie française, et au-delà à toute cette nouvelle région du savoir qu'en est venu à délimiter le terme de *theory*. Paul de Man, en un paradoxe célèbre, a pu dire d'une telle résistance qu'elle appartenait en propre à la théorie, puisque celle-ci est « résistance à l'usage du langage à propos même du langage » et « parle [donc] le langage de la résistance à soi », et puisqu'elle vient prendre en charge des contenus de savoir qui lui préexistent en les soumettant, contre leur gré en quelque sorte, au soupçon d'un fonctionnement autonome du langage[45]. Mais, de leur côté, les principaux *résistants* dans le champ des humanités, historiens, sociologues et surtout philosophes, n'auraient pas souhaité être rattachés à la théorie française au titre même de leur résistance à son endroit – le type même de paradoxe qui les fait enrager.

L'histoire comme discipline, déjà ébranlée vingt ans plus tôt par l'impact de l'école des Annales, a développé des relations ambivalentes avec l'influx nouveau de théorie française. L'essor de l'histoire sociale et de l'histoire intellectuelle a favorisé les emprunts aux auteurs français, surtout Foucault et de Certeau. Puis la « relecture de l'histoire intellectuelle à partir du rapport problématique entre texte et contexte a soulevé la question du langage[46] », comme le résume Dominick LaCapra : le tournant linguistique n'a donc pas épargné non plus la vieille histoire des idées, qui s'est interrogée sur

---

45. Paul DE MAN, *The Resistance to Theory*, Minneapolis, University of Minnesota Press, 1986, p. 12 et 19-20.
46. Dominick LaCapra, *Rethinking Intellectual History*, *op. cit.*, p. 18.

ses méthodes et le statut des textes dont elle raconte l'émergence, et s'est remise en cause très tôt *au miroir* de la théorie française, comme en témoigne le colloque sur « histoire et *linguistic turn* » organisé à Cornell en 1980 par Steven Kaplan. Plus largement, la crise épistémologique que traverse l'histoire depuis la fin des années 1960 l'a plongée dans une phase d'autoréflexion plus ou moins bien vécue, l'historiographie conservatrice refusant le débat pendant que s'élevaient en sens inverse quelques voix réputées – celle de Hayden White, pour « ouvrir » la démarche historique, puis de Peter Novick posant sans ambages la question de l'« objectivité » en histoire[47]. Mais la limite d'un tel dialogue entre histoire et post-structuralisme littéraire a trait, justement, au statut des textes. Car, au moment où les théoriciens littéraires réduisent l'histoire à n'être dans leur champ qu'un lointain contexte, idéologiquement suspect, les historiens n'ont que faire des équivocités ou des non-dits du texte, des *mélectures* auxquelles il donnerait lieu – soucieux surtout de substituer des documents fiables à ceux qui ne le seraient plus. De plus, interroger dans les mêmes termes les deux disciplines revient à supposer une certaine *continuité* des textes aux faits historiques. Or on a vu qu'une telle continuité n'allait guère de soi (quand la prison et le roman sont mis sur un même plan), et l'historienne Lynn Hunt a même montré qu'elle versait souvent dans les causalités simplistes – au détriment, selon elle, à la fois de la « complexité » des déterminants littéraires et de la dimension de « scandale » du pur *événement* historique[48]. En fait, si les historiens se méfient des textualistes et des chantres de la déconstruction, ils vont en revanche engager un dialogue plus ouvert, mais non moins problématique, avec l'autre « camp » du nouveau champ littéraire, les tenants des politiques identitaires – qui, eux, ne peuvent faire l'économie de l'histoire, quitte à en proposer une critique politique.

La diversité même des sciences sociales rend leur cas plus complexe. D'un côté, la théorie française est à l'origine d'un double tournant majeur : en anthropologie culturelle avec l'influence de Foucault et Lévi-Strauss, complétée par le travail de Clifford Geertz et sa théorie de la culture comme « mobilité des significations », et en sociologie des sciences autour des recherches de Bruno Latour, qu'avait précédées la « révolution » épistémologique de Thomas

47. Peter NOVICK, *The Noble Dream : The « Objectivity Question » and the American Historical Profession*, Cambridge, Cambridge University Press, 1988.
48. Lynn HUNT, « History as Gesture, or, The Scandal of History », *in* Jonathan ARAC et Barbara JOHNSON (dir.), *Consequences of Theory*, Baltimore, Johns Hopkins University Press, 1991, p. 91-107.

Kuhn. Mais, d'un autre côté, la sociologie fonctionnaliste et l'ethno-logie de terrain s'y sont fort logiquement fermées. Une pensée qui conduit à considérer la « société » comme fiction politique et à écarter l'« acteur » pour une critique du *sujet* de l'action ne pouvait bénéficier d'un accueil chaleureux aux États-Unis, où la tradition en sciences sociales est celle de l'approche inductive, des données quanti-tatives, des histoires de vie et des applications sociales de la recherche – depuis qu'ouvrit en 1892, à l'université de Chicago, le premier département de sociologie américain. Pourtant, l'influence initiale sur la sociologie américaine, au début du XXᵉ siècle, des anthropologies *qualitatives* de Gabriel Tarde et Georg Simmel, précurseurs en leur temps de l'interactionnisme social, aurait pu favoriser le dialogue ; et celui qui a eu lieu effectivement entre certains philosophes français des années 1960 et les chercheurs de l'école interactionniste de Talcott Parsons puis ceux du « collège invisible » de Palo Alto (au sein duquel le travail de Gregory Bateson, par exemple, intéressa de près Foucault et Deleuze) aurait dû également faciliter les choses. Mais les cloisons disciplinaires ont joué, ici aussi, leur rôle de postes de triage, en fermant la plupart de ces disciplines aux apports français, perçus comme des menaces ou des généralisations sans preuves. L'héritage positiviste en sciences sociales était trop pressant dans l'université américaine pour ne pas inciter, ainsi, Peter Gay et même Clifford Geertz à condamner chez Foucault le manque de recherche empirique et les formules « évasives » : à l'heure de son triomphe américain, « ils ne ménagent pas leurs efforts pour endiguer la vague foucaldienne[49] ».

Au différend épistémologique, s'ajoutent une méfiance éthique, voire un rejet politique. Le point de vue de la sociologue Janet Wolff résume bien ici celui de la majorité de ses collègues : « La démarche poststructuraliste et ses théories du discours, en montrant la nature discursive du social, fournissent aussi une justification pour *nier* le social[50]. » À leur façon, C. Wright Mills, en politisant la sociologie, et Clifford Geertz, dont le classique de 1973 (*The Interpretation of Cultures*) imposait un tournant « culturel » dans les sciences sociales, préparaient pourtant le terrain pour un débat fructueux avec la théorie française. Mais c'est justement au nom de la sociologie *engagée* qu'ils incarnent tous deux, et que leurs épigones opposèrent au « relativisme » théorique supposé des Français, que ce débat n'aura jamais lieu. En quelques occasions, et

49. Didier Eʀɪʙᴏɴ, *Michel Foucault, op. cit.*, p. 333-334.
50. Cité *in* John Rᴀᴊᴄʜᴍᴀɴ (dir.), *The Identity in Question*, New York, Routledge, 1995, p. 255.

en des termes eux-mêmes un peu caricaturaux, Foucault ou Derrida pourront être appliqués à la sociologie de la culture, ou de la santé[51]. Mais, au-delà, l'impact de la théorie française en sciences sociales se limitera à des emprunts partiels : tel concept opératoire ou telle échappée finale, sans jamais abandonner pour autant les méthodes de l'archiviste et du statisticien, et à condition « d'atténuer les aspects les plus *désincarnés* de la théorie française[52] », comme le notent Michèle Lamont et Marsha Witten.

Le cas de la philosophie est autrement crucial. Deleuze, qui tenait à se définir comme un philosophe au sens le plus classique du terme, n'en a pas moins appelé à « sortir de la philosophie, [à] faire n'importe quoi, pour pouvoir la produire du dehors[53] » ; le moins qu'on puisse dire est que les cerbères du royaume philosophique américain, jaloux d'un territoire strictement délimité, n'ont pas vraiment été de son avis. Il existe bien sûr une exception notable à la résistance tenace de la philosophie : celle des rares départements qui enseignent la philosophie « continentale », à Northwestern (Chicago), Stony Brook (Long Island), la New School de New York ou encore les universités catholiques (Loyola, Notre-Dame University). Mais pour le reste, rien – à commencer par l'absence de la philosophie au lycée – ne prédisposait les philosophes américains à jeter plus qu'un œil amusé, ou un regard irrité, sur les enthousiasmes de leurs collègues littéraires. Non pas que le fossé soit insurmontable entre la philosophie analytique américaine, celle des positivistes-logiques et des experts du « langage ordinaire » (autour de Morton White et de John Austin), et la métaphysique continentale qu'est « notre » histoire de la philosophie : il s'agit moins là d'une brèche elle-même philosophique entre deux conceptions incompatibles de l'activité de pensée, comme voudraient le faire croire certains extrêmistes des deux camps, que d'un phénomène historique récent et, à l'origine, idéologiquement motivé, en l'occurrence par l'exil aux États-Unis des membres du cercle de Vienne et leur anticommunisme foncier (qui les voua du même coup à un antihégelianisme fervent), encore aggravé par l'ambiance de la guerre froide.

Les positivistes-logiques venus d'Europe ont en fait repris à leur compte, dans un contexte historique et un cadre idéologique

---

51. *Cf.* par exemple Nicholas FOX, *Postmodernism, Sociology and Health*, Toronto, University of Toronto Press, 1993.
52. Michèle LAMONT et Marsha WITTEN, « Surveying the Continental Drift : The Diffusion of French Social and Literary Theory in the United States », art. cit., p. 21.
53. Gilles DELEUZE, Claire PARNET, *Dialogues, op. cit.*, p. 89.

différents, la méfiance qu'avait développée au siècle précédent la tradition pragmatiste américaine, celle de William James et John Dewey, envers les ambitions morale et politique de la philosophie européenne et les grands systèmes explicatifs de Kant puis de Hegel. Dans les années 1890, James inaugurait un siècle de défiance envers l'idéalisme continental et les « fausses pistes » hégeliennes en tournant le dos au corpus philosophique continental, et en s'exclamant même, comme le rapporte une anecdote célèbre d'Harvard : « Au diable l'Absolu ! » [*Damn the Absolute !*]. Le pragmatisme puis la philosophie analytique ont ainsi été vus par les départements de philosophie américains comme autant d'antidotes contre Hegel – contre son lyrisme germanique et sa « violence » totalisante. Culturelle et historique avant que d'être *épistémique*, cette distinction entre traditions américaine et continentale en philosophie oppose donc moins deux définitions de celle-ci que deux éthos, deux pratiques de la même activité, deux « dispositions » selon le mot de Pascal Engel[54] : d'un côté les spécialistes de l'enquête sur la vérité, d'autant plus austères que « pour être profond, il faut être terne », comme le disait Charles Sanders Peirce, et, de l'autre, des généralistes investis d'une mission, et laissant place sans cesse (de Nietzsche à Sartre), entre eux et la vérité, à la médiation du style, ou de l'écriture. De quoi favoriser les escarmouches entre des ingénieurs-philosophes, sobres techniciens du « langage ordinaire », et des littéraires décomplexés reprenant soudain à leur profit la grande geste philosophique continentale. D'un côté, c'est la tradition logico-mathématique de Bertrand Russell et Rudolph Carnap, dont héritent le « fonctionnalisme cognitif » d'Hilary Putnam puis les pistes nouvelles de la neurophilosophie et des théories de l'intelligence artificielle : depuis les premières chapelles universitaires de logiciens américains dans les années 1930 jusqu'aux colloques austères d'aujourd'hui, la tradition américaine maintient que les questions philosophiques ne sauraient porter que sur la nature et le contenu de la *science*, qui est elle-même le modèle et l'horizon de toute entreprise de connaissance. Tandis qu'en face, littéraires acquis à la théorie française et sociologues atypiques soupçonnent d'arrière-pensées idéologiques et de séparatisme disciplinaire, chez les philosophes, ce modèle de la scientificité obligée et ce postulat général d'une « neutralité » du langage ordinaire. On reconnaît ici, entre sciences et lettres, un très ancien dialogue de sourds.

---

54. Pascal ENGEL, « French and American Philosophical Dispositions », *in Stanford French Review*, *op. cit.*, p. 165-181.

L'histoire de la philosophie américaine est aussi celle d'une professionnalisation du champ philosophique. Il évolue en effet vers ce que John Rajchman appelle « une sorte d'expertise légaliste généralisée », une compétence spécifique « en matière de cas, de propositions, d'arguments », et un rejet de toute la pensée continentale depuis Kant comme « pensée floue, faux historicisme, irrationalisme[55] ». Or les nouveaux *théoristes* du champ littéraire apparus à la fin des années 1970 n'hésitent pas, quant à eux, à intervenir dans le champ philosophique, en citant Derrida sur l'impossible univocité du langage philosophique, en rappelant avec Lyotard qu'on est toujours sous le coup d'un récit, et en procédant eux-mêmes à une relecture « narrative » de l'histoire de la philosophie, fût-elle continentale. Dès son premier livre, la théoricienne littéraire Judith Butler, par exemple, aborde la philosophie comme « une narration » dotée de « ses tropes », et dont le « grand récit » serait *La Phénoménologie de l'esprit* de Hegel, assimilé par elle à un *Bildungsroman* ou même à une version allemande du *Magicien d'Oz*[56]. Les philosophes réagissent par divers arguments à cette agitation nouvelle du champ littéraire. Le plus courant est celui de la clarté, ou de la rationalité : les textes français, comme ceux qui s'en inspirent, manqueraient de « clarté », ne contiendraient pas d'« arguments », et enfreindraient la règle d'or selon laquelle il ne faut dire que ce que l'on peut dire clairement.

L'idée revient souvent aussi, moins simpliste, qu'une enquête *horizontale* sur la vérité (tâche des littéraires), à partir des textes et de leurs croisements, et une enquête *verticale* interrogeant le rapport du langage au réel, ne sauraient être vraiment compatibles. Car l'attitude de tous les philosophes n'est pas le rejet pur et simple de ce qui ne serait *que littérature*, ou ce « brouillard français » (*French Fog*) dénoncé à l'envi par des générations de scientistes américains. Ils peuvent aussi exprimer leur perplexité devant « une conception de la philosophie elle-même en tant qu'écriture, comme un type de littérature[57] ». La plupart d'entre eux s'opposent certes sans ménagements à l'« antiréférentialisme » de la théorie française, soit l'idée, inacceptable pour les logiciens, que les textes ou les discours ne référeraient qu'à d'autres textes ou à d'autres discours, et non au monde réel. Mais le brouhaha inhabituel produit aux lisières de leur

---

55. John RAJCHMAN, « Philosophy in America », *in* John RAJCHMAN et Cornel WEST (dir.), *Post-Analytic Philosophy*, New York, Columbia University Press, 1985, p. XI.

56. Judith BUTLER, *Subjects of Desire. Hegelian Reflections in Twentieth-Century France*, New York, Columbia University Press, 1987, p. 7, 180 et 209.

57. John RAJCHMAN, « Philosophy in America », *op. cit.*, p. XIV.

territoire disciplinaire par la vogue théorique a aussi laissé des traces
dans le champ philosophique – en y aggravant une crise interne liée
au problème du rôle social de la philosophie, en y encourageant les
questionnements éthique et esthétique, qu'y introduisent au même
moment les travaux de John Rawls sur la théorie de la justice, et
de Nelson Goodman sur la fabrication de mondes (*worldmaking*),
et en incitant même quelques rares philosophes (comme on le verra
de Richard Rorty) à jeter un pont entre le pragmatisme américain et
la théorie française.

Theory, une éducation critique

Finalement, un épais mystère, savemment entretenu, entoure le
terme même de *theory*, ce nouvel objet transdisciplinaire façonné
par les littéraires à partir du poststructuralisme français. Il le
distingue en tout cas des usages antérieurs du terme, tous plus ou
moins liés à la science : la nouvelle *theory* américaine n'est ni la
théorie des pragmatistes, interrogation sur les procédures de
cognition mais qui doit servir le bien commun, ni la *Theorie* allemande, en tant que saisie rationnelle d'un objet dans la tradition
métaphysique (de Kant à Husserl), ni la *théorie* comme science
marxiste (et démystification) de l'idéologie chez Althusser, ni même
la *theory* plus restreinte des précurseurs de la grammaire génération-
nelle américaine des années 1950, du linguiste Zellig Harris à son
disciple Noam Chomsky. À rebours de ces définitions plus précises,
la nouvelle *theory*, française ou simplement « littéraire », dont il est
partout question depuis trente ans dans les départements de littérature, est mystérieusement intransitive, sans autre objet que son
énigme : elle est avant tout discours sur elle-même, et sur les
conditions de sa production – donc sur l'université. Elle est en
quelque sorte l'effet institutionnel d'une disparition de la littérature
comme catégorie délimitée, d'une extension de son territoire en
même temps que de son indéfinition. Comme le résume Gerald
Graff : « La théorie est ce qui survient quand les conventions littéraires et les définitions de la critique qu'on prenait pour acquises
sont devenues les objets d'un débat systématique[58]. » Le contexte
de son irruption dans l'université américaine a joué un rôle dans une
telle orientation, en renvoyant l'activité critique à une situation de
crise (donc à son origine étymologique) et en condamnant la *theory*
à interroger sans répit sa propre légitimité : à l'heure de l'« excellence », du chômage rampant et de l'impératif de pertinence

---

58. Gerald GRAFF, *Professing Literature, op. cit.*, p. 252.

(*relevance*) des savoirs, la théorie doit justifier auprès des étudiants, comme du reste de l'Amérique, son utilité *en tant qu'activité intransitive*. Car il lui faut alors rester elle-même, sans objet, puisqu'à viser une utilité plus ponctuelle, ou transitive, elle perdrait vite la partie face à des approches moins novatrices mais autrement utiles hors des campus, de la sémiotique à l'histoire littéraire. En revendiquant la généralité d'une démarche intransitive, elle renoue aussi avec la valeur heuristique attribuée depuis longtemps, aux États-Unis, au cours de littérature anglaise en tant qu'interrogation sur la pédagogie, débat sur la juste méthode. Au XIXᵉ siècle déjà, le département d'anglais était le haut lieu de toutes les discussions pédagogiques : « Les manuels d'anglais abondent [...], les méthodes [d'approche des textes] sont débattues *ad nauseam* [...], et les opinions d'éducateurs célèbres sont recueillies par les revues d'éducation, comme la meilleure chose qui puisse être faite pour l'étude de l'anglais », décrivait le critique Hiram Corson en 1895 [59]. À cette tradition, le malaise des années 1970 ajoute une inflation de rapports, de pamphlets et d'essais plus théoriques sur la meilleure éducation à proposer en ces temps de crise, depuis *The Idea of a Modern University* (Sydney Hook, 1974) jusqu'au classique de David Riesman, *The Academic Revolution* (1977). L'impact de la théorie française va en quelque sorte redoubler ce phénomène : c'est justement parce qu'elle pose problème à l'éducation supérieure américaine, *a fortiori* à l'âge de l'utilitarisme, que la théorie française se dira utile – ou d'autant plus stimulante qu'embarrassante –, qu'elle se déclarera mieux à même de la réfléchir, de l'interroger, de lui tendre un miroir fidèle.

De fait, son succès va susciter, à partir de la fin des années 1970, une incroyable pléthore de colloques et d'ouvrages sur « crise des humanités » ou « pédagogie et théorie ». Les outils conceptuels de la théorie, même utilisés de façon partielle, vont renouveler le débat sur quelques vieilles lunes de l'enseignement supérieur. On va s'interroger sur les formes de transmission des savoirs, le « phono-centrisme » du monologue professoral, les illusions « démocra-tiques » du dialogue avec l'étudiant, l'« eurocentrisme » de cette culture anthologique qui a cours dans le champ littéraire, ou même l'« impérialisme épistémique » que véhiculeraient les méthodes d'évaluation ordinaires – puisqu'une *note* sanctionne un savoir appris autant que les modalités logiques de sa présentation. Des

---

59. Hiram CORSON, « The Aims of Literary Study », *in* Gerald GRAFF et Michael WARNER (dir.), *The Origins of Literary Studies in America*, New York, Routledge, 1989, p. 90.

débats finalement voisins de ceux qui agitent l'université française après 1968. Mais le contexte américain est tout autre que celui dans lequel écrivaient Lyotard et Deleuze : il va donc falloir *tirer* les auteurs français vers la crise universitaire américaine, les *détourner* vers un débat pédagogique qu'ils ne connaissaient pas, les lire de biais pour y dégager des pistes praticables dans le champ des humanités. La lecture la plus étonnante des auteurs français se situe peut-être là : faire d'une éducation libre l'enjeu principal du concept foucaldien de « savoir-pouvoir » (là où la seule institution de savoir-pouvoir que Foucault n'ait *pas* interrogée est sans doute l'université...), voir dans les aptitudes critiques de l'étudiant l'effet le plus précieux de la déconstruction derridienne, ou lire Deleuze et Guattari afin d'y débusquer « des instruments utiles pour intervenir dans la politique éducative[60] ».

Même Lyotard est mis à contribution. Pradeep Dhillon, qui enseigne les sciences de l'éducation, et Paul Standish, un critique, réunissent ainsi une douzaine de têtes pensantes du champ littéraire pour aller puiser dans son travail les fondements d'une « éducation juste ». Tout Lyotard y est relu dans une perspective pédagogique, ou plutôt contre-pédagogique : l'une s'interroge sur le rôle du « sublime » dans une éducation juste, un autre fait des « paralogies » les ressorts d'une nouvelle « politique de la connaissance », un autre encore dépeint Lyotard non sans ironie en « éducateur moral », et le recueil tire plus largement de son œuvre les premiers éléments d'une « éducation libidinale » ou encore d'une « *a*-pédagogie » débouchant sur la reconnaissance de l'Autre[61]. Ses engagements effectifs dans ce domaine, lorsqu'il s'opposait à Nanterre puis à Vincennes aux réformes du ministère, sont cités à l'appui de sa critique de la « mercantilisation du savoir » et de son « monopole de classe[62] ». L'idéal-type du « professeur lyotardien » devient la figure emblématique « d'un refus de coopérer, d'une dernière ligne de résistance à l'hégémonie du capital et des idées universalistes » ; il est celui qui saura mettre en place « l'Université du sublime », dont l'objectif est rien moins que la « production des intensités intellectuelles et émotionnelles[63] ». Si *La Condition postmoderne* était à l'origine un « rapport sur le savoir » universitaire, son auteur n'en demandait sans doute pas tant.

---

60. Cité *in* Theo D'HAEN, « America and Deleuze », *in* Ieme VAN DER POEL *et al.* (dir.), *Traveling Theory, op. cit.*, p. 45.

61. Pradeep DHILLON et Paul STANDISH (dir.), *Lyotard : Just Education*, New York, Routledge, 2000, p. 110, 54, 97, 215 et 194 respectivement.

62. *Ibid.*, p. 10.

63. *Ibid.*, p. 20-22.

Motivé peut-être par l'ampleur de son succès (donc des attentes qu'il suscite) aux États-Unis, Jacques Derrida est le seul des auteurs du corpus à avoir joué directement ce rôle de théoricien de l'éducation. Il l'a fait à l'invitation de ses hôtes américains, comme avec ses réflexions récentes sur l'aporie « humaniste » des humanités (« *the future of the profession...* [64] », remanié en français sous le titre *L'Université sans condition*), ou de sa propre initiative au détour d'une conférence – pour noter par exemple que la déconstruction est « de plus en plus un discours et une pratique *au sujet de* l'institution académique [65] ». En familier de l'université américaine, qu'il fréquente depuis 1956 (quand il obtint une bourse d'échange entre Harvard et la rue d'Ulm), Derrida sait tenir compte des traditions américaines – qu'il s'agisse de l'état de crise chronique des humanités depuis un siècle, ou de la pratique ancienne de la *théorie* en critique littéraire. Car il semble que chaque génération de littéraires américains ait reproché peu ou prou à la précédente, depuis la fin du XIXᵉ siècle, son *manque* de théorie. Mais la théorie française, en remettant en cause le sujet connaissant, l'autonomie de la raison et la logique de la représentation, intensifie soudain ce débat connu, le dramatise jusqu'en des points de rupture. Sur le mode d'une bombe à retardement, le soupçon qu'elle émet s'insinue entre les pôles antagonistes du champ américain des humanités, les distend jusqu'à leur seuil critique, en en accentuant les contradictions historiques : entre les dimensions morale et cognitive de l'enseignement des humanités ; entre les modalités scientifique (allemande) et libérale (anglaise) de leur développement ; entre ses tentations plus contemporaines pour les politiques minoritaires, d'un côté, et pour l'indétermination maximale d'une théorie conçue comme paradoxe logique, de l'autre. C'est même toute l'efficacité de la *theory*, comme virus épistémique mais aussi comme « plan de carrière », selon David Kaufmann, que de souligner ces tensions, d'opposer anciens et modernes pour montrer toute la richesse du champ littéraire, et en tirer du même coup sa propre légitimité : la fonction « vitale » de la théorie, conclut-il, est de « servir *à la fois* les démons de la professionnalisation aride et les dieux de la valeur générale », de « militer contre les tendances à la spécialisation tout

64. Publié d'abord en tête du volume de Tom COHEN (dir.), *Jacques Derrida and the Humanities : A Critical Reader*, Cambridge, Cambridge University Press, 2001, p. 24-57.
65. Jacques DERRIDA, *Mémoires pour Paul de Man*, Paris, Galilée, 1988, p. 40.

en se faisant leur agent[66] », flottant ainsi d'un extrême à l'autre parce qu'elle est seule justement à pouvoir les relier.

Rien d'étonnant, dès lors, à ce que la théorie, malgré (ou peut-être *à travers*) son indéfinition, devienne l'objet de débats universitaires aussi impensables en France que celui qui fit rage en 1982-1983 dans les colonnes de la revue *Critical Inquiry*, sous le titre « Against Theory ». Ce titre sans ambiguïté est celui d'un article de Steven Knapp et Walter Benn Michaels, deux professeurs de littérature qui reprochent à la théorie d'être « une tentative pour soumettre les interprétations de textes particuliers à une conception de l'interprétation en général[67] ». Le débat qui s'ensuit oppose, dans les termes d'E. D. Hirsch, les partisans d'une « herméneutique locale », bricolée au cas par cas et au gré des textes (victoire de la littérature), et les défenseurs d'une « herméneutique générale » et de ses principes (ou ses contre-principes) de lecture – soit la supériorité, cette fois, de la théorie. Sous prétexte d'arbitrer le débat, Stanley Fish se demande comment la théorie peut faire peur puisqu'elle est selon lui « sans conséquence », liée à un projet qui se sait impossible, et aux règles que lui aurait dictées son autre, la pratique[68].

Ce qu'illustre ce type d'échanges si fréquent aux États-Unis, et qu'il contribue en même temps à rendre possible, c'est l'absorption des opinions contraires (empiristes ou humanistes) dans le champ même de la théorie, qui devient dès lors un espace des discours plus qu'une position dans cet espace. « La polémique antithéorique est devenue l'un des genres caractéristiques du discours théorique », ainsi qu'en convient lui-même l'éditeur du volume[69]. Peu importe, à la limite, la position qu'on y tient du moment qu'on *occupe* l'espace en question. En somme, la théorie est au champ littéraire américain de la fin du XXᵉ siècle ce que la femme était à la poésie baroque – source d'inspiration, lieu d'invention d'une langue, permis d'exprimer. D'où la variété, la richesse formulaire de ses définitions. Elle est ainsi « perspective utopique » de nature « optique, spatiale et graphocentrique », qui se « place d'elle-même au début ou à la fin de la pensée » car elle n'est pas à l'aise avec « le juste milieu de l'histoire et de la pratique[70] », dans les termes de

---

66. David KAUFMANN, « The Profession of Theory », *PMLA*, vol. 105, no. 3, 1990, p. 527-528.

67. Steven KNAPP et Walter Benn MICHAELS, « Against Theory », repris *in* W. J. T. MITCHELL (dir.), *Against Theory : Literary Studies and the New Pragmatism*, Chicago, University of Chicago Press, 1984, p. 11.

68. Stanley FISH, « Consequences », *in ibid.*, p. 107-111.

69. W. J. T. MITCHELL, « Introduction », *in ibid.*, p. 2.

70. *Ibid.*, p. 7.

l'éditeur du volume précité. Et devient, sur un mode plus lyrique, « pratique de la dissidence et écho du cri », située elle-même « à la croisée du cri et du Système[71] », chez un Wlad Godzich. Qu'elle pût inspirer pareilles envolées, sincères ou tactiques, fait en fin de compte moins problème que la simple inflation de son discours, son débordement bavard aux dépens du texte littéraire. C'est là tout le problème *éthique* de la théorie : grâce aux concepts sans nombre qui la peuplent, dispositifs de contrôle foucaldiens, minorité deleuzienne ou dispersion derridienne des traces, elle ne cesse d'en savoir plus que le texte qui la justifiait. Comme le note Peter Brooks dans les termes de l'histoire littéraire, elle ne cesse d'en « savoir plus que les propos décousus que nous démasquons, plus que cette pauvre vieille Renaissance, plus que ce sombre XIXᵉ siècle névrotique, réprimé, oppressant[72] ».

Mais cet objet fuyant de *theory* ne peut être réduit au folklore des joutes de littéraires américains. Il engage de plus vastes questions, sur la saisie du réel, le pouvoir du discours, des questions qui hantent depuis des millénaires la tradition philosophique – ne serait-ce que la question précartésienne, reformulée par Heidegger à partir de l'étymologie de *théo-rie*, du rapport premier entre le regard et ce qui s'offre à lui. Au risque d'un rapprochement que réprouverait l'histoire intellectuelle, on pourrait en effet relier l'une à l'autre – *par-dessus* la théorie rationnelle de la science occidentale – cette *theory* américaine conçue comme pratique de l'indéfini, brouillage des frontières, et la *theoria* présocratique que célébrait le philosophe allemand[73]. Le *theorein* grec, qui joint les mots désignant la vue (*horao*) et l'apparence extérieure (*thean*), est regard posé sur ce qui vient à la présence, regard sur l'unité même de cette présence au moment où elle advient, un regard qui n'*a* pas d'objet mais s'en trouve seulement sollicité. Avant que sa traduction latine en *contemplari* puis *meditatio*, en découpant (*templum*) cette même unité, n'annonce déjà, selon Heidegger, le dévoiement moderne de la théorie, qui arraisonne le réel, le dénombre, le décompose en objets. Dans la *theory* américaine, il ne s'agit certes, si l'on file cette comparaison, que de la venue d'un « texte » à la présence, de sa plénitude avant que ses exégètes ne le découpent en significations, de l'irruption de son langage contre l'improbable « maîtrise » de

---

71. Wlad GODZICH, *The Culture of Literacy*, *op. cit.*, p. 31.

72. Peter BROOKS, « Aesthetics and Ideology : What Happened to Poetics ? », *Critical Inquiry*, nº 20, printemps 1994, p. 521.

73. *Cf.* Martin HEIDEGGER, « Science et méditation », *in Essais et conférences*, Paris, Gallimard, coll. « Tel », 1958, p. 48-79.

celui-ci par ses lecteurs ou son auteur. « Clairières » ou « chemins » n'y renvoient pas au socle ontologique heideggerien, à ce que n'a pas encore arraisonné la raison technicienne ; ils n'y relient que des phrases, des lambeaux de textes. Pourtant, la théorie telle que la célèbrent ces littéraires avant-gardistes comporte bien une dimension ontologique : celle-ci a moins trait à une nostalgie de la pleine « présence » du monde (les Américains en sont immunisés pour avoir lu Derrida) qu'à un retrait prérationnel vers l'« être » du texte – retour au texte en tant que vie autarcique, événement de langage, cause de soi. Ils sont, en ce sens du moins, davantage les héritiers des adorateurs du Texte, théologiens exilés et dissidents religieux, ou les continuateurs de l'antimodernisme romantique et de l'apolitisme des New Critics, que les disciples en littérature de Foucault, Deleuze ou même Derrida. Il leur importe avant tout, comme Heidegger face au feu décrit par Héraclite, de garder une capacité de sidération devant ce miracle – que le texte (ou le feu) *soit*. Et à la limite, les véritables intégristes de la *théorie* textuelle regardent comme un dévoiement de circonscrire son approche, d'en fixer par avance les objets, de *produire* un raisonnement : sociocritiques ou psychocritiques, mythocritiques ou historiens des lettres sont alors coupables de décomposer le texte, de le réduire, de le dénombrer, un peu comme l'était Descartes d'avoir mathématisé la nature.

Pour cerner de plus près l'énigme « théorie », mieux vaut finalement substituer au spectre heideggerien, auquel se prête bien mal ce contexte américain, une référence plus récente, traitement plus politique de l'équation théorique, mais tout aussi respectueux de sa belle intransitivité – les remarques de Roland Barthes en 1970. Dans un entretien cette année-là, il évoquait en effet le glissement *des* théories de la science moderne (abstraites et transitives) au singulier d'un métadiscours « révolutionnaire » : *théorie* désigne dès lors « un certain discontinu, une nature fragmentaire de l'exposition, analogues presque à des énonciations de type aphoristique ou poétique », donc un « combat pour fissurer la symbolique occidentale », car la théorie comme « règne du signifiant dissout sans cesse le signifié », et l'exclut comme « représentant de la monologie, de l'origine, de la détermination, de tout ce qui ne rend pas compte de la multiplicité[74] ». Ces quelques formules cernent un phénomène d'époque, qu'on croirait enfoui sous la poussière des années 1970. Contre la naïve sacralisation des œuvres, mais aussi

---

74. Roland BARTHES, « Sur la théorie », *in Œuvres complètes*, vol. 2, Paris, Seuil, 1994, p. 1031-1036.

contre l'opposition dialectique entre discours et *praxis*, elles voient dans la théorie la possibilité d'un discours libéré de l'ordre rationnel : énonciation fragmentaire qui surgisse contre l'argument linéaire, écriture du monde qui le soustraie aux grandes institutions du sens – *la* vérité, *la* justice, *le* pouvoir. La théorie est ici pensée de combat, ressource d'opposition, d'autant plus opératoire que ne la figera pas une définition préalable – toute une tonalité d'époque, un peu oubliée. L'hypothèse ici est qu'une telle logique a persisté aux États-Unis dans les limites du champ littéraire, entre les murs de l'université, pendant que les infamants faits d'arme « prototalitaires » de la même *théorie*, celle des marxistes ou des libertaires, allaient bientôt la bannir de France. C'est aussi parce qu'en l'espace confiné des discours universitaires, les corps et les rues tendent à disparaître, à n'avoir jamais été, que cette *theory* de campus perdra parfois tout rapport à l'objet – jusqu'à ne plus désigner que sa propre aptitude à la dissémination, son seul pouvoir de contamination. La théorie est tout cela à la fois, mode de circulation des idées, étonnement premier face au texte, et plus trivialement critère de promotion dans l'université. Comme l'exprime à sa façon la critique *anti-théoriste* Camille Paglia, dans des phrases enfiévrées de hargne, « Lacan, Derrida et Foucault sont les équivalents universitaires de BMW, Rolex et Cuisinart », et « la théorie française ressemble à ces recettes sur cassettes pour faire de vous un millionnaire du jour au lendemain : acquérez du pouvoir en dénonçant le pouvoir ! Faites des ravages ! Soyez un maître de l'univers ! Appelez ce numéro à Paris *tout de suite* ![75] ». Toute la difficulté consiste à faire tenir ensemble, comme deux moitiés d'un même mystère, ce carriérisme théorique – qui est bien un ressort majeur de la théorie française – et les qualités intrinsèques de la posture théorique, retorse, mobile, corrosive, ennemie des vérités premières et de tous les dualismes. Théorie : marchandise la plus valorisée sur le marché universitaire, ou seule démarche qui décloisonne le champ des humanités ; stratégie de recrutement, ou intelligence du texte ; sceau d'une secte arboré à la boutonnière, ou puissance critique sans égale ; et tout cela ensemble.

---

75. Camille PAGLIA, « Junk Bonds and Corporate Raiders : Academe in the Hour of the Wolf », *in Sex, Art and American Culture : Essays*, New York, Vintage, 1992, p. 221.

5

Les chantiers de la déconstruction

« [Un professeur de religion] était en train de déblatérer au sujet de Derrida comme s'il avait été un croisement de Saint-Augustin et de Thomas d'Aquin. Soudain, à l'écouter, nous avons compris le sens du titre donné à cette session : Dieu était bien mort, et la littérature peut-être aussi, et pour [ce professeur] comme pour ses collègues, Derrida avait simplement pris leur place. »

Hilton KRAMER, *The New Criterion*

Il y a un mystère Derrida. Moins celui de son œuvre, dont l'opacité n'est pourtant pas absente, que celui de sa canonisation américaine, puis mondiale. Comment une pensée aussi peu assignable, aussi difficilement transmissible que la sienne, une pensée qu'on ne saurait où placer, quelque part entre l'onto-théologie négative et l'exploration poético-philosophique de l'ineffable, une pensée qui en tout cas (et à tous les sens du terme) demeure à distance, a-t-elle pu devenir le produit le plus rentable qui ait jamais été sur le marché des discours universitaires ? Comment cet obscur cheminement s'est-il trouvé accaparé, compacifié, digéré et servi en doses individuelles dans un champ littéraire américain qui s'est senti dès lors pousser des ailes et, non content d'avoir emballé cette pensée exigeante dans des manuels de premier cycle, l'a transformée en un programme de conquête épistémo-politique sans précédent ? Comment se fait-il que pour *un* Français lisant un livre de Derrida, au pays de la philosophie au lycée, *dix* Américains l'aient déjà parcouru, malgré la maigre formation philosophique qui est la leur ? Et d'où vient, pour finir, que ce mot de « déconstruction », tiré par Derrida d'*Être et temps* de Heidegger (pour traduire le terme de

Destruktion) afin d'esquisser une théorie générale du discours philosophique, soit passé à ce point dans le langage courant aux États-Unis qu'on l'y trouve dans des slogans publicitaires, au micro des journalistes de télévision, ou comme titre d'un film à succès de Woody Allen, *Deconstructing Harry* (1997)[1] ? Autant de défis pour l'historien des transferts culturels – et un cas d'école rêvé pour une « géopolitique de la traduction » qui reste à faire[2].

Lecture, l'enjeu derridien

Seule certitude : la réponse à ces questions ne relève *pas* d'une stratégie personnelle. L'Amérique est certes au cœur du parcours de Derrida, elle « produit [son] œuvre » selon ses propres termes. C'est là, dès son premier séjour, qu'il se marie et travaille à son premier ouvrage, la traduction commentée de *L'Origine de la géométrie* de Husserl. Il y a noué des amitiés fidèles, qui survécurent aux décennies, et renforcé même des liens de famille – quand sa cousine Annie Cohen-Solal était conseiller culturel français aux États-Unis. Il y enseigne tous les ans depuis le symposium de Johns Hopkins de 1966, d'abord en alternance à Yale, Cornell et Johns Hopkins, et depuis une quinzaine d'années sur les deux côtes, à l'automne à New York et au printemps à l'université de Californie à Irvine – à laquelle il a confié ses archives. Depuis la fin des années 1980, il intervient même en anglais, faisant traduire ses notes rédigées d'abord en français. Les séminaires qu'il y a tenus sur Platon, Mallarmé ou Rousseau, et les dialogues de longue haleine avec ses interlocuteurs les plus fidèles, ont joué un rôle de premier plan dans l'évolution de son travail. Et d'y avoir reçu tant d'honneurs, d'y avoir inspiré tant d'écoles nouvelles, d'y avoir suscité tant et tant d'ouvrages, mimétiques ou injurieux, paraphrases caricaturales ou prolongements novateurs, semble avoir développé chez lui un double rapport à l'Amérique. Ces deux registres indissociables sont celui de l'intimité d'un côté, campus familiers et réseaux d'amitié, et, de l'autre, l'étrange distance objectivante de cette « Amérique » qu'il nomme allusivement au détour de ses interventions, personnage conceptuel dont se jouent ses arguments, et qu'on le soupçonne parfois de convoquer à contre-emploi pour mieux décontenancer ses

---

1. *Deconstructing Harry* (1997), sorti en France sous le titre *Harry dans tous ses états*, puisque le verbe « déconstruire » ne dit rien qui vaille aux spectateurs français.

2. Pour reprendre le titre de l'article de Rebecca Comay sur la « non-identité » américaine de la déconstruction, « Geopolitics of Translation : Deconstruction in America », *Stanford French Review*, *op. cit.*, p. 47-79.

auditeurs. C'est le cas lorsqu'il propose, en conférence à l'université de Virginie, de *déconstruire* la Déclaration d'indépendance. C'est le cas surtout de sa célèbre formule de 1985 selon laquelle « l'Amérique mais *c'est* la déconstruction, [...] son nom de famille, sa toponymie », qui déclencha sur place une myriade de commentaires, fébriles ou perplexes, alors que son auteur abandonnait l'hypothèse quinze lignes plus loin, préférant conclure que « déconstruction n'est pas un nom propre et [qu']Amérique n'est pas le sien[3] ».

Reste que son succès américain – et les fortunes de la déconstruction – dépasse largement le cadre biographique. Il faut revenir d'abord sur les modalités d'une première *construction* américaine de Derrida, qui tiennent elles-mêmes à des hasards de parcours. En effet, entre ses premières traductions américaines fragmentaires, que n'encadre pas encore un discours local, et la systématisation de la déconstruction comme mode de lecture, à Yale au tournant des années 1980, c'est l'intervention d'une jeune et brillante enseignante indienne émigrée aux États-Unis qui va servir de déclic. Gayatri Spivak, qui a tout juste trente ans, se fait envoyer de France en 1973 un livre dont elle ne connaît pas l'auteur, mais dont l'argumentaire suscite sa curiosité – elle l'a repéré dans l'un de ces catalogues de livres étrangers auxquels elle s'est abonnée afin de rompre son isolement, cantonnée à l'université de l'Iowa depuis déjà huit ans. Ce livre, *De la grammatologie*, est une révélation. Convaincue de son importance, elle s'attelle au lourd travail de traduction, et persuade les presses de Johns Hopkins de le publier, en 1976, précédé d'une longue préface de cent pages qui lui paraît un *sine qua non* : c'est cette édition pourtant difficile, mais que continuent de commander aujourd'hui étudiants et libraires (plus de 80 000 exemplaires vendus à ce jour), qui va lancer aux États-Unis l'œuvre de Derrida. Spivak y définit d'abord le *signe* comme l'impossible adéquation du mot à la chose, la « structure même de la différence », d'où le statut de « métaphore » de la vérité[4]. Elle éclaire ensuite les références philosophiques du livre, son double horizon : dépasser la « métaphysique de la présence » heideggerienne, et accomplir l'« effacement des oppositions » nietzschéen. Ajoutant, pour compléter la filiation, la prégnance de Freud, l'ombre diffuse de Hegel, et la question husserlienne de la raison, elle présente les cinq Allemands du livre comme des « proto-

---

3. Jacques DERRIDA, *Mémoires pour Paul de Man, op. cit.*, p. 41.
4. Gayatri Chakravorty SPIVAK, « Translator's Preface », *in Of Grammatology, op. cit.*, p. XVI et XXII.

grammatologues[5] », première étape d'un basculement capital : les Américains dès lors verront moins en Derrida le continuateur hétérodoxe de la tradition philosophique, ou même celui qui en dissout le texte, que son sublime aboutissement, une forme d'empyrée de la pensée critique qu'auraient simplement préparée ses précurseurs allemands.

Dans sa préface, Gayatri Spivak fait une place à part au concept de déconstruction, auquel conduit comme à une récompense son long cheminement de préfacière, alors qu'il n'était pas la clé du livre de Derrida – même si sa place y est stratégique. La première apparition du mot, qui est aussi l'une de ses toutes premières occurrences en langue anglaise, augure de ses destins américains. Mélange d'ironie et d'obstination, « déconstruction » désigne d'abord ici l'insistance avec laquelle Derrida interroge l'indifférence de Heidegger, dans son commentaire de Nietzsche, envers une curieuse formule de ce dernier qu'il n'avait même pas relevée : « Le devenir-femme de l'Idée[6] » (*sie wird Weib*). L'omission comme clé de ce qui est présent, l'inversion de l'important et de l'apparemment secondaire, la sexualisation d'un signifiant qui se veut neutre, d'autant plus *justement* qu'il se veut neutre – tous les ingrédients sont déjà là. En mettant l'accent sur l'« écriture » comme « différance », au sens à la fois de délai et de différence à soi, et sur la menace qu'elle ferait peser par là sur la possibilité même d'une loi générale[7], Spivak non seulement esquisse les enjeux plus larges de la déconstruction, mais achève le travail commencé par Derrida lui-même en 1966 : si la loi est toujours travaillée de l'intérieur par l'écriture, si la description objective n'est qu'un effet de cette « différance », si le sujet de connaissance ne saurait être maintenu dans son intégrité face à l'évidence de ces déplacements, si finalement la structure elle-même est « simulacre », c'est que le « structuralisme ordinaire » et sa démarche « unifiée-unifiante » ont vécu, qu'il faut lui-même le déconstruire – soit la tâche du *poststructuralisme*. C'est là une tâche à la fois plus ambitieuse, car fondamentalement philosophique, et plus précise que la très vague définition littéraro-institutionnelle qui va devenir celle de la déconstruction aux États-Unis : « terme dénotant un style de lecture analytique qui tient pour suspect le contenu manifeste des textes[8] », propose par exemple un

---

5. *Ibid.*, p. XVII, XXI, XLIX, L et LIV respectivement.

6. *Ibid.*, p. XXXV.

7. *Ibid.*, p. VII-IX.

8. William FLESCH, article « Deconstruction », *in* Richard Wightman FOX et James KLOPPENBERG (dir.), *A Companion to American Thought*, Cambridge, Blackwell, 1995, p. 170-171.

dictionnaire récent de la pensée américaine, en des termes qui
limitent la déconstruction à la *lecture* des textes, mais y incluent
toutes les lectures visant à faire advenir la polysémie, autant dire
toutes les lectures critiques.

À partir de cette année 1976, ce qui n'est encore qu'un
programme théorique va se trouver lu, étudié et bientôt mis en
œuvre dans certains cours de littérature pour étudiants gradués,
surtout à Yale et Cornell. On commence peu à peu à *appliquer* la
déconstruction, à en tirer les modalités d'une nouvelle « lecture
rapprochée » (*close reading*) des classiques littéraires, à y observer à
la loupe les mécanismes par lesquels le référent se disssipe, le
contenu sans cesse est différé par l'écriture elle-même. À l'image du
maître français qui, dans ses séminaires américains de la fin des
années 1970, peut lui-même s'arrêter longuement sur la dernière
phrase de *Bartleby* de Melville, ou sur une page de la *Recherche* où
Proust accumule curieusement les verbes terminés par *-prendre*.
Pour voir à l'œuvre cette hypothèse d'une construction du texte
autour de ses vides, on peut citer cette lecture *déconstructionniste*
d'une fin de poème de Wordsworth, rapportée par le philosophe
Arthur Danto :

« *Small clouds are sailing*	[Des petits nuages voguent
Blue skies prevailing	Les cieux bleus prédominent
The rain is over and done »	La pluie est bien finie]

La lecture s'organise autour d'une absence. Ce poème du passage
au printemps se déploierait comme effacement du signe « hiver »,
mot clé absent du poème et lui servant dès lors de trame, en venant
hanter chaque élément printanier. Si bien que Wordsworth n'y
dépeindrait pas une réalité naturelle, mais y inscrirait « le négatif
d'un texte latent, inexprimé, traitant du contraire du printemps, de
son autre[9] ». Pour peu que l'*absent majeur* en question ne soit plus
une saison (ou son signe) mais l'être aimé, le mot oublié, ou – mieux
encore – le concept refoulé qui conditionnait tout l'argument, et la
déconstruction démontre alors qu'aucun discours ne lui est étranger,
qu'il n'est pas question d'en rester à la poésie britannique. Des
ambitions que lui inspirent aussi l'atmosphère de solennité et
d'enthousiasme intiatique qui enveloppe ses premières années, et la
ferveur d'une découverte qui sort ses pionniers du train-train de
l'histoire littéraire – la découverte des auteurs et des grands concepts

---

9. Cité *in* Arthur DANTO, « Philosophy as/and/of Literature », *in* John RAJCHMAN et
Cornel WEST (dir.), *Post-Analytic Philosophy, op. cit.*, p. 71-73.

de la philosophie continentale, qu'ils ne connaissaient pas. Pour qui n'a jamais entendu parler de Nietzsche ou de Husserl, le profit symbolique d'une telle approche est inespéré. Même si n'est pas résolue la question de son profit *cognitif* : on évoque, on détourne, on déconstruit les philosophes, mais on ne les *étudie* pas à proprement parler. En plein conflit des facultés, la déconstruction et son concept d'écriture sont une aubaine. Cette démarche du premier Derrida, qui consiste à démonter le préjugé « phonocentriste » d'une subordination de l'écriture à la parole, revient à conférer un rôle inédit – liminaire, maïeutique, majeur – à cette notion d'*écriture*. Et, après l'avoir soustrait au pouvoir de la parole, l'associer à la « suppléance » comme son origine, à un excès premier du signifiant, la libère cette fois de l'empire de la raison. Or une écriture phonocentrée, référentielle, ou rationnellement décomposable renvoyait toujours à l'histoire, à la philosophie, aux sciences sociales ; une écriture comme *différance*, enfin détachée de ces ordres exogènes, est l'apanage du seul champ littéraire. Sans compter que le nouveau paradigme peut éclairer la question de l'université, alimenter à son tour le discours méta-éducatif. Les essais pullulent, on l'a dit, sur Derrida et l'éducation, et le critique Robert Young a même pu proposer, contre l'université capitaliste et spécialisée, qu'elle fonctionnât plutôt « comme un *supplément* que l'économie ne doit pas intégrer », et qu'en étant « ni utile ni simplement inutile » elle « déconstruisît » les binarismes qui la hantent [10]. Une rhétorique, elle, qui affirme en tout cas haut et fort l'*utilité* de la déconstruction.

À partir du milieu des années 1980, ses enjeux sont assez vastes – repenser l'université, dénoncer les dualismes, réinterroger tous les textes, armer les lecteurs contre la Raison dominante – pour que s'emballe l'inflation éditoriale de la déconstruction, son essor prodigieux comme créneau le plus en vue dans l'édition universitaire. On ne compte plus, à propos de la déconstruction, les livres premiers (de Derrida et des grands derridiens), mais aussi seconds (appliquant la déconstruction) et troisièmes (qui en proposent un bilan). Pourtant, parmi cette pléthore, on peut dégager deux types d'enjeux – et d'ouvrages. Le premier, qui concerne la majorité de ces livres, renvoie à une régression sans fin de la déconstruction sur ses propres procédures, métadiscours circulaire et paraphrastique, et aux stratégies offensives de la « décon » : contre le psychologisme ou la sociocritique, contre collègues et concurrents, et bientôt contre l'Oppresseur blanc-occidental quand critiques derridiens et

---

10. Cité *in* Bill READINGS, *The University in Ruins, op. cit.*, p. 123-124.

théoriciens identitaires feront cause commune. C'est dans ces essais, parfois inutilement jargonnants, que se manifestent l'inculture philosophique et l'arrogance intellectuelle de certains chantres de la déconstruction. Moins peuplée et pourtant moins uniforme, usant d'un langage plus exigeant mais moins codé, la seconde catégorie a laissé quelques ouvrages majeurs dans le champ intellectuel américain. Elle recouvre toutes les méditations sur la *lecture* – qui est proprement l'inflexion américaine du projet derridien –, les essais qui dénoncent l'idéologie littéraire de la « transparence » et explorent plutôt l'opacité intrinsèque de l'écriture. Cette orientation, il faut le noter, *rejoint* Derrida plus qu'elle ne le prolonge, dans la mesure où elle s'élabore dès avant son importation américaine.

Chez Paul de Man ou le premier Harold Bloom, la fameuse « critique des Lumières » ne se joue pas sur le terrain superficiel de l'histoire des idées, mais au cœur de cette énigme de la lecture. Elle ne renvoie pas encore à une gesticulation tactique contre le rationalisme et le progressisme, mais bien plutôt à un rejet minutieux du préjugé de *clarté*, du postulat d'une *lumière* du sens, de l'articulation (garante de l'ordre établi) entre un répertoire verbal et le monde qu'il évoque – hommage surtout à l'autarcique obscurité du langage. Au pays du signe transparent et de la science transitive, un carteron de lettrés désespérés ose ainsi se vautrer très textuellement, et très obstinément, dans les sombres plaisirs de l'opacité.

Ce déconstructionnisme-là, nécessairement minoritaire, n'a que faire de son suffixe d'école de pensée, ni même du prestige du nouveau courant. Encore imprégné par l'éthos tragique et hautain du haut modernisme littéraire, celui des New Critics et du roman-sur-rien, il cherche moins à ébranler l'ordre du monde, comme le font très rhétoriquement ses cadets, qu'à accéder au désordre du texte, son instabilité première, l'impossible dont il surgit. Il n'a pas besoin de tirer un programme de combat de cette nouvelle élasticité du sens, d'appuyer un ébranlement du monde sur les incohérences du texte – pour apaiser la culpabilité de l'universitaire déconnecté du « monde réel ». Moins nombreux, ces subtils théoriciens de la lecture n'ont pas fait autant de bruit que les stratèges du décentrement, les trouvères de la nouvelle croisade contre le « logocentrisme ». Mais ils ont laissé une trace plus conséquente dans l'histoire de la critique. La déconstruction, avant d'être le mot de passe de la postmodernité américaine, désigne deux castes de littéraires finalement bien distinctes sur les campus : ceux, pour reprendre la onzième thèse marxienne, qui ont la naïveté de croire qu'ils vont transformer le monde *par* l'interprétation, et ceux qui ont eu, plus discrètement, avec une plus haute exigence, l'impudence de vouloir transformer le monde lui-même de l'interprétation.

Le quatuor de Yale

Parmi ces derniers, un quatuor de grands critiques enseignant au département d'anglais de Yale va en faire, à la fin des années 1970, le port d'entrée de la déconstruction derridienne, le temple officiel de son culte américain – jusqu'à accréditer, malgré leurs dénégations, l'idée d'une véritable « école de Yale ». Ainsi, à mesure que le programme critique derridien se trouve préempté, coopté par les professeurs les plus brillants de leur génération, le mot de « bande des quatre » ne désigne plus les hommes alors au pouvoir à Pékin, mais les quatre nouveaux héros (plus inoffensifs) du champ littéraire : Paul de Man, Harold Bloom, Geoffrey Hartman, J. Hillis Miller – quatuor d'ambivalence, antiécole et groupe amical, iconoclastes mais apolitiques, matérialistes textuels et conservateurs culturels. Tout groupe naissant a ses contradicteurs, et il se trouve un critique, dès 1975, pour dénoncer la « mafia herméneutique » de Yale[11]. Mais il est alors vain d'essayer de faire de l'ombre à ce département d'anglais, niché dans le bâtiment du Linsly-Chittenden Hall de Yale, et proposant les cours de théorie et de critique littéraire les plus novateurs de l'Union – réunis bientôt au sein du programme *literature major* destiné aux étudiants gradués. De colloque en essai, l'ambiance est alors à l'expérimentation, chacun s'essayant à dénicher les figures les plus ambiguës et les perles méta-linguistiques d'un classique après l'autre des auteurs canoniques, de Dante à Marlowe, Gœthe et Shakespeare.

Pourtant, les noms des quatre pionniers de la déconstruction n'ont été associés qu'en de rares occurrences : quelques années durant pour le cours hebdomadaire très suivi qu'ils donnèrent en alternance sur « lecture et structure rhétorique », et en tête d'un seul recueil, *Deconstruction and Criticsm* (1979), qui prendra pour la presse valeur de manifeste – malgré la polyphonie manifeste du volume, où de Man et Bloom divergent sur leur lecture de Shelley, tandis que les autres contributions varient démarches et références. Quelques morceaux de bravoure vont faire la réputation du livre, comme l'habile rapprochement phonétique de *meaning* (sens) et *moaning* (gémissement) par lequel Bloom commence son essai, la défense par Hillis Miller de l'aptitude du critique à l'« accueil »

---

11. William Pritchard, « The Hermeneutical Mafia, or After Strange Gods at Yale », *in Hudson Review*, n° 28, hiver 1975-1976.

contre sa diabolisation en « parasite », et la contribution de Derrida lui-même (sur *L'Arrêt de mort* de Blanchot) que distingue une seule note de bas de page courant sur cent pages – la plus célèbre *footnote* de la théorie française [12]. Mais il demeure difficile de rassembler sous une même bannière les quatre francs-tireurs de la théorie littéraire, malgré des références analogues, une amitié commune avec Derrida, et le même ton d'ironie érudite, d'humour désenchanté qui est le leur. J. Hillis Miller, arrivé de Johns Hopkins en 1973, est le seul à avoir suggéré l'existence d'une école critique, dans un souci de polémique. Mais, de fait, tous les arguments s'y opposent : l'évolution précoce de Hartman loin de la déconstruction ; l'itinéraire inclassable de l'agoraphobe Bloom ; le parcours solitaire de Paul de Man, qui préférera toujours au mot de déconstruction (trop largement diffusé à son goût) celui de « lecture *rhétorique* » ; et le zèle prosélyte plus poussé que le leur de quelques brillants critiques, qui exigerait de les compter eux aussi parmi les chefs de file de l'improbable école – de Soshana Felman, qui enseigne alors à Yale, à Barbara Johnson, qui discute les hypothèses de son maître de Man, ou encore Neil Hertz explorant les enjeux psychanalytiques de la déconstruction, et Cynthia Chase réinterrogeant la poésie romantique. Reste que, au sein d'une telle floraison, l'œuvre critique majeure est celle de Paul de Man.

« Il était une fois un monde où nous croyions tous savoir lire, puis vint Paul de Man... [13] », commence Wlad Godzich dans sa préface au premier recueil d'essais du critique, *Blindness and Insight* (1971), qui ne sera suivi que de deux titres de son vivant, puis trois recueils posthumes. Le livre présente déjà ces deux traits de l'approche demanienne que sont une précision mathématique de l'interprétation et une mélancolie benjaminienne dans la démarche. Il rassemble des études récentes sur Lukàcs, Blanchot et la lecture derridienne de Rousseau, et deux articles plus anciens, sur les impasses de la « critique formaliste » et sur l'exégèse heideggerienne de Hölderlin – écrits en français par ce Belge de naissance (arrivé aux États-Unis en 1947) et publiés d'abord dans *Critique*. Son titre, explicité par un essai d'ouverture, renvoie à la rencontre de deux dialectiques parallèles de la vision et de la cécité, l'une désignant un « angle mort » du texte qui en organiserait l'espace linguistique et le distribuerait en zones visibles et zones aveugles, et l'autre liée à

---

12. Harold BLOOM, Paul DE MAN, Jacques DERRIDA, Geoffrey HARTMAN et J. Hillis MILLER, *Deconstruction and Criticism*, New York, Seabury Press, 1979.

13. Wlad GODZICH, « Foreword », *in* Paul de MAN, *Blindness and Insight*, Minneapolis, University of Minnesota Press, 1971, p. XVI.

chaque lecture comme mode d'exclusion singulier de certains aspects du texte, dont il détermine dès lors une « vision aveugle ». De Man y défriche en outre quelques pistes qui seront au cœur du débat littéraire des décennies suivantes : une critique de la distinction « rationnelle » entre textes esthétiques (littéraires) et argumentatifs (critiques) comme postulant en fait la « superfluité » des premiers, sous prétexte de privilégier une *vérité* littéraire ; le choix, pour décrire le fonctionnement du langage, du concept d'*allégorie* (qui restera comme sa marque de fabrique, grâce au succès du recueil *Allegories of Reading*), en tant que distance irréductible à sa propre origine, contre celui de *symbole* qui porterait la nostalgie d'une coïncidence à soi, d'une identité ; et l'esquisse d'une théorie du langage *figural*, l'autre grand concept demanien, langage formel déployant ses limites, racontant le vide dont il sourd, aux dépens des langages *référentiel* et *grammatical* de la critique classique.

Sa relecture de l'épisode du ruban volé dans les *Confessions* de Rousseau est non seulement figurale, mais « machinique » : nous prenons pour des sentiments humains, ceux de l'auteur ou de ses personnages, des fonctions purement internes du système textuel, explique de Man, qui dissocie ainsi une *machine* linguistique autonome, circulation incontrôlée de tropes et de figures, du monde ordinaire de l'intention et de la représentation. L'autonomie en question est précisément ce qui requiert la théorie, selon de Man : celle-ci est devenue le seul recours quand la « référentialité » (le fait de référer, de renvoyer à un référent) n'a plus été une « intuition », une activité humaine liée au « monde de la logique et de la compréhension », mais s'est avérée une « fonction interne du langage » – autrement dit, quand la linguistique saussurienne a été appliquée aux textes littéraires, reléguant au second plan la question de leur « sens »[14]. Tous les usages du langage sont performatifs, estime de Man, dans la mesure où ils déclenchent tous en lui des mécanismes endogènes, une tectonique souterraine des figures. L'horizon de son projet est un véritable *matérialisme* textuel, ou linguistique. Il recommande une lecture qu'il appelle « rhétorique » des textes littéraires, seule à même de faire surgir le caractère proprement inhumain du langage, sa dimension *matérielle* au sens où il nous serait aussi étranger, aliénant, que le monde des choses – en des termes parfois réminiscents de ceux d'un Sartre, dont l'œuvre eut une grande influence sur le jeune Paul de Man, et dont les descriptions de la « mauvaise foi » rappellent celles que fait de Man des « illusions » herméneutiques délibérées du critique traditionnel.

---

14. Paul de MAN, *The Resistance to Theory, op. cit.*, p. 8.

Car tout texte se déploie à partir d'un échec de l'expression, et le rôle du critique est de mettre au jour la productivité dialectique de chaque « erreur », de chaque « échappée » du langage, comme l'illustrent ses propres analyses de l'impossible « promesse de vérité » dans la poésie de Rilke, ou de la « disjonction » comme tâche spécifique du traducteur. En fin de compte, par-delà la méfiance obsessionnelle de de Man envers l'ordre de la représentation et les facilités de la lecture référentielle, la question posée par Wlad Godzich reste ouverte de savoir si sa version de la déconstruction n'a fait qu'« apprivoiser », « soumettre » la démarche de Derrida, en lui faisant « perdre sa virulence », ou si elle l'a au contraire affinée, confrontée plus rigoureusement au texte littéraire [15]. La seule certitude est qu'elle l'a prolongée en aval du côté de la lecture, et contre les fausses évidences de celle-ci – pour le plus grand profit de la critique littéraire.

Aussi novatrices dans leur approche, les œuvres des trois autres critiques de la « bande des quatre » restent moins troublantes, moins minutieusement austères que celle de Paul de Man. Tandis que Geoffrey Hartman a évolué d'un usage provocateur de la déconstruction à sa dénonciation virulente au nom de la phénoménologie et de la critique de l'imaginaire (celles d'un Georges Poulet ou d'un Jean Starobinski, vers lesquelles il a peu à peu fait retour), son collègue Hillis Miller en est resté finalement le plus loyal praticien – en analysant les impasses textuelles du roman victorien ou les non-dits de la poésie anglaise, et en défendant ses émules dans le cadre de ses responsabilités, à Yale puis à Irvine, et à la tête de la MLA. L'œuvre et l'itinéraire de l'autre solitaire du groupe, Harold Bloom, sont plus singuliers. Il s'est fait connaître en 1973 avec un livre inclassable, *The Anxiety of Influence*. Radicalisation avant l'heure de certaines hypothèses de la déconstruction, mais aussi de celles de Genette et Riffaterre sur l'*intertexte*, ce court essai difficile reste aujourd'hui l'un des chefs-d'œuvre de la critique littéraire américaine [16]. Le postulat en semble classiquement structuraliste : « Il n'y a pas de poèmes, seulement des relations entre des poèmes. » Mais son développement ne ressemble à rien de connu. Explorant poètes classiques et contemporains, de Virgile à Milton, Dante et John Ashbery, et ajoutant aux références d'un Paul de Man un large usage de Freud et Nietzsche, Bloom y renouvelle le thème de

---

15. Wlad GODZICH, « The Domestication of Derrida », *in* Jonathan ARAC *et al.* (dir.), *The Yale Critics : Deconstruction in America, op. cit.*, p. 39.

16. Harold BLOOM, *The Anxiety of Influence : A Theory of Poetry*, New York, Oxford University Press, 1973

l'innovation littéraire, qu'il redéfinit comme « angoisse » du texte consacré, « rupture forcée » de sa répétition et, plus largement, « mélecture créatrice » (*creative misreading*). Celle-ci procède par modifications du texte antérieur (et *intérieur*, sa réfraction dans la lecture) selon sept modalités rhétoriques, dont le *clinamen*, la *kenosis*, et l'*askesis* ou purge de soi, qui sont autant de tactiques pour « débarrasser l'espace imaginaire » de ses sources, et de son refoulé.

Mais cette théorie de la rupture d'influence est si peu psychologique, si précisément linguistique, qu'elle évoque davantage la mort de l'auteur ou la matérialité demanienne du texte que la banale obligation du « meurtre des pères » en littérature. Bloom en profite pour remettre eu cause les frontières génériques, jusqu'à déclarer que « toute la critique est de la poésie en prose ». Surtout, le fonctionnement intégralement textuel de ces procédures de « méprision [*misprision*] poétique » (curieux néologisme mêlant la *méprise* nécessaire et la *prison* de l'influence) fait de son livre une illustration sans égale des béances du langage et des ruses autonomes de l'écriture. Pourtant, après un flirt sans suite avec la déconstruction, Bloom évoluera peu à peu vers l'élitisme irascible d'un pessimiste solitaire, plus hébraïsant que derridien, plus émersonien que francophile, reprochant à Paul de Man son « nihilisme linguistique serein », farouchement antimarxiste, ultime défenseur d'un canon occidental critiqué de toutes parts, et ne voyant parmi les innovations des années 1980 que « l'école du Resssentiment » : « entouré par des professeurs de hip-hop, des clones de la théorie gallo-germanique, des idéologues du genre et d'autres persuasions sexuelles, [...] je réalise que la balkanisation des études littéraires est irréversible [17] » – jusqu'à publier en 1999, avec succès, un épais *Shakespeare* humaniste, qui ne se penche ni sur la langue ni sur la construction, mais sur les seuls personnages de son théâtre, et l'« essence de leur personnalité [18] ». La lutte contre le « phonocentrisme » ne l'a jamais vraiment concerné : « en rabin, en prophète, il ne se laissera pas intimider sous prétexte que son langage est celui du soi, de la présence, de la voix », résume le critique conservateur Denis Donoghue, qui voit dans la dimension de « folie sérieuse » (*serious folly*, selon le mot de Shelley) de la déconstruction, ce qui a pu attirer à elle des penseurs tels qu'Harold Bloom ou Paul de Man [19].

---

17. Harold BLOOM, *The Western Canon*, New York, Harcourt Brace, 1994, p. 517-518.
18. Harold BLOOM, *Shakespeare : The Invention of the Human*, New York, Riverhead Books, 1999.
19. Denis DONOGHUE, « Deconstructing Deconstruction », *New York Review of Books*, 12 juin 1980, p. 38-41.

Échappées et stratagèmes

Alors que les travaux du quatuor de Yale explorent surtout ce caractère d'*autophagie* du texte littéraire, ceux de leurs centaines d'épigones vont donc braquer le nouveau dogme sur des cibles de plus en plus éloignées de ce contre-monde du texte – cibles politiques, historiques, culturelles, sans grand rapport avec le matérialisme textuel demanien. Pour ce faire, il faut exploiter le potentiel dramatique, émotionnel, affinitaire même de la déconstruction. De jeunes disciples, envoûtés et opportunistes à la fois, vont ainsi universaliser les hypothèses de la « *mélecture* créatrice » et de l'« erreur productive » : ils affirmeront que *toutes* les lectures sont *mélectures*, que *tout* texte littéraire est allégorie de son illisibilité, et bientôt, à mesure que s'étend sur le monde anglo-saxon la longue nuit réactionnaire reagano-thatchérienne, ils déclareront que ces forces occultes travaillant chaque texte sont d'abord de nature *politique*, et que toute la logique occidentale de la représentation est intrinsèquement *impérialiste*, à son insu, à même le texte. Mais substituer à la patiente déconstruction philologique de Derrida ce drame belliciste, où les méchants sont des concepts armés de leur majuscule, suscite aussi les raccourcis du scénariste tombé sous le charme de son intrigue : « Derrida n'était pas là quand Jésus s'est levé d'entre les morts », pose par exemple R. V. Young, « aussi s'est-il bâti une carrière en partant tuer le Logos et brûler la maison de la Raison[20] ». L'exagération n'est pas seulement scénaristique, mais philosophique. Car, pour aligner sur le banc des accusés les éléments d'un puzzle bien abstrait, mal maîtrisé – dialectique, raison, *logos* –, le discours « antilogocentrique » doit tordre dans son sens l'argumentaire plus posé, toujours prudent, de son auteur fétiche. On jure d'occire Hegel et sa dialectique, là où Derrida soulignait l'obligation faite à la pensée contemporaine de « s'expliquer indéfiniment avec Hegel[21] ». On promet de déconstruire la métaphysique, dont Derrida pourtant n'a cessé d'affirmer la nécessaire « complicité », sans laquelle il faudrait « renoncer du même coup au travail critique que nous dirigeons contre elle[22] ». On perd au passage, en figeant la déconstruction derridienne en un corps d'injonctions générales, la sinuosité stratégique, la souplesse du trajet derridien, jeu d'apories qui ont aussi pour fonction de ne

---

20. *Cf.* R. V. YOUNG, *At War with the Word*, Wilmington, Intercollegiate Studies Institute, 1999.

21. Jacques DERRIDA, « De l'économie restreinte à l'économie générale », *op. cit.*, p. 371.

22. Jacques DERRIDA, « La structure, le signe et le jeu dans le discours des sciences humaines », *op. cit.*, p. 413.

jamais *ancrer* sa pensée. La distorsion, ici, est littérale, et a d'abord pour origine le curieux rapport américain aux textes de Derrida : ils sont finalement très rarement lus directement, ou intégralement ; et, parmi eux, les œuvres de la première période, et leur critique onto-phénoménologique du logocentrisme, sont plus opératoires que celles des quinze dernières années, plus elliptiques et davantage préoccupées par l'éthique, la démocratie, ou l'hommage philosophique (à Blanchot ou Lévinas) – à l'exception des trois classiques de ce second Derrida que sont devenus aux États-Unis *Spectres de Marx, Force de loi* et *Mal d'archive*[23].

La question centrale, qu'on retrouvera souvent, est celle d'une *utilité* de cette « hypercritique », telle que Derrida appelle parfois la déconstruction. D'une part, au pays où seule compte la « mise en pratique dans l'éducation » pour toujours « substituer, autant que possible, le faire à l'apprendre » (comme l'observait Hannah Arendt[24]), il s'agit que la déconstruction soit maniable, utilisable, susceptible d'applications multiples – aussi bien pour la lecture d'un seul poème que pour relire politiquement toute l'histoire des idées. Son glissement vers les discours identitaires a d'ailleurs sa source dans ce précepte utilitariste, plus que dans un programme idéologique qui la précéderait. Et ses applications plus ponctuelles, transitives et comme mécaniques, à des enjeux que la déconstruction aurait commencé par déplacer, par reformuler, frisent parfois le contre-sens, sinon la caricature. Outre les cours de management ou de cuisine qui apprennent à « déconstruire » l'entreprise hiérarchique ou le repas à trois plats (*three-course meal*), Richard Wagner ou l'écologie peuvent passer aussi dans le pressoir derridien : Mary Cicora explique par quelle « ironie romantique » les opéras wagnériens « déconstruiraient » leurs sources mythologiques (une « déconstruction opératique » qui fait de *Parsifal* une « rédemption de la métaphore[25] »), tandis que Robert Mugerauer invite à déconstruire le paysage, et à y interroger par exemple la pyramide (des Égyptiens à Las Vegas) comme « posture stratégique » et « persistance de la présence[26] ». Pour avoir adopté une thématique transversale plus didactique, et un langage moins jargonnant, le livre de David Wood *The Deconstruction of Time*, qui appelle à penser le temps « hors de la métaphysique » et la philosophie « comme pur

---

23. Paris, Galilée, 1993, 1994 et 1995 respectivement.

24. Hannah ARENDT, *La Crise de la culture, op. cit.*, p. 234-235.

25. Mary CICORA, *Modern Myths and Wagnerian Deconstructions*, Westport, Greenwood, 1999.

26. Robert MUGERAUER, *Interpreting Environments : Traditions, Deconstruction, Hermeneutics*, Austin, University of Texas Press, 1995.

événement et performativité », a même rencontré un certain succès[27]. Mais, à côté de ces *mises en pratique* parfois douteuses de la déconstruction, ses tenants les plus exigeants défendent jalousement son intransmissible difficulté, sa rigueur impartageable, moins par réflexe élitaire que par fidélité au souci ontologique qui l'inspire. Il faut dire que ses éléments récurrents – apories, mises en abyme, figures négatives, signifiants en excès – ne sont ni facilement accessibles conceptuellement ni aisément repérables dans les textes, littéraires ou théoriques, qu'ils sont censés corroder. C'est pourquoi cette approche si célébrée ne sera qu'évoquée, jamais étudiée et encore moins appliquée, dans le cadre des cours de premier cycle (*undergraduate*). Et qu'il sera difficile, dans les cours pour étudiants gradués, d'en faire la *méthode* imparable que l'utilitarisme éducatif américain aurait voulu faire d'elle. En outre, et dès la fin des années 1970, la déconstruction à peine acclimatée outre-Atlantique y subit une double dérive extra-universitaire ; elle échappe par deux côtés à la maîtrise pédagogique de ses praticiens, et à plus forte raison au prosélytisme rigoureux de ses fidèles.

Elle fait, d'une part, l'objet d'une série continue d'attaques idéologiques, qu'inaugure dès 1977 l'appel du vieux critique Meyer Abrams à « éclipser » la déconstruction et son relativisme moral[28]. Des diatribes de droite ou de gauche qui, en brandissant le bien public et les valeurs collectives contre le « textualisme » derridien, lui attribuent des effets nuisibles non seulement sur l'université mais sur toute la société américaine. D'autre part, de façon plus graduelle mais aussi plus spectaculaire, le mot de « déconstruction » entre peu à peu dans le langage courant, où il en vient à évoquer toutes les formes de subversion qu'abriterait l'université, et plus vaguement encore, une attitude d'incrédulité, une aptitude à la démystification, la réaction vigilante de celui ou celle « à qui on ne la fait pas » : dans la presse grand public et même à la télévision, le mot *déconstruire*, entièrement dissocié de ses enjeux universitaires, émerge ici et là, synonyme d'habileté critique, de lucidité individuelle face à un message officiel. Dans cette course débridée au pouvoir et à la réussite qu'accélèrent soudain les années 1980, de reprise économique en dérégulation, il faut être capable de *déconstruire* une promesse publicitaire, une propagande électorale, un jeu social – de les percer à jour. Signe des temps, des magazines de décoration invitent leurs lecteurs, contre la véranda à la papa, à « déconstruire

27. David WOOD, *The Deconstruction of Time*, Amherst, Prometheus Books, 1990.

28. Meyer ABRAMS, « The Deconstructive Angel », *Critical Inquiry*, n° 3, hiver 1977, p. 431-442.

le concept de jardin », tandis qu'un superhéros de bande dessinée affronte un méchant d'un genre nouveau, « Docteur Deconstructo ». Un ersatz de jargon universitaire devient même argument de vente lorsqu'une marque de prêt-à-porter choisit de décliner, pour sa campagne dans le magazine *Crew*, la « veste Derrida » et le « costume déconstructeur », garants d'un « style emphatiquement canonique ». Un *Petit Manuel de déconstruction de la vie*, recueil dans le vent et gaiement satirique d'aphorismes vaguement derridiens, trône même fièrement à côté des caisses des libraires [29]. Phénomène d'emprunt symbolique, pur effet de surface social, cette dispersion extra-universitaire d'une référence de plus en plus floue va contribuer à accélérer la scission du camp derridien : entre une minorité conservatrice, soucieuse de la préserver de ces dérives populaires, et une majorité plus stratégique désireuse d'emporter cette caution théorique forte, désormais citée dans les médias, sur le terrain des discours de combat identitaires – que sont alors en train d'affûter les nouveaux programmes interdépartementaux d'études sexuelles, ethniques et postcoloniales. Chez les premiers, la « réalité » est une construction du logocentrisme, un effet trompeur du langage figural ; chez les seconds, elle est une construction idéologique destinée à masquer les rapports de pouvoir et la ségrégation. Le fossé entre eux n'ira que s'élargissant.

Si l'on met ceux-là de côté – minorité quasi monacale qu'intéresse surtout une nouvelle épistémologie du langage littéraire –, la question que posent ceux-ci, en fin de compte, se doit d'être examinée plus précisément, car elle n'est pas si simple : tirer Derrida loin des sujets qui sont les siens l'invalide-t-il nécessairement ? Parce qu'ils sont au moins en accord avec la démarche derridienne sur un point crucial, leur méfiance commune envers la pensée totalisante et les systèmes clos, tous les usages locaux, partiels, mobiles, opérationnels de tel ou tel concept derridien ne relèvent pas nécessairement de la caricature, ou de la trahison, et révèlent même parfois la formidable vivacité, la fécondité pratique de l'argument derridien. À côté des usages caricaturaux, il y a bien, en un mot, des usages fertiles ; à côté d'une lourde paraphrase d'ensemble, un recours opportun, fonction des ruses du temps et de la bonne occasion – à côté d'une *utilisation* sans horizon, confondant naïvement registres théorique et prescriptif, un *utile* spécifique, qui rend l'œuvre citée,

---

29. Andrew BOYD, *Life's Little Deconstruction Book : Self-Help for the Post Hip* New York, W.W. Norton, 1998.

selon la formule de Michel de Certeau, capable soudain « de substituer la fabrication d'un futur au respect d'une tradition[30] ».

Supplément : l'effet Derrida

L'étonnante synergie qui a pu relier ainsi, au coup par coup, la réflexion féministe américaine et l'œuvre derridienne en offre une première série d'exemples. Car la question féminine n'est pas seulement, chez Derrida, celle d'un « phallogocentrisme » généralisé hâtivement par certaines épigones – mort au Logos paternel, sus à la Raison machiste ! Elle a toujours été chez lui l'occasion de suggestions plus ponctuelles, plus ouvertes, que leurs lectrices jugent plus opératoires. Dès 1963, dans l'article « Violence et métaphysique », Derrida interrogeait ainsi dans une note, non pas l'essence masculine de la métaphysique mais la « *virilité* essentielle du langage métaphysique ». La « Pharmacie de Platon » de 1968, repris dans *La Dissémination*, n'est pas seulement le texte où le logos prend la figure du père, mais aussi l'occasion d'une suggestion moins citée, selon laquelle le signifiant surabondant, la dissémination irréversible des traces renverraient aussi à celle du sperme, au motif scandaleux de la « semence perdue ». Même l'antihumanisme tant repris de *De la grammatologie* explore déjà, en guise d'allié, le fameux « nom de la femme ». En 1970, dans son article « La Double séance » sur Mallarmé, Derrida parlait de l'« hymen » comme d'une membrane incertaine : parce qu'elle « sépare sans séparer » le dedans et le dehors, elle ouvre déjà sur une pensée *non* identitaire du sexuel, qu'il s'agisse de la possibilité de l'« invagination » ou de cet étrange « troisième genre » qu'évoque alors Derrida, « genre au-delà du genre ». Son intervention de 1972 au colloque de Cerisy sur Nietzsche, reprise dans *Glas*, est le premier texte explicitement consacré à la femme, qu'il identifie à la « vérité » en tant qu'elle serait « indécidable » et à un espace de déplacement, de *différance*, contre l'opposition duelle des sexes – vingt ans avant les études *queer*. Dans *Éperons*, il opère – presque au passage – une autre distinction décisive pour les débats féministes américains, entre le geste masculin de « prendre » ou « prendre possession » et la stratégie féminine de « donner » au sens de « se donner *comme* », jeu de rôles par lequel justement elle *se garde*. Enfin, « La loi du genre » de 1980 (repris dans *Parages*), qui invite à « déconstruire » le signe *homme* de la tradition métaphysique, précise que cette tâche peut « produire [...] un élément *femme* » qui ne signifie pas la femme

---

30. *La Fable mystique, op. cit.*, p. 178.

comme « personne » – soit la formulation d'un féminin *sans essence*, qui n'est ni un principe ni son incarnation humaine. Autant de libres échappées, de paragraphes furtifs dans l'œuvre de Derrida, sur lesquels va s'appuyer la réflexion « antiessentialiste » (contre l'*éternel féminin*) du second féminisme américain, et qu'il brandira ici et là contre ce qu'il voit comme les « impasses » de la femme-identité et du seul contre-pouvoir maternel.

L'opération réussie de ce second féminisme va même être, si l'on peut dire, de *jouer* Derrida contre Lacan. Celui-ci avait dû son impact sur le débat féministe à un premier mouvement de *désessentialisation*. Il avait permis de substituer, dans la formation des genres sexuels (*genders*), les forces autonomes du langage et du fantasme, intrinsèquement instables, à l'idée d'une nature biologique et de sa sublimation nécessaire, héritée d'un certain essentialisme sexuel freudien. Mais, ce faisant, il débouchait, du point de vue américain, sur un pessimisme des genres sexuels, sinon un certain conservatisme : si « la femme n'existe pas », c'est aussi que cette instabilité fantasmatique des rôles sexuels est sans solution, si bien qu'en l'absence d'une *stratégie* de genre possible, la figure du Phallus et la puissance souterraine de la Loi et de l'inconscient linguistique ne feront que perpétuer les hiérarchies de genre, qu'enlever tout recours à celui ou celle qui s'y trouve dominé(e), puisqu'il n'y a *pas* de genre fixe. Au contraire, Derrida réinsérerait du mouvement, une marge de manœuvre, en insistant sur les glissements constants du code linguistique, sur le potentiel performatif des jeux avec la Loi et avec le langage – menant même à une déconstruction possible de la hiérarchie des genres. Que l'inconscient soit structuré comme un langage n'interdirait pas les ratés de ce langage, les vides productifs dans son énonciation, l'initiative même de sa réinterprétation. Si bien qu'à un ordre sexuel figé dans le marbre de la Loi lacanienne, Derrida aurait substitué « une nouvelle chorégraphie de la différence sexuelle » : c'est « contre Lacan », estime par exemple Drucilla Cornell, qu'il « nous montre que tout ce qui change au sein du langage, y compris la définition de l'identité de genre [...], ne sera jamais stabilisé définitivement[31] ». L'opération Derrida réintroduit donc ici de la marge, du jeu, l'espoir en somme d'une action effective contre les oppressions de genre – un espoir dont vit tout féminisme. Dans le cadre du débat féministe, la référence à Derrida a aussi son utilité sémantique : ainsi que le propose Judith Butler, employer la catégorie de « femme », comme le fait Derrida, sans

---

31. Drucilla CORNELL, « Gender, Sex and Equivalent Rights », *in* Judith BUTLER et Joan SCOTT (dir.), *Feminists Theorize the Political*, New York, Routledge, 1992, p. 286-287.

renvoyer à aucun référent (ni à ses signifiés ordinaires) lui « donne une chance d'être ouverte [sur des horizons nouveaux], d'en arriver même à *signifier* selon des modalités qu'aucune de nous ne peut prédire[32] ». Signe d'une productivité sans égale de la référence derridienne, c'est d'ailleurs de la lecture de Kafka par Derrida, et non chez Foucault ou John Austin, que Butler dit avoir tiré le concept de « performativité du genre[33] », qui aura un rôle central dans son travail et pour les théories *queer* des années 1990.

Dans un tout autre domaine, on a vu l'importance qu'ont eue les conférences de Derrida sur « déconstruction et droit », à la Cardozo Law School de New York à partir de 1990-1991, pour l'école critique des « *critical legal studies* ». Quant au champ des études postcoloniales, plus naturellement inspirées (mais aussi plus directement critiques) de Foucault, la référence ponctuelle à Derrida peut y jouer aussi ce rôle de déblocage, lui conférant ce même statut d'*outsider* providentiel. Elle permet par exemple au critique Homi Bhabha de forger le curieux mot valise de « Dissemi-Nation », pour penser la « nation » possible du dominé à partir de son détournement de la langue dominante et de sa dispersion migratoire[34]. Elle permet surtout d'investir cet espace intermédiaire entre domination et tribalisme, langue du fort et oralité du faible, sujet historique et multitude chaotique, cet espace que vise comme son propre la théorie postcoloniale, espace de *négociation* auquel se prêteraient parfaitement certains concepts derridiens : le « reste » ou les « traces » irréductibles à leur émetteur comme à leur contexte ; la fusion de l'Autre et de l'entre-deux que propose la notion d'*antre* chez Derrida ; la quête moins d'une « production de l'autre » (geste encore impérialiste) que de toutes les « voix [...] de l'autre en nous[35] », selon la lecture politique qu'en fait Gayatri Spivak. Cette dernière va plus loin. Elle appelle la déconstruction à tendre la main à ces *autres* (femmes, non-Occidentaux, victimes du capital), à se saisir enfin de l'économie politique, à faire de sa théorie du texte une *pratique* de lutte, et même à jeter un pont vers Marx en le relisant lui aussi comme un « déconstructeur *avant la lettre* », telle que Nancy Fraser résume l'évolution de Spivak par rapport à

32. Judith BUTLER, *Bodies that Matter : On the Discursive Limits of « Sex »*, New York, Routledge, 1993, p. 29.

33. « Preface » (1999), *in* Judith BUTLER, *Gender Trouble : Feminism and the Subversion of Identity*, New York, Routledge, 1999 [1990], p. XIV.

34. Homi BHABHA, *Nation and Narration* et *The Location of Culture*, New York, Routledge, 1990 et 1994, p. 291 *sqq.* et p. 139 *sqq.* respectivement.

35. Gayatri Chakravorty SPIVAK, « Can the Subaltern Speak ? », *op. cit.*, p. 292-294.

Derrida[36]. Mais c'est déjà là passer outre l'usage partiel, la mise en œuvre fragmentaire, et poser *la* question qui divise encore aujourd'hui le champ des humanités américain : celle d'une possible « politique derridienne », de ses orientations, et de son rapport éminemment problématique avec l'héritage marxiste.

Car la destinée américaine agitée du mot de déconstruction renvoie sans cesse à l'ambivalence face au politique de la pensée derridienne elle-même. S'il a pu juger celle-ci, sans indulgence, à l'aune des critères logiques et rationnels qu'elle visait justement à réinterroger, Vincent Descombes a eu toutefois le mérite de souligner (il fut l'un des tout premiers à le faire) la malléabilité politique d'une pensée qui se déploie explicitement *en deçà* du vrai et du faux, à côté de leur polarité : « La déconstruction derridienne est-elle un tyrannicide [...], ou est-elle un jeu ? », demande-t-il, avant de conclure que c'est précisément cette question-là qui est « indécidable[37] ». Et qui explique la distance du premier Derrida vis-à-vis de la question politique. D'où, en France, la rareté des réflexions politiques se réclamant exclusivement de Derrida, les thèmes formulés en négatif (*évitement, impossibilité*) au séminaire politique de sa première décade de Cerisy (1980), et les incertitudes auxquelles eut à faire face le Centre de recherche philosophique sur le politique – monté rue d'Ulm en 1981 par les derridiens Jean-Luc Nancy et Philippe Lacoue-Labarthe. Car la déconstruction problématise les polarités normatives (progressiste-réactionnaire, réformiste-radical) *en tant que* polarités, et invite à repenser toute structure d'opposition (entre deux termes) comme irréductible aux référents qu'elle affiche – à moins qu'elle ne soit stratégique, ou même réversible. Elle porte dès lors en elle le risque d'un retrait du politique, d'une neutralisation des positions, sinon même d'une régression métathéorique sans fin que ne peuvent plus arrêter un choix pratique, un engagement politique effectif. Pour appuyer sur elle un programme de subversion, un discours de conflit, la solution américaine a donc été de la détourner, de la fragmenter, de la scinder d'elle-même pour briser cet équilibrage épistémique paralysant. C'est ainsi que les nouveaux penseurs de l'identité ont choisi, comme on le verra, de *politiser la déconstruction*, contre ses exégètes réactionnaires qui préféraient, de leur côté, déconstruire le politique. Pour mettre au point sur les campus une déconstruction de combat, une *politique* derridienne, féministes ou penseurs du

---

36. Nancy FRASER, « The French Derrideans : Politicizing Deconstruction or Deconstructing the Political ? », *New German Critique*, 1984, *op. cit.*, p. 129-130.
37. Vincent DESCOMBES, *Le Même et l'Autre, op. cit.*, p. 177.

postcolonialisme ont forcé la déconstruction *contre elle-même* à produire un « supplément » politique – jusqu'à cet ironique paradoxe que l'auteur le moins directement politique du corpus de la théorie française (comparé à Deleuze, Lyotard et Foucault) fut aux États-Unis le plus politisé. Ou peut-être est-ce précisément parce qu'il contourna l'urgence politique (au-delà de son action pour les dissidents tchèques, et d'un engagement avec d'autres contre l'apartheid) que Derrida a contribué, à son insu, à désinhiber, libérer, galvaniser même à l'endroit du politique ses lecteurs d'abord décontenancés. Mais ce schéma lui-même – l'efficace politique ponctuel d'une pensée rétive à la pratique politique, et qu'on détourne donc *d'autant plus* aisément – se complique au début des années 1990, lorsque Derrida s'adresse cette fois directement à Marx et aux marxismes, historiques et théoriques – avec l'événement *Spectres de Marx*.

Peu après la chute du communisme soviétique, c'est d'une conversation de Derrida avec les professeurs Bernd Magnus et Stephen Cullenberg en 1991, mais aussi de sa relecture d'*Hamlet* (où l'obsède le vers énigmatique « *The time is out of joint* ») et du projet de colloque californien « Whither Marxism », que naît en 1993 ce texte-carrefour – conférence puis ouvrage[38]. Les pistes qu'y explore Derrida (toutes rattachables à Marx), soit « l'état de la dette » (à Marx ?), « le travail de deuil » (des marxistes ?) et « la nouvelle internationale » (*post*marxiste ?), renvoient toutes les trois à une relecture de Marx comme *spectre*, au sens à la fois du fantôme, du fantasme et du vecteur. Sous le nom d'*hantologie*, Derrida y pose les premiers jalons d'une pensée de la *spectralité*, qui ne soit ni la présence résiduelle de l'esprit ni l'absence de la chose, mais un mode de persistance irréductible au dualisme sensible-intelligible, et qui serait celui du capital à la fin du XXᵉ siècle aussi bien que celui de l'horizon politique comme promesse messianique – la marchandise et son dépassement. En une affirmation décisive, moins tournant qu'aboutissement d'une lente inflexion, Derrida rapporte tout son travail à une *éthique* première, qui précéderait le reste : désormais, « ce qui met en mouvement la déconstruction, [...] [c'est] cette injonction indéconstructible de la *justice* » – refondation éthique qu'auront dès lors à cœur de soutenir (contre les derridiens de la première vague) les commentateurs américains de ce second Derrida, un peu moins nombreux qu'avant, de Drucilla Cornell à Ashok Kam. Pourtant, cette confrontation un peu tardive à Marx

---

38. Jacques DERRIDA, *Spectres de Marx*, *op. cit.* [tr. *Specters of Marx*, New York, Routledge].

(mais « je crois à la vertu du contretemps », justifie Derrida[39]) ne règle pas le grave différend qui oppose l'inspirateur de la déconstruction aux marxistes orthodoxes du champ universitaire anglosaxon, de Terry Eagleton à Perry Anderson ou même Noam Chomsky – lesquels fulminent tous, depuis déjà deux décennies, contre le « textualisme », l'« anhistoricisme » et le « flou » politique derridiens. Aussi se saisissent-ils de l'occasion pour répondre à *Spectres de Marx* par un colloque puis un recueil, *Ghostly Demarcations*, où sauf les interventions plus indulgentes de Fredric Jameson et Toni Negri, les reproches fusent. Y sont ainsi stigmatisées une « dépolitisation littéraire » de Marx, l'inertie pratique à laquelle mènerait ce constat de la spectralité, les limites de ce que Pierre Macherey (seul contributeur français) appelle un « Marx dématérialisé[40] », ou encore les facilités d'un « marxisme sans marxisme[41] ». Une expression que l'intéressé, de son côté, revendiquera haut et fort (ajoutant qu'il « fut d'abord celui de Marx lui-même ») dans sa propre réplique, *Marx & Sons*, longue note ironique et autojustificatrice sur les réflexes sectaires de la « famille » marxiste et sa mélecture persistante, estime-t-il, de toute son œuvre[42].

Mais, au-delà de ce règlement de comptes international, le débat ainsi engagé entre la déconstruction et *les* marxismes – parmi lesquels des ouvertures à Derrida ont eu lieu, parfois depuis longtemps, de Gayatri Spivak à Fredric Jameson ou Slavoj Zizek – n'est pas la conséquence la moins intéressante de cet *effet Derrida* en terre américaine. C'est à égale distance de ces deux mouvements de pensée, marxisme et déconstruction, empruntant à chacun pour ébranler l'ensemble, qu'a eu lieu la rencontre des années 1980 entre les politiques identitaires et l'université américaine, une rencontre qui va modifier pour toujours le champ intellectuel américain. La théorie française ne sera plus alors seulement discours innovant, corpus en vogue, outil magique du champ littéraire, mais la cible plus directe d'un feu croisé idéologique – et le théâtre de nouveaux *usages politiques* du discours.

---

39. *Ibid.*, p. 145.

40. *Cf.* Pierre MACHEREY, « Marx dématérialisé ou l'esprit de Derrida », *Europe*, n° 780, avril 1994.

41. Michael SPRINKER (dir.), *Ghostly Demarcations. A Symposium on Jacques Derrida*, Londres, Verso, 1999.

42. Jacques DERRIDA, *Marx & Sons*, Paris, Actuel Marx/Presses universitaires de France/ Galilée, 2002.

II

Les usages de la théorie

6

Politiques identitaires

> « Il faut parfois se souvenir de la distance qu'il y a entre la salle de classe et la rue [...]. Toutes ces [guerres de mots] me font penser au conte populaire sur ce gaillard qui en avait tué sept d'un seul coup : des mouches, pas des géants. »
>
> Henry Louis GATES Jr., « Whose Canon Is It, Anyway ? »

Qu'on parle le patois derridien ou le dialecte foucaldien, la chose est entendue, peut-être même mieux qu'elle ne l'a jamais été en France : il n'y a plus désormais de discours de vérité, mais seulement des *dispositifs* de vérité, transitoires, tactiques, politiques. Sauf qu'au lieu de venir armer une lutte générale contre la domination, ce constat salutaire va, aux États-Unis, faire le lit des théories minoritaires. Autrement dit, si Derrida ou Foucault ont bien déconstruit le concept d'*objectivité*, les Américains ne vont pas en tirer une réflexion sur le pouvoir figural du langage ou sur les formations discursives, mais une conclusion politique plus concrète : *objectivité* serait synonyme de « subjectivité du mâle blanc ». Ils vont inventer en fait un rapport entièrement inédit entre théorie littéraire et gauche politique. Après le textualisme anarcho-poétique insouciant des « seventies », et à côté du purisme littéraire des derridiens de Yale, la révolution conservatrice des années Reagan va provoquer le retour du refoulé : le fameux *référent*, évacué par ces versions formalistes de la théorie française, y fait un retour soudain sous le nom de politique identitaire (*identity politics*). À ceux qui désespéraient de percer la boîte noire, la nouvelle fait chaud au cœur – la théorie française aurait donc un contenu, et il ne serait autre que l'identité minoritaire, la part du dominé, désormais menacées de mort par l'hydre réactionnaire. Un soutien théorique de poids dans les nouvelles « guerres culturelles » (*culture wars*) qui vont diviser l'Amérique.

Car le sentiment d'appartenance identitaire, la perception de soi *d'abord* comme membre d'une minorité ne sont pas alors, loin s'en faut, pure invention verbale d'universitaires désœuvrés. Ils se généralisent au fil de cette décennie dans toutes les couches de la population américaine, en raison de facteurs historiques complexes – échos culturels des luttes pour les droits civiques, déclin politique de la gauche démocrate, replis identitaires dans un contexte de concurrence économique renforcée, nouvelle segmentation marketing du marché américain en groupes affinitaires. Todd Gitlin cite à ce propos des statistiques frappantes, jusque pour les groupes les plus minoritaires : de 1980 à 1990, le nombre d'Américains à se déclarer officiellement « amérindiens » augmente de 255 %, ils sont vingt fois plus nombreux en 1990 qu'en 1980 à se dire « cajuns », et même trois fois plus à revendiquer, au Canada, leur filiation francophone[1]. Mais ce qui ne s'exprime hors des campus qu'à travers des rituels communautaires ou à l'occasion des recensements devient, dans l'université, l'objet de toutes les attentions, jusqu'à inciter les *minorities* à s'affirmer comme telles de multiples façons – et à cultiver pieusement ce que Freud appelait « le narcissisme des petites différences ». Des métisses « incolores » aux malentendants, la mosaïque se complique singulièrement – une tendance toujours forte sur les campus américains. Ainsi, le dernier sous-champ en date, apparu officiellement à la convention de la MLA de 2002, regroupe les « *disability studies* » (études sur les handicaps physiques), dont les thèmes vont du motif du moignon dans la poésie médiévale jusqu'au manque de rampes d'accès aux salles de cours. Cause autant qu'effet de cette évolution en profondeur du monde universitaire, l'avènement des *Cultural Studies* américaines au tournant des années 1990 est ici le phénomène majeur – aussi bien pour l'avenir de la théorie française que pour la teneur de ces nouvelles revendications identitaires. Derrière des aspects de gadget académique dénoncés ici et là, les *Cultural Studies* n'en signalent pas moins un tournant historique aux États-Unis : « La fin de la "culture" comme idéal régulatoire », selon Bill Readings, autrement dit l'avènement du tout-culturel, l'émergence d'un monde où il

---

1. Cité *in* Todd Gitlin, *The Twilight of Common Dreams, op. cit.*, p. 162.

« n'y a plus de *culture* de laquelle être exclu[2] », plus d'extériorité réelle ou fantasmatique d'où mener le combat.

Le triomphe des *cult' studs'*

Reines des librairies, les *Cultural Studies*, qu'on va bientôt renommer *cult' studs'* pour moquer leur caractère de secte (*cult*) académique, vont pourtant se répandre beaucoup plus largement qu'un groupuscule religieux. Mais sans avoir l'assise institutionnelle qu'ont les sous-champs identitaires : s'il y a maints programmes d'études ethniques ou sexuelles aux États-Unis, il n'y en a presque aucun qui soit voué explicitement aux *Cultural Studies*. Lesquelles sont ainsi partout et nulle part, plus flottantes qu'enracinées, présentes dans tel département en la personne d'un de leurs experts, dans le choix de cet objet d'étude, dans une approche théorique ou dans quelques mots clés. Elles imprègnent de façon transversale l'ensemble du champ des humanités, sans qu'un cours n'ait besoin de leur être consacré ni qu'une définition n'en soit clairement arrêtée. L'occasion, bien sûr, d'une inflation d'essais interrogeant son contenu et ses limites. Pour paraphraser la formule surréaliste, on pourrait, faute de mieux, les définir comme la rencontre d'une récente machine marxiste britannique et d'un parapluie théorique français sur le terrain de la société de loisirs américaine – moins aseptisé qu'une table d'opération. Car elles sont nées d'abord en Grande-Bretagne, autour du Center for Contemporary Cultural Studies monté en 1964 à Birmingham, et à partir des travaux de Raymond Williams (*The Long Revolution*) et Richard Hoggart (*The Uses of Literacy*[3]) sur les traditions et les résistances culturelles du prolétariat britannique. Les recherches de ce groupe, qu'influencent alors les travaux d'Althusser, Barthes et bientôt Bourdieu, invalident l'approche marxiste orthodoxe : la culture n'est pas un simple reflet superstructurel mais un champ de luttes spécifiques pour l'*hégémonie* (d'où une référence forte à Gramsci) ; la classe sociale elle-même n'est pas un donné historique brut mais une construction symbolique (donc culturelle) ; et la hiérarchie culturelle n'est pas à sens unique puisque la compliquent une nouvelle culture de masse (avec la télévision commerciale) et ses modes d'appropriation par les classes populaires. La forme américaine des *Cultural Studies* apparaît, elle, au tournant des années 1980, d'abord dans les universités de l'Illinois (autour de James Carey) et de l'Iowa, mais

---

2. Bill READINGS, *The University in Ruins, op. cit.*, p. 89 et 103.
3. Tr. fr. *La Culture du pauvre*, Paris, Minuit, 1972.

elle hésite alors encore à revendiquer ce nom[4]. Il faut dire que plusieurs traits majeurs distinguent les *Cultural Studies* américanisées de l'école britannique.

À la polarisation anglaise en classes sociales, beaucoup moins déterminante aux États-Unis, succède une division plus mobile en « communautés » et en « microgroupes ». Échauffés par les nouvelles diatribes contre l'« impérialisme » occidental, les premiers tenants américains des *cult' studs'* vont même reprocher au courant britannique son « ethnocentrisme » et son « sexisme » – là où le prolétariat anglais étudié par Hoggart ou E. P. Thompson ne manquait pourtant ni de femmes ni d'ex-colonisés. En fait, le déplacement principal a trait à l'objet d'analyse lui-même. Tandis que les Anglais abordent la ou les culture(s) comme un prolongement du champ de bataille social, leurs collègues américains – de formation plus souvent littéraire que sociologique ou historique – s'attachent davantage à l'essor de la *pop culture* de masse comme entité nouvelle, dont les enjeux de lutte sociale les intéressent moins que l'invention de codes spécifiques et la « créativité » des récepteurs. C'est qu'un changement de génération intellectuelle a eu lieu aux États-Unis. Avec l'émergence d'une culture de masse protéiforme à grande échelle, favorisée par l'extension du temps de loisir et les nouvelles stratégies de l'industrie culturelle, les années 1960 sont aussi celles d'un passage de relais dans l'université : les chercheurs qui adhéraient « aux mythologies héroïques de l'intellectuel dissident » laissent place à ceux qui acceptent « les contradictions d'une vie dans la culture capitaliste » et sont même prêts à « user de [leur] engagement dans la *pop culture* comme un mode de contestation valide[5] », ainsi que le résume Andrew Ross. D'où une certaine neutralisation de l'objet : s'intéresser à la *pop culture* relève moins d'un geste politique que d'une pleine participation à son époque. Ce qu'il convient d'analyser, pour faire preuve d'innovation, n'est ni la persistance d'une haute culture canonique ni le potentiel subversif des véritables dissidences culturelles, mais les sous-genres mystérieux et inétudiés de la *pop culture*, qui recéleraient chacun leur *récit* social : films de série B, sitcoms, *comics*, paralittératures (*thrillers* et science-fiction), confessions de vedettes de la *pop music* et biographies à succès donneraient ainsi accès à la mosaïque changeante, secrète, des *fan clubs* et des groupes

---

4. Voir les débats qui divisent l'université de Pittsburgh pour savoir s'il faut baptiser ou non « institut de *Cultural Studies* » le programme interdépartements créé en 1986.

5. Andrew ROSS, *No Respect : Intellectuals and Popular Culture*, New York, Routledge, 1989, p. 16-17.

affinitaires, contre les divisions plus rigides de la sociologie ; ces genres codifiés révéleraient les fantasmes collectifs et les pratiques culturelles réelles de la société américaine.

L'analyse de deux grandes bases de données universitaires a permis de situer dans la seconde moitié des années 1980, avec un pic en 1991, l'explosion des *Cultural Studies* et de l'étude de la *pop culture* dans le champ des humanités américain[6]. En 1992, le succès du volume en forme de bilan dirigé par Lawrence Grossberg consacre la reconnaissance de la nouvelle approche, désormais incontournable[7]. Mais l'étude pionnière date de 1979 : c'est *Subculture*, de Dick Hebdige, une analyse détaillée des formes d'expression du jeune mouvement punk anglais, qui introduit aux États-Unis l'idée d'appliquer l'avant-garde théorique européenne, en l'occurrence un mixte de sémiologie marxiste et de sociologie de la déviance, à des phénomènes de contre-culture urbaine délaissés par les sciences sociales[8]. La double nouveauté de l'objet d'étude et des référents théoriques lance bientôt une véritable vogue. Les figures les plus sophistiquées de l'analyse textuelle et la nouvelle tendance universitaire au métadiscours se retrouvent ainsi appliquées à des sujets aussi variés que le rap de ghetto (*gangsta rap*), les lectrices de la collection « Harlequin », les fans de la série TV *Star Trek* ou encore le « sous-texte » philosophique supposé de la série *Seinfeld* – mais aussi l'industrie du sport, la culture du fast-food, la vogue du tatouage ou les résistances de telle ou telle culture à la mondialisation économique. L'obsession sémiologique et son surinvestissement politique des notions de « style » et de « sous-texte » font souvent perdre de vue aux nouveaux experts des *cult' studs'* le cadre plus large de l'industrie culturelle et du pouvoir marchand. Ils substituent la microdescription stylistique, ironique ou complice, au vieux paradigme critique des marxistes anglais. C'est ainsi qu'une étude sur la « politique de Madonna », rebaptisée pour l'occasion *metatextual girl* (en référence à la *material girl* de sa chanson éponyme), peut traiter de perversion, de mixité raciale ou du matriarcat postmoderne, sans que soit jamais évoqué ce qui demeure en deçà de cette sphère symbolique – ni l'entreprise Madonna très rentable ni les modalités de sa diffusion[9]. Dans *Rocking Around the Clock*, la critique Ann Kaplan va plus loin en gratifiant la chanteuse

---

6. *Cf.* Marjorie FERGUSON et Peter GOLDING (dir.), *Cultural Studies in Question*, Londres, Sage, 1997, p. XIV-XV.

7. Lawrence GROSSBERG *et al.* (dir.), *Cultural Studies*, New York, Routledge, 1992.

8. Dick HEBDIGE, *Subculture : The Meaning of Style*, New York, Methuen, 1979.

9. Cathy SCHWICHTENBERG (dir.), *The Madonna Connection : Representational Politics, Subcultural Identities, and Cultural Theory*, Boulder, Westview, 1993.

du statut d'« héroïne féministe postmoderne », sans distinguer là non plus entre stratégie et représentation[10].

Sur un terrain aussi glissant, ces praticien(ne)s des *Cultural Studies* ont en fait un grand besoin de la caution théorique française. Ils citent ici et là Lyotard ou Derrida, et situent souvent leur travail, en introduction, dans la lignée de Barthes ou de Foucault. Des analyses plus sophistiquées, lestées cette fois de tout le jargon *théoriste*, peuvent aussi se déployer au plus près d'un seul des auteurs français. Pour ne prendre que le cas, plutôt rare dans ce domaine, de Gilles Deleuze, il peut inspirer une analyse des spectacles transsexuels et des vidéos alternatives dans les termes d'un « flux des corps » et d'un « théâtre performatif » de la résistance[11] ; ou bien justifier une nouvelle approche *post*féministe de l'anorexie au nom de son « éthique non réactive » de la « négociation permanente »[12] ; ou encore, plus largement, aider à renforcer le champ lui-même des *Cultural Studies* pour qu'il y soit possible de « particulariser l'universel » sans « objectiver les sujets » étudiés[13]. À côté des « critiques culturels » (*cultural critics*) qui tendent ainsi à surcharger leurs analyses de références théoriques, l'auteur français le plus directement opératoire dans le champ des *Cultural Studies stricto sensu* reste Michel de Certeau. D'abord parce qu'il redonne un sens, pour comprendre les modes de perception d'une téléspectatrice ou d'un fan de rap, sinon au *sujet* lui-même – démultiplié déjà par la théorie française –, du moins à l'« agent » au sens fonctionnel qu'a ce terme dans la sociologie américaine. Pour que soient possibles les *Cultural Studies*, il faut bien faire une place, entre les régimes de contrôle et l'impérialisme de la représentation, à une initiative et une inventivité minimales, même locales et limitées, de l'usager culturel. Ainsi, au pessimisme du panoptique foucaldien, comme à la fatalité de la domination dans l'analyse marxiste, Certeau permet de substituer ses « réseaux d'antidiscipline » et ses « ruses traversières ». D'où le franc succès en traduction de *L'Invention du quotidien*, vendu à 30 000 exemplaires dans les mois

10. E. Ann KAPLAN, *Rocking Around the Clock : Music Television, Postmodernism & Consumer Culture*, New York, Methuen, 1987.

11. Timothy MURRAY (dir.), *Mimesis, Masochism and Mime : The Politics of Theatricality in Contemporary French Thought*, Ann Arbor, University of Michigan Press, 1997, « Introduction ».

12. Abigail BRAY et Claire COLEBROOK, « The Haunted Flesh : Corporeal Feminism and the Politics of Embodiment », *Signs*, vol. 24, n° 1, automne 1998.

13. Ian BUCHANAN, « Deleuze and Cultural Studies », *South Atlantic Quarterly*, vol. 96, n° 3, été 1997.

suivant sa parution[14]. En outre, comme l'observe François Dosse, l'analyse attentive que propose de Certeau des « opérations de transit et d'échange » est particulièrement adaptée à cette « société entière d'immigrances[15] ».

Par-delà le cas de de Certeau, les *Cultural Studies* vont se scinder graduellement en deux branches bien distinctes : d'un côté, les études de réception, soit l'analyse de l'effet des médias et des formes de résistance du spectateur (d'Elihu Katz à David Morley), plus proches de la sociologie américaine et de son réalisme épistémologique que de la théorie littéraire, et de l'autre l'ensemble des analyses stylistiques et textuelles de la *pop culture*, liées davantage au champ littéraire et à la théorie française. C'est cette seconde branche, celle des sémiologues du *texte* culturel, ou de ce que le critique John Fiske nomme les « guérillas sémiotiques », qui est plus visible dans l'université, plus attirante pour les étudiants, et souvent plus jargonnante. Elle va se trouver soumise à la critique de plus en plus acerbe d'une dérive littéraire des *Cultural Studies*, attribuée à l'influence excessive sur leur développement de la théorie française – dont les auteurs, pourtant, n'en peuvent mais. Cette dérive est incontestable. Les activités culturelles sont devenues des textes à déchiffrer, et non plus des phénomènes sociaux. Le recours général à la citation elliptique et surtout à la métaphore, pour les décrire mais aussi pour les expliquer (elles ne sont plus que des activités de *métaphorisation*), a généralisé le flou artistique et la faiblesse argumentaire. Sans oublier leur ton d'ironie relativiste, et la même fascination en miroir que les disciplines littéraires pour leur propre essor – l'autofiction disciplinaire des *Cultural Studies* occupant parfois plus de place que les objets culturels eux-mêmes qui sont étudiés. Mais ces travers, qu'on a vu être souvent ceux des littéraires expansionnistes, posent finalement moins problème aux *Cultural Studies* que leur ambiguïté politique foncière.

Car si elles louent les talents transgressifs des *rock stars* et célèbrent les *mélectures* résistantes des usagers, elles ont en revanche presque entièrement déserté le terrain du véritable enjeu politique. En refusant d'interroger la marchandisation des pratiques culturelles, au moment précis où se constituaient financièrement les grands conglomérats du divertissement (Disney, Viacom, Time Warner), elles ont dépolitisé un champ d'études pourtant politiquement brûlant. En défendant le succès populaire comme critère de

---

14. Michel de CERTEAU, *The Practice of Everyday Life 1*, Berkeley, University of California Press, 1984.

15. François DOSSE, *Michel de Certeau. Le marcheur blessé, op. cit.*, p. 419.

qualité, au nom du principe de plaisir et d'un antiélitisme tactique, elles ont fait le jeu du capitalisme culturel – celui qu'était censé avoir diabolisé leurs lettres de créance libertaires à Marcuse ou Foucault. Face à l'ordre marchand accompli, leur devise est parfois la fuite en avant, théorique et ludique : puisqu'on ne peut plus y échapper, autant s'y amuser. Rien d'étonnant à ce que la revue *Social Text*, temple des *Cultural Studies* (comme son titre l'indique), justifie en 1995 un numéro spécial sur les cultures d'entreprise (*corporate cultures*) par l'idée que celles-ci constitueraient le dernier « terrain culturel » qui leur aurait échappé, une « scène de lutte sociale » et un théâtre de « débats idéologiques » qu'elles se devaient enfin d'aborder. « Peut-être est-il temps que nous regardions dans le miroir de la culture d'entreprise et nous y reconnaissions enfin », conclut dans son préambule le coordonnateur du numéro [16], en une formule qui résonne comme un lapsus valable pour tout le champ des *Cultural Studies*.

Ethnicité, postcolonialité, subalternité

Après les *Cultural Studies*, il faut aller au cœur des nouveaux discours communautaires de l'université américaine : les études ethniques et postcoloniales. C'est ici que le vieux concept d'identité va se trouver remis en question, ou du moins doublement mis en perspective : d'une part dans un sens *cratologique*, l'identité devenant le théâtre même des rapports de pouvoir mondiaux, un sédiment complexe de luttes historiques, et d'autre part du côté d'une pluralisation, d'une complexification identitaires, en insistant sur les récits croisés et les trajets entrelacés, sur l'identité diasporique et les lignées de migrants. Combinaison, si l'on veut, d'une trame foucaldienne, où le sujet se construit d'abord par as*sujet*tissement aux institutions de contrôle et au discours dominant, et d'une thématique deleuzienne, celle d'un sujet démultiplié le long de lignes de fuite nomadiques.

Au sein de cet ensemble, la question afro-américaine est à la fois la référence par excellence, *la* justification d'une étude des ségrégations, et un cas à part, plus ancien, plus impératif, chargé d'une plus lourde histoire. De fait, elle relève moins d'une création universitaire *sui generis* que les *Chicano, Asian-American, Native-American*, ou même les *women's* et *gay studies*. Les *Black studies*, que le lexique politiquement correct interdira bientôt d'appeler

16. James LIVINGSTON, « Corporations and Cultural Studies », *Social Text*, n° 44, automne 1995, p. 67.

ainsi, n'émergent pas d'une réflexion sur le contenu à donner à une identité minoritaire qui serait comme un donné premier, une forme *a priori* de la perception sociale. Pour une communauté qui se décrète moins telle qu'elle ne l'éprouve *de fait* depuis le siècle de la traite et de l'esclavage, elles constituent tout simplement une nécessité dans l'université. Il s'agit de prolonger dans le champ des humanités un long héritage historique, et d'offrir un écho littéraire et culturel, à plus courte échéance, au combat des années 1960 pour les droits civiques. Entre les deux, combat d'hier et discours d'aujourd'hui, il y a la solution de continuité d'un conflit ancestral, appliqué à des enjeux plus restreints, moins vitaux peut-être – le canon littéraire ou le récit historique de l'esclavage. L'université était déjà pour la minorité noire le champ de bataille hautement symbolique des années 1960, quand les étudiants Clement King ou James Meredith tentèrent en vain (en 1958 et 1961) de s'inscrire en doctorat dans les universités ségrégationnistes du Sud. Et elle devint ainsi peu à peu la nouvelle frontière du combat pour l'égalité : si certaines discriminations socio-économiques (à l'embauche, ou face aux offres bancaire et immobilière) ont effectivement reculé en vingt ans, la situation de la communauté noire face aux études supérieures reste désastreuse pendant les années Reagan.

Les Noirs de 18 à 25 ans sont plus nombreux en prison qu'au *college*, 44 % d'entre eux sont illettrés, la plupart des rares étudiants noirs sont concentrés sur des campus séparatistes de moindre qualité, et les Noirs représentent 2 % du corps enseignant (et 2,8 % des doctorats dans le champ des humanités) pour 13 % de la population[17]. Dès lors, et avant même de poser la question identitaire, l'urgence est de faire une plus large place aux étudiants et aux enseignants noirs, et à l'héritage historique et littéraire de cette communauté. C'est à quoi s'attellent les grands intellectuels noirs de la période, de Henry Louis Gates à Cornel West, V. Y Mudimbe, Houston Baker ou Manta Diawara. Pour ce faire, ils ne recourent que marginalement à la théorie française. La figure tutélaire, ici, n'est pas Foucault ou Derrida, mais Franz Fanon, dont *Les Damnés de la terre*, cité par tous, aborde les mêmes thèmes de l'oppression blanche et de la résistance, et porte en outre la caution de l'africanité – fût-elle ici celle du Nord. Et au-delà des rares romanciers reconnus, de Richard Wright à James Baldwin, réhabiliter le canon littéraire noir en obtenant des avancées concrètes (comme d'ajouter à la fameuse collection de l'éditeur Norton une anthologie de

---

17. *Cf.* notamment Henry Louis GATES Jr., « Whose Canon Is It, Anyway ? », *New York Times Book Review*, 26 février 1989.

littérature afro-américaine) relève d'une forme minimale de reconnaissance culturelle. À condition de concevoir ce contre-canon comme un mixte d'influences, intertexte complexe d'écrivains assimilés, d'auteurs en dissidence et des références blanches qui sont aussi les leurs. De fait, l'identité noire est pensée elle-même comme l'un des « récits » constitutifs d'une identité individuelle toujours multiple : « Même si être noire a été l'attribut social le plus déterminant de ma vie, ce n'est qu'une des narrations ou des fictions qui président à ma reconfiguration constante de moi-même dans le monde[18] », note par exemple la critique noire Patricia Williams, en des termes typiques de ce paradigme littéraire.

La polémique viendra d'ailleurs. Elle surgira des excès d'un révisionnisme historique afro-américain qui entend exhumer, moins scientifiquement que stratégiquement, les racines africaines de l'Occident. En 1987, sur les traces du maître sénégalais de l'afrocentrisme Cheikh Anta Diop, Martin Bernal présente, dans *Black Athena*, les sources grecques de l'Europe comme une « fabrication mythologique » de l'« hellénomanie » anglo-allemande du XIXᵉ siècle ; il prête des origines égyptiennes au platonisme, et juge « faussé » dès le départ le récit historique qu'inaugurent les « colons » Hérodote et Thucydide ; et il attribue même tout l'aristotélisme aux ressources de la bibliothèque d'Alexandrie – ouverte pourtant vingt-cinq ans après la mort d'Aristote[19]. De même que l'homme est d'abord apparu en Afrique, la civilisation y aurait donc ses sources majeures. Le livre obligera les intellectuels noirs plus modérés à se désolidariser (Henry Louis Gates dénonçant en 1992 dans le *New York Times* les « démagogues noirs et les pseudo-scientifiques »), et suscitera surtout un contre-feu conservateur, articles incendiaires dans *The New Republic* et livres contre-révisionnistes, à l'instar du très moralisateur *Not Out of Africa*[20]. Reste que ce conflit des ostracismes, et des « sources » réelles de l'Occident, ne sollicite finalement guère la théorie française.

Les *Chicano studies*, elles, consacrées aux différentes formes (migrantes ou sédentaires) de l'identité latino-américaine, y ont un peu plus recours. Du moins lorsqu'il s'agit d'aborder, non les questions de l'histoire coloniale ou de l'économie migratoire, mais celles, plus littéraires, de l'incertitude identitaire et du témoignage

---

18. Patricia WILLIAMS, *The Alchemy of Race and Rights*, Cambridge, Harvard University Press, 1991, p. 256.

19. Martin BERNAL, *Black Athena : The Afroasiatic Roots of Classical Civilization*, 2 vol., Piscataway, Rutgers University Press, 1987 et 1991.

20. Mary LEFKOWITZ, *Not Out of Africa : How Afrocentrism Became an Excuse to Teach Myth as History*, New York, Basic Books, 1996.

de la diaspora – sous la rubrique emblématique de *récit* ou *narration* chicano[21]. Du cinéma à l'autobiographie, des luttes syndicales aux nouvelles cyber-communautés, du féminisme littéraire d'une Sandra Cisneros à l'histoire sociale d'un George Sanchez, et du célèbre département de *Chicano studies* de l'université de Santa Barbara à celui du Colorado, c'est le thème de la frontière et des transactions identitaires qui renvoie le plus aux penseurs français. Le volume dirigé par Alfred Arteaga, *An Other Tongue*, en est un bon exemple, avec des contributions de Jean-Luc Nancy et Tzvetan Todorov, et des textes sur l'« hétéroglossie » résistante du migrant bilingue, ou la « différance » comme « discours de/sur l'autre[22] ». Avec ce type d'approche, on s'éloigne de l'affirmation identitaire historique telle que la posent les *Black studies*, pour se rapprocher d'une réflexion sur le caractère problématique de l'identité et de ses possibilités d'énonciation – soit le terrain des études postcoloniales, qui constituent quant à elles un avatar direct de l'influx théorique français.

Face à l'identité noire ou à la communauté hispanique, la postcolonialité, qui les recoupe aussi, figure comme un second degré, la mise en question d'une identité mêlée, incertaine, héritage d'un monde postcolonial. Liée au métissage transnational, à l'hybridité comme stigmate *et* comme stratégie, la postcolonialité est aussi l'espace d'une indistinction entre cultures dominée et dominante, celle-ci alimentant celle-là, qui lui résiste en retournant contre elle ses propres armes. Comme les *Cultural Studies* (qui peuvent elles-mêmes avoir pour objet la question identitaire et non plus la *pop culture*, avec les *Black*, *Chicano* ou même *French Cultural Studies*), les études postcoloniales se conçoivent comme carrefour, sans territoire assigné ni champ délimité. Dans des revues comme *Diaspora* ou *Transition*, elles s'intéressent aux zones de croisement, aux cultures hybrides, redessinant une carte du monde où sont hypertrophiés les espaces de « transculturation » : d'El Paso à Tijuana, le continent américain est barré par la ligne rouge de ses drames migratoires, et l'océan lui-même qui relie Harlem, Dakar et Salvador de Bahia au Brésil devient « l'Atlantique noir », selon le mot cette fois de Paul Gilroy.

Le postcolonialisme est avant tout un concept littéraire dans la mesure où le rapport entre minorité et langage, pouvoir et langue,

---

21. *Cf.* par exemple Ramòn SALDIVAR, *Chicano Narrative : The Dialectics of Difference*, Madison, University of Wisconsin Press, 1990.
22. Alfred ARTEAGA (dir.), *An Other Tongue : Nation and Ethnicity in the Linguistic Borderlands*, Durham, Duke University Press, 1994.

est au cœur de sa généalogie. Il ne conçoit pas le roman noir ou la
poésie amérindienne comme « postcoloniaux » en référence exacte à
l'esclavagisme ou au génocide indien, mais parce que ces genres, qui
s'élaborent en anglais, produisent un entre-deux linguistique où se
liraient à même la phrase ces tensions historiques, sublimées ou au
contraire réactivées. Ce qu'avait noté Deleuze à sa façon, lorsqu'il
décrivait l'Américain contemporain « travaillé par un *black english*,
et aussi un *yellow*, un *red english*, un *broken english* » qui en font
« comme un langage tiré au pistolet des couleurs[23] ». D'où l'enjeu
postcolonial majeur des littératures *francophones,* les mal nommées
(le mot fut forgé en 1878 par le géographe Onésime Reclus « pour
rassembler les colonies »), qu'étudient nombre de départements de
français américains mieux que ne le font les universités de la
métropole – de la « poétique de la relation » d'Edouard Glissant à la
« négritude » littéraire d'Aimé Césaire ou à la langue endeuillée de
la romancière algérienne Assia Djebar.

Ce thème de la *minorité* littéraire a même fait de l'Irlande le cas
d'école du champ postcolonial. Car l'Irlande est le premier pays du
XXᵉ siècle (et le seul en Europe) à obtenir sa décolonisation, et celui
où la renaissance littéraire des années 1900-1920 (de George Bernard
Shaw à O'Casey et bientôt Joyce) contribue à subvertir l'ordre
culturel dominant. L'Irlande est surtout le pays du poète William
Butler Yeats, célébré par les penseurs les plus en vue du postcolonialisme, de Gayatri Spivak à Edward Said – ce dernier plaçant
Yeats dans la lignée des grands « poètes de l'anti-impérialisme », de
Pablo Neruda à Aimé Césaire et Mahmoud Darwish[24]. Mais c'est
aussi ce biais littéraire, dans la lignée « contrapuntique » (inverser
l'optique de l'auteur) du même Edward Said, qui conduit à une
relecture postcoloniale de tous les classiques occidentaux, ceux bien
sûr qui contribuèrent à forger le discours anglo-français de l'« orientalisme » au XIXᵉ siècle[25], mais aussi ceux – apparemment plus
neutres – qu'un colonialisme inconscient « infecterait » pourtant,
comme *Jane Eyre* de Charlotte Brontë. Même Shakespeare en
devient suspect, dont *La Tempête* raconterait l'alliance impossible,
le différend fondateur entre le conquérant Prospero et l'indigène
Caliban. Mais la littérature postcoloniale est aussi l'enjeu d'une
tension plus contemporaine, d'une exploration au présent des

---

23. Gilles DELEUZE, Claire PARNET, *Dialogues, op. cit.,* p. 72.
24. Edward SAID, « Yeats and Decolonization », *in* Moustafa BAYOUMI et Andrew
RUBIN (dir.), *The Edward Said Reader, op. cit.,* p. 291 sqq.
25. Thème de son ouvrage le plus célèbre : Edward SAID, *Orientalism,* New York,
Pantheon, 1978.

postures hybrides et des identités croisées : soit pour critiquer la soumission aux formes littéraires dominantes et aux « mythes » occidentaux, chez V. S. Naipaul ou même les écrivains latino-américains *assimilés* du début du XXe siècle ; soit pour célébrer à l'inverse la révolte esthétique contre l'Empire, formalisée jadis dans les manifestes du cubain Alejo Carpentier pour un « réalisme magique », et suscitant aujourd'hui des romans *intermédiaires*, récits d'un « tiers espace » entre domination et réaction identitaire – en particulier chez les Indiens Salman Rushdie et Arundhati Roy, les Africains Wole Soyinka et J. M. Coetzee, et les Caribéens Derek Walcott et Patrick Chamoiseau.

La référence théorique française est constante, jusqu'au fréquent rappel – comme pour la justifier biographiquement – des engagements proalgériens et du Manifeste des 121, du soutien de Jean Genet aux Black Panthers, ou encore des audaces de Lyotard lorsqu'il était chargé des questions algériennes au sein de Socialisme ou Barbarie. Les remarques de Foucault ou Deleuze sur l'« universalisme » abstrait des colonisateurs, ou la culture occidentale comme culture de conquête, sont citées à l'appui, quand ce n'est pas la formule de Derrida sur « ce qu'on appelle la pensée occidentale, cette pensée dont toute la destinée consiste à étendre son règne à mesure que l'Occident replie le sien[26] ». L'impact plus spécifique de Michel de Certeau est à noter aussi : en ses principes même, la théorie postcoloniale rejoint ses réflexions sur le « renversement » nécessaire de l'histoire traditionnelle, et sa pensée de l'« hétérologie » (titre de plusieurs recueils « certaliens » aux États-Unis) comme « acte de nous voir comme les autres nous voient[27] ». Critiques de l'histoire à sens unique chez de Certeau, ou de la continuité historique comme construction discursive chez Foucault, permettent ainsi aux théoriciens postcoloniaux d'extraire le récit du colonisé de la trame historique dominante, ce « mythe » occidental, pour en faire le point de départ d'une *autre* pensée de l'histoire, d'une contre-histoire. Mais c'est précisément lorsqu'on passe du démontage des postulats à la question de leur alternative, d'une critique de l'histoire à une histoire critique que se fait jour, dans le champ postcolonial, une limite de la théorie française – et un débat fécond avec ses auteurs.

Le cas du grand critique postcolonial Homi Bhabha est lui-même typique de cette oscillation. Dans ses essais les plus étudiés, *Nation and Narration* et *The Location of Culture*, il n'a de cesse de tracer

---

26. Jacques DERRIDA, *L'Écriture et la différence, op. cit.*, p. 11.
27. Cité *in* François DOSSE, *Michel de Certeau. Le marcheur blessé, op. cit.*, p. 427.

une ligne, inévitablement mouvante, qui pût séparer la théorie comme violence faite aux colonisés et la théorie en tant qu'outil de négociation de leur situation, ou un « théorisme eurocentrique » élitiste et réifiant (il y range le Persan de Montesquieu mais aussi le Japon de Barthes) et la théorie non objectivante comme « force de révision » et d'« endiguement institutionnel » (il cite Foucault et Derrida) – cette dernière seule à même d'éclairer « l'espace contra-dictoire et ambivalent de l'énonciation », espace de traduction et d'expression hybride, espace à l'intérieur duquel se débat le sujet scindé du monde postcolonial[28]. Gayatri Spivak, ici encore, va plus loin. Si elle sait gré aux Français d'avoir montré « l'affinité entre le sujet impérialiste et le sujet de l'humanisme[29] », et permis de relier ainsi critique du sujet et luttes de libération, elle demande aussi si la simple distance culturelle n'empêche pas Foucault et Deleuze « d'imaginer le genre de Pouvoir et de Désir qui habitent le sujet encore non nommé de cet Autre de l'Europe » – critiquant comme un luxe leur approche « micrologique », au nom des « effets macro-logiques » plus urgents qui sont en jeu dans le postcolonialisme, effets de la guerre froide ou des politiques extérieures améri-caines[30]. Le problème de fond, auquel sont confrontés tous les intel-lectuels du tiers monde depuis la fin de la décolonisation, est celui d'un combat qui ne peut être mené sans les armes mêmes de l'adver-saire, d'un programme d'émancipation postcolonial dont les termes sont empruntés aux Lumières et au progressisme rationnel : démo-cratie, citoyenneté, constitution, nation, socialisme ou même cultu-ralisme. Ce qu'il faut faire, conclut Spivak, et pour quoi la théorie française (encore occidentale) ne peut guère être utile, c'est « arracher tous ces signifiants politiques régulatoires à leur champ de référence et de représentation[31] ». Autrement dit, *désoccidenta-liser* les grands concepts du changement politique – vaste programme qui inspire plus précisément les « *subaltern studies* ».

Qu'est-ce que la « subalternité » ? C'est la condition du dominé en tant qu'il est soumis à une forme d'aliénation au carré, objecti-vation non seulement sociale mais cognitive, au sens d'une lacune dans la connaissance de soi, et de son rôle réel dans la lutte poli-tique. Le subalterne est l'angle mort du processus historique. Il est celui que réduisent au silence les forces du pouvoir, qu'il soit

28. Homi BHABHA, *The Location of Culture, op. cit.*, p. 30-37.

29. Gayatri Chakravorty SPIVAK, *In Other Worlds, op. cit.*, p. 202.

30. Gayatri Chakravorty SPIVAK, « Can the Subaltern Speak ? », *op. cit.*, p. 280-281 et 290-291.

31. Gayatri Chakravorty SPIVAK, « French Feminisms Revisited : Ethics and Politics », *in* Judith BUTLER et Joan SCOTT (dir.), *Feminists Theorize the Political, op. cit.*, p. 57.

religieux, colonial ou économique, mais aussi celui que disent « représenter » le militant et son modèle juridico-politique occidental de la *libération*. Ceux-ci autant que ceux-là *invisibilisent* l'éternel inconnu des grands récits historiques, qui serait pourtant le seul véritable sujet de l'histoire. Tel est le point de départ des « *subaltern studies* », que lancent à Delhi en 1982, en créant la revue du même nom[32], les historiens marxistes indiens Ranajit Guha et Partha Chatterjee – ce dernier avec une analyse du rôle de Gandhi comme « signifiant politique » qui « s'approprie » le peuple en en prenant la tête. Avant que Gayatri Spivak ne rejoigne le groupe : elle lui donne dès 1983 ses lettres de noblesse avec un article célèbre sur la « captation » du subalterne par le discours d'émancipation occidental[33], et s'associe en 1988 avec Guha pour en tirer un premier bilan[34]. Le terrain initial des « *subaltern studies* » est l'historiographie de la décolonisation indienne, que ces historiens marxistes entreprennent de réviser radicalement à partir des concepts gramsciens de « subalterne » et d'« élaboration » et des remarques de Foucault sur la discontinuité historique. Ils cherchent à y « briser la chaîne signifiante » socio-historique, à y réhabiliter le rôle des mouvements spontanés et des insurrections non coordonnées, contre l'image rétrospective, et totalisante, d'un programme réalisé et d'une continuité. À rebours de l'histoire écrite par l'élite occidentalisée, il s'agit de penser non seulement une histoire *par le bas* mais, sur un mode plus prospectif, la possibilité d'une lutte anti-impérialiste dont les modalités comme les objectifs ne soient pas occidentaux. Mais, dès la deuxième réunion du mouvement, à Calcutta en 1986, des divergences se font jour entre l'aile historienne marxiste et une aile plus littéraire, davantage axée sur le *récit* et l'*énonciation* subalternes. Mais le mouvement va s'étendre peu à peu à l'Afrique et à l'Amérique latine, où des chercheurs comme Patricia Seed et Florencia Mallon exploreront les voies d'une subalternité locale. Vingt ans après, ce concept prometteur de *subalternité* est encore en friches, repris ici et là par des intellectuels du tiers monde, et par certains Occidentaux pour comprendre l'américanophobie de l'après-11 septembre 2001 ; il reste l'un des rares concepts politiques récents, à côté de celui de « multitudes », qui permît de dépasser le moralisme ambiant pour

---

32. *Subaltern Studies*, vol. 1, n° 1, 1982, Delhi, Oxford University Press.
33. Gayatri Chakravorty Spivak, « Can the Subaltern Speak ? », *op. cit.*
34. Ranajit Guha et Gayatri Chakravorty Spivak (dir.), *Selected Subaltern Studies*, New York, Columbia University Press, 1988.

penser les nouvelles formes de la domination – ethnique, religieuse, culturelle, sexuelle.

Questions de genre

Ce dernier horizon, et la question concomitante de l'identité sexuelle, vont constituer dès le début des années 1980 le terrain le plus fertile pour les nouveaux concepts issus du champ littéraire, le terrain où va s'avérer le plus fécond le ferment théorique français. Mais il faut revenir d'abord, pour planter le décor, sur les féminismes universitaires américains – dont quelques lignes, ici encore, ne sauraient rendre la richesse et la diversité.

Les années 1960 sont celles d'un premier féminisme organisé, marqué par la création en 1966 de la National Organization for Women (NOW) et l'immense succès, trois ans plus tôt, d'une critique humaniste de la *féminité* en tant que « mystification » d'homme imposée aux femmes – *The Feminine Mystique*, de Betty Friedan. Mais à ce féminisme consensuel succède, avec les années 1970, une première distance entre l'université et la société civile. Cette dernière paraît intégrer dans ses mécanismes marchands les premiers mots d'ordre féministes, comme l'illustrent les premiers magazines féminins à grand tirage, notamment *Ms.* lancé en 1972, et les succès de librairie de la poétesse Adrienne Rich – qui raconte le traumatisme de sa grossesse et dénonce l'« institution patriarcale » de la maternité[35]. Pendant ce temps, l'université favorise plutôt l'essor d'un féminisme séparatiste, isolé sur les campus à la fois du militantisme communautaire extérieur et de la majorité des étudiantes et des enseignantes. Son apparition dans le champ littéraire date de la fin des années 1960, avec l'ouverture d'un premier programme interdépartemental de *Women's Studies* à l'université d'État de San Diego, suivi entre 1970 et 1980 de l'inauguration de plus de 300 programmes équivalents à travers le pays – mais isolés du cursus général, auquel ils ne seront mieux intégrés qu'au tournant des années 1990, pour enrayer le déclin des inscriptions. En 1970, l'essai pionnier de Kate Millett, *Sexual Politics*, confère à une « politique féministe » une double mission : réhabiliter la contre-histoire de l'oppression des femmes, comme ce livre le fait en analysant la période 1930-1960 comme celle d'une « contre-révolution sexuelle » dans tout l'Occident, et traquer dans les classiques littéraires (au profit d'un corpus de femmes) la misogynie sous

---

35. Adrienne RICH, *Of Woman Born : Motherhood as Experience and Institution*, New York, Bantam, 1977.

toutes ses formes, comme Millett la dénonce elle-même chez Henry Miller, Norman Mailer ou même Jean Genet[36]. Les programmes d'études qui s'en inspirent et la constitution d'un pôle engagé d'éditeurs (de Feminist Press à Daughters Inc.) et de revues (de *Signs* à *Sex Roles*) contribuent à radicaliser la démarche – l'éloignant d'un tout-venant universitaire composé désormais d'une majorité d'étudiantes, que la récession des « seventies » incite à revendiquer les mêmes débouchés professionnels que les garçons, plutôt que la destitution du pouvoir patriarcal. Ce premier féminisme radical de campus s'inspire à la fois de l'anti-impérialisme de la SDS et d'une méfiance envers les politiques « masculines ». Car ses pionnières ont fait l'expérience, quelques années plus tôt, d'un mouvement étudiant qu'elles ont jugé « phallocrate » pour ne pas avoir soulevé la question de l'inégalité homme-femme, ni placé des militantes à des postes de responsabilité – à l'instar de Casey Hayden, l'épouse du leader de la SDS, qui en appelait dès 1965 à une dissidence des femmes du mouvement.

Mais le féminisme universitaire radical va lui-même se scinder. De recherches en publications, une divergence se fait jour en effet entre celles qu'on appelle alors les féministes de la différence (*difference feminists*), qui mettent en avant l'altérité des destins biologique et historique de l'homme et de la femme – et en appellent sur cette base à un *séparatisme* féministe, qu'il fût ou non lié au lesbia-nisme –, et les féministes de l'équivalence (*sameness feminists*) favo-rables à un rapprochement des conditions, ou au moins à la démystification d'une différence surévaluée. Cette ligne de partage mouvante, sinueuse, restera peu ou prou la même par-delà les évolutions du féminisme. Ainsi, un débat équivalent oppose dès le début des années 1980 féministes *essentialistes*, avocates et histo-riennes d'une *essence* féminine, et *constructionnistes* cherchant à dévoiler les modes de production sociale de cette fausse « essence » – ces dernières grandes consommatrices de théorie française. Une polarité semblable se retrouve dans l'opposition des années 1980 entre théoriciennes d'un *destin* du sexe et partisanes d'un *usage* du sexe. Les « guerres du sexe » (*sex wars*) opposent alors un camp prohibitionniste anti-pornographie, autour de la critique Andrea Dworkin et de la juriste Catharine McKinnon, et un camp libéra-tionniste anticensure (*sex-positive feminism*), notamment autour de la critique Gayle Rubin. Pour réinvestir les pratiques sexuelles d'un potentiel politique propre, sinon même d'un enjeu *extatique*, ce dernier courant prône l'émancipation par la maîtrise de sa sexualité,

---

36. Kate MILLETT, *Sexual Politics*, New York, Doubleday, 1970.

et une politique de la main tendue vers les gays et lesbiennes. Sous le titre *Pleasure and Danger*, un colloque à Barnard College puis un recueil éponyme promeuvent, dès 1982, les thèses de ce second groupe, féminisme « déraciné » qu'intéresse la mise en danger du genre sexuel convenu (*gender endangering*) plutôt qu'une communauté féminine solidaire. L'intitulé trace clairement la nouvelle ligne de partage du féminisme universitaire – accent sur les « dangers » oppressifs d'un côté, et sur les « plaisirs » expérimentaux de l'autre. Dans le premier cas, les féministes mettent en avant un sujet identitaire prédéfini, sujet à protéger dans l'optique défensive, ou sujet révolutionnaire avec les féminismes séparatistes radicaux ; dans le second cas, que vont enrichir précisément les apports de l'antiessentialisme français, on privilégie les relations, les alliances, les croisements inédits entre modes de subjectivation sexuelle, dans la logique d'un féminisme tactique, moins exclusivement *féminin* que micropolitique, incluant gays, lesbiennes, transgenres, déviants sexuels. Dans sa contribution à *Pleasure and Danger*, Meryl Altman appuie sur Foucault une critique des thérapies sexuelles et des adjuvants du plaisir conjugal, qui sous prétexte de « libérer » les corps pérenniserait un « régime de pouvoir » et de contrôle des sexes[37]. Gayle Rubin, de son côté, y défend l'« alternative constructionniste » d'un féminisme débarrassé de toute essence, qui pût allier la « critique radicale des dispositifs sexuels » foucaldienne et une vigilance face aux modalités collectives de l'« autorépression » inspirée davantage de Wilhelm Reich – car si Foucault a su démonter l'« hypothèse répressive », la répression n'en est pas moins toujours omniprésente, conclut-elle, et doit être « intimement » combattue[38].

Dans les deux textes, la cible est la même – un féminisme du *sujet* politique féminin, qui naturaliserait la femme en voulant la « libérer ». Mais cette critique féministe du sujet se heurte aussi à la nécessité de constituer, tactiquement ou juridiquement, la femme en *sujet* de droit : que la plupart des conquêtes du féminisme puissent être jugées « humanistes » ou même « conformistes » n'en invaliderait pour autant ni la nécessité concrète ni le caractère de victoire politique. Une contradiction qui rappelle celle des « *subaltern studies* », et qui pose justement la question des meilleurs « usages de

---

37. Meryl ALTMAN, « Everything They Always Wanted You to Know : The Ideology of Popular Sex Literature », *in* Carol VANCE (dir.), *Pleasure and Danger : Exploring Female Sexuality*, Boston, Routledge, 1984.

38. Gayle RUBIN, « Thinking Sex : Notes for a Radical Theory of a Politics of Sexuality », *in ibid.*

la "théorie" pour l'analyse féministe, sachant qu'une partie de ce qui se présente sous ce signe de la "théorie" possède des racines masculinistes et eurocentriques très marquées[39] ». Face à ce fétiche nommé « théorie », qu'il soit ou non associé au pouvoir masculin, le féminisme radical américain est partagé entre un réflexe mimétique et une attitude de défiance politique. L'usage littéral de la référence théorique signale un féminisme volontiers réducteur et rhétorique, que ses diatribes conduisent à galvauder des ressources critiques précieuses. C'est le féminisme des savoirs « sexués », celui qui réduit tout le rationalisme au dogme du phallus, des disciplines comme la philosophie ou même la géographie à un discours machiste et hétérosexiste, ou les découvertes de Galilée puis de Newton à renforcer l'« androcentrisme » de la science et son rôle « politique » au service du « mâle violeur », dans les termes de la philosophe des sciences Sandra Harding[40]. Au contraire, une plus juste distance face au référent théorique, son emprunt ponctuel sans y être inféodé, mènent à que ce que la critique Naomi Schor appelle un « certain ton de rage contrôlée[41] », et un féminisme qui problématise davantage les identités sexuelles. Ce féminisme-là, plus stimulant, insiste aussi sur le « corps *réel* », le « combat *réel* », le « genre *réel* », soucieux de réduire le fossé le séparant de la communauté militante hors campus. Parce que le viol est « réel » et n'est « pas un texte », certaines reprochent même au « poststructuralisme [d'interdire] le recours à un "corps réel", un "sexe réel", recours nécessaire pour articuler les oppositions morale et politique » à l'oppression[42].

Afin de mieux cerner les relations ambiguës du féminisme et de la théorie française, il faut évoquer pour finir ses rapports avec chacun des auteurs du nouveau corpus. La figure liminaire du féminisme transatlantique est bien sûr Simone de Beauvoir, adulée après guerre puis traitée à l'inverse avec une sévérité excessive par le second féminisme américain. Celui-ci se constitua même *contre* les thèses du *Deuxième sexe*, et l'« humanisme patriarcal » de leur figure de la Mère en « sujet existentialiste », comme le résume Gayatri Spivak – avant d'appeler elle-même à réhabiliter Beauvoir en la lisant « à rebours de son texte[43] ». Ce second féminisme va faire un large usage de ce qu'il baptise « les nouveaux féminismes

39. Judith BUTLER et Joan SCOTT (dir.), *Feminists Theorize the Political*, op. cit., p. XIII.
40. Cf. Sandra HARDING, *The Science Question in Feminism*, Ithaca, Cornell University Press, 1986.
41. Cité *in* Ieme VAN DER POEL *et al.* (dir.), *Traveling Theory*, op. cit., p. 19.
42. Judith BUTLER et Joan SCOTT (dir.), *Feminists Theorize the Political*, op. cit., p. XVI.
43. Gayatri Chakravorty SPIVAK, « French Feminisms Revisited : Ethics and Politics », op. cit., p. 58-59.

français[44] », notamment l'approche psychanalytique de Julia Kristeva, la relecture de Freud par Sarah Kofman, les textes de la derridienne Hélène Cixous sur les formes d'expression excédant le « régime phallocentrique » (son article de 1975 « Le rire de la Méduse[45] », qui introduit le concept d'*écriture féminine*, devient un classique des *Women's Studies* américaines), et les thèses enfin de Luce Irigaray. Celle-ci, de *Speculum de l'autre femme* (1974) à *Éthique de la différence sexuelle* (1984), invite à penser la figure du sujet en tant qu'elle est « toujours déjà masculine », et à déployer au contraire le point de vue féminin comme refus de la totalité, indétermination positive, critique de l'identité et de la symétrie – autant de thèmes chers au féminisme antiessentialiste américain. On a déjà évoqué le rôle de la déconstruction derridienne dans ce contexte, mais aussi l'influence décisive (avant elle) de Lacan, laquelle repose sur l'une de ces distorsions productives qu'opèrent les importateurs de textes – en l'occurrence, l'identification du pénis, donc du pouvoir patriarcal, à la notion plus neutre de *phallus*, que Lacan entendait pourtant comme le lien symbiotique perdu qui est à l'origine de *tout* désir, masculin ou féminin. De façon significative, les féministes américaines gardent ce flottement de la notion de *phallus* pour pouvoir déconstruire avec Lacan l'idée d'une « supériorité » masculine, mais l'abandonnent quand il s'agit de lancer des attaques moins lacaniennes contre le *phallocentrisme* généralisé. D'autres auteurs français, cités partout ailleurs, peuvent servir de leur côté de repoussoirs : c'est le cas surtout de Jean Baudrillard, que ses réflexions dans *De la séduction* sur la femme comme « apparence » et ses attaques plus polémiques contre le féminisme « à courte vue » ont transformé en bouc-émissaire français du féminisme américain.

La réception de Deleuze et Guattari est plus complexe, marquée dans ce domaine par vingt ans de malentendus. On se souvient de la violence à leur endroit d'une activiste féministe venue les interrompre à la conférence Schizo-Culture de 1975. Elle voyait dans les « sujets schizo » un prétexte pour réduire au silence le combat féministe, de même que de nombreuses universitaires verront dans l'idée guattarienne du « devenir-femme » une façon de collaborer à la « subordination et peut-être même [à] l'oblitération des luttes des femmes pour l'autonomie et l'identité », ainsi que le résume

---

44. *Cf.* Elaine MARKS et Isabelle de COURTIVRON (dir.), *New French Feminisms : An Anthology*, Amherst, University of Massachusetts Press, 1980.
45. Hélène CIXOUS, « Le rire de la Méduse », *L'Arc*, n° 61, 1975, p. 39-54.

Elizabeth Grosz[46]. Jusqu'au milieu des années 1990, une méfiance instinctive envers la façon dont Deleuze et Guattari « molécularisent » la question féminine va dominer le rapport à leur œuvre du féminisme américain : l'échelle « moléculaire » de leurs analyses, sur les microintensités du devenir-femme ou les flux d'un désir sans sujet, éloigneraient dangereusement de la plus grande échelle (« molaire ») de l'oppression et des moyens d'une lutte effective. Il faudra attendre qu'un féminisme plus tactique et farouchement anti-essentialiste prenne le dessus, pour que l'opposition de Deleuze et Guattari aux grands dualismes « molaires » (homme-femme, homo-hétéro) et leur énergétique des désirs jouent enfin un rôle clé dans l'arène féministe – laquelle annonce officiellement en 1994, dans deux articles d'un même volume, sa réconciliation avec les auteurs de L'Anti-Œdipe[47]. Leur appel à une désidentification sexuelle des textes va même s'avérer très opératoire dans le champ littéraire : affirmer que « la femme n'est pas nécessairement l'écrivain, mais le devenir-minoritaire de son écriture, qu'il soit homme ou femme[48] », ainsi que le formulait Deleuze, ou qu'il faut « chercher plutôt ce qu'il y a d'homosexuel, de toute façon, chez un grand écrivain, même s'il est par ailleurs un hétérosexuel[49] », comme ajoute Guattari, c'est placer au premier plan les principes de l'indétermination sexuelle et de sa mobilité moléculaire dans les grouillements de l'écriture – à rebours du biographisme des premières féministes, louant les auteurs-femmes et leur corpus séparé.

Mais sur les divers féminismes américains, comme sur les gay & lesbian studies desquelles ils vont se rapprocher, l'influence française majeure reste celle de Michel Foucault. Pourtant, depuis sa misogynie plus ou moins légendaire jusqu'à l'indifférence de son Histoire de la sexualité au thème de la différence sexuelle, la relation entre Foucault et le féminisme ne se présentait pas sous les meilleurs auspices. Les termes dans lesquels un recueil consacré à cette question tente de penser leur « convergence » signalent même un malaise vis-à-vis de la démarche foucaldienne, qui tend parfois au contre-sens : au-delà d'une « amitié soudée par l'engagement

---

46. Citée in John MULLARKEY, « Deleuze and Materialism : One or Several Matters ? », in South Atlantic Quarterly, 1997, op. cit., p. 445.

47. Elizabeth GROSZ, « A Thousand Tiny Sexes : Feminism and Rhizomatics » et Rosi BRAIDOTTI, « Toward a New Nomadism : Feminist Deleuzian Tracks, or Metaphysics and Metabolism », in Constantin BOUNDAS et Dorothea OLKOWSKI (dir.), Gilles Deleuze and the Theater of Philosophy, New York, Routledge, 1994.

48. Gilles DELEUZE, Claire PARNET, Dialogues, op. cit., p. 55.

49. Christian DESCAMPS, « Entretien avec Félix Guattari », La Quinzaine littéraire, 28 août 1975.

éthique », Foucault et les féministes auraient en commun une « théologie de la libération » peu foucaldienne, sans oublier une « poétique de la révolution » et une « esthétique de la vie quotidienne » qui paraissent l'être encore moins[50]. Mais sur l'évolution en profondeur du féminisme américain, passé d'un humanisme essentialiste à un constructionnisme radical, l'œuvre de Foucault n'aura pas moins un impact décisif – comme en témoigne son omniprésence dans les recherches de Joan Scott, Gayle Rubin ou Judith Butler. Publié en anglais dès 1978, *La Volonté de savoir*, qui inaugure l'*Histoire de la sexualité* en en dressant le programme général, est peut-être même la clé invisible du féminisme américain des années 1980. En démontant l'« hypothèse répressive » d'une sexualité qui serait à libérer, au profit d'une analyse de la sexualité comme formation discursive et dispositif de subjectivation – la période historique de sa « libération » n'en étant que le « déplacement et [le] retournement tactiques[51] » –, le livre achève de marginaliser le féminisme « progressiste » et ouvre la voie à une critique de *tous* les discours sexuels. Et en expliquant la constitution, au XIXe siècle, du dispositif moderne de sexualité par les « quatre grandes stratégies » que furent « sexualisation de l'enfant, hystérisation de la femme, spécification des pervers [et] régulation des populations[52] », il contribue à désenclaver la question féministe, en la reliant à celles de l'homosexualité et de la criminalisation des corps. Surtout, il replace ainsi l'enjeu sexuel dans une histoire politique : à travers les normes de la monogamie, de l'hétérocentrisme et de la transmission des richesses, la sexualité est ce qui articule la cellule familiale, le système économique et la gestion politique des sociétés, et elle ne peut être dissociée de ces échelles plus larges. Le terme de « biopolitique », pour désigner la régulation administrative de la vie, désigne précisément ceci – que le pouvoir produit ses sujets en les classant, en les gérant, qu'il traverse les corps, les investit, les électrise même, et ne leur est donc jamais complètement extérieur.

Par-delà les vifs débats que suscitera outre-Atlantique sa relecture des sexualités antiques, l'œuvre de Foucault contribue à y déplacer la question sexuelle, qui n'est plus tant celle des dominés ou des réprimés, que celle d'une identité de genre (homme ou femme) et de

---

50. Irene DIAMOND et Lee QUINBY (dir.), *Feminism & Foucault : Reflections on Resistance*, Boston, Northeastern University Press, 1988, p. IX et XIII-XV.

51. Michel FOUCAULT, *Histoire de la sexualité 1. La volonté de savoir*, Paris, Gallimard, coll. « Tel », 1994 [1976], p. 173.

52. *Ibid.*, p. 150.

pratique (homo ou hétéro) sexuels devenue intégralement problématique. Et avec pour objectif commun de penser la *subjectivation* sexuelle plutôt que de pointer l'ennemi de genre, féministes et homosexuels vont pouvoir engager une collaboration inédite. Autrement dit, le succès du dernier Foucault va permettre de substituer à la démarche normative antérieure, celle des féministes mais aussi des *gay studies* traditionnelles – qui opposent une identité opprimée à une identité dominante –, une archéologie *postidentitaire* où la norme de genre (*gender norm*) est analysée comme une construction historique et politique précise, avec pour tâche d'en déchiffrer les modalités. Cette enquête sur les subjectivités scindées et les identités sexuelles flottantes pourra à l'occasion faire usage de tout le corpus de la théorie française – comme y a recours le critique Kaja Silverman en plaçant son étude des « masculinités déviantes » modernes sous la quadruple lumière, non seulement d'une généalogie foucaldienne de la norme, mais aussi de l'« inconscient acéphale » lacanien, d'une « politique libidinale » aux accents lyotardiens, et du démontage par Deleuze du binôme réducteur sado-masochiste[53]. Mais, dans la plupart des cas, seul le travail de Foucault rend possible une telle évolution – qui est aussi celle du riche champ des théories homosexuelles au début des années 1990.

En effet, c'est dans les termes d'un hommage permanent à Foucault que viennent alors s'ajouter aux *gay studies* plus anciennes, souvent essentialistes et polarisantes (gays et hétéros y sont clairement démarqués), le courant nouveau des *queer studies* : la nouvelle démarche plus « infectieuse » consiste à explorer toutes les zones intermédiaires entre identités sexuelles, toutes les zones où elles se troublent. Le tournant *queer*, inspiré d'un mot synonyme en anglais de « folle » (soit un détournement parodique de l'injure homophobe), a pour date de naissance un article de 1991 où la critique féministe Teresa de Lauretis appelle à repenser les identités sexuelles en fonction de leurs déplacements constants[54]. Au-delà, il prend sa source dans les débats entre féminismes essentialiste et antiessentialiste des années 1980, et dans la double relecture de Foucault mais aussi de Derrida (grâce auquel repolitiser l'« indécidable ») que proposent ses deux inspiratrices majeures – Eve Kosofsky Sedgwick et Judith Butler.

Dans un essai pionnier qui aura bientôt le statut de livre-culte, *Epistemology of the Closet*, Eve Kosofsky Sedgwick, professeur de

---

53. Kaja SILVERMAN, *Male Subjectivity at the Margins*, New York, Routledge, 1992.

54. Teresa DE LAURETIS, « Queer Theory : Lesbian and Gay Sexualities. An Introduction », *Differences (Journal of Feminist and Cultural Studies)*, vol. 3, n° 2, été 1991.

littérature anglaise à Duke, demande pourquoi celui qui a des rapports sexuels avec un homme devrait être appelé *gay*. De Nietzsche à Proust, et de la norme monogamique aux désastres du sida, elle débusque les incertitudes identitaires et les fragilités du genre, oppose les « plaisirs du corps » aux « catégorisations de la sexualité » – dans la lignée de Foucault –, et dénonce le « séparatisme » des politiques identitaires de la décennie précédente[55]. La traque que propose Sedgwick des troubles sexuels et des ambivalences identitaires, derrière les dualismes imposés, a l'ambition de dévoiler toute une *épistèmé* : « Nombre de nœuds de pensée et de connaissance de la culture occidentale du XXᵉ siècle [...] sont structurés – à vrai dire fracturés – par une crise chronique, désormais endémique, de la définition de l'homo et de l'hétéro [...] datant de la fin du XIXᵉ siècle[56] », pose-t-elle d'emblée, en référence à la « date de naissance » de l'homosexualité moderne que suggérait Foucault – l'année 1870[57]. Une ambition que reprendront à leur compte, parfois un peu littéralement, les nombreux auteurs proposant, dans les années qui suivent, de soumettre ainsi tous les objets sociaux et culturels possibles à cette lecture « perverse » de l'indétermination sexuelle, autrement dit de les *queer*-er – le roman épistolaire ou la poésie orale, la musique de Schubert ou la sculpture de Michel-Ange, et même le FMI ou le bouddhisme zen. L'autre pivot de ce tournant *queer* est le travail de Judith Butler, qui analyse de façon sophistiquée, de *Gender Trouble* à *Bodies That Matter*, les modes performatifs et dialogiques d'une construction continue du genre sexuel – féminité et virilité y devenant des « citations obligatoires », des normes de contrôle, dont le *drag queen*, de son côté, démonte l'artifice en les parodiant publiquement.

Mais ce que manifeste cette mouvance *queer* aux thèses novatrices, comme c'était déjà le cas du féminisme universitaire radical, c'est la dissociation croissante entre un militantisme sexuel de campus, oratoire et autoréflexif (et lié à la carrière de quelques divas du champ littéraire), et les combats effectifs hors campus de ces communautés sexuelles – malgré les engagements personnels de certain(e)s universitaires, notamment dans le cadre de la lutte contre le sida, et l'exception que constituent ici les longs entretiens accordés par Foucault aux journaux gays généralistes, de *Christopher Street* à *The Advocate*. Entre une clique intellectuelle,

---

55. Eve Kosofsky SEDGWICK, *Epistemology of the Closet*, Berkeley, University of California Press, 1990.

56. *Ibid.*, p. 1.

57. Michel FOUCAULT, *Histoire de la sexualité 1. La volonté de savoir, op. cit.*, p. 59.

socialement isolée mais à la pointe des nouvelles théories radicales, et des militants de quartier dont les organismes et les revendications ont nettement moins changé depuis vingt-cinq ans, le dialogue est difficile, indirect, structurellement décalé. Visiblement convaincu par le retard de la société sur l'université, David Halperin, historien de l'homosexualité, a même pu opposer une Amérique réelle qui, depuis 1980, « semble avoir sombré dans une torpeur réactionnaire » et ses universités en pleine « fermentation intellectuelle », dont les recherches « avancent à grands pas [...] sous l'impulsion de Foucault » et de quelques autres[58]. L'auteur paraît même regretter que tout le pays ne soit pas aussi audacieux que certains de ses campus. Problème ancestral que celui des décalages temporels entre l'innovation intellectuelle et la lutte sociale, le laboratoire et la rue, problème déjà soulevé jadis par Marx et Engels – ce dernier, justement, qui proposait déjà d'appliquer le modèle de la lutte des classes à la cellule conjugale, en notant que le mari y figure le bourgeois, et la femme, le prolétaire.

Politique théorique, alliance malaisée

Ainsi le fossé se creuse-t-il, au fil des années 1980, entre une justification théorique de plus en plus sophistiquée du combat minoritaire, et ses manifestations sociales moins spectaculaires, réprimées par la contre-révolution reaganienne – entre un multiculturalisme de chaire, si l'on veut, et un communautarisme de chair. Une telle déconnexion est l'argument majeur du camp marxiste, encore solide dans l'université, pour accuser les politiques identitaires – et avec elles, leur inspiratrice nommée *French Theory* – d'avoir abandonné le terrain de la lutte « réelle ». La théorie dans le sens du matérialisme dialectique, comme mise au jour des rapports sociaux réels, est opposée à cette théorie « postmoderniste » qui déplacerait le curseur vers le seul champ symbolique, et substituerait la lutte des textes à celle des classes : depuis 1979, l'année où Dick Hebdige décrivait le mouvement punk comme une guerre de classes menée sur le terrain du style, l'enjeu ne serait plus que culturel, stylistique, et en dernier recours textuel – « textualisme » honni qui effacerait jusqu'au contexte social des textes. Dans un livre-bilan, le marxiste Alex Callinicos résume les griefs des siens à l'encontre de la théorie française, coupable d'avoir fourbi les armes de ce combat textuel : jargon, idéalisme, pantextualisme, nihilisme, conservatisme passif,

58. David HALPERIN, *One Hundred Years of Homosexuality*, New York, Routledge, 1989, p. 8-13.

apories nietzschéennes[59]. De son côté, résolu à barrer la route à
ceux qu'il voit comme les suppôts de la réaction, le critique anglais
Terry Eagleton attaque, dans l'un des best-sellers du champ littéraire anglo-saxon, le « défaitisme politique » de la déconstruction et
la fuite en avant des nouveaux théoriciens vers les « combats
lexicaux » et le seul thème de l'« autodestruction des textes »[60].
L'idée même de combat, assurent les marxistes, serait devenue métaphore, figure de style. Ce sont ces chapelles de campus et ces théorisations retorses, estime Todd Gitlin, qui ont promu le fait de
« s'habiller comme Madonna au statut d'acte de "résistance", équivalent à celui d'aller manifester pour le droit à l'avortement[61] », sans
qu'aucune frontière ne passât plus entre luttes sociales et simples
marchandises anticonformistes. Ce qui a pu brouiller la différence,
constitutive de l'approche marxiste, entre action et discours, radicalisme engagé et radicalisme de papier, n'est autre que la *sursémiolo-
gisation* inaugurée par les *Cultural Studies* et prolongée par les
études minoritaires. Si tout n'est plus que signes, si les rapports
sociaux sont solubles dans le texte, le seul geste encore politique est
le détournement, le glissement, la combinaison inédite des signes
existants – loin des forces historiques réelles sur lesquelles tablent
les marxismes. *Post*structuralisme, *post*modernisme, *post*humanisme : comme si l'inflation du préfixe *post-* pour accompagner les
nouveaux *-ismes* du champ littéraire trahissait chez ceux qui en
usent une croyance dans le seul récit, le deuil à faire du registre de
l'action, le désenchantement fin de siècle de qui arrive après, trop
tard, et ne pourra qu'ironiser sur les occasions manquées.

Il est possible d'opposer au moins deux arguments à cette critique
marxiste de l'impuissance politique de la *theory*. Le premier est
d'ordre sociologique. Parce qu'il est exclusivement universitaire,
« adapté [...] aux normes de la respectabilité académique » et forcé
de « formuler ses positions selon les codes du paradigme dominant »
(comme le résument deux critiques[62]), ce marxisme américain tombe
lui-même sous le coup des arguments qu'il déploie : ses motivations, tout comme celles de ses adversaires poststructuraliste ou
multiculturaliste, sont la fidélité à une école, la victoire argumentaire, le souci de l'emporter sur le marché des discours. Il est, en un

59. *Cf.* Alex CALLINICOS, *Against Postmodernism : A Marxist Critique*, New York, St
Martin's Press, 1989.

60. Terry EAGLETON, *Literary Theory : An Introduction*, Minneapolis, University of
Minnesota Press, 1983.

61. Todd GITLIN, « The Anti-Political Populism of Cultural Studies », in *Cultural
Studies in Question, op. cit.*, p. 30.

62. Stanley ARONOWITZ et Henry GIROUX, *Education Under Siege, op. cit.*, p. 177.

mot, aussi impuissant, aussi rhétorique que les autres positions du
champ universitaire, et beaucoup plus en tout cas que ne le sont ses
homologues européens, appuyés de leur côté sur des partis politiques et des formations syndicales. Rien chez un Terry Eagleton
ou un Michael Ryan qui pût servir *directement* la cause des luttes
sociales extra-universitaires.

Le second argument est lui-même plus théorique. Il est lié à la
question récurrente de l'*énonciation*, de ses modalités linguistiques
comme de ses conditions socio-politiques – et au rapport de
celles-ci et de celles-là –, en tant que question centrale sinon de la
théorie française du moins de ses versions américaines. Comme acte,
l'énonciation est ce qui fait d'une forme d'expression – aussi futile
qu'un accoutrement ou une musique, ou aussi vitale que l'affirmation d'un sujet collectif – l'occasion d'une prise de parole sociale,
d'une opération collective de subjectivation, d'une articulation à
trouver entre vision du monde et intervention *dans* le monde. Une
idée que recoupent, en des contextes théoriques distincts, les « agencements collectifs d'énonciation » deleuzo-guattariens (qui sont
certes moins territorialisés qu'une communauté donnée), le projet
foucaldien de cerner « le mode d'existence des événements discursifs
dans une culture », ou même l'acte énonciatif faisant advenir, chez
Michel de Certeau, l'« historicité de l'expérience ». Or ce thème de
l'énonciation est l'angle mort du discours marxiste américain. Son
dogme politique, qui rejette dans la même opprobre les textes théoriques français, les champs d'études identitaires et la transversale
plus ambiguë des *Cultural Studies*, n'a fait aucune place à cette
question. Non seulement les marxistes commettent une erreur *politique* en reléguant au second plan (sinon dans les limbes du
superflu) la question de l'*énonciation* sociale, mais ils gagneraient à
y être eux-mêmes soumis, pour éclairer l'emploi spontané qu'ils
font de certains termes contre la « trahison » textualiste. « Réalité »,
« sujet », « éthique », « action », « politique » : interroger les
concepts au nom desquels est menée cette critique de bon sens ne
revient pas à contourner le débat au profit d'une régression philologique sans fin, mais à poser justement le problème des rapports
entre groupes sociaux et discours intellectuel, action et signifiants
– et de la validité ou de l'obsolescence, dans ce contexte, de normes
politiques héritées du XIXᵉ siècle.

Il est nécessaire, insistent de leur côté Judith Butler et Joan Scott,
« d'exposer toute la violence silencieuse de ces concepts, dans la
mesure où ils ont fonctionné non seulement pour marginaliser
certains groupes [...], mais pour faire de l'exclusion la condition
même de possibilité de la "communauté" » – ce que seule pourrait

permettre la théorie française, car elle est moins « elle-même une position *stricto sensu* qu'un questionnement critique sur toutes les opérations d'exclusion grâce auxquelles des positions sont établies[63] ». Autrement dit, à la distinction hâtive entre une société politique autrefois unifiée, celle que semble regretter cette critique marxiste, et le monde balkanisé des politiques identitaires, seuls les outils de la théorie pourraient substituer un tableau plus complexe, mettant au jour les modalités excluantes du discours de l'« unité » et, au contraire, les alliances possibles entre cliques communautaires. Sauf que tout le problème est là : poser, aussi lucidement que possible, la question de l'énonciation n'est pas en soi un acte performatif, la condition suffisante d'un changement politique – à plus forte raison lorsque l'exigence et la lucidité d'une telle question se perdent le long des chaînes de discours très indirectes reliant le texte théorique français au lecteur ou au militant américains, à travers les détours de la traduction, de la réappropriation, du discours universitaire et de ses intérêts propres. Ceux qui formulent la question de l'énonciation n'en sont pas nécessairement les bénéficiaires politiques, et ils comptent moins que ces derniers face au changement social. Stanley Fish l'a parfaitement résumé, avec la roublardise de celui que semble réjouir l'« inutilité » de l'universitaire : « Bien que le "textuel" ou le "discursif" soient des terrains cruciaux pour la contestation sociale, les gens qui *étudient* ces terrains ne sont pas eux-mêmes des acteurs cruciaux dans ce contexte[64]. » On retrouve ici le décalage structurel entre des universitaires dont la tâche (et l'intérêt) est de toujours diviser, retourner, suspecter la question posée, et des communautés dont tout le problème est l'accès à l'énonciation, condition du changement. Décalage, autrement dit, entre un questionnement sur les modalités mêmes du questionnement et l'incapacité de groupes sociaux minoritaires à faire valoir les plus urgentes de leurs revendications. Décalage, encore, entre les arguties méthodologiques d'un discours authentiquement éthique et les problèmes autrement frustes de segments de population dont les politiques sont souvent plus rétrogrades. Pour le dire vite, la lesbienne noire qui revendique son « antifondationnalisme » et sa « politique déconstructive » restera toujours plus proche d'une société de discours que de la société politique – comparée à celle dont l'environnement direct, moins tolérant qu'un campus, stigmatise constamment la couleur de la peau en même temps que les

---

63. Judith BUTLER et Joan SCOTT (dir.), *Feminists Theorize the Political, op. cit.*, p. XIV.
64. Stanley FISH, *Professional Correctness : Literay Studies and Political Change, op. cit.*, p. 123-124.

orientations sexuelles. Le capital symbolique de l'approche théorique non seulement compense le faible capital politique d'universitaires isolés, mais permet parfois même de justifier celle-ci en reprochant au contraire aux acteurs de terrain leur manque d'autoréflexion.

Le décalage, enfin, est surtout pédagogique. Car si le *Manifeste* de Marx était accessible aux syndicalistes allemands de l'époque, les essais théoriques sur la race comme « signifiant scindé » ou la norme de genre comme liée « par métonymie » à l'identité sexuelle ne sont simplement pas lisibles par les victimes concernées de l'oppression ethnique ou sexuelle. À la tour de Babel d'un champ littéraire qui s'est voulu carrefour des minorités, s'est substituée la tour de babil d'un métadiscours de plus en plus fermé à ses improbables usagers. C'est ce qu'a très bien vu la papesse des *queer studies* Eve Sedgwick, quand elle signalait le danger qu'un concept trop affiné de « différence » ne dise plus rien de ce qu'est, socialement, l'épreuve de la différence : la théorie, conçue « comme la science même de la *différe/ance*, a à la fois tellement fétichisé l'idée de différence et en a tellement vaporisé les possibles incarnations, que ses praticiens les plus doués sont les dernières personnes à qui l'on songerait pour nous aider à penser des différences particulières [65] ». Pourtant, un tel éloignement *par la théorie* n'est pas imputable avant tout aux subtilités théoriques bavardes de quelques critiques, ou à leur vigilance éthico-discursive un peu ostentatoire (d'où, comment, à quel titre, en quel nom parler de *différence* ?) – à moins que le vieil argument anti-intellectualiste ne reprenne ici du service, tel que l'opposent certains leaders communautaires à ces verbiages d'*academics*. La distance est plus banalement sociologique. Elle renvoie à une synecdoque connue, à cette illusion d'optique institutionnelle qui incite les orateurs de campus à prendre la partie universitaire pour le tout social. Le temps d'un colloque, d'un article, d'un argument emporté, ils oublient le caractère périphérique et politiquement ambivalent de leur champ de pratique, et prennent pour une règle générale ce que dicte surtout la logique autarcique du discours universitaire : si la position de marginalité dans l'université y garantit une certaine productivité énonciative, une certaine visibilité intellectuelle, la même position hors des campus tend plutôt à enfermer les minorités concernées, qui souhaiteraient souvent rejoindre le « centre », dans une inexorable spirale du silence. Et ce même effet de distance peut faire oublier l'autre évidence capitale : cette « culture » (populaire, de masse, commerciale ou contestataire,

---

65. Eve Kosofsky SEDGWICK, *Epistemology of the Closet, op. cit.*, p. 23.

et tout cela ensemble), que des universitaires enthousiastes s'encanaillent à analyser comme un ethnologue fait sien son objet, n'est plus du tout une sphère délimitée, un *objet* d'étude, mais se confond désormais avec le tout socio-politique. Elle ne présente plus de limites à l'extérieur desquelles on pourrait se situer, et correspond moins à un répertoire de formes d'expression qu'au plan d'ensemble sur lequel se constituent les subjectivités. Le devenir-invisible de la minorité silencieuse, et le tout-culturel de l'industrie des symboles – double insu, double déni auquel n'échappent guère les plus fins de ces sémiologues de l'identité, les plus subtils de ces théoriciens de l'énonciation, double refoulé qui renvoie à leur ambivalence première face au capitalisme.

En effet, seule une critique d'ensemble du capital eût pu fournir aux tenants de ces différents discours d'opposition, identitaires ou postidentitaires, les éléments d'une communauté politique. Mais si *Cultural Studies* et politiques identitaires ont à cœur de dénoncer les hiérarchies culturelles, de réhabiliter MTV contre Shakespeare ou les héros noirs de série B (comme dans les films dits de *blacksploitation*) contre les héros blancs de films primés, le thème de la marchandise (*commodity*) ne leur est en revanche qu'un argument second, au statut ambigu – tantôt métaphore, tantôt fatalité. Le plus étonnant, dans cette efflorescence sans précédent des théories minoritaires, n'est pas que l'Amérique reaganienne et ses campus de tradition humaniste aient favorisé les mises à mort symboliques de l'hétérosexisme, du pionnier blanc, ou même de l'Occident; c'est que les sorciers qui s'en sont chargés n'aient pas vu leur échapper leurs totems minoritaires au profit des marchands de symboles, des experts chèrement payés de la récupération culturelle. Car ceux-ci, consultants « gourous » ou publicitaires intuitifs, ont su tirer profit de la nouvelle vogue, puiser dans les sursauts communautaristes de l'ère reaganienne et dans les théorisations identitaires agitant alors l'université pour échafauder de nouvelles partitions du marché – en louant à grand bruit l'irréversible diversité comme argument de vente, de la production musicale (EMI) au prêt-à-porter (Benetton), et en segmentant leur clientèle en autant de registres d'expression, de communautés affinitaires, qu'il y a de subdivisions dans le champ littéraire des années 1980, des rappeurs hétéros blancs aux tribades hispaniques fanatiques d'opéra. Les universitaires n'ont pas vu, en un mot, l'intérêt commercial de cette question de l'énonciation : *énoncer* des cultures marginales, raconter leur subjectivation collective par l'énonciation, c'est aussi les rendre visibles, reconnaissables, légitimes même, sur l'écran de contrôle des industries culturelles. La décennie qui a commencé sur les campus, à l'abri de la réaction reaganienne, par une déclaration de guerre généralisée à toutes les formes d'oppression et de ségrégation, s'est terminée dans des campagnes publicitaires en vingt langues pour les nouvelles marques de l'industrie de la rébellion. Car le marketing spécialisé en direction des communautés noire ou hispanique, le nouveau tourisme gay proposé par les voyagistes innovants, le détournement publicitaire des mythologies oppositionnelles du rap ou du reggae, ou encore les promotions tarifaires sur mesure mises au point par les opérateurs téléphoniques longue distance (eux-même nés de l'éclatement de l'AT&T sous le premier mandat de Reagan) auprès de chaque minorité ethnique sont *aussi* des inventions des années 1980 – au même titre que celles qu'on a vu fleurir sur les campus, et dont elles ont même repris les mots d'ordre.

Manquait donc à l'énonciation minoritaire, pour qu'elle n'accouche pas seulement du marketing multiculturel, une pensée d'ensemble – sinon une critique – du capital. C'est bien là que se trouve l'aspect le plus dommageable d'une *décontextualisation* de la théorie française, sa seule mais regrettable distorsion : n'avoir pas vu les enjeux politiques des différentes théories françaises du capitalisme « postmoderne », les avoir lues distraitement, pour la fulgurance de quelques formules, la certitude qu'était obsolète désormais l'extériorité dialectique (d'où le motif presque amiotique de la participation, de la mimésis, de la fusion avec le capital), sans en voir la dimension offensive – comme ressources de combat. Car la théorie française permet aussi de plonger au cœur de la machine capitaliste américaine, et de s'y forger une politique. Ainsi, la définition du capitalisme par Baudrillard comme « extermination de la différence » pouvait être vue aussi comme annonçant précisément l'absorption nivelante de celle-ci par les industries culturelles. Que Deleuze et Guattari dépeignent le fonctionnement du capital comme « transcendance du signifiant despotique » n'excluait pas que celui-ci pût revêtir justement un masque libidinal, ou libertaire – audaces de Madonna, transes de MTV, et pourquoi pas même les provocations de la *gay pride*. Et quand Lyotard s'adresse en 1974 aux intellectuels parisiens, qualifiés d'un mot d'époque de « privilégiés aux mains fines », pour leur reprocher de ne pas voir « nos intensités serviles », de ne pas comprendre « que l'on peut jouir en avalant le foutre du capital[66] », l'apostrophe n'est pas valable seulement contre les intellectuels marxistes de son temps théorisant le prolétariat ; elle peut l'être aussi, dans l'autre sens, pour les futurs guérilleros américains de la sémiotique, les combattants du texte, capables

66. Jean-François LYOTARD, *Économie libidinale*, Paris, Minuit, 1974, p. 141-142.

d'analyser le rôle d'une panoplie culturelle dans la formation d'une subjectivité marginale, mais pas de voir comment celle-ci impose celle-là sur le marché, en fait à la fois un objet de désir *et* une victoire de l'industrie.

On en revient finalement au point de départ – l'isolement structurel du champ intellectuel américain, le faible nombre de *points de passage* (d'autant plus facilement contrôlés par les « veilleurs » de l'innovation culturelle) entre l'université et le monde extérieur. La proposition que formulaient Deleuze et Lyotard contre les marxistes orthodoxes, selon laquelle le capitalisme serait lui-même plus *révolutionnaire* que le communisme – pour avoir substitué le désir à la croyance –, s'est trouvée moins pertinente dans l'univers quasi-autarcique des chapelles universitaires. À moins qu'elle n'y ait été dépolitisée, *déshistoricisée*, canalisée outre-océan par cette « idéologie [américaine] qui exclut doublement l'histoire et la dialectique », comme le soulignait le linguiste Amiel Van Teslaar dès 1980 pour expliquer que l'Amérique du Nord offrît le « meilleur terrain pour accueillir le structuralisme[67] ». À moins encore, comme on le verra, qu'elle ait été redondante, donc inaudible, au pays des flux et des segments, des agencements et du grand marché libidinal. Reste que la théorie française n'a été lue par les nouveaux tenants des discours minoritaires qu'une fois traduite dans la langue distincte, dérogatoire, de l'université. La critique française de l'autorité n'y a que marginalement désigné les pouvoirs politique et économique, mais s'est trouvée réduite à une critique de l'autorité du professeur, de l'auteur canonique, de l'institution universitaire. Et la question de l'usage y a finalement été entendue moins dans le sens transitif d'un usage *de combat* de certains concepts, que dans le seul cadre universitaire, au sens d'une efficacité de certains discours sur le marché des discours : l'usage, dès lors, évoque moins la « boîte à outils » du théoricien révolutionnaire (ou même de l'intellectuel engagé) que des arguments isolables, détachables de leur texte-source, parfaitement adaptés au format des articles de revues universitaires où ils seront discutés, déclinables autour d'une table ronde de colloque. Pour l'étudiant ou le jeune enseignant, les textes de référence doivent être d'abord *user-friendly* – agréables-à-l'usager, comme le dit d'un logiciel ou d'un robot ménager cette formule typiquement américaine, qui désigne une mise en œuvre gratifiante, une facilité d'accès, et personnifie même l'objet concerné (fût-ce un texte) sous la figure de son « amitié » pour l'usager.

---

67. Amiel VAN TESLAAR, « Un structuralisme, mais à l'américaine », *La Quinzaine littéraire*, n° 330, *op. cit.*

New Historicism : les limites d'un compromis

À ce décalage grandissant entre usages strictement universitaires et enjeux politiques plus larges, entre le discours de l'énonciation et sa récupération marchande, ou même entre intransitivité de la théorie et transitivité de l'identité (ou de chaque communauté), un courant au moins a tenté de réagir dans le champ littéraire – l'intraduisible New Historicism[68]. Il correspond à la rare recherche d'une troisième voie, qui ne soit pas pour autant un compromis, entre le radicalisme des politiques textuelles et l'humanisme convenu des traditionalistes. Soucieux de réhabiliter les facteurs contextuels dans la lecture des textes, et de réhistoriciser plus généralement le champ littéraire, ce mouvement de pensée aux contours assez lâches a fait son apparition à l'université de Berkeley au début des années 1980, à l'initiative de Stephen Greenblatt. Le père du New Historicism, spécialiste de Shakespeare et de la Renaissance, enseigne alors à Berkeley depuis sa thèse, en 1969, et y restera jusqu'en 1996 – pour aller prendre la tête du prestigieux département d'anglais d'Harvard. C'est contre la « valse » des nouvelles théories littéraires et identitaires, et en référence indirecte à Foucault – dont Berkeley est alors le fief américain – qu'il fonde en 1982, avec sa collègue Svetlana Alpers, la revue *Representations*, vouée à l'analyse des rapports entre esthétique et idéologie, puis la collection « New Historicism » aux presses de Californie. Bien plus que Paul de Man pour l'école de Yale ou Gayatri Spivak dans le champ post-colonial, Greenblatt est le fondateur unique du courant, son animateur, son stratège, son rassembleur infatigable. Le réseau qu'il tisse patiemment, à Berkeley puis à Harvard, ajoutera peu à peu à son nom ceux de Catherine Gallagher, Walter Benn Michaels, Michael Rogin ou encore Eric Sundquist.

Mélange d'un matérialisme historique peu orthodoxe et d'une libre sociologie de l'art, le New Historicism s'inscrit en faux contre la double dérive des théories littéraires vers le formalisme critique d'un côté et l'illusion, de l'autre, d'une nature politique première de tout discours, littéraire ou théorique. Il appelle plutôt à en revenir à des enjeux apparemment plus modestes, mais selon lui plus éclairants – les conditions sociales et historiques de l'écriture et de la lecture. Sous la bannière d'une « poétique de la culture », il affine ainsi la vieille sociocritique des années 1960 en analysant les

---

68. Là encore, le terme ne saurait être traduit sans risquer le barbarisme, ou la confusion — avec la « nouvelle histoire » par exemple.

procédures complexes de « négociation » (terme clé de sa démarche) entre les facteurs sociaux, les savoirs constitués, la « liberté » du créateur et les horizons d'attente du lecteur. Selon qu'une telle « négociation » se solde au profit de la *doxa* d'une époque, d'un courant alors dissident, ou du projet de subversion esthétique de l'ordre établi qui était celui de l'auteur, l'œuvre aura des effets variés sur ses lecteurs – et une place différente dans ce long processus d'innovation et de répétition enchevêtrées que constitue l'histoire culturelle. Cette mise en perspective au cas par cas des œuvres, de leurs sources et du contexte idéologique de leur irruption interdit d'imposer *a priori* une démarche herméneutique, et favorise plutôt les allers-retours entre échelles, périodes et registres, entre texte et hors-texte. Contre le textualisme de certains derridiens, il s'agit de décrire les relations entre ces différents aspects, non plus dans les termes d'une *autoproduction* des textes, mais dans ceux d'une recherche d'équilibre, d'une optimisation des intérêts, qui ne sont pas empruntés par hasard au langage de l'économie : « circulation », « échange », « commerce », « transaction » et toujours « négociation ». En substituant ainsi un champ métaphorique à un autre, puisque l'économie prend ici la place de la physique derridodemanienne des « glissements » et autre « abymes » des textes, il s'agit aussi de mettre en avant le rôle des facteurs économiques dans l'histoire culturelle.

Pour autant, Greenblatt et ses acolytes dénoncent sans cesse les dangers d'un retour à l'historicisme traditionnel. À une histoire totalisante et continue, ils opposent les « contre-histoires » qui « font apparaître les faux-pas, les failles, les lignes de fracture et les absences surprenantes dans les structures monumentales » de l'histoire ordinaire : il faut accéder au plan des « représentations » à travers des histoires *parallèles*, celles du corps humain, des motifs esthétiques, ou des formes du discours – jusqu'à défendre même la « séduction de l'anecdote » et une « vocation à la particularité[69] ». Au cœur de cette méthodologie ouverte du New Historicism, on trouve une attention nouvelle – et indirectement foucaldienne – aux œuvres en tant que modes de classement, supports d'une partition entre productions légitimes et marginales ; ces dernières étant convoquées dans la mesure où ce qui est exclu révèle *a contrario* les principes normatifs présidant à la survie des œuvres. C'est à ce titre que les contre-corpus, marginaux et donc subversifs (littératures juive, noire, hispanique, gay), sont sollicités, et à ce titre

---

69. Catherine GALLAGHER et Stephen GREENBLATT, *Practicing New Historicism*, Chicago, University of Chicago Press, 2000, p. 17-19.

seulement[70]. Car la plupart des travaux du mouvement portent sur la Renaissance anglaise et ses auteurs consacrés, plutôt que sur le roman afro-américain ou la poésie *beat*, et les essais les plus influents de Greenblatt concernent l'œuvre de Shakespeare. Mais il repolitise sa lecture, et le fait plus subtilement que les critiques communautaristes soupçonnant le dramaturge blanc ou l'inverti des *Sonnets*. Ce peut être une lecture du seul motif du purgatoire dans *Hamlet*, pour montrer le rôle des guerres de religion et d'un anticatholicisme virulent dans la dramaturgie shakespearienne[71]. Ce peut être une exploration des ambiguïtés de Shakespeare face à l'impérialisme élizabéthain, et du rôle de l'*angoisse* dans sa vision du politique – dans l'essai qui fit la réputation de Greenblatt, *Shakespearean Negotiations*[72]. Ce peut être même, dans un volume collectif sur *La Tempête*, un appel à traquer les incertitudes politiques de Shakespeare et de son temps pour garder vivant le canon littéraire, puisque « la meilleure façon de tuer notre héritage littéraire serait d'en faire la célébration décorative du nouvel ordre du monde[73] » – celui d'aujourd'hui comme celui qui naissait dans l'Angleterre élizabéthaine. Et c'est enfin, hors de Shakespeare mais au cœur de la question coloniale, son analyse des récits d'explorateurs du Nouveau Monde, pour montrer à l'œuvre, dans la conscience occidentale, une articulation décisive entre étonnement et conquête, ou la façon dont, « pour la plupart des hommes d'Occident, le regard émerveillé ne peut conduire qu'au désir de possession » – ainsi que le résumait Roger Chartier pour saluer la sortie du seul ouvrage de Greenblatt traduit en français, *Ces merveilleuses possessions*[74].

Plus inductive, moins verbeuse, plus éclairante sur les enjeux politiques, moins soumise aux mirages de la sémiologie, la démarche du New Historicism comporte une valeur heuristique incontestable. Mais elle n'apporte pas pour autant de solution aux apories du champ littéraire américain. D'abord parce qu'elle constitue elle-même une position stratégique dans le champ, particulièrement

---

70. *Ibid.*, p. 10-11.

71. Stephen GREENBLATT, *Hamlet in Purgatory*, Princeton, Princeton University Press, 2001.

72. Stephen GREENBLATT, *Shakespearean Negotiations : The Circulation of Social Energy in Renaissance England*, Berkeley, University of California Press, 1988, p. 142.

73. Titre de sa contribution à Gerald GRAFF et James PHELAN (dir.), *The Tempest : A Case Study in Critical Controversy*, New York, Bedford/St Martin's Press, 2000, p. 113-115.

74. Roger CHARTIER, « Greenblatt entre l'autre et le même », *Le Monde des livres*, 29 novembre 1996.

belliqueuse quand il s'agit de dénoncer les travers de ses concurrents postcolonialiste ou déconstructionniste. Ensuite parce que son travail presque exclusif sur la Renaissance et sa prudence face aux débats culturels plus contemporains l'ont toujours dissuadée d'intervenir directement dans les « guerres culturelles » qui divisent l'université américaine. Enfin, et plus largement, parce que sa tactique disciplinaire correspond à un retrait, sans doute justifié, de la critique et de la théorie littéraires sur leurs chasses gardées traditionnelles (la critique génétique, l'histoire des œuvres, leur contexte politique), loin des avancées insolentes de la déconstruction ou des études minoritaires en terrains inconnus, du côté de la philosophie, des sciences politiques ou même de la *pop culture* la plus en vogue. On pourrait même interpréter l'entreprise de Greenblatt et ses collègues, et le succès qu'elle a rencontré, comme un repli protectionniste à l'intérieur des frontières de la discipline littéraire – une discipline que la contre-attaque conservatrice, en réaction aux discours identitaires, plaçait soudain sous les projecteurs des médias, et bientôt dans la ligne de mire du pouvoir.

7

La contre-offensive idéologique

> « L'une des raisons pour lesquelles nous disposons de théories est le besoin de stabiliser nos régimes de signes. En ce sens, toutes les théories, même les plus révolutionnaires, ont en elles quelque chose de conservateur. »
>
> Terry EAGLETON, *The Significance of Theory*

Les années 1980 se prêtent à une lecture dialectique : replis identitaires et extrémisme théorique en réaction au retour du nationalisme américain et aux nouvelles avancées du libre-marché. À mesure que Ronald Reagan et ses sbires assurent que « l'Amérique est de retour » (*America is back*), celle-ci décompose son tissu socio-culturel en autant de cases qu'il y a de micro-groupes identitaires. C'est la rapide *hyphenization* de l'Amérique, selon le terme qui désigne en anglais le trait d'union, lequel envahit alors le langage américain – des Afro-Américains aux Asiatiques-Américains et aux *Native-Americans*. Et tandis qu'une politique de privatisation et de dérégulation tous azimuts déclenche un double processus de financiarisation de l'économie et de précarisation du travail, les idées les plus radicales circulent sur les campus – mise à bas des canons classiques, soutien aux mouvements de libération du tiers monde, priorité au recrutement des minorités. La distance des salles de cours aux salles de marché est alors maximale ; l'ambiance de celles-là se prête à toutes les exagérations, du lyrisme émancipateur à l'apocalypse dûment dramatisée. Jamais la théière n'a été aussi tempétueuse : les débats sur le canon littéraire menaceraient de mort l'Occident ; la vogue de la déconstruction signalerait la fin du consensus sur la « réalité » ; la discrimination positive dans le recrutement des enseignants trahirait mille ans d'excellence universitaire ; Derrida et Foucault corrompraient beaucoup plus dangereusement la jeunesse que ne l'avait fait la décennie des drogues et du sexe débridé. C'est que les néoconservateurs ont saisi l'occasion pour transformer une querelle de campus en débat national, et lancer une guerre idéologique dont les conséquences à long terme seront désastreuses.

La querelle du canon

Le premier de ces champs de bataille se prête aux jeux de mots érudits dont raffolent les universitaires américains. Le « canon » devient à ce point polémique qu'il retrouve son sens premier de bombarde. Le débat auquel il mène sur les programmes de cours plonge bientôt l'université dans une « lutte des classes » d'un genre neuf. Et les nouveaux radicaux ont eu raison de suspecter les classiques : il suffisait de scinder le seul mot de chef-d'œuvre pour dévoiler sa dimension impérialiste – le *masterpiece* des grands génies devenant le *master's piece*, le morceau du Maître, son arme, sa ressource. Selon les chapelles et les arguments, le canon des œuvres de référence fait l'objet de deux reproches distincts. D'une part, son existence même trahirait le rôle de propagande dévolu à l'éducation générale, puisque Dante, Gœthe ou Shakespeare exprimeraient un même et unique point de vue sur le monde, « universaliste » et « occidentalocentriste ». Mais, d'autre part, si l'on en gardait quand même le principe, il faudrait que ce canon fût représentatif des différentes composantes de la société américaine, et intégrât donc un certain nombre d'auteurs-femmes et de minorités ethniques. Cette question du canon n'est pas par hasard au cœur du conflit opposant multiculturalistes radicaux et conservateurs au pouvoir. Car la *canonisation* des œuvres renvoie au rôle historique de légitimation culturelle qui est celui de l'institution scolaire, et sur un mode plus prosélyte, à la mission évangélisatrice qu'implique cette fonction de consécration : pour l'université, délimiter « entre ce qui mérite d'être transmis et acquis et ce qui ne le mérite pas » revient, comme le propose Pierre Bourdieu, à jouer le double rôle culturel qu'attribuait Max Weber à l'Église, « établir ce qui a et ce qui n'a pas valeur de sacré [puis] le faire pénétrer dans la foi des laïques[1] ». Le canon est une pratique d'exclusion, une façon de barrer la route aux idées et aux formes extérieures considérées comme des menaces pour

---

1. Pierre BOURDIEU, *Les Règles de l'art*, *op. cit.*, p. 209-211.

l'ordre établi – depuis au moins le IIᵉ siècle avant J.-C., quand les Romains proscrirent officiellement de leurs écoles, sans succès, les œuvres et les idées grecques.

De leur côté, les grands humanistes du champ littéraire anglo-saxon avaient fait de ce *numerus closus* des chefs-d'œuvre la condition même d'un savoir général. Le rôle de l'université était pour Matthew Arnold d'enseigner « le meilleur de ce qui a été pensé et su dans le monde », avant qu'en 1930, le président de l'université de Chicago Robert Maynard Hutchins ne lance le programme dit des « grands livres (*great books*) de la civilisation occidentale », autour desquels organiser toute la scolarité des étudiants de premier cycle. Deux aspects qui différencient de ses équivalents européens cette doctrine américaine des livres canoniques expliquent qu'elle soit devenue dès le début des années 1980 la cible des nouveaux radicaux – alors qu'en ses heures les plus contestataires, la jeunesse européenne n'en avait jamais fait un enjeu, et qu'en outre, dans l'éducation secondaire américaine, les manuels d'histoire avaient pu être révisés sans polémique dix ans auparavant pour dénoncer l'esclavagisme et le colonialisme. Le premier aspect de ce canon américain est d'être « occidental » et non pas national, rassemblant des auteurs que leur éloignement dans le temps et l'espace et leur rôle de jalons dans l'histoire de l'Occident (de la Bible à Milton, d'Homère à Freud) transformèrent en cibles désignées du nouveau discours : l'Occident a pour propre de dominer le monde, et l'Amérique en est le fer de lance. D'autre part, ces cours généraux pratiquent le survol des siècles et des disciplines, étudiant moins des livres que des extraits, moins des textes que l'histoire des idées, dans un pays où la jeunesse étudiante lit en outre moins qu'en France. C'est donc pour adapter cet enjeu ancestral aux apports récents des théories littéraires et des politiques identitaires que certains professeurs ou administrateurs vont inaugurer, sur quelques campus d'élite, des canons alternatifs ou même des cours sans référence au canon – suscitant des controverses disproportionnées en regard de leurs prudentes innovations.

La plus célèbre est celle que déclenche, en mars 1988, le rectorat de l'université de Stanford en remplaçant, suite aux revendications supposées d'un syndicat étudiant noir, son programme d'enseignement nommé « culture occidentale » par un ensemble de cours dont toute référence à l'Occident a été retirée du titre – « culture, idées, valeurs » (*culture, ideas, values*). Pourtant, sept des huit cours du programme sont restés presque inchangés, et sur la liste des lectures obligatoires (*required reading*) dans chacun d'eux, des œuvres non occidentales (de Confucius aux contes africains, du

Coran à la poésie indienne d'Amérique du Sud) ont été simplement *ajoutées* et non substituées aux classiques occidentaux. Mais les parties en présence se ruent sur cette affaire pour en faire le symbole de ce que chacun dénonce. En présence du révérend Jessie Jackson, les minorités défilent sur le campus au son d'un slogan qui fera la manchette des journaux – « *Hey, hey, ho, ho, Western culture's got to go* » (la culture occidentale doit laisser la place). Tandis que le secrétaire à l'Éducation de Ronald Reagan, William Bennett, déplore une défaite de l'Occident contre « l'ignorance et l'irrationalité », l'affaire de Stanford s'étend vite à un grand nombre de campus. Les minorités y réclament une plus grande diversité culturelle du canon, ou même son abandon au titre de son « sexisme » et de son « racisme », tandis qu'étudiants et professeurs conservateurs font déjà signer des pétitions contre les réformes pressenties. Comme les baptise bientôt un journaliste du *New York Times* en tête d'un essai-bilan, les « guerres du livre » ont commencé[2]. Si la couverture de presse du phénomène en donne une image quelque peu déformée, en privilégiant les exemples les plus caricaturaux, les excès ne fusent pas moins des deux côtés.

Ainsi, les contre-corpus se déclinent désormais au carré, sans qu'un terme pût être mis aux revendications minoritaires. À l'image de ces étudiantes noires boycottant en 1991 un cours de *women's studies* de l'université du Michigan parce qu'un tiers « seulement » des livres au programme sont écrits par des « non-Blanches », les affinités identitaires s'additionnent les unes aux autres pour faire de la critique du canon un exercice obligé. Et les plus radicaux de ces nouveaux théoriciens n'hésitent pas à recommander, de leur côté, l'abandon de toute liste de lecture au titre qu'un « texte spécifique » signalerait déjà la contrainte pédagogique propre à l'université blanche, et/ou masculine. À moins qu'ils n'acceptent le canon occidental, mais pour un cours destiné à en exposer didactiquement les travers politiques – ethnocentrisme de Shakespeare, misogynie de Balzac, colonialisme de Defoe. Côté conservateur, il n'est pas rare que la défense des grandes œuvres pour leurs qualités intrinsèques, argument encore trop modéré laissé aux humanistes traditionnels, cède la place à des plaidoiries plus lyriques pour la « survie de l'Occident » contre les barbares, ou en faveur de l'« élitisme culturel » comme seul principe d'éducation[3]. Dans ce concert d'invectives, les positions de bon sens, plus posées, peinent à se faire

---

2. James ATLAS, *The Book Wars : What It Takes To Be Educated in America*, New York, Whittle Books, 1990.

3. *Cf.* William HENRY III, *In Defense of Elitism*, New York, Doubleday, 1994.

entendre. Ainsi Henry Louis Gates peut-il s'étonner que le simple projet de constituer un canon de la littérature noire-américaine soit « décrié comme raciste, séparatiste, nationaliste », alors que selon lui, suivi en cela par de nombreux intellectuels – moins cités bien sûr que les extrémistes des deux bords –, « réformer les programmes d'études pour pouvoir rendre compte de l'éloquence comparable des traditions africaine, asiatique et moyen-orientale, c'est commencer à préparer nos étudiants à leur rôle de citoyens d'une culture mondiale, éduqués avec une notion véritablement "humaine" des humanités[4] ». Mais la priorité va aux positions plus virulentes, reprises par la presse et les essayistes en vogue. D'un côté, le maintien d'un canon occidental, même à titre comparatif, est présenté comme une insulte faite aux opprimés ; de l'autre, l'ouverture de ce même canon à des cultures ignorées, à des groupes marginalisés mais producteurs d'œuvres importantes – simple rattrapage d'un retard de l'université –, revient à déclarer la guerre à l'Occident. « Je ne comprends pas pourquoi nous ne pourrions pas étudier à la fois la culture occidentale et le multiculturalisme, pourquoi nous ne pourrions pas exposer les relations historiques et contemporaines entre diverses cultures[5] », déclarait la présidente de la MLA, Catharine Stimpson, dans son discours d'ouverture de la convention de 1990 – moins entendue pourtant cette année-là que les déclarations de guerre à la « culture blanche » de l'historien noir Leonard Jeffries, ou l'option plus simple encore du conservateur Allan Bloom, « Shakespeare ou rien ».

La querelle du canon a aussi pour effet d'élargir le fossé séparant les deux avant-gardes, inspirées toutes deux par la théorie française, du champ littéraire américain – critiques formalistes ou déconstructionnistes, et tenants des *Cultural Studies* et des études minoritaires. Là où ceux-ci se réjouissent qu'émergent des contre-corpus, ou même qu'un canon élitiste laisse la place comme objet d'étude aux produits de la *pop culture*, ceux-là, à Yale et ailleurs, invoquent encore et toujours les mêmes « indépassables » classiques. En pleine tempête, le derridien Hillis Miller opte sans hésiter pour la position conservatrice qu'hésitent encore à défendre ses collègues : « Je crois dans le canon établi des littératures anglaise et américaine, et dans la validité même du concept de textes "privilégiés"[6] ». Il faut dire qu'au jeu des canons révisés et des corpus « égalitaires », chacun des auteurs associés à la théorie française est devenu soudain suspect

---

4. Henry Louis GATES Jr., « Whose Canon Is It, Anyway ? », *op. cit.*
5. Cité *in* Christopher J. LUCAS, *American Higher Education : A History, op. cit.*, p. 274.
6. Cité *in* Michael BÉRUBÉ, « Public Image Limited », *Village Voice*, 18 juin 1991.

– Derrida parce qu'il analyse surtout Platon, Rousseau et Heidegger, Julia Kristeva pour ses hommages à Mallarmé ou Raymond Roussel, et Deleuze parce qu'il ne cache pas ses préférences pour Melville et Kafka. Pourtant, derrière les détournements idéologiques dont on verra qu'elle a fait l'objet, cette querelle du canon littéraire aura eu pour conséquence plus durable, et bénéfique, de lancer un débat national[7]. Surtout, elle aura fait découvrir aux étudiants et souvent aux enseignants des traditions méconnues, et les aura fait réfléchir – plus théoriquement – à la relativité culturelle des canons, à leur rôle politique de classement et d'exclusion, et même à cette forme de culture anonyme, désincarnée, à laquelle s'apparentent les listes de classiques ingérées sans broncher par leurs prédécesseurs. Car relativité n'est pas relativisme, concluait sur ce point Edward Said, en se félicitant que « pour la première fois dans l'histoire moderne, l'imposant édifice du savoir et des humanités reposant sur les classiques des lettres européennes [...] ne représente plus qu'une fraction des interactions humaines et des relations réelles qui ont lieu aujourd'hui dans le monde[8] ».

Les méprises du PC

Au-delà du canon, ce sont les rapports sociaux entre les sexes et les races que les experts de la question minoritaire entendent désormais codifier sur le campus, à la fois par une régulation des comportements et une euphémisation stricte du langage. C'est l'avènement du « *politically correct* » (PC, à prononcer *Pee-Cee*), un terme qu'employaient déjà, significativement, certains rebelles politisés des « seventies » pour désigner l'attention excessive des féministes ou des culturalistes aux *signes* de l'oppression aux dépens de sa substance – et un terme qu'on ne traduira pas ici, pour éviter les connotations bien floues du « politiquement correct » français. Car le phénomène est double, sa face caricaturale – ou autoparodique – cachant ses enjeux politiques réels. Au tournant des années 1980, l'émergence des thèses multiculturalistes dans l'université et d'un communautarisme plus nettement séparatiste dans les grandes villes a en effet aggravé les tensions historiques, non seulement entre minorités et majorité – l'aile droite de celle-ci soudain galvanisée par le triomphe des républicains –, mais entre les communautés

---

7. Jusqu'aux plateaux de la télévision publique, comme ce débat « Do We Need the Western Canon ? », sur la chaîne PBS le 30 octobre 1997.

8. Edward SAID, « Secular Criticism », *in* Moustafa BAYOUMI et Andrew RUBIN (dir.), *The Edward Said Reader, op. cit.*, p. 236.

elles-mêmes, sur les campus et au-delà. Une certaine dose de régulation n'était donc pas illégitime. Mais ses effets pervers découleront de ses excès, lorsqu'il deviendra impossible pour un étudiant ou un enseignant membre d'une minorité d'exister dans l'université *hors* de cette affiliation identitaire, impensable de ne pas traquer toutes les insultes homophobes si l'on est gay, ou de ne pas étudier l'Afrique si l'on est noir. D'où les exagérations du PC, son évolution dans certains cas – là encore montés en épingle par la presse, mais peu représentatifs de l'ensemble des campus – vers une police pointilleuse du lexique et de la gestuelle, qu'a très bien résumée le chroniqueur du *Village Voice* Richard Goldstein en se prêtant à un autoportrait PC : « Un homme un peu gras, court sur pattes et presque chauve comme moi peut désormais parler de lui, sans vraiment plaisanter, comme une personne de poids, dotée d'une stature différente, et dont la capillarité est en péril[9]. » Car la codification du langage autorisé n'est pas seulement l'aspect le plus spectaculaire du PC, mais aussi son terrain privilégié. Le postulat éthique en est que la langue ordinaire, insidieusement performative (en *produisant* ses victimes), inconsciemment péjorative, infligerait une *souffrance* aux minorités quelles qu'elles soient.

Or des « gens de couleur » (les Noirs) aux « personnes caucasiennes » (les Blancs), la périphrase de désignation qui se veut neutre relève quant à elle, au-delà du geste de respect, d'une certaine violence taxinomique, d'une démarche politique de classement, en figeant chaque groupe dans le marbre d'une formule officielle. Outre qu'elle introduit, tel un *incipit* mythologique, au récit séparé d'une culture. Ainsi, à côté des débats de philologues sur la bonne désignation des sourds, entre « affaiblis de l'ouïe » (*hearing impaired*) et « défiés de l'audition » (*audibly challenged*), un véritable combat a été mené pour systématiser au moins l'usage de la majuscule à « Sourd » (*Deaf*), signe qu'une histoire et une culture demandent ici à être reconnues, à l'égal des minorités qui ont déjà leur majuscule. Les batailles, dans ce domaine, ont concerné la reconnaissance du langage des signes comme langue officielle, ou l'exigence que le président de l'université Gallaudet pour les malentendants, à Washington, soit désormais un(e) sourd(e) (ce qui fut obtenu en 1988) et même, pour les plus radicaux d'entre eux, la dénonciation des appareils d'aide à l'audition, cornets ou implants, comme menaces pour la culture du groupe. On a déjà évoqué, dans cet ordre d'idées, le cas des handicapés physiques qui, s'ils n'ont vu

---

9. Richard GOLDSTEIN, « The Politics of Political Correctness », *Village Voice*, 18 juin 1991.

leur champ d'études spécifique (*disability studies*) reconnu qu'à la convention de la MLA de 2002, firent l'objet dès les années 1980 de cette reformulation positive du handicap en « capacité alternative » (*differently abled*) qui tend aussi à en refouler la douleur, à voiler une négativité, sous prétexte d'en effacer toute valeur connotative. Il n'est pas jusqu'au terme désignant dans l'université le chef d'un département qui n'ait suivi à son tour pareille évolution neutralisante : on passe ainsi, pour une directrice, d'un « *Madam Chairman* » jugé rétrograde au « *Chairwoman* » du féminisme classique puis à la « *Chairperson* » et enfin au « *Chair* » d'un féminisme postessentialiste. Ce déplacement, parfois grotesque, du combat politique sur le seul terrain du langage et de ses usages trouve paradoxalement sa justification dans la tradition pragmatiste américaine. Sur des campus de plus en plus déconnectés de la cité, et donc impuissants à y obtenir gain de cause, la seule façon d'engranger des résultats tangibles fut de limiter les revendications au domaine du lexique, au règne du symbolique. Quitte à prendre le risque de vider la question du langage de ses enjeux extra-linguistiques, de ses référents réels, ou même de son rôle d'instrument dans le débat d'idées – lequel a pu devenir parfois impossible : les colloques se multiplient où les seules questions qui fusent, comme des fins de non-recevoir, portent sur le nombre de femmes ou de Noirs inscrits au programme de telle ou telle table ronde.

Une autre tradition américaine est ce béhaviorisme à trame linguistique qui traite gestes et attitudes comme formant un *langage* propre. C'est pour cette raison, plus qu'à cause d'une véritable recrudescence des délits de gestuelle injurieuse ou de harcèlement sexuel, qu'on passe bientôt du langage PC aux *comportements* PC. Afin de faire face à la multiplication des plaintes, justifiées ou mensongères, universités et administrations publiques émettent, dans ce domaine, des circulaires et des recommandations qui, citées hors contexte par les journalistes, vont largement alimenter la controverse. Elles décrivent et tâchent de prévenir ce qu'elles appellent l'injure de discrimination esthétique (*lookism*), l'insulte raciale latente (*ethnoviolence*) ou même le harcèlement sexuel dans le cadre d'une relation naissante – *date rape*, *date* désignant cette pratique américaine déjà elle-même largement codifiée de rapprochement graduel et officiel, de dîner en sortie, *avant* le rapport sexuel, tandis que le mot *rape* révèle ici qu'une simple question indiscrète peut être assimilée à un viol. Elles émanent du groupe de projet du Département de l'éducation de l'État de New York, du rapport préliminaire de l'université Tulane en Louisiane, des formulaires d'accueil des nouveaux inscrits à Smith College, ou encore du célèbre programme AWARE (vigilance) monté par le nouveau bureau dit « des affaires minoritaires et des relations raciales » d'Harvard. Parce qu'une menace de plainte peut être utilisée, dans cette atmosphère chargée, comme moyen de pression sur un supérieur hiérarchique, les conservateurs brandiront les rares cas de professeurs acculés à la démission par des maîtres-assistants ou des étudiants « haineux », jusqu'à inventer parfois de toutes pièces quelques affaires retentissantes. C'est le cas de l'« affaire Thernstrom », du nom d'un historien d'Harvard supposément accusé de « préjugé raciste » par ses étudiants de premier cycle, et cité à l'envi par les républicains Dinesh D'Souza ou Roger Kimball, sans qu'une enquête sérieuse ait jamais corroboré leurs allégations d'atteinte à la liberté d'expression[10]. Affublé de références à la *novlangue* de George Orwell et à un nouveau totalitarisme de campus, un véritable « monstre PC » est ainsi constitué, dont seraient les prochaines victimes les professeurs blancs fidèles au canon ou les quelques étudiants « honnêtes » qui auront le malheur de lire encore Milton.

Reste la question, vivement débattue elle aussi, de la discrimination positive (*affirmative action*) visant à favoriser les minorités dans la sélection des étudiants et le recrutement des enseignants. Elle renvoie au thème de « l'égalité des chances universelle » (*Universal Equal Opportunity*) comme mythe fondateur de l'éthique américaine du travail. Un mythe que les avancées du droit social sous le New Deal de Roosevelt puis la reconnaissance des droits civiques dans les années 1960 ont transformé partiellement en réalité juridique – et inscrit au Code du travail aussi bien que sur les bulletins de salaire. Mais l'existence d'une commission et d'une caisse fédérales vouées à favoriser l'embauche des minorités, et de rares précédents dans la jurisprudence américaine, n'empêche pas la Cour suprême, dans son arrêt de juin 1978 sur l'affaire Allan Bakke (du nom d'un étudiant blanc dont le dossier a été refusé à l'entrée de l'école de médecine de l'université de Californie), de déclarer anticonstitutionnelle la pratique des quotas et de la diversité « quantifiée ». Ces quotas n'entreront jamais *formellement* en vigueur. Mais au fil des années 1980, la pression interne des groupes minoritaires et le zèle de quelques doyens font entrer la discrimination positive dans la pratique de plusieurs campus. Souvent au détriment de problèmes plus urgents, de la hausse des droits d'inscription à la baisse des aides fédérales, et même d'une considération de contenu,

---

10. *Cf.* Michel BÉRUBÉ et Cary NELSON (dir.), *Higher Education Under Fire*, New York, Routledge, 1995, p. 82-83.

et non purement symbolique, de chaque dossier. L'affaire Loïc Wacquant est emblématique. Le jeune chercheur français, après une thèse sous la direction du sociologue noir William Julius Wilson sur le rôle de la boxe (qu'il s'est mis à pratiquer, par souci d'immersion) dans le ghetto de Chicago, a été recruté en 1992 par l'université de Berkeley avant que des activistes du campus ne contestent son embauche, au titre de la discrimination positive, et ne forcent la direction à rouvrir la campagne de candidature. Wacquant sera bien embauché l'année suivante, mais il gardera en mémoire cette cuisante découverte – que la couleur de la peau compte plus, pour les nouveaux militants, que la nature même des recherches et de l'enseignement.

Au-delà, la déclinaison de quelques cas « scandaleux » permet aux conservateurs, dans l'université mais aussi dans les rangs du parti républicain, de justifier leur appel à une urgente « remoralisation » de l'Amérique. Contre le modèle multiculturel, qui n'a pourtant pas attendu la police linguistique des années 1980 pour animer la mosaïque socio-culturelle américaine, ils défendent les thèses universalistes et intégrationnistes d'une culture dominante, hiérarchique, à laquelle se plier. Les excès selon eux des années 1960 et la nouvelle guerre des cultures qu'elle aurait entraînée vingt ans plus tard marqueraient les limites du vieux *melting-pot* américain, qu'il conviendrait de « dépasser » vers une refondation unitaire, autour de références stables. De fait, non seulement le modèle multiculturel est alors en crise aux États-Unis, mais la remoralisation fait souvent figure de seule alternative, qu'il s'agisse de défendre ainsi l'Occident menacé ou, au contraire, d'inspecter le langage et de codifier les gestes. Ou encore, loin cette fois des batailles du PC, d'imposer les nouvelles normes de civilité du « citoyen responsable » – écologie, diététique, hygiène, politesse. Des stratégies politiques conservatrices jusqu'aux malaises d'une Amérique divisée, sans oublier la crise de l'éducation primaire et secondaire publique – dont les budgets comme le niveau moyen chutent durant cette période –, tout concourait décidément à ce qu'un débat strictement universitaire, lié aux discours minoritaires et aux théories radicales, prît soudain une ampleur nationale. Au point qu'on peut affirmer, comme le fait la thèse forte d'Eric Fassin, qu'au-delà des nouvelles rhétoriques communautaires, le « *politically correct* » fut avant tout « une construction de la polémique[11] ».

---

11. Eric FASSIN, « La chaire et le canon : les intellectuels, la politique et l'université aux États-Unis », *Annales ESC*, n° 2, mars-avril 1993, p. 300.

Jean-Jaques Lebel, Peter Orlovitz, Allen Ginsberg
(au téléphone), Raymond Foye et Félix Guattari
(assis) dans la cuisine de Ginsberg
à New York (1975).
Photo S. Rolnick © Archives Jean-Jacques Lebel.

Les numéros de la revue *Semiotext(e)* sur
Bataille (1976) et Nietzsche (1978).
© *Semiotext(e)*.

Gilles Deleuze sur la plage de Big Sur en Californie (1975).
Photo Jean-Jacques Lebel © Archives Jean-Jacques Lebel.

Gilles Deleuze et Félix Guattari sur une route de Californie (1975).
Photo Jean-Jacques Lebel © Archives Jean-Jacques Lebel.

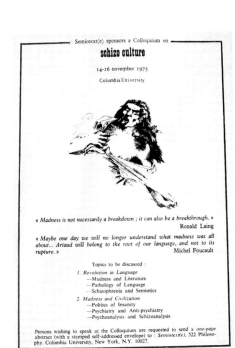

Affiche de la conférence schizo-culture,
New York (1975). Invités d'honneur
Ronald Laing et Michel Foucault.
© Semiotext(e).

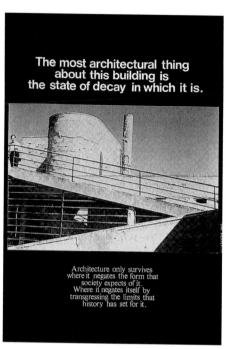

The most architectural thing
about this building is
the state of decay in which it is.

Architecture only survives
where it negates the form that
society expects of it.
Where it negates itself by
transgressing the limits that
history has set for it.

« Ce qu'il y a de plus architectural dans ce
bâtiment est son état de délabrement »,
affiche de Bernard Tschumi (1975),
dix ans avant la vogue de l'architecture
« déconstructionniste ».
© Bernard Tschumi.

Photo de Manhattan et de l'East River prise par Félix Guattari (1975).
© Archives Jean-Jacques Lebel.

Michel Foucault à Berkeley
entouré de ses étudiants
(1983). © Paul Rabinow.
Fonds Michel Foucault / IMEC.

Michel Foucault à Central Park,
New York (*circa* 1973).
© Jean-Pierre Frayssinhes.
Fonds Michel Foucault / IMEC.

Serge Doubrovski, Roland Barthes et Tom Bishop à New York University (1976). © NYU.

Jean Baudrillard sur scène en clôture
du symposium « Chance » au casino
Whisky Pete's, Nevada (1996).
© Paul Morse / Los Angeles Times.

Jean Baudrillard,
Sandy Stone et
Sylvère Lotringer
au symposium
« Chance »
(1996).
© Chris Kraus.

« L'apesanteur postmoderne
sournoisement déconstruite » :
le canular d'Alan Sokal en
« une » du *New York Times*,
le 18 mai 1996.
© New York Times Company.

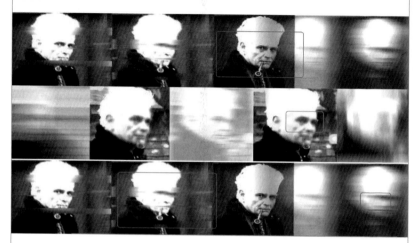

What if someone came along who CHANGED not the way you THINK about everything, but EVERYTHING about the way you think?

POTENT AND PROFOUND... Peter Travers, Rolling Stone CAPTIVATING AND WITTY. Claudine Mullard, Le Monde
ONE OF THE BEST DOCS AT SUNDANCE. Dinnis Lim Village Voice CUNNING... INSPIRATIONAL. AND
UNEXPECTEDLY MOVING. Rachel Rosen, Film Comment

OFFICIAL SELECTION
SUNDANCE
FILM FESTIVAL

GOLDEN GATE AWARD
WINNER
SAN FRANCISCO INTERNATIONAL
FILM FESTIVAL

D E R R I D A

A FILM BY KIRBY DI C K AND
AMY ZIERING KO F M A N

A JANE DOE FILMS PRODUCTION ORIGINAL SCORE RYUICHI SAKAMOTO CAMERA KIRSTEN JOHNSON ASSOCIATE PRODUCER GIL KOFMAN
EDITORS KIRBY DICK MATT CLARKE PRODUCED BY AMY ZIERING KOFMAN DIRECTED BY KIRBY DICK and AMY ZIERING KOFMAN

« Et si quelqu'un débarquait qui change soudain, non pas tant la façon dont vous pensez à propos de tout, mais tout à propos de la façon dont vous pensez », affiche du film *Derrida* de Kirby Dick et Amy Ziering Kofman (2002).
© Michael Knudsen.

Un débat national

La mobilisation de la presse contre le PC s'explique par l'habileté des conservateurs qui, de tribune libre en « tuyau » aux reporters, sollicitent les journaux. Elle a trait aussi à l'évolution idéologique d'une corporation elle-même en pleine métamorphose – entre concentration capitalistique de la presse modérée et déclin de la presse d'opinion, surtout à gauche. Mais elle a aussi ses motivations sociologiques. La vieille concurrence entre universitaires et journalistes, renforcée dans le cas américain par l'isolement social de ceux-là et le professionnalisme de ceux-ci, se trouve réactivée par des affaires qui permettent aux journalistes de réinvestir soudain – fût-ce par sa critique idéologique – un champ intellectuel dont les avaient exclus avec mépris les experts ès théorie. Jouant sur l'effet ludique des énumérations, les journaux associent pêle-mêle, dans le même tableau d'une arène extrémiste et jargonnante, multiculturalistes, militants homosexuels, *new historicists*, critiques marxistes, derridiens ésotériques, néo-féministes et héritiers des Black Panthers. Le ton est souvent plus virulent qu'aux pires heures de la guerre froide. L'éditorial du *Chicago Tribune* du 7 janvier 1991 accuse le professorat de rien moins que de « crime contre l'humanité ». Le populaire *New York Post* lui emboîte le pas en appelant à se débarrasser des « flics PC de la littérature ». Le *New York Times* avait déjà dénoncé fin 1990 « l'hégémonie croissante du *politically correct* », tandis que dans son édition du 24 décembre, *Newsweek* décrit cette « philosophie totalitaire » et sa « police de la pensée » sous les traits d'un « maccarthysme de gauche » – là où, quarante ans plus tôt, les purges maccarthystes bien réelles dans l'université n'avaient pas fait l'objet d'un seul entrefilet dans cet hebdomadaire « centriste ». De fait, les comparaisons avec le nazisme ou la purge maccarthyste sont légion. Dans le magazine *New York*, John Taylor préfère aux preuves sourcées des accusations qu'il avance leur comparaison peu subtile avec une époque révolue – lettres gothiques des surtitres et photographies d'autodafés nazis accompagnant l'article [12]. En l'absence d'analogies aussi explicites, les figures virales ou botaniques de l'infection, du grouillement insidieux et des plantes carnivores (le *New York Times* décrit la déconstruction comme « une colonie tropicale française, un Paris plein de serpents, qui aurait poussé soudain sur notre gazon ») rappellent quant à elles une rhétorique oubliée – celle du Juif de la presse antisémite ou du communiste de la guerre froide, menaçant

---

12. John TAYLOR « Are You Politically Correct ? », *New York*, 21 janvier 1991.

derrière leurs airs respectables d'étrangler de leurs tentacules les citoyens innocents. Tous les journaux ne filent pas des métaphores aussi suspectes, mais l'unanimité de la presse généraliste, où se font rares soudain le recoupement des sources et même l'enquête de terrain, n'en est pas moins stupéfiante, du *New York Times* au *Washington Post*, de *Time* au plus satirique *Esquire*, du *Wall Street Journal* à l'hebdomadaire de gauche *The Nation*, et des magazines de mode au mensuel financier *Forbes* – avec pour exception notable le *Village Voice*.

Seul le courrier des lecteurs fait une place aux opinions adverses, ou à des points de vue plus modérés – à l'image de cette lectrice du *New York Times* qui note, dans une lettre de juin 1991 à propos des « idéologues français infatués » dénoncés dans le journal, que « les gens ne devraient pas se sentir menacés par la théorie française, même s'il est toujours tentant d'essayer d'éliminer ce qu'on ne comprend pas : ce n'est pas un cas de "ou bien/ou bien", du moins ça ne devrait pas l'être ». Il faut dire que le célèbre quotidien venait d'offrir la une de son supplément littéraire à l'essayiste Camille Paglia, qui y avait raillé violemment, dans un style pamphlétaire disparu depuis longtemps, les inspirateurs français comme les experts américains des nouveaux discours minoritaires : ceux-là étaient dépeints comme des « esprits de comptable » et des « tueurs d'amour » qu'il faut « expulser de nos rayonnages », tandis que ceux-ci, pour s'être vendus à l'étranger, étaient présentés comme des « sbires [...] choyés s'agenouillant pour embrasser les égos français », des « pédants [...] au foie fleuri » et de vulgaires « colporteurs d'ordure étrangère » – un article qui fit date aussi bien pour sa plume hargneuse que pour la source étrangère qu'il révélait ainsi à ses lecteurs de la nouvelle engeance identitaire, imputable donc aux « tyrans » français avant de l'être aux universitaires du cru [13]. La même année, sans relever ces diatribes francophobes, la presse française s'était fait l'écho, de loin en loin, des nouvelles controverses américaines, pour dénoncer à son tour les « nouveaux maîtres censeurs [14] » PC de l'université et une dérive des campus qui y marquerait « le crépuscule de l'Europe [15] ». Tzvetan Todorov, qui avait déjà rallié le camp conservateur, intervenait même dans le débat américain en comparant la critique multiculturaliste de

13. Camille PAGLIA, « Ninnies, Pedants, Tyrants and Other Academics », *New York Times Book Review*, 5 mai 1991.

14. Pierre NORA, « Les nouveaux maîtres censeurs », *Le Nouvel Observateur*, 29 août-4 septembre 1991.

15. « Le crépuscule de l'Europe sur les campus américains », *Le Messager européen*, n° 5, 1991.

l'« objectivité » et le discours du bourreau O'Brien dans *1984* d'Orwell[16]. Mais pour qu'un conflit de campus, aussi vigoureux fût-il, réveillât à ce point les passions, jusque dans les colonnes des journaux américains puis mondiaux, il a fallu aussi un scandale qui, plutôt qu'aux excès de la *novlangue* multiculturelle, renvoyait plus directement à l'antisémitisme et à la Seconde Guerre mondiale – c'est l'affaire Paul de Man.

En 1986, le *New York Times* révélait le passé de collaborateur du grand critique derridien, qui avait tenu jusqu'en 1942, dans le quotidien belge *Le Soir*, une rubrique proallemande et occasionnellement antisémite – dont l'article du 4 mars 1941 sur « Les Juifs dans la littérature contemporaine », qui émut plus que d'autres les collègues de de Man pour la remarque qu'il y faisait que l'expulsion des Juifs d'Europe, et de leurs « quelques personnalités de médiocre valeur » artistique, n'aurait « pas de conséquence déplorable pour la vie littéraire occidentale[17] ». Intervenues dans la foulée des polémiques européennes sur les concessions au régime nazi de Martin Heidegger – lui-même référence clé de la déconstruction –, ces révélations déchaînent soudain essayistes et éditorialistes, dans des proportions sans rapport avec la faute passée de de Man, aussi impardonnable fût-elle. Le « relativisme » tant conspué de la théorie française, dont ses détracteurs assurent qu'elle conduit à l'indistinction du vrai et du faux, du bien et du mal, trouverait là ses sources historiques. Interrogés par la presse nationale, des professeurs qui préfèrent garder l'anonymat dénoncent dans la déconstruction « un vaste projet d'amnistie pour les politiques collaborationnistes de la Seconde Guerre mondiale » ou même « un autre Reich de mille ans qui aura duré douze ans[18] ». Le lien est fait en tout cas par de nombreux journaux avec le « racisme à l'envers » des zélateurs contemporains du PC : il n'y aurait qu'un pas, selon eux, de l'antisémitisme hitlérien aux politiques excluantes des militants de campus. Autant d'attaques largement déplacées, puisque l'œuvre de de Man ne se réduit pas aux errances coupables de sa jeunesse, et que ses complices intellectuels sont tous juifs, Harold Bloom bien sûr mais aussi le séfarade Derrida (qui vint assez maladroitement à sa rescousse en suggérant de « déconstruire » les articles de guerre

---

16. Tzvetan TODOROV, « Crimes Against Humanities », *The New Republic*, 3 juillet 1989, p. 28-30.

17. Werner HAMACHER *et al.* (dir.), *Paul de Man, Wartime Journalism 1939-1943*, Lincoln, University of Nebraska Press, 1989, p. 45.

18. Cité *in* David LEHMAN, « Deconstructing de Man's Life », *Newsweek*, 15 février 1988. L'auteur de l'article consacrera un livre acerbe à l'affaire : *Signs of the Times : Deconstruction and the Fall of Paul de Man*, New York, Poseidon Press, 1991.

de de Man) et l'exilé juif allemand Geoffrey Hartman – qui cofondait même à Yale le programme de *Judaic Studies*. Reste que cette affaire Dreyfus inversée fournissait à certains les éléments biographiques autorisant à appuyer sur des faits, et même sur la grande Histoire, les dangers supposés du nouveau relativisme théorique.

Ce ne sont pourtant ni ces attaques biographiques ni les campagnes de presse qui ont transformé un conflit de campus en débat national, mais les succès de librairie inattendus des trois grands pamphlets conservateurs de la décennie – attaques *ad hominem* contre les nouveaux relativistes américains et leurs maîtres français. Michael Bérubé s'en étonne, non sans humour : « Vous n'avez qu'à dire au public américain que ses enfants sont endoctrinés de force par des multiculturalistes déconstructionnistes fascistes communistes féministes, et vous tenez un vrai best-seller – et un argument auquel même les non-spécialistes auront accès[19]. » Le premier de ces essais est celui d'Allan Bloom sur « la fin de l'esprit américain », resté plus d'un an sur la liste des meilleures ventes. Au nom des humanités classiques et d'une Amérique unie, le livre ajoute aux arguments rodés d'un Alain Finkielkraut la même année dans *La Défaite de la pensée* (sur le tout-culturel, la télévision uniformisante et le rock décérébrant) le portrait apocalyptique d'une université américaine aux mains des barbares, et où l'on ne lit plus que les lesbiennes noires et les biographies de *rock stars*[20]. Mais cette complainte nostalgique est moins stratégique que les deux autres best-sellers conservateurs de l'époque. Le second, *Illiberal Education*, est signé du brillant Dinesh D'Souza, jeune conseiller de Reagan né en Inde et passé par les universités d'élite. Il avertit plus subtilement des dangers que feraient courir au pays ses nouveaux « Visigoths in tweed », militants multiculturalistes « au pouvoir » sur les campus : balkanisation du tissu social, fin de la liberté d'expression, abolition de la méritocratie savante, et les effets pervers de réformes qui desserviraient ceux et celles qu'elles prétendaient « sauver »[21]. Enfin, l'ordre d'arguments invoqué apparaît plus nettement encore à la lecture du troisième brûlot, la satire morale de Roger Kimball *Tenured Radicals* (*tenure* désignant la titularisation des enseignants). Une filiation spécifiquement française de

---

19. Michael BÉRUBÉ, « Public Image Limited », *op. cit.*
20. Allan BLOOM, *The Closing of the American Mind*, New York, Simon & Schuster, 1987 [tr. fr. *L'Âme désarmée : essai sur le déclin de la culture générale*, Paris, Julliard, 1988].
21. Dinesh D'SOUZA, *Illiberal Education : The Politics of Race and Sex on Campus*, New York, Vintage, 1991.

l'« égalitarisme totalitaire » y est d'abord mise en avant, depuis la Terreur robespierriste jusqu'à la « politisation » de tout discours chez Foucault et Derrida (sic), pour lesquels « toute la vie culturelle [serait] indexée sur les rapports de pouvoir[22] ». Vient ensuite la filiation américaine, puisque c'est « l'éthos radical des "sixties" [qui] l'emporte » en « obtenant dans les classes [...] ce qu'il n'avait pu gagner sur les barricades[23] » – continuité d'une génération à l'autre qui fait peu de cas de leurs différences sociologiques. On retrouve, ici et là, l'argument psychologisant d'une « haine » de leur propre héritage culturel chez des intellectuels tombés l'un après l'autre dans le « romantisme utopique », de Rousseau à Fredric Jameson[24]. La confusion délibérée entre multiculturalistes, théoriciens du texte et critiques marxistes (malgré les attaques de ces derniers contre la théorie française) est constante, renvoyant dos à dos tous les ennemis de la « démocratie » – jusqu'au morceau de bravoure consistant à comparer les « incitations au meurtre » émises par Franz Fanon... et le nazi Goering[25]. Rappelant les termes d'Allan Bloom, la conclusion est sans appel : « Le choix qui se présente à nous aujourd'hui n'est pas entre une culture occidentale "répressive" et le paradis multiculturel, mais entre culture et barbarie[26]. »

Tandis que se font rares les plaidoiries en faveur des nouveaux radicaux, ou démontant au moins la mauvaise foi des conservateurs[27], la mobilisation apparemment unanime atteint son comble avec l'intervention dans le débat en mai 1991, lors d'un discours à l'université du Michigan, du « président de l'éducation » – tel que s'était présenté George Bush à l'élection de 1988. Le président y fustige le phénomène PC, « qui a allumé la controverse à travers le pays », pour sa façon de « remplacer d'anciens préjugés par de nouveaux » et de « monter les citoyens les uns contre les autres[28] ». Bien sûr, des critiques plus modérées se font entendre, dénonçant les excès d'une évolution d'ensemble qui n'est pas pour autant rejetée en bloc. Professeur à l'université de Virginie et auteur d'une défense de l'« alphabétisation culturelle » des étudiants,

---

22. Roger KIMBALL, *Tenured Radicals : How Politics Has Corrupted Our Higher Education*, Chicago, Ivan R. Dee, 1998 [1990], p. XI-XIV.

23. *Ibid.*, p. 7.

24. *Ibid.*, par exemple p. XVI-XVII.

25. *Ibid.*, p. 46-47.

26. *Ibid.*, p. 236.

27. On peut citer un colloque de 1988, « The Politics of Liberal Education », repris ensuite dans la revue *South Atlantic Quarterly* (n° 89, hiver 1990).

28. Cité *in* Richard GOLDSTEIN, « The Politics of Political Correctness », *op. cit.*

E. D. Hirsch déclare que la « culture générale américaine » peut faire face sans dommages aux innovations tant débattues, puisqu'elle « a déjà elle-même assimilé beaucoup des références que veulent y inclure les avocats du multiculturalisme[29] ». Tandis que l'historien de la contre-culture Christopher Lasch moque le « pseudo-radicalisme » des universitaires incriminés[30], le critique Russell Jacoby impute le dialogue de sourds divisant l'Amérique à l'extinction depuis vingt ans de la figure publique de l'« intellectuel de gauche »[31]. Le grand historien Arthur Schlesinger intervient à son tour pour examiner, derrière les modes intellectuelles, ce que ces tensions inédites révéleraient de la « désunion » sociale américaine[32]. Mais, à côté des grands intellectuels centristes appelant ainsi de leurs vœux une discussion posée, la stratégie des conservateurs est plutôt d'envenimer le débat, en y associant tous les scandales du moment – l'« indécence » des nus masculins du photographe Robert Mapplethorpe exposés grâce aux deniers fédéraux, l'« élitisme » et l'« immoralité » dénoncés par la droite populiste des rares médias publics (la station de radio NPR et la chaîne de télévision PBS), ou les « dictatures gauchistes » encore en place à Cuba et au Nicaragua. La nationalisation du débat a pour effet en retour sur les campus d'y aggraver des tensions latentes. Entre 1986 et 1988, des violences raciales secouent plusieurs universités, dont celles de Chicago et de Pennsylvanie. Des bureaux d'aide financière sont saccagés pour avoir favorisé les étudiants non blancs. Les agressions homophobes (gay-bashing) et parfois même antisémites se multiplient. On voit réapparaître le drapeau sudiste des confédérés aux fenêtres de certains dortoirs. D'un côté, les récits détaillés de la presse ont sur certains éléments modérés un effet de supputation autoréalisatrice, les incitant soudain sur leur campus à revendiquer une identité qu'ils n'avaient jamais mise en avant, ou même à se comporter comme les journaux disent qu'ils le font. De l'autre, le succès de l'offensive conservatrice galvanise les étudiants les plus à droite. Mais c'est aussi qu'elle participe d'une campagne idéologique plus large, liée à l'émergence d'un nouveau courant sur la scène intellectuelle et politique américaine – les néoconservateurs.

---

29. Cité in Christopher J. Lucas, *American Higher Education : A History*, op. cit., p. 296.

30. Cité in Éric Fassin, « La chaire et le canon », op. cit., p. 290.

31. Russell Jacoby, *The Last Intellectuals : American Culture in the Age of Academe*, New York, Basic Books, 1987.

32. Arthur Schlesinger, *The Disuniting of America : Reflections on a Multicultural Society*, New York, W.W. Norton, 1991.

La croisade néoconservatrice

Dès 1984, William Bennett, alors directeur du National Endowment for the Humanities (NEH, l'organisme fédéral de soutien à la littérature et aux humanités), publie un rapport alarmiste sur le champ littéraire dans l'université : *To Reclaim a Legacy* déclare l'état d'urgence culturel et appelle à retrouver « une culture commune enracinée dans la vision à long terme de la civilisation, ses idéaux partagés les plus élevés, et son héritage[33] ». Un carteron de revues conservatrices prennent le relais, de *Commentary* à *National Interest* et le récent *New Criterion* de Hilton Kramer – qui couvre par le menu l'actualité infâmante du champ littéraire et les conventions annuelles de la MLA. À mesure que cette dernière radicalise ses positions, les conservateurs offrent leur aide à tous ceux qui font à son égard acte de dissidence. Le Committee for the Free World de Midge Decter, un cercle influent voué à la défense de la politique extérieure reaganienne, va ainsi transformer un groupement d'humanistes classiques fondé en 1975, la National Association of Scholars, en véritable arme de guerre contre la « gauche académique » : forte de près de 5 000 membres et de chapitres locaux dans trente États, elle tente de débaucher les adhérents de la MLA et distribue sur les campus des pamphlets « pour la civilisation » – au point de susciter la création d'un organisme adverse, Teachers for a Democratic Culture, en soutien aux « idées radicales » de l'université.

Cette guerre de campus à coups de slogans rageurs et d'associations concurrentes a aussi ses sources dans le ressentiment d'universitaires dominés, marginalisés par les nouveaux courants, dupés par l'acuité intellectuelle et les talents oratoires des plus en vue de ces « radicaux ». Ils n'ont d'autre choix que de tourner leur propre faiblesse en argument moral, selon la motivation des « conservateurs populistes » très bien décrite par Bourdieu : « Cet anti-intellectualisme de l'intérieur est souvent le fait d'intellectuels dominés […], que leurs dispositions éthiques et leur style de vie […] portent à se sentir mal à l'aise et comme déplacés, notamment dans leur confrontation avec les élégances et les libertés bourgeoises des intellectuels nés[34]. » Le mélange de morgue et d'ironie érudite avec lesquelles répondent à leurs assauts vertueux les plus brillants de leurs ennemis, de Stanley Fish à Joan Scott, de Fredric Jameson à

---

33. William BENNETT, *To Reclaim a Legacy : A Report on the Humanities in Higher Education*, Washington, National Endowment for the Humanities, 1984.

34. Pierre BOURDIEU, *Les Règles de l'art, op. cit.*, p. 388.

Cornel West, ne peut en effet que renforcer en eux une « horreur
[...] qui a la violence de l'amour déçu[35] ». C'est pourquoi, dans la
tradition d'une méfiance américaine instinctive envers les « coupeurs
de cheveux en quatre » (qu'illustrent les mots péjoratifs de
« *highbrow* », front haut, ou « *egghead* », tête d'œuf, pour désigner
l'intellectuel), ils reprennent à leur compte les arguments puritains
et utilitaristes d'un anti-intellectualisme historique – quand ils ne
signent pas même un pacte avec le diable, ainsi que le suggère une
enquête du *New York Times* en révélant que certains débats très
bien rémunérés étaient arrangés au préalable par les deux parties,
comme entre Stanley Fish et Dinesh D'Souza en 1990-1991[36].

Pourtant, par-delà les complexes d'infériorité intellectuelle ou
même les arrangements à l'amiable, il s'agit avant tout d'une véritable croisade idéologique, menée avec des moyens importants et
des objectifs ambitieux – reconquérir l'université tombée aux mains
des « radicaux », y favoriser l'essor d'une *contre*-intelligentsia
conservatrice. Mais aussi, selon la stratégie rodée de l'écran de
fumée, justifier idéologiquement la réduction qui aurait eu lieu de
toute façon des allocations fédérales aux universités publiques. De
ce caractère de campagne concertée, témoignent d'abord les responsabilités politiques officielles des principaux acteurs. Le directeur de
la revue *Commentary*, Norman Podhoretz – dont les éditoriaux
recommandent la plus extrême vigilance face à l'apparente ouverture
de l'URSS de Mikhail Gorbatchev –, est lui-même lié au Département d'État, où ont été nommés ses plus anciens camarades de
faculté et son propre gendre. Les trois plumes les plus acerbes de
la revue quand il s'agit d'attaquer les « gauchismes de campus » sont
aussi les trois directeurs successifs du NEH, nommés par la Maison-
Blanche, Carol Iannone, William Bennett, puis Lynne Cheney,
l'épouse du Secrétaire à la défense Dick Cheney – et futur vice-
président américain. Quand celle-ci, comme l'avait été Bennett, sera
nommée ensuite au poste stratégique de secrétaire à l'Éducation, le
mot courra à Washington qu'elle y est en fait « secrétaire à la
Défense intérieure [*domestic*] », la défense des valeurs et des intérêts
de l'Amérique éternelle[37]. Quant au jeune Dinesh D'Souza, qui a
été nommé dès 1981 conseiller du président Reagan, il a déjà signé
une biographie dithyrambique du télévangéliste Jerry Falwell ; de
même que Podhoretz prit la plume pour défendre le fondateur de la

35. *Ibid.*

36. Adam BEGLEY, « Souped-up Scholar », *New York Times Magazine*, 2 mai 1992.

37. Robert WESTBROOK, « The Counter-Intelligentsia : How Neoconservatism Lived and
Died », *Lingua Franca*, novembre 1996, p. 69.

Coalition chrétienne, Pat Robertson, lorsque celui-ci fut accusé d'antisémitisme. Surtout, les hérauts de la nouvelle croisade morale sont soutenus par un réseau serré de fondations ultra-conservatrices, d'où sont fomentées certaines initiatives, et où la contre-offensive dans son ensemble se trouve financée *de facto* – l'American Enterprise Institute, la Rand Corporation, les prestigieuses fondations Heritage, Olin, Scaife ou encore Coors, et même indirectement l'Adam Smith Institute des thatchériens britanniques. À travers des circuits de financement complexes, ces fondations apportent leur soutien aux associations étudiantes conservatrices, de Young Conservatives of Texas à Accuracy in Academia, lesquelles mettent tout leur zèle à empêcher l'arrivée sur les campus d'un syndicat noir ou des organismes liés au défenseur de la consommation « alternative » Ralph Nader – et de façon plus régulière, à surveiller les cours des professeurs de gauche ou les notes mises à leurs élèves par les théoriciens radicaux. Les organisations les plus neutres, comme le FIPSE créé pour lutter contre l'illettrisme, reçoivent elles aussi des subsides qui placent bientôt leur action sous la bannière conservatrice.

Ainsi que le résume Wlad Godzich, « une administration qui voulait redessiner les frontières entre les élites et les masses (la fameuse "majorité silencieuse") s'est fait ainsi la main contre les nouvelles activités théoriques favorisées par les institutions d'élite[38] ». Mais il ne s'agit pas seulement de barrer la route au nouveau « radicalisme de papier » ; il faut aussi proposer un programme idéologique positif, transmettre un message clair sur le système de valeurs américain et sa place dans le monde, rôle dévolu aux campagnes montées pour promouvoir les travaux liés à ce même réseau. Le cas d'école, ici, est bien sûr le texte de Francis Fukuyama sur « la fin de l'histoire[39] » soutenu par la Rand Corporation et le Département d'État, les deux institutions dont il dépend : assimiler comme il le fait le triomphe final du libéralisme marchand dans le monde postcommuniste à l'accomplissement de la dialectique hégelienne de l'histoire a l'avantage de redonner au programme idéologique conservateur une prise sur l'actualité mondiale la plus brûlante – et une caution philosophique. C'est qu'encore une fois l'enjeu ultime dépasse cette levée de boucliers contre les dérives radicales de certains campus. Ces attaques sont, plus largement, l'occasion historique d'asseoir la légitimité politique et le pouvoir

---

38. Wlad GODZICH, *The Culture of Literacy, op. cit.*, p. 2.

39. Francis FUKUYAMA, *La Fin de l'histoire et le dernier homme*, Paris, Flammarion, 1992.

intellectuel du groupe néoconservateur, apparu à la fin des années 1970 et bien décidé à imprégner de ses idées la majorité républicaine, à infléchir même sa ligne d'ensemble dans le sens de sa vision du monde – comme leur influence décisive sur l'administration de George W. Bush et la politique étrangère américaine de l'après-11 septembre 2001 prouve qu'ils y sont parvenus.

La plupart des pionniers de la mouvance néoconservatrice sont des transfuges de la gauche non communiste de l'après-guerre, et plus précisément du groupe des New York Intellectuals lié à la revue *Partisan Review*. C'est le cas notamment de Norman Podhoretz, dont un article provocateur contre la « bien-pensance » de la lutte pour les droits civiques marqua en 1963 le revirement définitif, et d'Irving Kristol – dont le fils William Kristol est aujourd'hui l'un des idéologues les plus en vue du parti républicain. Certains ont même été des marxistes (presque) orthodoxes, comme James Burnham, Sidney Hook ou l'historien des classes populaires Eugene Genovese, dont les articles des années 1980 recommandent désormais le « contre-terrorisme universitaire » et même de réintroduire au *college* des « semestres de théologie chrétienne, de décence humaine ou de simple bon sens[40] ». « L'ancêtre du mouvement néoconservateur est l'anticommunisme de gauche [*liberal*] », résume son historien dévoué Mark Gerson, avant de rallier à sa cause, à ce titre, les noms d'Hannah Arendt, George Orwell et Arthur Koestler[41]. Mâtiné de l'élitisme culturel caractéristique de ces grands bourgeois de la côte est, de traditionnalisme moral et d'ambivalence vis-à-vis de l'État-providence (*Welfare State*) – qu'ils n'ont jamais dénoncé en soi, mais dont ils veulent impérativement limiter les prérogatives –, leur anticommunisme foncier a produit chez ces réformistes déçus un triple dégoût : celui que leur inspirent successivement les mouvements étudiants libertaires des années 1960, la réaction démagogique de l'élite des années 1970 avec son projet de « *Great Society* », et l'émergence d'une nouvelle classe de radicaux sur les campus des années 1980. Mais leur filiation social-démocrate est aussi ce qui fait leur différence *tactique* à droite. Contre un conservatisme de l'inertie, patrimonial et passéiste, ils défendent un conservatisme du changement, qui prenne l'initiative et aille de l'avant.

L'autre influence majeure sur eux est celle du philosophe politique Leo Strauss (1899-1973), arrivé d'Allemagne en 1933 avant de

---

40. Cité *in* Éric Fassin, « La chaire et le canon », *op. cit.*, p. 289-290.
41. Mark Gerson, *The Neoconservative Vision : From the Cold War to the Culture Wars*, New York, Madison Books, 1997, p. 31-32.

fonder à l'université de Chicago le Committee on Social Thought, où il aura notamment pour élèves Allan Bloom, Irving Kristol et le futur juge à la Cour suprême Clarence Thomas. Les éditorialistes américains l'ont même surnommé « le parrain de la révolution conservatrice » des années Reagan. Et le « contrat avec l'Amérique » qui vaut au parti républicain de Newt Gingrich son triomphe aux élections législatives de 1994 est très directement inspiré de son rationalisme moral et politique. Contre une social-démocratie (*liberalism* dans la tradition américaine) qui mènerait le capitalisme à sa perte en y favorisant les dimensions intrinsèques de relativisme et de nihilisme, Strauss entend arracher le concept de droit naturel aux dangers du relativisme historique, et montrer le caractère de « réalité première » des distinctions entre bien et mal, faits et valeurs. Soit la seule réponse valable, selon ses disciples, au chaos contestataire des « sixties » puis au multiculturalisme des années 1980. Selon la thèse de la politologue canadienne Shadia Drury, Leo Strauss « radicalise » le substantialisme politique d'un Carl Schmitt, en ajoutant à son antimodernisme foncier (une pensée politique dont la lignée romantique passe à droite comme à gauche) le volontarisme d'une « machine monoculturelle et nationaliste » qui serait à renforcer sans cesse, afin d'endiguer la dilution postmoderne des hiérarchies et des valeurs [42].

À la croisée d'un anticommunisme de gauche et du naturalisme politique straussien, le courant néoconservateur des années 1980 oppose en fin de compte un triple dogme réactionnaire à ce qu'il voit comme le « relativisme » multiculturel et le « nihilisme » théorique français. Le premier est l'existence d'un Bien supérieur, qu'est appelé à préserver une élite sociale mais que ne fonde pas nécessairement un principe théologico-politique : au contraire des composantes chrétiennes fondamentalistes de la droite américaine, le néoconservatisme straussien peut bien assumer la mort de Dieu, du moment que lui survit une justice naturelle conçue comme « essence ». Le second dogme a trait au « réalisme » d'une hiérarchie sociale nécessaire : dans la logique du darwinisme social, le choix serait entre anarchie et ploutocratie, la domination d'une classe de possédants permettant en outre de contrebalancer le pouvoir abstrait de l'État et de la classe politique – méfiance envers la puissance publique qui renvoie à l'héritage libertarien du nouveau courant. Enfin, marque de fabrique de celui-ci, et conséquence stratégique des deux premiers principes, l'ordre requis ne peut plus être assuré

---

42. Shadia DRURY, *Leo Strauss and the American Right*, New York, Palgrave Macmillan, 1997, chap. 3.

passivement par l'autorégulation du marché ni les vertus de l'oligarchie bourgeoise, mais exige désormais d'être imposé *activement* : défendre les intérêts du Bien supérieur requiert, pour les néoconservateurs, une pratique systématique et préventive de l'*intervention* policière ou militaire, contre la double tradition américaine de justice individuelle et d'isolationnisme mondial. Au plan intérieur, les néoconservateurs forgent ainsi la fameuse doctrine policière de la tolérance zéro, ou du « carreau cassé », qu'appliqueront aussi bien le maire républicain de New York Rudolph Giuliani à partir de 1993 que, venues l'une après l'autre observer sur place les méthodes américaines, les autorités policières des grandes puissances européennes – et qu'avaient formulée dès 1982, dans la revue *The Atlantic*, les théoriciens néoconservateurs James Wilson et George Kelling[43]. Au plan international, la nouvelle doctrine interventionniste de l'« axe du mal » mise au point dans la foulée des attentats du 11 septembre 2001, et venue justifier les occupations successives de l'Afghanistan et de l'Irak, en est un avatar direct : imposer par la force militaire les valeurs supérieures de la démocratie de marché revient à renforcer la sécurité nationale des États-Unis mais aussi à y lutter contre le relativisme normatif rampant, comme le répète le « straussien » le plus haut placé (lui-même ancien élève d'Allan Bloom) dans l'administration de George W. Bush, le secrétaire adjoint à la Défense Paul Wolfowitz.

Ainsi, une double généalogie éclaire la prise de pouvoir idéologique des néoconservateurs des années 1980. Aux plans philosophique et historique, la nécessité de reprendre sans complexe le projet rationaliste et civilisateur des Lumières a convaincu souvent ceux-là mêmes qu'avait séduits un moment, puis inquiétés moralement, la critique théorique des Lumières. Et au plan institutionnel, comme le suggère notamment Pierre Manent, la marginalisation (sinon l'exclusion) qu'ont connue dans l'université radicale des années 1980 les jeunes néoconservateurs violemment anti-PC a pu les mener vers le pouvoir politique, en les rejetant d'abord du côté de ses deux sas d'entrée que sont, aux États-Unis, les grandes fondations politiques privées (*think tanks*) et les revues partisanes[44].

---

43. James WILSON et George KELLING, « Broken Windows : The Police and Neighborhood Safety », repris *in* Mark GERSON et James WILSON (dir.), *The Essential Neoconservative Reader*, Washington, Perseus, 1996.

44. Cité *in* Alain FRACHON et Daniel VERNET, « Le stratège et le philosophe », *Le Monde*, 16 avril 2003.

Vers une gauche postpolitique ?

Mais rien de tout cela n'eût été possible sans l'abandon par la gauche du terrain politique réel, qui laissa le champ libre aux néoconservateurs. Depuis presque deux décennies, la gauche « culturelle » des radicaux de campus et la gauche politique américaine traditionnelle s'en renvoient l'une l'autre la responsabilité : celle-là accuse celle-ci de n'avoir pas su renouveler son discours classiste et syndical face aux arguments de la révolution conservatrice, et celle-ci reproche à celle-là, plus souvent encore, d'avoir déserté le terrain social pour une opposition strictement culturelle à coups de symboles et de rhétorique – ou d'avoir « marché sur le département d'anglais au moment où la droite prenait la Maison-Blanche », selon l'heureuse formule de Todd Gitlin[45]. Elle aurait en outre dispersé ses forces entre des communautés étanches, sans parvenir à constituer une plate-forme commune. Si la question reste difficile à trancher, ce dernier point est incontestable : l'absence d'*unité* politique des discours minoritaires inspirés de la théorie française a permis aux conservateurs d'occuper seuls l'espace public, et d'y faire valoir leur argument de la « balkanisation ». La seule mobilisation commune des différents radicaux de campus pendant la longue décennie reagano-thatchérienne a concerné l'apartheid – ce dont témoigne la collaboration de tous pour monter de faux « bidonvilles » de protestation, demander au doyen de ne plus accepter les dons de firmes commerçant avec l'Afrique du Sud, ou organiser sur 70 campus les manifestations du 24 avril 1985.

Mais, pour le reste, aucun agenda solidaire n'a jamais pu être élaboré. Au contraire, les divergences entre postcolonialistes, néoféministes, militants *queer* et les différentes minorités ethniques n'ont plutôt fait que croître. Chaque communauté s'est scindée au gré des vogues intellectuelles et des nouvelles théories, sans jamais avoir tranché sur le fond entre repli identitaire et usage plus transversal de la posture minoritaire – entre un discours défensif de simple *protection* d'une culture, et une démarche plus prosélyte pour faire valoir le rôle exemplaire du groupe en question à l'avant-garde de la lutte sociale. La diagonale invisible des habitus et des réflexes de classe, qui continuait de traverser chaque groupe, a joué aussi son rôle en éloignant par exemple les grands bourgeois afro-américains avides d'intégration et de reconnaissance culturelle des militants de plus basse extraction défendant une dissidence noire systématique ; ou les avocats du droit des homosexuels au mariage

---

45. Titre du chapitre 5 de son *The Twilight of Common Dreams, op. cit.*, p. 126-165.

et à l'adoption d'enfants, des promoteurs plus radicaux de la poly-sexualité et de l'anticonformisme gay. Sans compter qu'une commune insatisfaction ne vaut pas union : que militants noirs et féministes radicales aient été aussi sceptiques les uns que les autres quant à la capacité des syndicats de gauche à défendre leurs intérêts ne suffisait bien sûr pas à les associer politiquement. Hors des campus, l'extrêmisme lui-même des franges les plus radicales de chaque mouvement n'est pas parvenu à tisser un réseau transcom-munautaire. Ainsi, l'évolution séparatiste et révolutionnariste des Black Panthers a fait des émules chez les Chicanos, que Cesar Chavez a pu organiser en brigades d'ouvriers agricoles, chez les Indiens, dont une faction radicale a même mis sur pied la prise symbolique d'Alcatraz, ou chez les tiers-mondistes lançant autant de « fronts de libération » qu'il y avait de pays à « libérer » – mais pas l'ébauche entre eux d'un activisme commun, sur les campus ou dans les quartiers. Ce qui disparaît dans l'éclatement des causes et des discours, c'est le terreau commun d'une lutte sociale, condition d'un ancrage à gauche : « S'il n'y a pas de peuple, mais juste *des* peuples, il n'y a pas de gauche », conclut Todd Gitlin, lapidaire, accusant les radicaux d'avoir sacrifié à la pluralité des cultures l'idée d'un bien commun[46]. Et c'est là n'expliquer encore que la moitié du problème : l'autre unité, indissociable de la première, qu'aurait dissoute cette décennie de *théorisme* radical n'est autre que celle de l'ennemi social, du pouvoir comme entité homogène, contre laquelle diriger une action politique. Les accusés, ici, sont la microphysique du pouvoir foucaldienne, les flux libidinaux ou nomadiques du capital chez Lyotard ou Deleuze et Guattari, et même le concept récurrent de dissémination chez Derrida. « En niant l'existence d'un centre dirigeant, il s'agit de supprimer tout objet à une politique radicale », estime l'essayiste de gauche Michael Walzer, qui reproche à Foucault de « désensibiliser ses lecteurs à l'importance du poli-tique », de substituer comme cible le « microfascisme de la vie quotidienne » aux réalités de la « politique autoritaire », et d'hésiter sans cesse lui-même entre le « réformisme » du microphysicien (si le pouvoir est dispersé, sa subversion le sera aussi) et l'« utopisme » de l'anarchiste. « Doit-on renverser le régime panoptique ? », demande-t-il finalement comme une boutade, dans des termes typiques de la gauche politique américaine[47].

---

46. *Ibid.*, p. 164-165.
47. Michael WALZER, « The Lonely Politics of Michel Foucault », *in The Company of Critics : Social Criticism and Political Commitment in the Twentieth Century*, New York, Basic Books, 1988, p. 195 et 200-204.

La raison majeure d'une certaine impuissance politique des nouveaux radicalismes de campus n'en reste pas moins, effectivement, le rôle axial dans chaque cas du particularisme identitaire – et de ses composantes réactionnaires, chaque identité produisant, pour parler comme Deleuze et Guattari, son ancrage œdipien, sa reterritorialisation constante. La cause à défendre, singulière, pleine, irréductible, offre les conforts d'une reconnaissance permanente, d'une connivence mutuelle, et contre l'anomie du grand marché social, l'ancrage d'un monde vécu. Elle favorise une lecture exclusivement culturaliste des luttes sociales et des conflits mondiaux, comme affrontement d'essences, de réalités anhistoriques entre lesquelles les différences culturelles seraient indépassables, incommensurables – jusqu'à faire parfois le lit, bien paradoxalement, des thèses droitières d'un Samuel Huntington sur la « guerre des civilisations », ainsi que le suggère l'éditeur Lindsay Waters[48]. L'anti-américanisme virulent de ces discours, tant décrié par la gauche traditionnelle – pour qui l'invocation d'une *vraie* Amérique, et de ses idéaux de dissidence collective et de justice sociale, auraient fourni l'unité qui manquait –, n'est pas l'effet d'une critique politique, mais d'une polarisation figée, identitaire, elle-même œdipienne : majorité blanche, ou mâle, contre minorité, terme à terme. Avec pour conséquence de jeter l'anonyme majorité dans les bras de la droite, seule à même d'incarner une Amérique positive, partagée, contre l'Amérique raciste et sexiste *par définition* des nouveaux discours radicaux. S'y ajoute l'effet d'inertie institutionnel de l'université : à l'abri des luttes théoriques et des joutes bibliographiques, une condition minoritaire a été pérennisée en récit, isolée en discours, dramatisée par les règles mêmes du débat. Pourtant, elle était apparue sur la scène politique dans les années 1960 comme *situation* historique, quand ses combats réels et ses problèmes d'organisation renvoyaient sans cesse à sa dimension de construction sociale transitoire, à son rapport aussi aux injustices de classe – au sens où un millionnaire noir est moins noir que millionnaire, et où peu de dirigeantes d'entreprise sont militantes féministes. Puis l'université a extrait, en partie du moins, de sa trame sociale et historique cette question de la minorité, reformulée par une génération intellectuelle qui n'a pas connu les affrontements directs des années 1960. Et elle a transféré cette question, ajoutent ses critiques de gauche, dans le seul champ symbolique, faisant des formes d'expression un ersatz de lutte, et de la culture (ou *des*

---

48. Lindsay WATERS, « The Age of Incommensurability », *Boundary 2*, vol. 28, n° 2, 2001, p. 147.

cultures) minoritaire(s) une politique de substitution (*surrogate politics*) – la seule politique encore possible quand s'est perdue l'unité d'un sujet social homogène. « La nouvelle gauche universitaire a tendance à confondre la fermeté du langage et l'engagement politique conséquent[49] », insiste Gitlin à la décharge de ces radicaux de papier, de cette gauche *postpolitique* pour qui la lutte sociale compterait moins que la seule reconnaissance de chaque groupe, et les combats politiques moins que les *signes* d'une affiliation.

Cette critique des politiques identitaires de campus, et d'une dilution de l'objet du combat dans la théorie française, a toutefois, elle aussi, ses limites. On peut en mentionner trois : le transfert de responsabilité, la prédéfinition du champ politique et l'œcuménisme. D'abord et surtout, de Michael Walzer au très rationaliste Noam Chomsky (qui accuse en bloc l'« irrationalisme français » de rendre l'action politique impossible), et du journal *The Nation* à la revue *Dissent*, la gauche traditionnelle – marxiste ou social-démocrate – manie ici un double discours : elle fait porter toute la responsabilité du devenir-culturel de la lutte politique aux universitaires, tout en notant leur éloignement social et leur cantonnement institutionnel. Si l'on pose ainsi une frontière entre fiction et réalité, entre un champ universitaire structurellement sans effet et un terrain social « réel », on ne saurait logiquement reprocher à ceux que leur condition assigne à celui-là de ne pas occuper celui-ci. On ne peut faire grief, si l'on veut, à des serpents encagés *à la fois* d'être inoffensifs et d'avoir mal orienté leur venin : « Si l'on appelle un chat un tigre, il sera toujours possible de l'écarter comme tigre de papier », notait déjà Paul de Man, « mais la question demeure de savoir pourquoi au départ on avait si peur d'un chat[50] ». Il est incontestable qu'un débat sur le « phallogocentrisme » des sciences ou sur le port de la majuscule ne saurait constituer une réponse *politique* au nouveau dogme conservateur. Mais c'est aussi que celle-ci ne pouvait venir que du cœur d'un espace public dont l'université forme tout juste la lisière. Or cet espace public, quadrillé par les idéologues reaganiens, a été abandonné par ses animateurs traditionnels : pas une grande maison d'édition qui ait publié un seul livre « politique », d'enquête ou de réflexion, pour les campagnes électorales de 1988 ou 1992, comme le rappelle l'éditeur André Schiffrin[51]. Il a été déserté, surtout, par une gauche politique de plus en plus déconnectée de son audience naturelle depuis les « sixties »,

49. Todd GITLIN, *The Twilight of Common Dreams*, op. cit., p. 147.
50. Paul de MAN, *The Resistance to Theory*, op. cit., p. 5.
51. André SCHIFFRIN, *L'Édition sans éditeurs*, Paris, La Fabrique, 1999, p. 77.

et incapable dès lors de promouvoir une alternative solide à la gauche conservatrice, arrivée sans encombre au pouvoir en 1992 avec Bill Clinton et Al Gore. Une impuissance qui renvoie à la seconde limite de ce réquisitoire : la définition du champ politique dans les termes traditionnels de l'échelle « molaire », l'échelle des grandes institutions, des rendez-vous électoraux et des agendas médiatiques, sans jamais daigner reconnaître les enjeux politiques de l'identité sexuelle, des formes de vie domestiques, de la conscience postcoloniale et de l'organisation communautaire – une gauche de discours syndicaux et géopolitiques qui semble attendre depuis trente ans que se referme enfin la parenthèse du « *personal is political* », qu'elle n'a jamais jugé utile d'aborder de front. Reste, et c'est le troisième point, sa nostalgie historique du grand *unitarisme* social, version socialiste d'une vieille croyance américaine dans les vertus du consensus, le bien-fondé du grégarisme, sinon même la fameuse tyrannie de la majorité. Appeler à se rassembler pour être plus efficaces revient aussi à se voiler la face quand la question clé, béante et insoluble, est précisément celle de l'unité. Car le succès des discours minoritaires signalait bel et bien la crise d'une *américanité* sans contenu, formellement citoyenne et obligatoirement consommatrice, qui ne suffisait plus à réunir ses ouailles.

On peut franchir un pas de plus, et demander si une critique aussi amère des radicalismes de campus n'a pas fait le jeu des conservateurs. Lorsque la socialiste et libertaire American Civil Liberties Union (ACLU), au nom de sa défense de la liberté d'expression, et les derniers intellectuels publics de la gauche sociale fustigent à tout bout de champ les excès du « *politically correct* », ne se trompent-ils pas eux-mêmes d'ennemi ? Ne commettent-ils pas une erreur tactique en dénonçant des communautarismes qui, pour s'égarer souvent dans les impasses de la rhétorique, n'en figurent pas moins leurs seuls alliés politiques possibles face à l'idéologie de la « civilisation » et du libre marché ? N'auraient-ils pas dû saisir, au contraire, l'occasion de ce débat pour en reformuler les termes, en mieux connaître les participants, au lieu d'en railler le principe même ? C'est la position de compromis dite du « pluralisme dialectique » défendue de son côté – dans un souci d'efficace pédagogique, il est vrai, plus que de renouveau politique – par le critique Gerald Graff : en s'attachant à présenter les positions concurrentes qui divisent le féminisme ou le postcolonialisme, ou qui opposent multiculturalistes et unitaristes conservateurs, sans en favoriser aucune ni rejeter la discussion elle-même comme inepte, et à condition d'y faire participer activement les étudiants, on peut réapprendre à ceux-ci (que leurs aînés accusent de trahison et de désenchantement) les vertus du débat d'idées, les techniques de la lutte d'arguments, les enjeux politiques de la condition de minorité. Placer le conflit et ses vertus pédagogiques au cœur du système d'enseignement – une façon, selon Graff, de lui redonner un rôle d'*éducation politique*[52]. Si cette défense du débat en tant que tel est elle même un peu rhétorique, supposant une position d'extériorité ou de neutralité qui n'est pas toujours accessible, elle permet au moins de ne pas balayer d'un revers de main, comme l'ont fait trop souvent les critiques de gauche de la théorie française, les apports théoriques et politiques incontestables des grandes figures de ce chaudron académique – de ces quelques *stars* intellectuelles américaines encore aujourd'hui presque inconnues en France.

---

52. Gerald GRAFF, *Beyond the Culture Wars : How Teaching the Conflicts Can Revitalize American Education*, New York, W.W. Norton, 1992.

8

Stars de campus

« Autant me déplaisent ces professions de foi prétentieuses de prétendants empressés de s'asseoir à la table des "pères fondateurs", autant je me délecte de ces ouvrages où la théorie, parce qu'elle est comme l'air que l'on respire, est partout et nulle part, au détour d'une note, dans le commentaire d'un texte ancien, dans la structure même du discours interprétatif. »

Pierre BOURDIEU, *Les Règles de l'art*

Vedettes improbables. Dans ce pays où l'aristocratie de l'intelligence est assignée à résidence dans le champ universitaire, où l'espace public des tribunes générales et des effets politiques lui est difficilement accessible, quelques noms n'en surplombent pas moins le champ intellectuel – dont ils sont les champions attitrés, comme les sœurs Williams le sont sur le circuit tennistique, ou Bill Gates et Steve Jobs dans l'industrie informatique. Héros spécifiques, sans l'ambition transversale d'un discours englobant, d'une mission confiée à eux par l'Esprit, comme elle l'est aux clercs français, de prendre en charge *toutes* les questions générales. Rien ne fait vraiment d'eux des experts de la généralité, pas même la vocation pédagogique : un dénommé Jacob Schurman, président de l'université Cornell, notait dès 1906 que ses plus célèbres professeurs, qui l'étaient rarement au-delà de leur discipline, avaient « choisi leur profession pas tant par amour de l'enseignement que par désir de poursuivre l'étude de leur spécialité[1] ». S'y sont simplement ajoutés, depuis lors, les éléments d'une lutte sans merci

---

1. Cité *in* Christopher J. LUCAS, *American Higher Education : A History, op. cit.*, p. 180.

pour la victoire ultime, dans un secteur universitaire impitoyablement concurrentiel : l'urgence faite aux plus jeunes de se placer en bonne position sur la voie de la titularisation professorale (l'athlétique *tenure track*) ; l'obligation de dominer la pyramide des publications, dans un système où l'impératif professionnel de publier (le fameux *publish-or-perish*, publier ou mourir) fait beaucoup d'écrivants pour fort peu d'élus ; et arrivé enfin dans le cercle envié des *happy few*, ceux qu'on cite et qu'on révère, le rythme qu'il faut tenir pour rester le produit le plus cher sur le marché, dans ces guerres d'enchères (*bidding wars*) opposant les universités d'élite soucieuses de recruter les professeurs les plus en vue. Pour ce faire, la seule règle cardinale est celle de l'innovation intellectuelle continue, ou d'une originalité qui, indéfinissable selon des critères endogènes (une pensée *nouvelle* n'étant pas aisément reconnaissable comme telle), aura pour seul étalon l'aptitude à écarter les concurrents, à rendre obsolète la thèse d'un collègue connu, à transgresser le *statu quo* d'une discipline en retournant contre lui, à moindres frais, ses concepts les plus performants, et les moins bien utilisés jusqu'alors – à devenir en un mot l'un de ces « hérétiques consacrés » qu'étudiait Bourdieu dans les grandes écoles françaises[2]. Le maintien d'une telle capacité d'innovation requiert également un positionnement disciplinaire stratégique, à la croisée des études identitaires, des théories littéraires et des différentes disciplines, sans être inféodé à aucune ni réductible à la défense d'intérêts spécifiques, toujours prêt à reprocher à tel discours son simplisme ou à telle option son irréalisme – et à faire, comme on l'a vu, des frontières intellectuelles au voisinage desquelles on s'établit l'occasion toujours renouvelée d'une *distance* théorique, d'un questionnement d'ensemble sur sa démarche.

Alors seulement, lorsqu'un tel trajet s'est dessiné et qu'un ou deux ouvrages dûment polémiques ont ébranlé les dernières certitudes admises dans le champ – ou dans l'un de ses sous-champs –, l'intéressé(e) atteint au statut de *diva* de l'université. Et si ses thèses n'auront pas droit, comme en France celles des intellectuels, aux colonnes des grands journaux ni aux plateaux de la télévision hertzienne, ce seul statut fait entrer néanmoins dans la logique américaine du vedettariat : la presse et les potins mondains, en l'occurrence le supplément magazine du *New York Times* plutôt que la couverture de l'hebdomadaire *People*, se pencheront dès lors sur les atours, les symboles et les tics qui font la panoplie du personnage. Au point que maints Américains auront entendu parler

---

2. Pierre Bourdieu, *Homo academicus*, *op. cit.*, p. 140.

des voitures de collection de Stanley Fish, des émoluments de Cornel West, du réseau amical de Stephen Greenblatt, des provocations vestimentaires de la techno-féministe Donna Haraway ou du tournant bouddhiste tardif de la théoricienne *queer* Eve Sedgwick avant même – et bien souvent, hélas, en lieu – de connaître leurs travaux. Une autre différence avec la France tient au rôle de la lecture, et de ses usages, dans la définition d'une telle position de notoriété. Au contraire des pensées supposément *sui generis* de l'intellectuel littéraire français, qui commente le monde plus qu'il ne rend compte de ses lectures, le héros théorique américain doit une bonne part de son prestige à la façon singulière, véritable signature, dont il s'imprègne de celui des grands auteurs, les convoquant pour se jucher sur eux, les citant au passage pour mieux les mettre au service de son propre argument. « On lit quand on a un marché sur lequel [...] placer des discours concernant [ces] lectures [3] », disait encore Bourdieu, suggérant l'idée d'une *rentabilité* de la citation. Aussi les noms de Foucault, Derrida ou Lyotard – puisque aux États-Unis, la théorie française délimite précisément depuis vingt-cinq ans ce groupe de « grands auteurs » dont le prestige irradie utilement ceux qui savent les réutiliser – seront-ils ceux à partir desquels, dans la discussion et souvent la critique desquels, les œuvres critiques majeures du champ intellectuel trouveront à s'élaborer. C'est tout un rapport dynamique, dialogique, *allographique* (convoquer l'auteur en maintenant son altérité), qui se met ainsi en place et enrichit souvent, par-delà les usages tronqués et les simplifications intéressées, l'interprétation des penseurs français. On entre ici dans le règne de la « transdiscursivité » tel que tentait de la définir Michel Foucault : comme Marx et Freud l'ont été pour la pensée européenne du XXᵉ siècle, les Français en question deviennent aux États-Unis « instaurateurs de discursivité », produisant à leur insu les règles de « la formation d'autres textes » et devenant ainsi moins des noms propres que le nom du « traitement qu'on fait subir aux textes » ; mais ils ne le sont que grâce au « travail effectif et nécessaire de transformation de la discursivité elle-même » qu'opèrent sur eux en retour les plus productifs de leurs lecteurs, pour « regrouper [...] et [mettre] en rapport » les textes et entrer à leur tour dans cet espace transdiscursif – où disparaissent comme magiquement la position stratégique et l'existence empirique, au

---

3. « La lecture, une pratique culturelle » (débat entre Pierre Bourdieu et Roger Chartier), *in* Roger CHARTIER (dir.), *Pratiques de la lecture*, Paris, Payot, 1993, p. 275.

profit d'une pure mobilité du nom[4]. Ce phénomène, sans lequel la théorie française ni ses grands lecteurs américains n'auraient acquis leur renom, peut être vu à l'œuvre, brièvement, chez six grands intellectuels américains – à condition de préciser qu'il ne s'agit pas de les présenter ici de façon exhaustive, l'accent étant mis plutôt sur leur usage des auteurs français, et que le choix lui-même d'un tel sextuor est par nature arbitraire.

Judith Butler et la performance

Professeur de rhétorique et de littérature comparée à l'université de Californie, Judith Butler, née en 1955, est l'auteur d'une œuvre théorique exigeante, servie par une écriture parfois difficile – qu'ont pu moquer à l'occasion, à son grand dam, certains critiques plus traditionnels[5]. Son travail se situe à la croisée de la psychanalyse, du féminisme et des théories politiques de la sexualité. À partir du constat historique que « le sujet comme entité identique à soi n'est plus[6] », le projet de Butler consiste à explorer, dans certains classiques littéraires ou par une libre discussion des philosophes, les tensions occupant désormais cette *place vide* du sujet – tensions du pouvoir, du désir et des jeux multiples de l'identification. Son premier ouvrage, *Subjects of Desire*, s'intéresse à la substitution graduelle de la figure du *désir* à celle du *sujet* dans ce qu'elle nomme le « posthégelianisme français » – soit rien moins que les œuvres successives de Kojève, Hyppolite et Sartre, encore confrontées à l'héritage dialectique, puis Derrida et son « ironie hégelienne », Foucault et sa réinterprétation « postdialectique » du rapport maître-esclave, Lacan et le désir comme « expérience immanente de l'Absolu », et enfin l'« érotique posthégelienne » de Deleuze, inspirée de Spinoza[7]. Mais c'est dans une perspective d'ensemble plus nettement foucaldienne qu'elle analyse, au fil de ses travaux suivants, le rôle de « matrice du genre » (sexuel) qu'en vient à jouer selon elle le fragile sujet de l'énonciation, ce « je » qui est toujours à la fois *sujet* (au sens de soumis) *au* genre et subjectivé *par* l'épreuve du genre, inféodé à un code sexuel en même temps que produit par

---

4. Michel FOUCAULT, « Qu'est-ce qu'un auteur ? », *in Dits et écrits, 1954-1988*, Paris, Gallimard, 1994, vol. 1, p. 798-808.

5. Elle a même remporté en 1998 le concours annuel du « jargon académique » (Bad Writing Contest) organisé à titre parodique par la revue universitaire *Philosophy and Literature*.

6. *Bodies that Matter, op. cit.*, p. 230.

7. *Subjects of Desire, op. cit.*, p. 178, 186-187, 216 et 212-213 respectivement.

cette soumission même – variation dialectique et repositivante sur le vieux motif de la servitude volontaire.

Le livre majeur de Judith Butler, référence de tous les débats *queer* et néoféministes, reste l'ambitieux *Gender Trouble*, qui représente pour son travail un double tournant *linguistique* et *politique* : *linguistique* parce qu'une pensée renouvelée de la performativité et des actes de parole (*speech act*) y vient expliquer la « production » continue du genre sexuel par les « citations obligatoires » et le fonctionnement itératif de la féminité ou de la masculinité (la période de formation sexuelle étant elle-même encadrée par deux performatifs simples, le « c'est un garçon/c'est une fille » de la naissance et le « oui » du mariage) ; et *politique* parce qu'un pouvoir, plus diffus encore que chez Foucault, n'y est pas moins perçu à l'œuvre derrière cette construction performative de l'identité de genre, un pouvoir qui veille à articuler fermement subjectivation sexuelle et « hétérosexualité obligatoire », mais aussi production du genre et productivité économique de la procréation. Butler tentera souvent, sans l'y appliquer réellement, d'interroger la validité de ce schéma général pour penser les autres « subjectivations coercitives » que sont l'identité ethnique, ou même de classe. Pour en rester ici à cette catégorie de genre (*gender*), la notion d'identité, ou de subjectivité fixe, y disparaît au profit d'un déplacement constant, d'une succession d'*actes* « performés ». Elle est ainsi doublement « subvertie » par les codes imposés du pouvoir, d'un côté, qui la traversent et la scindent, et de l'autre par le « jeu » qui peut se faire jour dans cette stricte articulation de la sexualité et de la norme de genre – un jeu qui rend possible une résistance à la norme, et permet par exemple au *drag queen*, figure emblématique, de désarticuler parodiquement les deux éléments, d'exposer théâtralement leur dimension d'artefacts [8]. Autant de pistes le long desquelles seront mises au point, dans l'université dépolitisée des années 1990, les théories *post-identitaires* de la minorité, d'une identité simplement tactique, jetable, plurielle, ou simplement *déconstruite*. *La Vie psychique du pouvoir*, premier ouvrage de Butler traduit en français (2002) [9], marque aussi les limites de son entreprise : la double ambition convergente de politiser certaines thèses lacaniennes et d'examiner les enjeux psychiques de la politique foucaldienne laisse en fait, entre ces pôles très distendus – la psyché et la cité, les processus de subjectivation et les modes de circulation du pouvoir –, une zone confuse, en friches, incomplètement couverte,

---

8. *Gender Trouble*, *op. cit.*, notamment toute la troisième partie.
9. *La Vie psychique du pouvoir*, Paris, Léo Scheer, 2002.

que l'auteur peine visiblement à *rassembler* théoriquement. À moins qu'elle ne révèle le déséquilibre de son œuvre au profit du premier pôle, d'une subjectivité évanescente pensée ici hors de tout *terrain* politique et social. Mais c'est aussi qu'au fil de son trajet, un dialogue constant, et parfois très éclairant, avec les grandes figures de la théorie française a comme éloigné Butler de son propre projet théorique, l'incitant plutôt à l'aborder de biais, au second degré, par l'entremise avant tout des thèses « poststructuralistes ».

Outre que sa préface à la seconde édition de *Gender Trouble* constitue l'un des textes les plus stimulants sur la *French Theory* comme avatar américain, Butler semble parfois rabattre tout son travail sur la question d'une remise en circulation politique des textes, ou du moins le justifier dans les termes d'une liberté d'usage des auteurs de référence : ainsi va-t-elle répétant que « les réappropriations inattendues d'une œuvre donnée dans des domaines pour lesquels elle n'avait jamais été conçue intentionnellement sont toujours des plus utiles [10] ». Chacun des auteurs français est l'occasion, pour elle, d'un déplacement critique, d'une opération théorique productive. Elle en *délocalise*, si l'on peut dire, les intuitions les plus fortes pour les confronter aux débats universitaires américains sur la subjectivité de genre ou la possibilité d'une *politique* sexuelle. De Foucault, elle propose d'appliquer la méthode généalogique à la question qu'il contourna précisément de la *différence sexuelle*, tout en restant fidèle à sa façon de ne jamais séparer, dans l'émergence de la subjectivité, *assujettissement* et *subjectivation*, soumission et résistance. De même, Butler analyse les implications pour la norme de genre (*gender norm*) de l'hypothèse capitale de Lacan selon laquelle l'*identification* précède toujours la formation du moi : pour comprendre en quoi un sujet se forme en *citant* des normes sexuelles, rien de tel que la définition lacanienne du sujet comme « ce qui est assujetti au signifiant ». Elle peut aussi tirer vers ce même thème de la *sujétion* la fameuse « doctrine de l'interpellation » que proposait Althusser dans *Idéologie et appareils idéologiques d'État* [11] : la production linguistique d'un sujet par le seul fait de le héler, et de le faire alors valider en retour l'interpellation (« oui, c'est moi »), qui est aussi « sommation de répondre à la loi », relève-t-elle d'une « morale d'esclave » ou bien d'un infracassable « désir d'être [12] » ?, demande ainsi Butler en une variation

---

10. *Bodies that Matter, op. cit.*, p. 19.
11. Louis ALTHUSSER, « Idéologie et appareils idéologiques d'État », *in Positions 1964-1975*, Paris, Éditions sociales, 1976.
12. *La Vie psychique du pouvoir, op. cit.*, chap. IV, p. 165-198.

supplémentaire sur l'ambivalence structurelle, grammaticale et politique à la fois, du *sujet* – toujours inséparablement soumis et se produisant dans cette soumission. Un motif récurrent, et un riche projet théorique, que Butler peine malgré tout à convertir en programme politique, par-delà les vœux pieux qu'elle formule ici et là – comme son espoir que se forme « une coalition des minorités sexuelles qui transcendera les catégories simples de l'identité[13] ».

Gayatri Spivak et l'intotalité

Gayatri Chakravorty Spivak, qu'on a déjà croisée à plusieurs reprises, est arrivée aux États-Unis de Calcutta en 1961. Après une thèse sous la direction de Paul de Man, un livre en 1974 sur le poète irlandais Yeats qui annonce déjà les études postcoloniales, et en 1976 sa traduction-introduction à *De la grammatologie* de Derrida – dont elle restera l'une des interlocutrices majeures, animant même à Columbia depuis 1992 un « *reading group* » dominical sur Derrida et l'Amérique –, elle enseigne la littérature comparée dans l'Iowa, au Texas, à Atlanta puis Pittsburgh, et enfin depuis 1991 à Columbia (New York). Difficile de résumer une œuvre postée au confluent du marxisme, du féminisme et de la déconstruction, une œuvre dont le fil rouge est resté – biographie oblige – l'*autre* de l'Occident sous toutes ses formes, mais dont les thèmes peuvent varier de sa *Critique de la raison postcoloniale* de 1999 à son analyse plus récente de l'émergence et du déclin de la littérature comparée comme « métadiscipline » (*Death of a Discipline*, 2003) ; difficile de la résumer sinon peut-être, justement, sous le signe étrange de l'*intotalité*, d'une méfiance systématique, politique, stratégique et même autobiographique, envers les pensées et les cultures de la « totalisation », du monisme, du système, qu'elle maîtrise néanmoins comme très peu de penseurs américains de sa génération. Trois leitmotivs au moins dans l'œuvre de Spivak signalent cette critique vigilante des démarches totalisantes – son rapport *tactique* au concept, son appel au *croisement* des luttes, sa *critique de l'intellectuel* universitaire.

Celle qui a pu parler de « l'erreur *nécessaire* de l'identité » pour couper court aux débats – faussés selon elle – entre politiques identitaire et *post*identitaire a toujours montré, fidèle en cela à la *praxis* marxiste, une certaine impatience face aux grandes tables rases conceptuelles, qu'il s'agisse de balayer le rationalisme, d'oublier l'Histoire, ou d'effacer le Sujet : sous prétexte de changement, ces

---

13. « Preface » (1999), *Gender Trouble*, 1999 [1990], *op. cit.*, p. XXVI.

approches fétichiseraient elles-mêmes ce qu'elles dénoncent. La fameuse *critique du sujet* ne doit pas empêcher, selon Spivak, de poser tactiquement un sujet de la lutte, ou de penser comme sujet historique tel groupe insurrectionnel. À moins de tomber dans le *processualisme* excessif qu'elle reproche à une certaine théorie française, qui réduirait à ce point pouvoir et conflit à des flux et des processus qu'elle courrait le risque de justifier l'autoproduction de l'ordre établi, ou de supprimer du moins sa raison d'être à toute stratégie d'opposition ponctuelle. C'est l'une des raisons de son ralliement précoce au groupe des « *subaltern studies* »[14]. Un autre motif récurrent de cette œuvre éclectique est celui du croisement des luttes, alliance tactique mais aussi interpénétration théorique entre les combats féministe, postcolonialiste et de classes – précisément parce qu'ils forment les différentes strates d'un *sujet* politique toujours-déjà pluriel. « Comment la féministe postcoloniale négocie-t-elle avec la féministe de métropole[15] ? », demande-t-elle ainsi dans une formule très spivakienne, au sens où la communauté de combat n'est jamais donnée, où elle renvoie toujours à une différence nord-sud qu'aurait dangereusement gommée l'universalisme impensé des discours de « libération ». Il y a toujours un angle mort de la lutte, un subalterne du subalterne, martèle Spivak, qu'il s'agisse de l'étudiante soudanaise excisée qui se tait parmi les féministes de campus, ou de la femme (cette « subalterne de genre », *gendered subaltern*) au sein des mouvements de luttes (post)coloniaux. De fait, les critiques du capitalisme à travers la « subalternité sexuelle » et par la condition postcoloniale sont inséparables selon Spivak, qui cite à l'appui le rôle des femmes à l'avant-garde du mouvement social en Inde. Enfin et surtout, cette critique spivakienne du geste intellectuel totalisant, qui réifie un sujet et lui dérobe l'énonciation, prend la forme d'une dénonciation constante des modes de « production culturelle » de l'autre.

Elle a pu reprocher ainsi à Julia Kristeva de procéder, dans son essai *Des Chinoises*[16], à une « appropriation de l'altérité » chinoise, à la production d'une « figure monolithique de la Femme » – de s'être substituée en un mot aux « femmes sans nom du tiers monde[17] ». Elle a pu aussi avertir des dangers de « l'intérêt actuel [de l'université] pour les marges, qui risque soit de domestiquer soit

---

14. *Cf.* par exemple *In Other Worlds*, *op. cit.*, p. 209-211.
15. « French Feminisms Revisited : Ethics and Politics », *in* Judith BUTLER et Joan SCOTT (dir.), *Feminists Theorize the Political*, *op. cit.*, p. 58.
16. Julia KRISTEVA, *Des Chinoises*, Paris, Éditions des Femmes, 1974.
17. « French Feminisms in an International Frame », *Yale French Studies*, n° 62, 1981, p. 158-160.

de romantiser l'hétérogénéité du tout-autre[18] ». Elle a même pu déceler, sur un sujet plus délicat, « violence épistémique » et « production impérialiste » de l'autre comme « ombre de soi » dans l'historiographie officielle de l'Inde coloniale, qui rendrait hommage un peu vite, selon elle, à l'Empire britannique pour avoir abrogé dans la loi hindoue le rite du sacrifice des veuves[19]. La critique de l'impérialisme intellectuel reste son obsession constante, où pointent des traces à la fois du réflexe autocritique marxiste et de la culpabilité pratique de l'universitaire américain. Elle interroge sans relâche le rapport entre les « micropolitiques » des militants de campus, ou même celles auxquelles elle reproche un peu hâtivement à Deleuze et Guattari de se « limiter », et les grandes échelles du capitalisme postcolonial – ou, pour le dire dans ses termes, le fait que « la production intellectuelle occidentale se trouve, de diverses façons, *complice* des intérêts économiques internationaux de l'Occident[20] », lequel bénéficiera toujours d'une telle production exotique de l'autre, et des odes entonnées ici et là à la différence et à la résistance culturelles. Mais c'est aussi qu'elle attribue à l'intellectuel un rôle spécifique, lié à sa compétence en matière de discours et d'énonciation, à son aptitude à déchiffrer les rapports de forces qui s'y jouent, tissés dans les textes, intriqués dans le matériau linguistique.

La textualité peut servir : c'est là l'un des apports majeurs de Spivak, issu de sa lecture de Derrida autant que de sa pratique des « débats » politiques indiens, et même l'une des clés possibles des rapports si décriés entre théorie littéraire et action politique. L'enjeu pour elle, comme le formule son préfacier Colin McCabe, est de substituer au « texte » du textualisme, coextensif à la littérature et devenu la « feuille de vigne derrière laquelle cacher toutes les questions sociales difficiles », une notion *politique* du « texte » comme « métaphore-concept », grâce à laquelle « déconstruire individu et société pour saisir l'écheveau de leurs déterminations contradictoires[21] ». Le texte, autrement dit, comme condition d'un déchiffrage politique du monde, contre le textual*isme* de sa réduction académique. Tout chez Spivak invite à cet usage politique des outils théoriques de la textualité – quand elle donne un séminaire sur le concept d'*endoctrinement* à l'université du Texas au plus

---

18. *Cf.* « Theory in the Margin : Coetzee's *Foe* Reading Defoe's *Crusoe/Roxana* », *in* Jonathan ARAC et Barbara JOHNSON (dir.), *Consequences of Theory, op. cit.*

19. « Can the Subaltern Speak ? », *op. cit.*, p. 280-282.

20. *Ibid.*, p. 271.

21. Colin McCABE, « Foreword », *in* Gayatri Chakravorty SPIVAK, *In Other Worlds, op. cit.*, p. XII.

fort de la guerre des cultures, et incite ses étudiants à en analyser les formes universitaires américaines, et pas seulement les formes soviétique ou islamique plus évidentes ; quand elle étudie les modalités possibles d'un discours « discontinu » et « hétérogène » sur la femme comme seul à même d'en saisir la condition politique ; ou encore lorsqu'elle critique la vogue des *Cultural Studies* pour leur « monolinguisme culturel » anglo-américain. S'il est difficile de tirer un programme théorique homogène d'une œuvre qui est avant tout *critique discursive des discours*, rarement les outils de l'analyse discursive auront approché d'aussi près certaines réalités politiques extra-universitaires. Et rarement critique de la *totalité rationnelle*, en tant que modalité propre de la pensée occidentale (et de son arraisonnement culturel de l'autre), aura été dans l'université américaine aussi peu naïve, simpliste et culturaliste – et, au contraire, aussi exigeante, aussi stratégiquement politique. Sans toutefois qu'une telle critique de l'université et de ses limites ait suffi pour qu'un discours lui-même complexe, multiple, se rende disponible *au-delà* de l'université et de ses limites. Mais c'est une autre histoire.

Stanley Fish et l'institution

Justement, avec son aîné Stanley Fish (né en 1939), on quitte les velléités éthico-politiques de l'université pour en venir aux mécanismes plus cyniques de son *star-system*, et peut-être au personnage de professeur le plus proche de ce que peut impliquer – de privilèges et de provocations – la notion de *gloire* universitaire. Comme ces heureux élus dont bruissent tous les chuchotements aux dîners de la duchesse de Guermantes, ce qu'on dit de Stanley Fish, jusqu'au plus anecdotique, compte souvent plus que ce que dit lui-même Stanley Fish, pourtant autrement théorique. Être dépeint en une série de traits enviés et plaisamment superficiels, comme un blason de femme dans un poème baroque, ou une pluie de médailles sur un plastron militaire – rançon d'un renom sciemment accumulé. Stanley Fish est le modèle du célèbre Morris Zapp, ce personnage d'universitaire fantasque et terriblement ambitieux popularisé par son ami le romancier anglais David Lodge, notamment dans *Small World*[22]. À l'instar de Zapp, Fish a été l'un des tout premiers professeurs de littérature à bénéficier d'un salaire annuel en dollars à six chiffres, cumulant à l'université de Duke les responsabilités de directeur du département d'anglais, professeur de droit, recteur-adjoint, et président des presses universitaires. Amateur de voitures

---

22. David LODGE, *Un tout petit monde*, Paris, Rivages, 1992.

de sport, il a écrit pour le dire un article légendaire sur « l'insoute-
nable laideur des Volvo » (« The Unbearable Ugliness of Volvos »).
Et non content d'intervenir sur les plateaux de télévision pour
défendre la déconstruction ou le PC, il est le seul universitaire du
champ littéraire, longtemps avant Jacques Derrida, à avoir fait
l'objet d'un film documentaire, en 1985. Les quatre campus sur
lesquels il a sévi ont bénéficié l'un après l'autre de sa visibilité croissante : Berkeley jusqu'en 1976, Johns Hopkins jusqu'en 1985, Duke
bien sûr jusqu'en 1999, et aujourd'hui l'université de l'Illinois à
Chicago.

Ce dix-septièmiste de formation est surtout l'un des esprits les
plus brillants, et l'une des voix les plus libres, de sa génération. Si
Paul de Man était un matérialiste textuel, Stanley Fish est un *pragmatiste* de la lecture, un logicien de l'interprétation, qui tente de
mettre à plat les règles de la lecture *ordinaire* – comme les philosophes analytiques le font du langage du même nom. C'est ce que
révèle dès 1972 la thèse polémique de son premier livre, une étude
désormais classique du *Paradis perdu* de Milton : ce que mettrait
en scène ce long poème souvent obscur, selon Fish, n'est autre que
la *chute* du lecteur, comme figure de celle de l'Homme – car
l'« indirection » du texte miltonien travaille à semer le lecteur, à lui
faire perdre sa « foi » herméneutique, et même à lui faire aimer les
glissements de sens en tant qu'ils déploiraient l'équivalent littéraire
du péché[23]. Cette parabole de la lecture comme paradis perdu fait
connaître Fish instantanément. C'est le moment de ses premiers
voyages à Paris, où il découvre non seulement les nouvelles théories
littéraires – en suivant un séminaire à Vincennes, en lisant Derrida,
puis en rencontrant Barthes et Todorov –, mais aussi une intégration inconnue aux États-Unis du travail intellectuel et de l'action
politique. On le dit alors politiquement conservateur, mais il
n'innove pas moins en proposant les premiers cours américains de
narratologie, de poétique de la lecture, et même de « stylistique
computationnelle » – y mêlant toutes les audaces théoriques de son
temps, du néofreudisme anglais à l'ethnométhodologie californienne.
« Is There a Text in this Class ? », article de 1987 devenu un essai
en 1992, marque une date dans son itinéraire, autant pour le perfec-
tionnement de l'étrange didactique fishienne (partir d'une question
scolaire mais au sens indécis, ici celle d'une étudiante demandant
« s'il y a *un texte* dans cette classe »), que pour le concept décisif
qu'il y introduit de « communautés interprétatives ». Celles-ci

---

23. *Surprised by Sin : The Reader in* Paradise Lost, Berkeley, University of California
Press, 1972.

englobent à la fois les œuvres, leurs lecteurs et les institutions historiques reliant ces deux pôles, et produisent dans un même mouvement le texte et sa lecture, sans qu'écriture et interprétation soient encore séparables. Elles désignent l'« appartenance à un même système d'intelligibilité », le « répertoire permettant d'organiser le monde et ses événements », en une notion affinée de l'« horizon d'attente » du théoricien de la réception Hans Robert Jauss [24]. Au-delà d'une telle épistémologie de la lecture, Fish redéfinit ici l'*institution* en un sens élargi, dématérialisé, celui d'un soubassement idéologique précisément codifié de toute activité d'interprétation. Cette institution-là est le théâtre d'une production du sens, puisqu'elle détermine la « mé-*prélecture* » (*mis-prereading*) – une mélecture d'*avant* l'acte de lire –, et le lieu de l'avènement du texte lui-même, lequel n'est plus dès lors que « ce qui arrive quand nous lisons [25] ».

Son approche pragmatiste du texte en tant qu'entente sur les normes, et de sa lecture comme enchevêtrement de communautés interprétatives, conduit bientôt Fish du côté d'une interprétation purement logique – que d'aucuns jugent dangereusement relativiste – des constitutions politiques et des textes juridiques, notamment après avoir obtenu un poste à l'école de droit de Duke, en 1985. Cette évolution culmine avec la polémique déclenchée en 1994 par son texte sur l'*impossible* liberté d'expression, drôlement intitulé « There's No Such Thing as Free Speech, And It's a Good Thing, Too [26] » : prédéfinies par l'institution et strictement contraignantes, les conditions de possibilité d'un discours normatif, et donc d'entente sur ses enjeux, en font inévitablement, selon Fish, un mixte d'exclusion et de sélection, une succession logique d'*autocensures*, en-deçà desquelles une opinion politique ou une norme morale ne seraient partageables. Le Premier amendement en devient illusoire, puisque c'est en quelque sorte le *discours* lui-même qui empêche ici son énonciateur de parler. C'est finalement à la fois dans un souci stratégique de provocation, et comme conséquence de son analytique de l'« institution » – et non par adhésion aux politiques identitaires –, que Fish s'est fait le plus célèbre avocat du PC, des théoriciens minoritaires et de tous ceux qu'on accuse de relativisme : « Nos convictions sur la vérité et la factualité ne nous ont

---

24. « Is there a Text in this Class ? », *in* H. Aram VEESER (dir.), *The Stanley Fish Reader*, Oxford, Blackwell, 1999, p. 41-48.
25. *Ibid.*, p. 54.
26. *La Liberté d'expression n'existe pas, et c'est tant mieux* (New York, Oxford University Press, 1994).

pas été imposées par le monde, ni n'ont été inscrites dans nos cerveaux, mais sont issues des pratiques spécifiques de communautés idéologiquement motivées[27] », notait-il dès 1985.

Signe peut-être du plaisir que prend cet ironiste à semer ses commentateurs, Fish le privilégié est resté toujours ambivalent face aux radicaux de campus. D'un côté, prompt à dénoncer le « racisme » ou l'« homophobie » des conservateurs, il fut le maître d'œuvre d'une *radicalisation* sans égale de l'université de Duke, où il recruta notamment, au tournant des années 1990, le derridien excentrique Frank Lentricchia, le critique marxiste Fredric Jameson, la théoricienne *queer* Eve Sedgwick et l'intellectuel noir Henry Louis Gates – attirant ainsi vers le deuxième cycle de littérature de Duke cinq fois plus d'étudiants qu'avant 1985, et donnant à ses collègues plus convenus l'impression d'un « cataclysme[28] ». Mais, d'un autre côté, il brocarde sans cesse l'ineffectivité ou la redondance de discours radicaux dont la société civile n'aurait pas besoin, ses franges militantes les ayant déjà intégrés dans leurs pratiques sans qu'il soit nécessaire de les théoriser à outrance. Inspiré par la théorie française et sa lucidité politique, plutôt que d'en être devenu (comme tant de ses collègues) le commentateur mimétique, Stanley Fish connaît mieux que quiconque les limites de l'institution : « Le souhait d'une activité critique véritablement historique, véritablement politique, et véritablement interdisciplinaire correspond à ce souhait familier de l'universitaire, surtout dans le champ des humanités, d'être quelque chose d'autre que ce qu'il, ou elle, est[29]. » Fish, lui, aura évité à sa façon cette non-coïncidence à soi, ce ressentiment de l'universitaire, en visant les honneurs et la polémique plutôt qu'un *effet politique* de la théorie.

Edward Said et la critique

Né en 1935 à Jérusalem de parents palestiniens anglophones, et éduqué au Caire puis aux États-Unis, Edward Said, longtemps professeur à Columbia, est un peu mieux connu en France que les autres vedettes du champ littéraire américain – mais presque exclusivement pour sa défense assidue de la cause palestinienne, comme ancien membre du Conseil national palestinien et opposant de longue date à Yasser Arafat[30]. Pourtant, au-delà même des études

---

27. « Consequences », *in* W. J. T. MITCHELL (dir.), *Against Theory, op. cit.*, p. 113.
28. Adam BEGLEY, « Souped-up Scholar », *New York Times Magazine, op. cit.*
29. *Professional Correctness : Literary Studies and Political Change, op. cit.*, p. 140.
30. *Cf.* son récent *Israël-Palestine, l'égalité ou rien*, Paris, La Fabrique, 2001.

postcoloniales et de l'impact de la théorie française, son œuvre reste l'une des réflexions les plus abouties, dans le champ intellectuel américain, sur les rapports entre culture et politique, pouvoir et identité. Après une thèse à Harvard, des essais sur la fonction d'« autorité » du récit et un premier livre sur Joseph Conrad en 1966, Said est propulsé sur le devant de la scène universitaire avec la publication en 1978 de son grand œuvre, *Orientalism*, traduit en français dès 1980[31] et resté l'un des essais majeurs du champ littéraire anglo-saxon de la seconde moitié du XXe siècle.

Depuis le mot de Chateaubriand selon lequel l'Occident aurait pour mission « d'apprendre la liberté » à l'Orient, jusqu'aux formes orientalisantes du romantisme fin de siècle, Said y reconstitue tout au long du XIXe siècle, dans les textes littéraires et politiques français et anglais, l'invention occidentale d'un stéréotype culturel proche-oriental – la construction intellectuelle et coloniale d'une identité *autre*. Le livre, comme la suite de l'œuvre de Said, se situe à la croisée du travail de Foucault sur les formations discursives (ici, l'Orient comme discours) et le régime de savoir-pouvoir (l'Orient comme savoir né de la force coloniale) et des réflexions d'Antonio Gramsci sur l'hégémonie, en tant que diffusion de *représentations* et non de vérités. Des contes de Flaubert aux récits d'aventure de Richard Burton, Said définit dans *Orientalism* l'intellectuel colonial non comme un simple *outsider*, libre usager de matériaux culturels, mais comme celui que sa soumission au pouvoir oblige bien souvent à réunir le « consentement des subalternes » aux représentations officielles – réflexion critique sur les errements politiques et, au contraire, le rôle supérieur de l'intellectuel libre qu'il prolongera dans *Des intellectuels et du pouvoir*[32]. Mais l'enjeu est plus large, qui place l'œuvre de Said à la frontière du champ universitaire et de la résistance politique effective, et explique son influence sur toutes les innovations politiques du champ littéraire américain depuis trente ans : il s'agit d'accéder à un inconscient historique des œuvres, à une dimension non plus contextuellement, ou périphériquement, mais *intrinsèquement* politique de la littérature – qu'il s'agit désormais de réhistoriciser, de resocialiser, insiste Said, contre les tentations formalistes du New Criticism puis de la déconstruction. C'est l'un des objectifs de son travail magistral de 1993, *Culture et impérialisme*. Analysant la notion occidentale d'Empire, depuis son emprise territoriale franco-britannique du XIXe siècle,

---

31. *L'Orientalisme : l'Orient créé par l'Occident*, Paris, Seuil, 1980 [Préface de Tzvetan Todorov].

32. *Des intellectuels et du pouvoir*, Paris, Seuil, 1997.

sans précédent historique, jusqu'à ses rémanences manifestes dans la guerre du Golfe de 1991, Said met au jour les formes insidieuses et profondément dialectiques de la domination impériale à partir de quelques chefs-d'œuvre de l'Europe coloniale – dont *Au cœur des ténèbres* de Joseph Conrad, *Mansfield Park* de Jane Austen, *L'Étranger* de Camus et même *Aïda* de Verdi (Said est aussi le critique musical de l'hebdomadaire *The Nation*). Il s'agit de montrer à la fois l'influence de ce nouvel imaginaire impérial, coupable ou triomphal, sur *toute* la culture occidentale, et l'émergence en réaction d'une « tension oppositionnelle », de lectures locales « réap-propriantes » des textes occidentaux qui préparent la « décoloni-sation culturelle ». C'est que le type de souveraineté inventé par cet « âge de l'Empire[33] », et les modes de résistance qu'il suscite en retour, s'étendent au-delà du pillage économique et de la tyrannie politique, du côté des formes esthétiques, des représentations imagi-naires et même de la « structure des sentiments », chez les dominés comme les dominants[34]. C'est en quoi, conclut Said en citant Franz Fanon, la dialectique hégelienne du maître et de l'esclave ne peut être elle-même qu'une invention occidentale, pour avoir postulé la simple réversibilité logique de ces deux positions[35].

Moins explicite que continûment sous-jacent, le dialogue qu'entretient Said avec la théorie française est resté crucial. Il peut par exemple confronter le fameux « traité de nomadologie » de Deleuze et Guattari[36], qu'il juge « mystérieusement suggestif », à la « carte politique du monde contemporain » : s'il note bien le fossé qui sépare la « mobilité optimiste » de telles « pratiques nomades » des « horreurs qu'a fait endurer notre siècle de migrations et de vies mutilées », Said tire de la perspective deleuzo-guattarienne l'idée capitale que *résistance* et *libération* « comme missions intellec-tuelles » ont glissé aujourd'hui d'une « dynamique culturelle installée, établie et apprivoisée » à « des énergies délogées, décentrées et exiliques » – qu'incarne désormais le migrant de la mondialisation, et dont « la conscience est l'intellectuel ou l'artiste *en exil*, figure politique d'entre les domaines, les formes, les foyers et les langues[37] ». Mais ce cas-là est plus rare que le rapport constant de Said, laudatif et critique à la fois, avec l'œuvre de Michel Foucault. C'est au nom de la tactique politique qui doit être selon

---

33. Selon le titre qu'a donné l'historien Eric Hobsbawm à son panorama de la fin du XIXᵉ siècle (*The Age of Empire 1875-1914*, New York, Vintage, 1989).

34. *Culture and Imperialism*, New York, Knopf, 1993.

35. *Ibid.*, p. 210.

36. Douzième chapitre de *Mille Plateaux*, Paris, Minuit, 1980, p. 434-527.

37. *Culture and Imperialism*, *op. cit.*, p. 331-332.

lui celle de l'universitaire, et de son substrat éthique, qu'il reproche à l'auteur des *Mots et les choses* son concept de *pouvoir*, dont la polysémie et le fonctionnement quasi magique reviendraient à « oblitérer le rôle des classes sociales [...] et de la rébellion » dans l'histoire[38] – outre qu'il trouve sa conception de l'histoire « textuelle en dernière analyse, sur un mode avec lequel Borgès se serait trouvé des affinités[39] », et qu'il en appelle, contre le thème de la « mort de l'auteur », à savoir reconnaître la reponsabilité d'auteurs individuels dans la constitution de formations discursives telles que l'orientalisme[40].

Apôtre d'une fonction critique *séculière*, qui fasse le lien entre les textes et le monde sans jamais simplifier ni jargonner – ou même d'une *troisième voie* entre discours idéologique et spécialisation académique –, Said a souvent reproché leurs effets pervers politiques aux arguties *théoristes* américaines inspirées de la théorie française : parce que le discours du pouvoir est « monologique », à plus forte raison pendant la révolution conservatrice, la technicisation du débat intellectuel – pour nécessaire qu'elle fût parfois – risque de faire le jeu du reaganisme, estime-t-il, en laissant aux seuls « experts » et aux « théoriciens » ces « problèmes complexes »[41]. De même qu'à l'instar de sa consœur Gayatri Spivak, il se méfie des « méthodes » générales et des « systèmes » explicatifs, qui en devenant « souverains » font perdre à leurs praticiens « tout contact avec la résistance et l'hétérogénéité propres à la société civile », laquelle peut mettre à meilleur profit une critique ponctuelle, qui doit « être toujours en situation[42] ». Pour cette activité critique *située* qu'il n'a cessé d'appeler de ses vœux, et qui « appartient à cet espace potentiel » des « actions et des intentions alternatives pas encore articulées comme institution sociale ou même comme projet[43] », la voie est étroite, peu gratifiante, aussi fragile ou provisoire que ces moments de spontanéité ou d'indécision sociales sur lesquels elle peut se brancher. Voie toujours semée d'écueils – qu'il s'agisse des mirages de l'abstraction académique ou, à l'inverse, des

---

38. *The World, the Text, and the Critic*, Cambridge, Harvard University Press, 1983, p. 243.

39. « Traveling Theory », *in* Rainer GANAHL (dir.), *Imported : A Reading Seminar*, *op. cit.*, p. 178-179.

40. Moustafa BAYOUMI et Andrew RUBIN (dir.), *The Edward Said Reader*, *op. cit.*, p. 89.

41. « Opponents, Audiences, Constituencies and Community », *in* Hal FOSTER (dir.), *The Anti-Aesthetic : Essays on Postmodern Culture*, Port Townsend, Bay Press, 1983, p. 135-158.

42. « Secular Criticism », *in* Moustafa BAYOUMI et Andrew RUBIN (dir.), *op. cit.*, p. 241.

43. *Ibid.*, p. 242.

impasses du nationalisme et de l'identité figée, auxquelles Said oppose depuis trente ans (bien avant le multiculturalisme de campus) l'hybridité intrinsèque de toute culture, l'interdépendance historique des traditions et des imaginaires. Que la *critique* littéraire renoue, dans l'espace politique et littéraire mondial, avec la démarche *critique* telle que l'avaient définie Marx et Gramsci – tel est le rêve lucide d'Edward Said.

Richard Rorty et la conversation

S'il est souvent considéré comme le plus grand philosophe américain vivant, Richard Rorty est l'auteur d'une œuvre *frontalière*, plus ouverte que celle de ses collègues au champ et aux théories littéraires, et vouée depuis vingt-cinq ans à une critique du rationalisme et de l'objectivisme de la philosophie analytique américaine – deux traits qui l'ont fait dialoguer sans discontinuer, d'article en ouvrage et parfois même face à face, avec les grands noms de la théorie française. Même si le distingue de ses homologues littéraires l'éthos particulier, qu'il a conservé, du philosophe-logicien : plus discret qu'ostentatoire, plus argumentatif qu'assertif, plus libéral que radical, au contraire des postures avant-gardistes de certains *théoristes*. Né en 1931 dans un milieu d'anticommunistes de gauche, élève de Rudolph Carnap à l'université de Chicago, Rorty enseigne la philosophie à Princeton jusqu'en 1982, à l'université de Virginie jusqu'en 1998, et depuis lors, justement, au département de *littérature* de Stanford. Après un début de carrière convenu dans les traces des logiciens américains et des théoriciens du langage ordinaire, son essai de 1979 *Philosophy and the Mirror of Nature* lui vaut une reconnaissance immédiate – et des polémiques qui durent encore avec l'institution philosophique américaine.

« L'objectif de la philosophie est d'être une théorie générale de la représentation[44] », pose d'emblée Rorty. En montrant que la connaissance est simple *représentation*, tentative de réfléchir dans le « miroir » de l'esprit, aussi exactement que possible, le monde qui lui est extérieur, ce livre entend en saper par là même les fondations objectives – et sonner le glas d'un « fondationnalisme » philosophique datant au moins de Descartes. Le savoir ne serait pas fondé en vérité, montre Rorty, mais condamné à l'imperfection de la représentation, et surtout aux conditions sociales et normatives qui en déterminent les modalités. Derrière l'idée qu'intérêts sociaux et

---

44. *Philosophy and the Mirror of Nature*, Cambridge, Cambridge University Press, 1979, p. 4.

comportements mutuels conditionnent *en situation* la connaissance, bien plus qu'un improbable référent fixe du savoir, Rorty défend ce qu'il appelle un « *béhaviorisme* épistémologique » – en se réclamant de l'héritage général de John Dewey, le père du pragmatisme, et d'une influence plus ponctuelle du logicien Donald Davidson. Dans la partie centrale du livre, il démonte la distinction claire entre ce qui est donné et ce qui est fabriqué, ce qui est objectif et ce qui est subjectif, entre l'apparence et le réel et bientôt, par voie de conséquence, entre « faits » et valeurs : ces dichotomies sur lesquelles se fondait l'enquête philosophique, du cartésianisme à la philosophie analytique, ne sont dès lors plus absolues, selon Rorty, mais toujours *relatives* au contexte et aux objectifs spécifiques de l'entreprise de connaissance (ou de représentation), et plus largement à la notion que propose le philosophe de « conversation » – soit les jeux de positions des locuteurs, la recherche de l'entente entre interlocuteurs, l'éthique du cas par cas et de l'heureuse occasion. Accusé par ses pairs de relativisme, et de faire le jeu de la théorie française, Rorty répond aussitôt qu'il serait plutôt « conversationnaliste ». Le mot est lancé.

Cet « antifondationnalisme » existe depuis un siècle aux États-Unis, conclut Rorty dès ce premier livre : le pragmatisme est son nom, et sa tradition politique est celle du libéralisme américain. Aussi appelle-t-il de ses vœux, dans ses ouvrages suivants, un « néopragmatisme » à valeur de « postphilosophie », synthèse de la tradition américaine et de la critique française de la représentation, une synthèse qui supprime de chacune les éléments nuisibles, écartant du vieux pragmatisme de Dewey les résidus d'objectivisme qui l'aveugleraient encore, et de la théorie française les tentations nihiliste et antisociale que lui reproche Rorty. Car loin d'inciter au nihilisme ou au relativisme, ce pragmatisme « ironique » va de pair, pour lui, avec le seul horizon social et moral viable : l'extension graduelle de l'entente sociale et des formes de solidarité, dans la tradition progressiste et réformiste du libéralisme (de gauche) américain, un volontarisme social qu'il justifie aussi parfois en se référant au naturalisme darwinien. C'est la logique même que déploie son second grand succès, *Contingency, Irony and Solidarity*. Le livre aborde surtout les œuvres de Heidegger, contre ses fondations ontologiques, Derrida, en le suivant en partie seulement sur la voie de l'autonomie du langage, George Orwell pour réaffirmer le crédo pluraliste et humaniste des Pères fondateurs, et enfin Vladimir Nabokov – la littérature révélant, comme le fait aussi selon Rorty la théorie française, les usages « antifondationnels » et

« antireprésentationnels » possibles du langage[45]. Ses deux derniers ouvrages, *Achieving Our Country* et *Philosophy and Social Hope*, destinés à un plus large public, vont au-delà d'une telle relégitimation pragmatiste de la doctrine libérale : ils réaffirment la « grandeur » du projet américain, défini dans les termes d'une disponibilité pour l'avenir et d'une évolution égalitaire vers la société sans classe – un horizon que des facteurs, eux, *objectifs* auraient pourtant plutôt tendance à éloigner inexorablement depuis que Richard Rorty a commencé à écrire.

C'est que la tradition pragmatiste américaine est indissociable, depuis ses origines au XIX⁰ siècle, du conservatisme politique de ses plus hautes figures, de Charles Sanders Peirce à Hilary Putnam, et des missions éducatrice et utilitariste qu'elle s'était assignées. Mais la posture d'« ironiste libéral » de Rorty, et sa défense ici et là de Nietzsche, Foucault ou Derrida n'ont pas moins monté contre lui un grand nombre de ses collègues philosophes, libéraux plus traditionnels : Richard Bernstein a ainsi opposé au « pragmatisme ironique » de Rorty un « pragmatisme éthique » plus fidèle selon lui à l'héritage de Dewey[46], tandis que les volumes collectifs discutant la validité de son « conversationnalisme » se sont multipliés, obligeant Rorty à des réponses circonstanciées[47]. Pourtant, c'est aussi dans son sillage qu'ont été explorées quelques voies de passage entre la théorie française et la tradition pragmatiste américaine. Car un antidualisme conséquent, un matérialisme instinctif (ou tactique), un empirisme abouti et une critique latente de l'essentialisme humaniste leur sont autant de positions philosophiques communes. Deleuze et Guattari n'estimaient-ils pas que « la pragmatique [...] [est] l'élément de base dont tout le reste dépend[48] » ? Et Foucault n'avait-il pas expliqué un jour, en quelques mots elliptiques, que tout son projet consistait à tenter de faire la « philosophie analytique » du pouvoir, en visant ses « jeux », ou « ce qui se passe quotidiennement dans les relations de pouvoir », et non son « essence »[49] ? Si ce dialogue-là n'a jamais vraiment eu lieu, certaines expériences théoriques plus récentes ont joué à leur tour, comme l'a fait Rorty, de cette convergence possible : celle de Richard

---

45. *Contingency, Irony and Solidarity*, Cambridge, Cambridge University Press, 1989.

46. Richard BERNSTEIN, *The New Constellation : The Ethical and Political Horizons of Modernity/Postmodernity*, Cambridge, MIT Press, 1992.

47. *Cf.* Herman SAATKAMP (dir.), *Rorty and Pragmatism : The Philosopher Responds to his Critics*, Nashville, Vanderbilt University Press, 1995.

48. Gilles DELEUZE et Félix GUATTARI, *Mille Plateaux, op. cit.*, p. 184.

49. Michel FOUCAULT, « La philosophie analytique de la politique » (conférence à Tokyo), repris *in Dits et écrits, 1954-1988, op. cit.*, vol. 4, p. 540-541.

Shusterman, un philosophe par ailleurs spécialiste de Bourdieu, en appliquant l'approche de Dewey aux formes esthétiques les plus contemporaines, du rap à la vidéo[50], ou l'étrange chantier proposé par le critique noir Cornel West sous le nom de « pragmatisme prophétique », lié au destin des minorités et aux « pouvoirs humains » de transformation sociale et de régénération spirituelle[51]. Reste qu'avec une rare aptitude à embrasser les héritages intellectuels les plus divergents, Rorty aura relié le premier, et le plus obstinément, ces deux traditions française et américaine – le lien en question dût-il être ténu, discutable, ou même idéologiquement motivé.

Fredric Jameson et la question postmoderne

Fredric Jameson, directeur du programme de littérature à Duke, est souvent présenté comme l'intellectuel marxiste américain le plus influent de sa génération. Encore faut-il préciser qu'il incarne un type d'intellectuel marxiste différent de ceux qu'on range d'ordinaire sous cette rubrique en Europe continentale : sans engagement social ni affiliation partisane, exclusivement universitaire par son champ d'intervention, il est issu du sérail littéraire et voué donc à étudier la « superstructure » des phénomènes textuels et artistiques, mais dispose aussi de ce fait d'une vision panoramique de toute la sphère culturelle contemporaine. Jameson a bâti sa carrière sur une approche *critique* des vogues théorique et postmoderniste anglo-saxonnes des trente dernières années – les présentant souvent avant les autres, les suivant au fil des ans avec une rare acuité, et les réintégrant sans cesse dans la trame plus large (dont les coordonnées sont celles du matérialisme historique) d'une histoire politique et esthétique de l'Occident moderne. Pourtant, le marxisme « dur » de ses débuts, lorsqu'il enseignait à San Diego et liguait ses étudiants contre les « postmodernes » français invités sur le campus de La Jolla[52], avait été dès le départ doublement amolli, si l'on peut dire, par le prisme littéraire de ses analyses, et l'impact sur lui du Sartre existentialiste et phénoménologue – auquel il consacra sa thèse de doctorat. Ses premiers ouvrages portent sur l'écrivain Wyndham

---

50. Richard SHUSTERMAN, *Pragmatic Aesthetics*, Lanham, Rowman & Littlefield, 1998.

51. Cornel WEST, *The American Evasion of Philosophy : A Genealogy of Pragmatism*, Madison, University of Wisconsin Press, 1989.

52. Comme le rapporte notamment François DOSSE, *Michel de Certeau. Le marcheur blessé, op. cit.*, p. 414.

Lewis[53] et sur le structuralisme comme réduction *linguistique* des réalités collectives de l'histoire et des rapports sociaux[54] – un textualisme qu'il reprochera aussi au « poststructuralisme », sans toujours bien distinguer les deux phases de ce point de vue. Les livres suivants procèdent à un double croisement de la pensée marxiste avec l'histoire des représentations esthétiques d'abord[55], et avec un « inconscient politique » qui serait propre au récit littéraire[56]. Mais ce sont surtout ses deux volumes d'analyse de la « théorie » (littéraire, poststructuraliste) comme « idéologie »[57], et son célèbre article de 1984 dans la *New Left Review* (devenu en 1991 un long essai[58]) sur le « postmodernisme » comme allié « culturel » du capitalisme avancé, qui établissent dans le champ intellectuel anglo-saxon une position jamesonienne bientôt incontournable.

La sphère culturelle, observe Jameson après d'autres, s'est métamorphosée depuis l'après-guerre, passée de la zone normative strictement délimitée qu'elle était à l'âge *moderniste* (ou industriel), fondée sur les distinctions bourgeoises entre copie et original, ou signifiant et signifié, au populisme esthétique de la *pop culture* caractérisé par l'extension sans limite du « culturel », jusqu'à l'usage ironique de la marchandise en art et l'indistinction généralisée entre vente et valeur – comme entre cité et citant, esthétique et idéologie, et bientôt auteur et public. Selon lui, cette évolution manifeste en même temps qu'elle favorise – contre le causalisme à sens unique du « reflet » économiste, que critiquait déjà son maître Georg Lukàcs – celle du capitalisme dans son ensemble vers son stade avancé, ou intégré : en imposant *de facto* la fin de l'extériorité (au sens où plus rien n'est extérieur au capital), celui-ci signale aussi la fin de l'art dans sa fonction traditionnelle, et de la philosophie moderne dans sa tradition biséculaire. C'est pourquoi Jameson coiffe sous la même rubrique de « postmoderne » les deux expressions majeures, selon lui, de ce nouveau rôle de la culture au service de la domination marchande, qui en seraient les symptômes les plus aigus mais aussi les formes supérieures : l'art pop, qu'il traque non seulement chez

---

53. *Fables of Agression : Wyndham Lewis, the Modernist as Fascist*, Berkeley, University of California Press, 1979.

54. *The Prison-House of Language, op. cit.*

55. *Marxism and Form*, Princeton, Princeton University Press, 1974.

56. *The Political Unconscious : Narrative as a Socially Symbolic Act*, Ithaca, Cornell University Press, 1981.

57. *The Ideologies of Theory : Essays 1971-1986*, Minneapolis, University of Minnesota Press, 1986 et 1988.

58. *Postmodernism, or, the Cultural Logic of Late Capitalism*, Durham, Duke University Press, 1991.

Warhol mais chez les vidéastes ou les architectes postmodernes, et
la théorie postdialectique, autrement dit selon lui (qui fut l'un des
premiers aux États-Unis à en lire les auteurs) la *French Theory*.
Même déplacement, en un mot, de la révolution vers l'*écriture*, ou
de la lutte vers la parodie, avec les chaussures sérigraphiées d'Andy
Warhol venues remplacer les souliers peints par Van Gogh, et avec
les relectures sémiologique ou ironique de Marx chez Baudrillard ou
Derrida. La méthode de Jameson consiste à détailler brillamment
quelques exemples, véritables vignettes analytiques, consacrées à
l'hôtel « postmoderne » Bonaventure de Los Angeles [59] ou aux
divergences entre Derrida et Paul de Man sur l'« état de nature »
chez Rousseau [60]. Plutôt qu'en faire une critique frontale, Jameson
parvient à dénicher, dans les romans populaires ou les sagas holly-
woodiennes, un mélange d'aliénation et de résistance imaginaire ou,
dans ses termes, de réification et de résidus d'utopie [61]. Mais son
souci de démontrer la participation de la théorie française aux
nouveaux processus réifiants et fragmentaires du capital ne va pas
sans généralisations hâtives : il réunit ainsi Deleuze et Baudrillard
dans l'argument commun d'une « culture du simulacre [...] inspirée
de Platon [62] », et réduit en quelques mots le travail de Deleuze et
Guattari à une « esthétique » menant à « l'apologie [du] discontinu
et du schizophrène [63] ».

Plus acérée que celle des autres marxistes américains, sa critique
des *Cultural Studies* reste d'une grande justesse : la « conscience de
classe » y est remplacée par une « libido de groupe », et la « doxa
du style » y joue le rôle de la raison critique, substituant un
« carnaval populiste » au combat social [64]. Mais associer ainsi cette
vogue interdisciplinaire dans l'université, trente ans d'art contemporain, et les textes – et leurs usages – de Deleuze, Lyotard ou
Derrida relève d'un raccourci contestable. Les plus rigoureuses des
analyses de Jameson gagneraient à ce que soient reconnus d'une part
la distance des textes à leurs usages (c'est sa lacune sociologique)
et, d'autre part, le rapport à Marx de certains auteurs du groupe,
beaucoup plus complexe qu'une simple trahison esthétisante. Une
simplification dont il n'a certes pas le monopole : marxistes et non-
marxistes américains préfèrent voir le dernier Deleuze, le Foucault

---

59. *Ibid.*, p. 39-44 et chap. 4.
60. *Ibid.*, p. 224-227.
61. « Reification and Utopia in Mass Culture », *Social Text*, vol. 1, n° 1, hiver 1979.
62. *The Ideologies of Theory*, *op. cit.*, vol. 2, p. 195.
63. *Fables of Agression*, *op. cit.*, p. 7 et 124.
64. « On Cultural Studies », *in* John RAJCHMAN (dir.), *The Identity in Question*, *op. cit.*,
p. 251-293.

des années 1970 et même le Lyotard d'*Économie libidinale* comme d'improbables ennemis de Marx plutôt qu'en penseurs de leur temps tâchant de confronter l'héritage marxien aux nouvelles modalités du travail et du capital. Jameson aura permis néanmoins de mettre en rapport, et en perspective, théorie française et théorie critique marxienne ; mais on peut se demander si les limites de son approche, par ailleurs si sophistiquée, ne renvoient pas à sa discrète mais fidèle filiation sartrienne, à un humanisme existentialiste qui l'incite à dénoncer ce qu'il perçoit comme un dangereux antihumanisme esthétique. C'est le cas lorsqu'il estime que, pour illustrer l'impossible « plénitude » de la présence, la phénoménologie sartrienne (comme dans l'exemple du verre bu qui n'étanche *que* la soif) vaut mieux que l'« épistémologie » et l'« esthétique » de l'« idéologie derridienne » – confrontant ainsi curieusement *De la grammatologie* à *L'Être et le néant*[65]. Celui qui reprochait à la *theory* d'introduire une « dynamique dans laquelle ce ne sont plus les idées mais les textes, les textes matériels, qui sont en lutte les uns avec les autres », est pris ici en flagrant délit d'illusion *continuiste* en matière d'histoire des textes, et des idées. À moins qu'à l'instar des autres vedettes de l'université, une motivation plus stratégique, liée à sa position dans le champ, n'ait inspiré à Jameson ce dialogue continu avec la théorie française et sa signification historique – désir d'être reconnu comme leur semblable, leur seul interlocuteur valable, un désir à l'aune duquel il a bien remporté son pari : il est « le seul intellectuel de langue anglaise qui pût se mesurer aux post-structuralistes français[66] », estime par exemple, comme nombre de ses collègues, un historien des idées américain.

Par-delà l'œuvre singulière de Jameson, la question postmoderne devient *la* grande question culturelle dans l'Amérique des années 1980. Intégrant aussi bien les nouvelles formes festives ou ludiques de l'art que les nouvelles théories identitaires dans l'université, la rubrique de postmodernisme résume alors le *zeitgeist*, ainsi que l'atteste le *New York Times* en en faisant « une nouvelle étape majeure pour la culture[67] ». Pourtant rigoureux, le dictionnaire déjà cité de la pensée américaine va jusqu'à en faire un « mouvement culturel » effectif, le dernier en date dans l'« histoire de

---

65. *Postmodernism...*, *op. cit.*, p. 337-338.
66. William DOWLING, *Jameson, Althusser, Marx*, Ithaca, Cornell University Press, 1984, p. 10.
67. Stephen HOLDEN, « The Avant-Garde is Big Box Office », *New York Times*, 16 décemnre 1984.

l'Occident[68] », notant sa pluralité et son indéfinition (en y associant le cinéaste David Lynch, le compositeur Philip Glass ou l'artiste Cindy Sherman) mais sans jamais interroger son caractère nominaliste, sa dimension d'artefact classificatoire. Un usage conventionnel du terme de postmodernisme qui est lui-même d'autant plus paradoxal qu'il n'est pas rétrospectif, comme l'exigerait l'histoire culturelle, mais simultané – à moins qu'il ne signale une dernière tentative, elle-même ironique, pour prendre au sérieux un *présent* opaque et désenchanté. Ou qu'il ne soit la traduction, dans le langage démiurgique des mots en -isme, d'une obsession futuriste typiquement américaine, d'une mythologie de la promesse progressiste qui fait décliner aux intellectuels américains, depuis trois décennies, le préfixe post- sur le même ton incantatoire – dans l'espoir qu'advienne enfin un monde *post*-humaniste, *post*-historique, *post*-puritain, ou même *post*-blanc et *post*-mâle[69].

La valeur de jalon historique et de partition théorique de cet *axe postmoderne*, sur laquelle il est inutile d'insister ici, explique en tout cas qu'il soit devenu, au-delà du marxisme jamesonien, la grille de lecture principale de la théorie française aux États-Unis. Sonne-t-elle le glas du *modernisme* culturel et philosophique ? Annonce-t-elle la disparition de fait du *sujet* et de l'*histoire* modernes ? Est-elle vraiment l'équivalent théorique du pop art ou des nouveaux mysticismes – signes parmi d'autres d'un brouillage postmoderne des frontières ? Autant de questions à la fois trop générales et trop engluées dans le présent qu'elle veulent élucider pour qu'elles soient aussi pertinentes en Europe qu'aux États-Unis – mais qui y expliquent en tout cas, sur un mode éponyme, le succès continu depuis sa traduction en 1980 de *La Condition postmoderne* de Jean-François Lyotard[70], dont il se vend toujours près de 4 000 exemplaires par an outre-Atlantique. Pourtant, celui que ses lecteurs américains présentent un peu vite non seulement comme l'apôtre du postmoderne mais aussi comme l'inventeur du terme est loin d'en avoir la paternité, ses usages remontant au moins à 1971 sous la plume du critique littéraire américain Ihab Hassan[71]. La

---

68. Richard Wightman Fox et James Kloppenberg (dir.), *A Companion to American Thought*, *op. cit.*, p. 534.

69. Pour reprendre quelques-uns des *post*- entonnés par le critique Leslie Fiedler dans son essai de 1965 « The New Mutants » (*in A Fiedler Reader*, New York, Stein & Day, 1977, p. 189-210).

70. Jean-François Lyotard, *The Postmodern Condition : A Report on Knowledge*, Minneapolis, University of Minnesota Press, 1980.

71. Ihab Hassan, *The Dismemberment of Orpheus, Toward a Post Modern Literature*, New York, Oxford University Press, 1971.

question fait néanmoins toujours débat aux États-Unis de savoir si les grands prêtres de la théorie française relèvent eux-mêmes du *postmodernisme*, comme le voudrait cette lecture posthumaniste et postdialectique, ou d'un dernier soubresaut crépusculaire du *modernisme*, comme l'indiqueraient les références résolument modern(ist)es qui sont les leurs – de Nietzsche à Freud, Flaubert, Bataille, Joyce et Mallarmé. Une question qui rappelle, si besoin était, que ces lectures américaines, celles des stars intellectuelles ou celles des simples étudiants, sont avant tout des lectures réappropriantes : leur premier geste est une forme de reterritorialisation consistant à mettre les textes importés au service d'un déplacement de ses propres frontières, d'un ébranlement de ses propres catégories – sans rapport parfois avec le texte invoqué.

9

Étudiants et usagers

« Adolescent aliéné, tu as lu Sartre. À l'entrée à l'université, tu fumais des gauloises et déclamais du Derrida. Plus tard, en maîtrise, tiraillé par les doutes, tu as trouvé le soulagement dans les vertiges d'errance d'un Baudrillard [...] et dans l'optimisme sans entraves de Deleuze et Guattari. Les penseurs français. Tu as grandi avec eux [...]. Tu admets pourtant que, rétrospectivement, tout cela paraît un peu absurde. Toi et ces Gaulois désespérément abscons – qui aurait pu deviner qu'il y aurait une telle électricité entre vous ? »

Emily EAKIN, *Lingua Franca*

Parcourir Foucault, et y trouver dépeintes les instances de contrôle évoquées plus rhétoriquement dans les cours de *gender studies*, ou au détour d'une page, sur un mode plus intime, y voir soudain théorisée la perception qu'on a de sa propre marginalité honteuse. Feuilleter Derrida pour enrichir un mémoire de fin de semestre (un *paper*), ou y dénicher une formule obscure dont les termes captent parfaitement, sans pathos, l'émotion esthétique d'un répertoire plus personnel – celle que produisit tel film ou tel concert. La lecture étudiante mêle obligation scolaire et exploration personnelle, parcours crayon en main et picorage d'un soir. C'est en passant sous les yeux des étudiants, en rejoignant la bibliothèque précaire de leur chambre de campus, en s'infiltrant dans les failles d'un malaise existentiel ou dans les codes ludiques de leurs conversations, en circulant de listes de lectures en enthousiasmes partagés, que la théorie française se fait aux États-Unis personnage familier, objet vivant, de désir ou d'opprobre – autre chose, en un mot, que ce matériau conceptuel habilement réintégré dans leurs constructions

théoriques par les grands intellectuels du champ universitaire.
À condition de modérer d'emblée son impact sur la vaste population étudiante américaine : « La théorie est désormais acceptée
comme une option utile pour les étudiants gradués et les plus
avancés des élèves de premier cycle, mais à garder à distance de la
grande majorité des étudiants[1] », notait Gerald Graff en 1987. Française ou simplement « littéraire », elle est davantage étudiée à
l'université qu'au *college*, et sur les campus d'élite que par le tout-
venant. Et là où il y est fait un large recours, c'est une même stratégie de distinction qui motive souvent les étudiants *théoristes* et
leurs professeurs de renom : la *theory* confère à ceux qui l'invoquent
un avantage, une supériorité implicites, sur leurs cadets comme sur
le commun des étudiants, et parfois même sur les auteurs invoqués.
Sans oublier bien sûr que pour cette brillante clique, qui rejoindra
souvent – après un changement d'études – la direction des grandes
entreprises ou la haute administration, « il est bien rare qu'un cours
de littérature change une vie[2] », même un cours de théorie, comme
s'en amusait David Kaufmann. Quelques noms propres et quelques
concepts auront été rencontrés au gré de ces années de formation,
sans qu'on puisse préjuger des conséquences qu'ils auront sur une
carrière individuelle – s'ils en ont.

Les jeux de la parataxe

Mais en attendant, quand on a vingt-deux ans, la théorie est une
tournure d'esprit excitante, qui imprègne de ses élégances ceux qui
l'adoptent, même très ponctuellement, et rend à l'étudiant(e)
l'initiative intellectuelle – une démarche fortifiante, assurée, parfois
trop, jusqu'à la naïveté ou la caricature : « Melville est profondément suspect, il n'y a pas une femme dans son livre, l'intrigue
frise la malveillance envers les animaux, et la plupart des Noirs sont
morts noyés quand on arrive au chapitre 28 », peut ainsi dire de
Moby Dick un étudiant très « PC » cité par le *New York Times*.
Sans aller jusque-là, faire la chasse théorique – même moins morali-
sante – aux « non-dits » et aux « sous-textes » sexistes, racialistes, ou
révélant simplement chez l'auteur un penchant scientiste ou la
dérive de l'esthète parnassien, s'avère un exercice autrement facile,
et gratifiant, que l'explication de texte linéaire ou l'histoire littéraire. La déconstruction elle-même présente le paradoxe d'une
« facilité » méthodologique : parce qu'elle entend invalider le

---

1. Gerald GRAFF, *Professing Literature*, *op. cit.*, p. 248.
2. David KAUFMANN, « The Profession of Theory », *op. cit.*

principe d'une « unité organique » entre « la rhétorique, la structure et l'argument [d'un texte] », et révéler plutôt les apories et tous les décalages entre langage et contenu apparent, les étudiants sans bagage philosophique ni expérience de la critique sémantique ordinaire peuvent ainsi aisément « produire des "lectures déconstructives" qui ont tous les traits d'un travail de professionnel[3] », observe Peter Brooks. Du point de vue de la performance intellectuelle, et pour en optimiser à moindres frais les résultats personnels, il est plus facile de passer *directement* à la déconstruction – telle que l'entendent les départements de littérature – que d'en revenir à une lecture contextuelle, référentielle ou même biographique du texte étudié.

Au-delà d'une telle *rentabilité*, ou des postures de défi politique des étudiants minoritaires, le langage et les arguments mêmes de la démarche théorique se prêtent beaucoup plus que les approches traditionnelles aux codes d'initiés et aux réappropriations ludiques. Ils sont mieux adaptés aux dimensions empathique et joueuse de la conversation étudiante, et à ses libres procédés que sont la mention furtive d'un nom propre prestigieux (le *name-dropping*) et l'association instantanée de concepts incompatibles, véritable *cut-up* notionnel où le plus incongru signalera chez son locuteur brio et légèreté. La chaîne référentielle est rompue, ou largement réduite ; il n'est plus besoin d'avancer ses passe-droits, œuvres connues et corpus maîtrisé, pour s'essayer à théoriser. Les lecteurs « se sont emparés de quelques mots comme de baguettes magiques grâce auxquelles transformer le train-train d'une lecture scolaire en "textes" théoriques qui magnétisent le regard[4] », résume Edward Said. Noms auratiques désacralisés en sobriquets (« Derridoodle », ou la paire « D&G » des auteurs de *L'Anti-Œdipe*), concepts portatifs déclinables à l'envi (le « panoptikon » surplombé par la tour de son k-, ou le « BwO » – pour corps sans organes – des auteurs suscités), raisonnements paralogiques ou ironiques contre les évidences plus lentes, plus lourdes à mettre en œuvre, de la raison argumentative. L'injustifiable devient une justification : la citation hors contexte ou l'argument décalé se justifient *comme tels*, contre les grosses constructions argumentaires, massives et poussives, et passées de mode. Pour ceux et celles qui sont trop jeunes pour maîtriser tous les enjeux d'un texte, la *theory* est une aubaine.

Tout renvoie à la *parataxe*, ce procédé littéraire de l'énumération spasmodique, de la juxtaposition elliptique, sans lien, comme étant

---

3. Peter BROOKS, « Aesthetics and Ideology », *op. cit.*, p. 512.
4. Edward SAID, « The Franco-American Dialogue », *op. cit.*, p. 146.

ce qu'ont en commun la logique *théoriste* et le cours de littérature aux États-Unis – et qui expliquerait donc les bonheurs de leur rencontre. Car on lit le plus souvent, dans un cours de littérature américain, sur le mode impressionniste du fragment, de l'extrait, du survol. Et on lit moins pour les œuvres littéraires étudiées (dont la lecture, estime Said, ne prend jamais à l'étudiant plus d'un cinquième de son temps de travail personnel[5]) que pour comparer, évaluer, commenter les différentes approches critiques, ou théoriques – qui constituent l'objectif réel de nombre de cours. La lecture des textes théoriques est elle-même parataxique, éclatée : un chapitre y résume une œuvre, et la synthèse d'un commentateur américain y écarte bien souvent le texte de l'auteur français. L'extrait du *Kristeva Reader* consacré au motif du « soleil noir » remplace le long essai de Kristeva sur « dépression et mélancolie », une introduction américaine à Foucault exonère de lire ses principaux titres, et même une analyse structurale de Shakespeare peut, à la limite, remplacer sa lecture. Tradition pédagogique ancestrale aux États-Unis que celle du détour critique, ou du *digest*, telle que la découvrait déjà en 1912 le critique Gustave Lanson, venu enseigner sur un campus de la côte est où le stupéfia cette « singulière facilité à se passer des textes, [...] à substituer la connaissance de ce qu'on dit des auteurs à celle de ce qu'ont dit les auteurs » – et où, répondant aux questions des étudiants sur ce qu'il fallait lire en mentionnant simplement « le texte de l'auteur », il « voyai[t] bien qu'on était un peu surpris, que l'indication paraissait maigre[6] ». Quelque quatre-vingts ans plus tard, un cours avancé de second cycle sur « critique et théorie française », à l'université de l'Indiana, annonce l'étude en dix séances, sur ce mode digest : des formalistes russes et de Saussure et Jakobson, de la déconstruction, de la narratologie (Genette), de l'intertextualité (Riffaterre), de la psychanalyse lacanienne, du féminisme français (Kristeva, Cixous) et d'une rubrique finale fourre-tout nommée « théorie culturelle » (Althusser, Bourdieu, Foucault). La lecture-parataxe n'est plus ici une option, mais la seule solution. La tradition de la liste de lectures (*reading list*) ajoute au principe du survol l'exercice d'un libre choix entre les textes et les courants : exhaustive mais souvent grossièrement découpée, la liste récapitulative fonctionne comme un menu, et l'étudiant qui y effectue sa sélection se comporte, face à cet étal

---

5. *Ibid.*, p. 152.
6. Gustave LANSON, *Trois mois d'enseignement aux États-Unis : notes et impressions d'un professeur français*, Paris, Hachette, 1912, p. 157-158.

de produits critiques et théoriques plus ou moins « coûteux » pour lui, en véritable consommateur-usager.

Ce qui ne préjuge en rien de la qualité des cours, dépendant comme partout de celle de l'enseignant et de ses options pédagogiques. Mais cette pédagogie fragmentaire ne suffit pas pour que l'étudiant fasse siens concepts et auteurs proposés, pour qu'il y imprime sa marque ou y fasse l'expérience de formes nouvelles de subjectivation ; il y faut des stratégies de réappropriation et de remise en circulation des textes, et les supports autonomes d'un discours non professoral. C'est le rôle des salons ou clubs littéraires étudiants, de la rédaction de tracts ou de fanzines de campus, et des périodiques que montent certains étudiants radicaux – à l'image du magazine *The Missing Link* à Duke. À partir du milieu des années 1990, la généralisation d'Internet et des sites web étudiants offre un support spécifique sur lequel développer, à côté des tactiques plus linéaires des publications au format papier, des modes de captation du discours théorique entièrement inédits – liés à la possibilité de disloquer le texte au gré des liens hypertexte, de le réinsérer dans un parcours ludique ou un dialogue interactif, de substituer la logique modulaire du réseau au principe argumentaire du texte théorique, ou même de trouver à un concept des prolongements graphiques ou sonores. Autant d'occasions de démystifier un texte intimidant, de s'approprier un auteur officiel, de détourner avec les moyens du bord le programme théorique dominant. C'est le cas des fanzines en-ligne (*e-zines*), comme le *Rhizome Digest* coopératif et très codé monté par l'étudiant Alex Galloway en hommage à Deleuze et Guattari[7], ou le plus incisif *Hermenaut* lancé par Joshua Glenn pour dénoncer par la parodie les récupérations marchandes de la vogue théorique[8] – son créateur le vouant à une « lutte mortelle » contre « les pseudo-intellectuels qui ont rejoint l'industrie du loisir en y apportant leur vernis de théorie », et qui « pourraient même déconstruire les schtroumpfs[9] ».

Quand il ne permet pas, comme ici, de régler ses comptes avec les étudiants partis faire valoir leur culture théorique à Hollywood ou dans la grande édition, Internet fournit les moyens de constructions collectives, comme le projet « Baudrillard on the Web » dont l'étudiant texan Alan Taylor indique sur la page de bienvenue qu'il « ne sera jamais complété » mais que chacun peut y

---

7. Cf. *www.rhizome.org*
8. Cf. *www.hermenaut.org*
9. Cité *in* Scott MCLEMEE, « Meet the Hermenauts », *Lingua Franca*, octobre 1999, p. 18.

« contribuer librement [10] ». Il offre aussi l'occasion de subvertir – par des jugements elliptiques ou des références à la technologie – les classiques les plus hermétiques de la théorie française, comme avec ce « para-site » consacré à *Glas* de Derrida, où les étudiants avertissent que ces « *Fleurs du mal* de la philosophie » font « trembler les frontières entre "coupure" et "crochet", philosophie et littérature, format-livre et médias électroniques [11] ». Sur certains sites extérieurs aux réseaux universitaires, un véritable délire sémantique et stylistique peut même rendre illisible l'argument théorique, ainsi que s'y amuse ce texte de la revue en-ligne *Ctheory* qui accumule, sans ponctuation, néologismes et acronymes inventés (les CVRM sont les corps virtuels en révolte contre la mondialisation), canonise saint Foucault et saint Baudrillard, et parle du *cogito* cartésien comme de la « gueule de bois fantômatique de la modernité [12] ». Finalement, depuis les textes français traduits au format de poche puis cornés et dûment annotés par leurs jeunes fans, jusqu'aux sites web où s'effectue ce recyclage joueur et cathartique, les lectures étudiantes de la théorie française ressortissent à ce « braconnage » lecteur décrit par Michel de Certeau : liées à un « insu », elles « témoignent [d'un savoir] sans pouvoir se l'approprier », en sont « les locataires et non les propriétaires », développant sur ses marges un « art de l'entre-deux », complice et parcellaire, à demi clandestin et fortement modalisé [13]. Lire y devient une façon de *ruser* avec le texte théorique.

Bildungstheorie contre lecture légitime

Mais le texte que pourront détourner ou subvertir les étudiants est avant tout celui qu'aura porté à leur connaissance le professeur – avec le resserrement sur un faible nombre de textes qu'entraîne cette tradition de survol de l'histoire des idées. Ce sont ainsi, le plus souvent : son intervention de Johns Hopkins en 1966 ou un extrait de *De la grammatologie* pour Derrida, un passage de *Surveiller et punir* ou la conférence « Qu'est-ce qu'un auteur ? » pour Foucault, le séminaire de Lacan sur la lettre volée, l'article d'Hélène Cixous « Le rire de la Méduse », le « traité de nomadologie » deleuzo-guattarien ou un extrait du double volume de Deleuze sur le cinéma, et

---

10. *Cf. www.uta.edu/english/apt/collab/baudweb.html*

11. *Cf. www.hydra.umn.edu/derrida/glas1.html*

12. Daniel WHITE, « Augustine of Epcot », *in Ctheory*, vol. 22, n° 3-4 (*www.ctheory.com*).

13. Michel de CERTEAU, *L'Invention du quotidien, 1. Arts de faire*, Paris, Gallimard, coll. « Folio », 1990, p. 110-111.

l'incontournable *Condition postmoderne* (du moins ses premières pages) pour Jean-François Lyotard. L'enseignant, ici, joue un rôle de médiation entre l'étudiant et le texte théorique. Laquelle est toutefois très informelle. Car tout aux États-Unis, des ateliers parascolaires en petit comité (*workshops*) aux débats en classe sur la pertinence du savoir proposé, concourt à établir entre l'étudiant et le professeur une plus grande proximité qu'en France, dans la tradition égalitariste américaine. Une tradition dont Tocqueville notait déjà qu'elle est une clé de la pédagogie aux États-Unis, et que Gustave Lanson formulait de son côté, au siècle suivant, dans les termes d'une « promiscuité [des campus qui] rapproche les professeurs des étudiants : les rapports sont plus fréquents, plus étroits, [...] et l'influence considérable[14] ».

Mais, même plus proche de l'étudiant, l'enseignant n'en a pas moins, comme partout, le monopole de la lecture légitime. L'institution scolaire a pour mission de produire des lecteurs conformes, et d'imposer au nom de la compétence professorale, non seulement la liste des lectures prioritaires mais les modes de lecture eux-mêmes. L'autorité de l'enseignant réintroduit ici le prisme du pouvoir. Mais elle porte moins sur le contenu sémantique ou idéologique direct de ces lectures que, par exclusion, sur la liste qu'elle dresse des textes à lire et des questions pertinentes à poser à leur sujet – aux dépens des lectures jugées « illégitimes ». Cette autorité professorale qui intercède entre l'étudiant et la théorie française correspond donc moins au modèle simple de la propagande qu'à celui de la « fonction d'agenda » mise au jour par les politologues[15] : elle indique non pas *quoi* ou *comment* penser, mais *sur quoi* (et ici, *à partir de quoi*) penser. C'est elle qui décrète l'importance prioritaire de tel ou tel courant théorique, en détermine les sources et les textes clés, et joue ainsi entre le texte et le jeune lecteur le même rôle de prescripteur symbolique, ou de *gate-keeper*, qu'a le leader d'opinion sur des électeurs hésitants. La théorie française a toujours d'abord pour experts, et pour intermédiaires, les professeurs – quels que soient les résistances à l'autorité professorale, les quêtes d'alternative au corpus imposé et les meurtres constants que commettent les étudiants (par l'indifférence, la parodie ou la rébellion) des figures paternelles croisées au fil de leur cursus, fûssent-elles une enseignante féministe ou un texte abscons de Derrida.

---

14. Gustave Lanson, *Trois mois d'enseignement aux États-Unis, op. cit.*, p. 144.

15. *Cf.* Maxwell McCombs et Donald Shaw, « The Agenda-Setting Function of Mass Media », *Public Opinion Quarterly*, n° 36, été 1972, p. 176-187.

C'est donc en marge de ces fonctions d'autorité qu'auront lieu les rencontres les plus décisives entre l'étudiant et le texte théorique, du côté d'un autre rapport au texte plus proche du mécanisme de l'*enchantement* et du besoin de *prophétie* tels que les analysait Max Weber. Souvenirs d'étudiants et anecdotes de campus abondent à propos de la *French Theory*, qui racontent l'enthousiasme existentiel suscité, chez un(e) étudiant(e) isolé(e) des siens et des normes en vigueur dans la société civile, par un mot, un motif, l'horizon existentiel d'une vague thématique : la réhabilitation lyotardienne des « petits récits » qu'on associe à toutes ces histoires parallèles dont bruissent les campus, la devise baudrillardienne si réjouissante de la copie « plus vraie » que l'original, le « souci de soi » foucaldien appliqué soudain à cet âge de transition, ou les « machines désirantes » deleuzo-guattariennes venues aider à déchiffrer des flux libidinaux qu'on ne soupçonnait pas. Croisés au détour d'un livre, personnages conceptuels et allégories théoriques deviennent ainsi balises, fétiches, ou refrains d'un contre-dogme. Si on ne les maîtrise pas toujours bien, on se les approprie néanmoins *contre* le monde antérieur (familial) et extérieur (professionnel), ou pour peupler l'abîme d'une mélancolie. Une démarche qui leur confère une valeur proprement initiatique, renforcée par les aspects de rite de passage de ces quelques années de construction de soi en terrain neutre. Aussi, de même que le XIXe siècle allemand a pu parler de *Bildungsroman* pour désigner la littérature d'initiation dévorée par les adolescents, on pourrait risquer ici le terme de *Bildungstheorie*, pour cette référence théorique nouvelle dont maints étudiants confient le rôle intime qu'elle peut jouer, familière dans son altérité même, aux antipodes des autres lectures imposées. De cette façon, le texte théorique guide souvent l'étudiant parmi la confusion d'une parole multiple – sociale, intime, familiale, culturelle, professorale – à la croisée de laquelle l'a jeté la vie de campus.

Ce que Bourdieu nomme le livre « comme dépositaire de secrets magiques, [...] comme un texte auquel on demande l'art de vivre[16] » rencontre, chez l'étudiant, une forte attente de sémantisation, le besoin qu'il a de circonscrire un espace d'idées propre, de se fabriquer un corps de références non scolaires – pour jalonner de quelques repères subjectifs son parcours dans cet entre-deux social et générationnel que constitue l'université. Période d'une certaine distance à l'éthique dominante du travail, période d'explorations formatrices, ludiques ou plus transgressives, seule période de la vie

---

16. « La lecture, une pratique culturelle », *in* Roger CHARTIER (dir.), *Pratiques de la lecture*, *op. cit.*, p. 279.

propice aux engouements gratuits, sans retour immédiat, la parenthèse universitaire se prête aux États-Unis à cette fonction existentielle de la théorie française. Fonction de subjectivation, de
réenchantement, d'émancipation même, face aux carcans hérités ou
ambiants. Sans oublier, de codes de clans en prosélytisme amical, la
fonction affinitaire qu'elle peut avoir, pour rassembler une communauté de génération autour d'un sabir de potache ou d'un culte
d'auteur. Les dialectes inventés, les codes du détournement et les
révélations partagées viennent former à leur tour une lecture
collective. On se conseille des livres, on en discute à plusieurs, on
s'échange des inédits, on nargue les ignares, on rédige ensemble un
tract ou les pages d'un site web – quitte à s'y forger une lecture
illégitime, entièrement singulière, comme celle qu'ont de Lyotard les
étudiants chargés de sa page sur l'étrange site « k.i.s.s. of the panoptikon » de l'université de Washington, en le présentant moins à
partir de ses livres que d'un univers « parallèle » jugé lyotardien, et
incarné selon eux par le groupe de rock Talking Head ou le film-
culte *Blade Runner*[17]. Plus classique, la fonction libératoire de ces
lectures permet de se défaire des liens de l'enfance et de la jeunesse,
non seulement grâce à leur thématique explicite mais par l'élan
même des gestes de rupture ou de transgression commis à même la
page, plus abstraitement, par Foucault ou Derrida. Les accents
lyriques et le sentiment de renaissance que produisent ces *ruptures*
peuvent ouvrir à leur tour, quoique plus rarement, sur une pratique
d'écriture, un recyclage scripturaire : l'étudiant R. A. Brinckley et
le jeune assistant Robert Dyer ont pu livrer ainsi à la revue
Semiotext(e) un article qui tient à la fois de la parodie jargonnante
et du duo autobiographique, et vise à « déconstruire » leurs « racines
œdipiennes » – la banlieue d'Ithaca pour le premier, et le cadre
victorien de sa Nouvelle-Zélande natale pour le second –, à raconter
par la théorie, de notes ironiques en références pour initiés, leur
passage à chacun du « vagin originel » au « moment nomadique[18] »,
et par cet exercice même, de la soumission à la libre écriture.

Augmentation du monde et privatisation des savoirs

Au-delà des seuls étudiants, ce rapport subjectif, atmosphérique si
l'on peut dire, au corpus pourtant difficile de la théorie française est
le recours de tous ceux qui, n'étant pas les détenteurs d'une œuvre,

---

17. Cf. *www.carmen.artsci.washington.edu/panop/author.html*
18. R. A. BRINCKLEY et Robert DYER, « ... returns home (Mythologies, Dialectics,
Structure) : disruption », *in Semiotext(e)*, vol. 2, n° 3, 1977, p. 159-170.

d'un discours reconnu où les réintégrer, ne se sont jamais rendus maîtres et possesseurs des références théoriques – enseignants-chercheurs, maîtres-assistants, jeunes indécis sortis de l'université mais encore entichés de nomadologie ou de féminisme français, et tous les « dominés » de la stricte hiérarchie des savoirs et des publications. Entre eux et la *theory*, on trouve moins la médiation de l'institution ou le projet de carrière qu'avant tout une peur ou un mystère, une aura prérationnelle, qu'ils réduisent en court-circuitant la logique d'ensemble, en détachant un fragment du corpus pour le brandir dans un contexte plus familier. L'usage, en un mot, en sera pour eux d'autant plus désinhibant qu'il sera fragmentaire. Contre le métadiscours des experts officiels ès théorie française, il s'agit surtout de se forger, seul ou ensemble, une bio/bibliographie, un rapport singulier entre textes et monde vécu, en extrayant une énigme théorique de sa prison de papier et en en expérimentant les connotations dans tous les replis de l'existence. Ainsi, de même qu'une guerre du Golfe menée par écrans interposés « n'a pas eu lieu » selon Baudrillard, certains joueront à se demander si l'élection surmédiatisée de leur président a vraiment eu lieu ; de même qu'il n'est rien de plus « profond » pour Deleuze que la peau et tous les « effets de surface », d'autres défendront contre les athlètes du coït les jeux de la caresse et de l'inaccompli ; et de même que chez Foucault, la délimitation-répression d'une catégorie de « folie » *produit* la raison et révèle leur intime convergence, le revendeur de psychotropes (le *dealer*) devient pour ses clients-étudiants ce personnage foucaldien qui donne accès à l'autre face de la normalité, à sa dimension d'hallucination normalisée. À sa façon, la théorie déploie ainsi un *récit* où puiser des usages et des pratiques qui apprivoisent le monde.

Plus spécifiquement, cet univers fantasmatique de spectres derridiens et d'antihéros lyotardiens, de figures marginales ou transgressives tirées de Foucault ou Deleuze, s'oppose au monde convenu des choix carriéristes et de la chasse à la bonne note : il vient *armer* affectivement et conceptuellement l'étudiant, encore déconnecté, contre l'aliénation qui se profile, froide et abstraite, à l'horizon du diplôme sous les noms d'ambition professionnelle et de marché de l'emploi. À moins qu'il n'incite aux côtés d'autres facteurs (expérience associative ou conviction écologique), et contre les rebelles plus radicaux d'hier, à faire le choix plus personnel, plus engagé, d'une « vocation » et non d'une égoïste « carrière », d'un métier de cœur et non simplement lucratif. Mais cette option-là, à laquelle la lecture de Foucault ou Derrida aura curieusement ajouté « du sens », ne prolongera pas vraiment la communauté théorique des années de campus, dont la seule continuation viable aurait été l'enseignement. Si quelques étudiants de Sylvère Lotringer auront l'audace d'étendre à leur vie professionnelle l'univers auquel il les a introduits, Margaret Sandell en créant la revue bataillenne *Documents*, Tim Griffin le magazine alternatif *Artbyte*, ou John Kelsey la cellule de *détournement* de la mode Bernadette Corporation, la grande majorité des étudiants passés par la théorie française l'abandonnent ensuite au profit de leur « vocation ». Désorganiser la mode, ainsi qu'y invite la revue de John Kelsey *Made in USA*, ou étudier les valeurs politique et anthropologique de l'excrément, comme le fait un numéro spécial de *Documents*, participent d'un programme encore directement lié à la théorie française ; travailler pour une ONG au nom des « minorités » deleuzo-guattariennes, ou même embrasser la carrière d'avocat contre les « institutions de contrôle » foucaldiennes ne relèvent plus que d'une justification contestable, ostentatoire et nostalgique. C'est que la théorie française fonctionne surtout ici comme souvenir, avec le vague impératif qu'il charrie de cohérence autobiographique, et non plus comme *référence* vivante, au présent de la vie de campus ou des marges de l'industrie culturelle.

Pour mieux comprendre ce dernier rapport, vivant et comme fusionnel, de la subjectivité lectrice au texte théorique, on peut lui appliquer la notion de *champ de la référence* proposée par Paul Ricœur. Certains énoncés, montrait Ricœur à propos du récit, parviennent à libérer « sur les ruines du sens littéral » un « pouvoir plus radical de *référence* à des aspects de notre être-au-monde qui ne peuvent être dits de manière directe[19] ». Des énoncés auxquels ressortit précisément l'énoncé *théorique* tel que le recompose l'étudiant américain – fragment tiré du corpus français et remis en circulation ailleurs. Dans cette perspective, la notion de *métaphorisation* ne désigne plus seulement une fonction du langage, au sens où le « bunker » chez Virilio ou l'« intensité » chez Deleuze agiraient pour l'étudiant comme simples métaphores d'une situation existentielle *hors-texte*, mais revêt alors une portée ontologique : le *monde* de l'étudiant ou de l'activiste imprégnés de la référence théorique, le monde qui les entoure, devient lui-même « l'ensemble des références ouvertes par toutes les sortes de textes [qu'ils ont] lus, interprétés et aimés » ; ce n'est plus un « environnement » (*Umwelt*) de signes, mais un « monde » (*Welt*) de significations, qui ne renvoie pas au « voir-comme » de la seule *perception* métaphorique, mais à

---

19. Paul Ricœur, *Temps et récit, 1. L'intrigue et le récit historique*, Paris, Seuil, coll. « Points », 1983, p. 150-151.

l'« être-comme » d'une pleine participation au monde ainsi constitué[20]. Autrement dit, que certains lecteurs américains se retrouvent, ou retrouvent leur monde, dans les théories de la « simulation » baudrillardienne ou de « l'assujettissement » foucaldien ne révèle plus distorsion existentielle ou réappropriation naïve du texte français, qui supposent encore une différence de nature entre le texte et le monde, mais plus profondément l'imprégnation réciproque des deux plans. Ou plutôt, il y a bien de la naïveté, et une forme de littéralité, dans ce type de rapport aux textes, mais c'est au bénéfice de leur fonction existentielle, de leur potentiel empathique.

Chaque texte propose ainsi à la subjectivité lectrice « un monde que je pourrais habiter et dans lequel je pourrais projeter mes pouvoirs les plus propres[21] ». Un monde en quelque sorte *réconcilié* par ce dispositif permettant de combiner des éléments empruntés aux deux sources, texte et monde. Là où Ricœur suggérait ainsi une augmentation *narrative*, et grâce à l'alphabet optique du peintre, François Dagognet (qu'il cite) une augmentation *iconique*, on peut parler dans ce cas d'une véritable augmentation *théorique* du monde de référence – qui ainsi *augmenté* des propositions du texte, se fait plus lisible, mais aussi plus praticable, et plus habitable. À condition d'ajouter que l'*augmentation* en question ne désigne pas l'accumulation quantitative d'un savoir, l'extension des lumières sur un monde opaque – gestes volontaires, et qui postulent encore un monde *pur* de tout texte –, mais l'aptitude au contraire à habiter ce monde sans l'objectiver, à le feuilleter sans lui donner mécaniquement du sens, à s'y subjectiver mais aussi à s'y *dé*subjectiver. La théorie française, en contournant le discours argumentatif convenu, et en déployant sans cesse les motifs de la dispersion et du sujet multiple, favorise aussi chez ses lecteurs « sans œuvre » une posture d'abandon, un devenir-imperceptible, ou même un oubli de soi. Elle suscite un rapport au savoir qui n'est pas sans rappeler la définition que proposait Foucault de la *curiosité* : « non pas celle qui cherche à s'assimiler ce qu'il convient de connaître, mais celle qui permet de se déprendre de soi-même », un certain « acharnement du savoir » en tant qu'il ne vise pas seulement « l'acquisition des connaissances » mais « autant que faire se peut, l'égarement de celui qui connaît[22] ». Si leur registre intime et radicalement singulier empêche

---

20. *Ibid.*, p. 151.
21. *Ibid.*, p. 152.
22. Michel FOUCAULT, *Histoire de la sexualité 2. L'usage des plaisirs*, Paris, Gallimard, 1984, p. 14.

de les appréhender avec les outils de l'enquête sociologique, ces modes de construction mais aussi de déprise de soi par la lecture et le savoir théoriques, ces façons inédites d'habiter le texte mises en œuvre effectivement sur les campus américains, constituent peut-être l'effet le plus marquant de la théorie française en terre américaine – mais ni le plus durable ni le plus collectif, puisqu'il se prolonge rarement au-delà de l'enclave universitaire. Car la privatisation accélérée des savoirs, qu'attestent aux États-Unis leur spécialisation croissante et la disparition graduelle de l'espace public des idées, empêche le plus souvent que l'expérience de cette lecture vivante, faite sur un campus au sortir de l'adolescence, soit autre chose qu'un facteur supplémentaire de formation individuelle – le plus singulier, le moins convenu, mais en aucun cas le plus politique.

10

Pratiques artistes

« Toute œuvre d'art est un crime non perpétré. »

Theodor ADORNO, *Minima Moralia*

Il y a deux siècles, Hegel inaugurait la longue lignée des prophètes de la fin de l'art, en le déclarant déjà « chose du passé ». L'art n'a cessé, depuis, d'être annulé, annihilé, vaporisé, de devenir non-art à mesure que s'estompait l'autonomie qu'il aurait eue lors d'un improbable âge d'or, et de susciter partout les discours de son « dévoiement » ou de son « dépassement ». Mais c'est aux États-Unis depuis un demi-siècle qu'ont été le plus concrètement, le plus irrémédiablement ébranlées ses fondations traditionnelles – celles qu'avait renforcées justement le siècle d'Hegel et de Cézanne. Et c'est aux États-Unis, au gré de ses métamorphoses et de ses nouvelles promiscuités sociales (et marchandes), qu'a succédé à la sphère éthérée d'un art conçu comme domaine propre du créateur, le concept décisif de *mondes de l'art* (*art worlds*), formulé par le philosophe Arthur Danto puis théorisé par le sociologue Howard Becker. Loin de la pensée esthétique, ils sont définis, au pluriel, comme « réseau établi de liens coopératifs entre participants » – du créateur au galeriste et au critique –, les œuvres devenant « les produits conjoints de tous ceux qui coopèrent » à ce réseau. La cohérence même de ces mondes ne tient plus à une prédéfinition de l'art mais, précisément, au « caractère problématique à la fois de ce qui est art [*artness*] et de ce qui fait monde [*worldness*][1] ».

1. Howard BECKER, *Art Worlds*, Berkeley, University of California Press, 1982, p. 34-38.

Autrement dit, face à la prolifération des signes sociaux et à l'extension indéfinie du marché, une indistinction nouvelle s'est fait jour en art entre pratique et discours, artiste et critique, mais aussi œuvre et produit, subversion et promotion, une indistinction logée désormais au cœur de ce qui fait un, ou des, monde(s) de l'art. Si « le régime esthétique de l'art [...] a fait entrer dans la vie même des œuvres le travail infini de la critique qui les altère[2] », tel que le résume Jacques Rancière, la question se pose aujourd'hui du passage à un régime *post*esthétique – où s'effacerait la frontière même entre œuvre et discours.

Et c'est là qu'est intervenue outre-Atlantique la théorie française, dont les usages les plus intensifs, les succès les plus fulgurants, mais aussi les distorsions les plus grossières ont eu lieu dans le milieu artistique, loin des débats franco-français plus récents sur les « impasses » de l'art contemporain. Un impact unanimement reconnu, et plus évident en tout cas que celui des artistes français : « Au début des années 1980, [...] les magazines américains laissaient peu de place à l'art français », se souvient Robert Storr à l'occasion des trente ans d'*Artpress*, « mais la vague de la théorie française y déferlait, inexorablement », une vague dont Baudrillard « formait la crête bouillonnante, tandis que Barthes, Foucault, Kristeva et d'autres laissaient sourdre le grondement de courants plus profonds[3] ». Les auteurs français ont eu en commun de proposer, de diverses façons, une articulation inédite entre pratique et discours de l'art, d'assumer leur convergence historique, contre leur vieille hiérarchie dialectique. Ils ont rompu avec deux siècles d'objectivation théorique de l'art, avec l'*esthétique* comme domaine séparé du savoir : Derrida en interrogeant la notion de « vérité » en peinture ; Foucault en décelant déjà chez Manet le régime « autoréférentiel » moderne de l'art ; Baudrillard en décrivant le « simulacre » à l'œuvre chez Andy Warhol ou dans l'*effet* Beaubourg ; Virilio en mettant au jour une « esthétique de la disparition » ; Guattari en se risquant à des performances sur scène et en proposant une théorie de l'« art processuel » ; Deleuze en étudiant le « rythme » chez Francis Bacon et en plaçant au frontispice de *L'Anti-Œdipe* une photographie de l'installation *Boy with Machine* de l'artiste Richard Lindner ; Lyotard, enfin, en écrivant sur Daniel

---

2. Jacques RANCIÈRE, « Le ressentiment anti-esthétique », *Magazine littéraire*, n° 414, novembre 2002, p. 19.

3. Robert STORR, « Le grondement de courants nouveaux », *Artpress*, n° 284, novembre 2002, p. 39.

Buren ou en concevant en 1985, pour le centre Pompidou, l'exposition « Les immatériaux ».

Entre l'œuvre et le marché

Dans les formulations idéologiques des grands critiques d'art de l'époque, l'expressionnisme abstrait est né *contre* les avant-gardes artistique et théorique européennes, porté par le projet d'une indépendance vis-à-vis des modèles du Vieux Continent. Pourtant, au cours des deux décennies qui suivent la Libération, des liens furtifs ont pu rapprocher ici ou là les grands peintres américains et les futurs chefs de file du (post-)structuralisme français – à l'instar de la rencontre entre Cy Twombly et Roland Barthes, à la suite de laquelle celui-ci célébra dans l'art américain cette « gaucherie [qui] ne veut rien *saisir* ». Au-delà, quelques convergences thématiques fortes relient, à quelques années d'intervalle, les deux projets : éloge du rythme et de l'énergie, travail sur les structures acentrées (selon le mot fameux de Jackson Pollock : « mes peintures n'ont pas de centre »), la « planéité nouvelle » introduite selon Clement Greenberg par Mark Rothko et ses aplats monochromes, ou plus directement la complicité artistique d'un Rauschenberg et d'un Jasper Johns avec John Cage et Merce Cunningham, dont on a déjà évoqué la complicité « théorique » avec Deleuze et Foucault.

Mais les années 1960 vont bouleverser ce paysage artistique américain en écartant peu à peu du devant de la scène les différents « vitalismes » de l'après-guerre au profit d'une mouvance encore mal définie, le pop art, dont l'appellation même et certains principes (récupération de rebuts urbains, traitement ironique de la marchandise) sont importés d'Angleterre – et dont la lame de fond va bientôt rendre obsolète la figure moderne (ou moderniste) de l'artiste solitaire, autonome, tragique, qu'il fût *hors* du monde ou *contre* le monde. Andy Warhol, illustrateur venu de la publicité, ouvre en 1963 un studio coopératif à Manhattan, la Factory, où il met au point ses premières sérigraphies, accueille poètes et musiciens (dont Lou Reed et le futur groupe du Velvet Undergound) et lance bientôt le magazine *Interview*. Claes Oldenburg réalise ses premières installations, Roy Lichtenstien peint ses premières scènes de *comics*, et les galeristes Leo Castelli et Ileana Sonnabend exposent les nouveaux francs-tireurs. Robert Indiana, de son côté, assure la liaison avec le contre-monde littéraire de Greenwich Village, tandis qu'apparaissent les premiers *happenings* (qui font passer l'œuvre de sa dimension matérielle à une dimension d'événement) et le Living Theater – importé bientôt à Paris par les soins de Jean-Jacques Lebel.

Contre l'idée d'une fonction supérieure de l'art et sa soumission à la raison critique, le nouveau précepte implicite est celui d'une *surenchère* généralisée, par rapport au monde marchand comme aux provocations contre-culturelles – ainsi que l'a bien vu Baudrillard lorsqu'il dit, à propos de Warhol, que « l'art ne doit pas chercher son salut dans une dénégation critique […] mais en renchérissant sur l'abstraction formelle et fétichisée de la marchandise », en « devenant plus marchandise que la marchandise[4] ». Mais une telle évolution signale aussi la fin des discours tranchés de l'après-guerre, sur la mission de l'artiste ou la différence entre « avant-garde et kitsch » (pour reprendre un titre de Greenberg). Elle annonce par là même la fin des pratiques artistiques plus réflexives, et programmatiques, qui prévalaient pendant les années 1950, « engagées [alors] dans une approche *critique* du médium pictural, de sa finalité comme de sa valeur d'usage », comme le résume Bernard Blistène, aux antipodes du « principe de reproduction mécanique[5] » instauré ensuite par le pop art. À l'autonomie d'une création qui disposait de son discours propre et de ses instances d'énonciation (fussent-elles exogènes, des historiens de l'art à *Partisan Review*, et non directement la parole de l'artiste), succède l'hétéronomie revendiquée d'une pratique *artiste* séculière, traversée par les énoncés chaotiques de son temps – dont ne la sépare plus un discours légitime lui assignant sa valeur.

La multiplication des courants et des innovations, véritable floraison d'écoles et de groupes, participe elle-même d'une telle évolution, dans la mesure où elle signale la production de « notions classificatoires » qui ont avant tout une fonction de communication marchande, pour pouvoir « repérer des ensembles pratiques » et distinguer des « marques » en lutte pour la « reconnaissance », comme le note Bourdieu[6]. Ainsi, le terme d'art « minimal » fait son apparition en 1965, annonçant le travail pionnier de Donald Judd et Sol Lewitt. Et l'art « conceptuel » lui-même, dont les frontières sont encore floues, émerge aux États-Unis en 1967. Sans oublier les expériences nouvelles de la sculpture, du graphisme, de la vidéo bientôt, ou encore du *land art* dans les immensités désertiques, ou agraires,

---

4. Jean BAUDRILLARD, « Le snobisme machinal », *Cahiers du Musée national d'art moderne*, n° 34, hiver 1990, p. 35-43.

5. Bernard BLISTÈNE, *Une histoire de l'art du XXe siècle*, Paris, Beaux-Arts Magazine/Centre Pompidou, 2002 [1997], p. 108.

6. Pierre BOURDIEU, *Les Règles de l'art*, *op. cit.*, p. 223-224.

du pays-continent. Pour faire sens d'une pratique diversifiée, et immergée dans le flot nouveau des signes sociaux, mais aussi accréditer l'idée d'une possible subversion du signe de l'intérieur (une « sémioclastie »), les sémiologies alternatives en provenance de France s'avèrent beaucoup plus précieuses, au fil des années 1970, que le paradigme marxiste dominant la critique d'art ou les théories esthétiques plus convenues encore enseignées à l'université. Du quartier de Soho, en passe déjà de s'institutionnaliser, aux galeries improvisées et aux squats militants de la bohème de l'East Village, on lit alors *Mythologies* de Barthes, pour le fonctionnement des marques et des labels comme autant de mythes sociaux ; *Le Miroir de la production* (qui aura une influence décisive sur l'artiste socialo-féministe Barbara Kruger) et *La Société de consommation* de Baudrillard, pour y puiser les outils d'une sémiologie critique ; et même le Foucault de *Surveiller et punir*, pour se mirer dans sa théorie politique des marges sociales. Mais on les lit encore peu, et le plus souvent *via* l'université, que viennent alors d'abandonner nombre d'artistes en herbe, ou à travers les articles éclairés de la presse alternative, dans *Bomb* ou *East Village Eye*.

La confusion des rôles atteint son comble dans les milieux contre-culturels, où chacun est tour à tour artiste, galeriste, critique ou même imprésario, et réuni rituellement par les nombreuses expositions de groupe[7]. Du côté des galeries plus installées, le boom du marché de l'art new-yorkais au tournant des années 1980, indexé sur la frénésie boursière et la spéculation immobilière, a ce même effet d'ébranlement des repères, en coupant les artistes de leurs pourvoyeurs de sens ordinaires (critiques et historiens d'art) et en les rapprochant de l'élite financière et des médias grand public. Dans ce contexte d'une redéfinition des rôles au sein des mondes de l'art et d'une perte d'autonomie de la sphère esthétique dans son ensemble, l'influx de théorie française au début des années 1980 va s'avérer providentiel. Il va permettre, non sans contre-sens, de réinsuffler dans un champ de pratiques à la dérive, prêt de se confondre avec le flux marchand, une dimension historique et politique, sinon l'illusion d'un pouvoir de transgression. Il va redonner aux artistes, qui cette fois liront directement les textes, l'initiative du discours – ou de la critique – en révélant l'intime ressemblance, ou même le caractère interchangeable, des pôles discursif et créatif : l'artiste *manie* un discours performatif sur le monde, là où le critique, ou le théoricien, s'apparenterait presque à un artiste conceptuel, auteur

---

7. *Cf.* Gary INDIANA, « Crime and Misdemeanors », *in* « The East Village 1979-1989 : The Rise and Fall of an Art Scene », *Art Forum*, octobre 1999.

d'événements de langage et de *happenings* textuels. Ce flux nouveau de théorie va les atteindre sans qu'une provenance suspecte, élite intellectuelle ou institution rétrograde, n'en invalide *a priori* les arguments, et va leur permettre d'insérer leurs pratiques dans un discours formalisé, d'associer des concepts à leurs percepts. Ou encore, dans les termes de l'artiste et romancière Kathy Acker, « de verbaliser ce que je pratiquais déjà : [...] soudain, quand j'ai lu *L'Anti-Œdipe* puis Foucault, c'est tout un langage qui m'est devenu disponible[8] ».

À la génération des « artistes-penseurs » des années 1960, de Donald Judd à Richard Serra et Joseph Kosuth, avait succédé une clique d'orphelins, sans référent théorique ni aptitude à l'autoréflexion, prise entre une caste critique d'idéologues moralisants et les sortilèges déstabilisants du marché. La théorie française représente soudain l'allié idéal, elle figure pour cette génération hybride une alternative accessible – au premier chef l'œuvre de Baudrillard, dont les formules à double tranchant n'en résonneront pas moins comme la solution même des apories du monde de l'art : « Le défi que nous lance le capital dans son délire, [...] il faut le relever dans une surenchère insensée[9]. » Sylvère Lotringer dit avoir songé à diffuser plus largement les textes de Baudrillard auprès du milieu artistique par un hasard éditorial, la tournée de promotion officielle du recueil *Simulations*, en 1983, n'ayant attiré sur les campus qu'une poignée d'étudiants. Pourquoi, dès lors, ne pas essayer plutôt du côté des galeristes et des artistes ? En l'espace de quelques mois, son œuvre va s'y faire incontournable : « en deux ans, tout le monde avait lu *Simulations* », confie à Lotringer un directeur de galerie, tandis qu'un peintre rappelle que « les gens connaissaient [alors] Baudrillard mieux que n'importe qui d'autre, [...] chaque artiste l'utilisait dans son travail[10] ». C'est le début d'un malentendu qui va marquer la scène artistique new-yorkaise – et rester dans les annales des rapports tourmentés entre pratique artistique et discours théorique.

---

8. Kathy ACKER, « Devoured by Myths », *in Hannibal Lecter, My Father*, New York, Semiotext(e), 1991.

9. Jean BAUDRILLARD, *Simulacres et Simulation, op. cit.*, p. 218.

10. Cité *in* Sylvère LOTRINGER, « La théorie, mode d'emploi », *TLE*, n° 20, printemps 2002, p. 96.

Le quiproquo simulationniste

Un premier conflit ouvert signale le nouveau rôle d'arbitrage involontaire joué par la théorie française : la controverse néoexpressionniste. Le terme désigne un ensemble d'artistes qui, sans mouvement concerté, réintroduisent sur les scènes artistiques allemande et italienne, à partir des années 1970, un art figuratif, narratif, transitif, enrichi par le recours à la vidéo et la photographie, et un certain ton d'ironie politique : photos industrielles de Bernd et Hilla Becker, clichés plus tardifs de leur élève à Dusseldorf Andreas Gursky (d'une salle de marché boursier ou d'un rayon de supermarché), provocations d'Anselm Kiefer avec des œuvres évoquant les grand-messes nazies, hommages à l'expressionnisme des années 1920 chez les peintres Baselitz ou Middendorf, sans oublier le travail des néofiguratifs italiens Clemente et Cucchi. Deux hommes sont décidés à forcer la forteresse artistique new-yorkaise pour y imposer ces artistes. Le jeune conservateur de musée berlinois Wolfgang Max Faust, dans un article polémique livré au mensuel *Art Forum*, justifie ce tournant esthétique par des références constantes, plus ou moins explicites, à Lyotard, Deleuze et Guattari : appel au désir et à l'anarchie, éloge des « lignes de fuite » et de l'« intensité productrice », allusion à un « devenir-révolutionnaire » de l'artiste contre le discours trop rationnel de la critique sociale[11]. De son côté, le galeriste milanais Achille Bonito Oliva invoque Nietzsche, le « nomadisme » et les mouvements punks européens pour défendre cette nouvelle « trans-avant-garde » caractérisée, selon lui, par l'exaltation contagieuse et l'émotion lyrique[12].

La levée de boucliers des critiques new-yorkais est immédiate, contre les expositions concernées et, plus largement, contre un « irrationalisme » germano-italien qu'ils associent sans hésiter au passé politique des deux pays. Ils s'insurgent dans les journaux d'art : Thomas Lawson parle de « mimétisme retardataire » et de « néoprimitivisme[13] », le marxiste Benjamin Buchloh dénonce l'infantilisme et le spiritualisme « morbides » de cette « mythologie [...] libertaire protofasciste[14] », tandis que Donald Kuspit oppose cette « volonté de puissance expressive » à la « conscience sociale »

---

11. Wolfgang Max FAUST, « With It and Against It : Tendencies in Recent German Art », *Art Forum*, septembre 1981.

12. Achille Bonito OLIVA, *The Italian Trans-avant-garde*, Milan, Giancarlo Politi Editore, 1981.

13. Thomas LAWSON, « Last Exit : Painting », *Art Forum*, octobre 1981.

14. Benjamin BUCHLOH, « Figures of Authority, Ciphers of Regression », *October*, n° 16, automne 1981.

et à l'« expression laconique » des artistes américains. Cette réaction unanime et démesurée de la critique d'art officielle issue de la gauche américaine provoque des remous bien au-delà de l'affaire : certains se désistent en faveur du camp néoexpressionniste (comme Donald Kuspit) ; des artistes en appellent bientôt, sous la rubrique de « réappropriationnisme », à une « complicité subversive » qui attaque le capitalisme avec ses moyens mêmes (graffitis, photos, ou publicités détournées, comme le font ces néoexpressionnistes eux-mêmes souvent liés au mouvement des squats et de la culture punk), contre l'illusion d'un art autonome ou d'une critique extérieure ; et tous transforment en tout cas la polémique en un débat sur les enjeux politiques du « nietzschéisme français » – régression idéologique, pour les critiques marxistes, et renouveau politico-artistique pour d'autres [15].

Mais, à côté de cette polémique transatlantique, c'est l'essor à New York du mouvement néoconceptualiste, autour d'une référence constante à Baudrillard, qui achève de placer la théorie française au cœur du monde de l'art américain. De fait, à l'aube des années 1980, un groupe varié d'artistes expriment leur frustration face à l'alternative figée qui leur est alors proposée. C'est, d'un côté, une critique d'art paramarxiste établie dont les stratégies leur semblent obsolètes face à la révolution conservatrice reaganienne, et de l'autre le cynisme cupide et festif d'un art entièrement commercial. Mécontentement lui-même trop répandu pour être la base d'une nouvelle école : exposés surtout dans les galeries indépendantes Nature Morte, International with Monument et CASH, mais aussi à l'Artist Space d'Eileen Weiner et à la Parsons School of Design, les artistes en question vont des photographes Cindy Sherman, Sherrie Levine et Richard Prince aux peintres Archie Pickerton et Robert Longo, et aux innovateurs « multimédia » Sarah Charlesworth ou Jeff Koons – lui-même agent de change récemment reconverti en artiste provocateur. Leurs références sont plutôt le pop art que la peinture figurative, la musique New Wave (et un groupe comme Talking Head) que le mouvement punk, et Roland Barthes ou William Burroughs que l'école de Francfort. Joignant aux matériaux de l'art conceptuel existant les nouvelles technologies (vidéo, photo, son), ils sont convaincus que la dernière forme de subversion artistique possible consiste à dépeindre sous toutes ses formes sa propre complicité avec le « système », à pousser jusqu'à leurs limites les excès du capital pour en mieux exposer la

15. *Cf.* Sylvère LOTRINGER, « Third Wave : Art and the Commodification of Theory », *Flash Art*, mai-juin 1991.

nature : « La publicité est la réalité, la *seule* réalité », répète ainsi Richard Prince.

Ils sont, pour ce faire, en quête d'une technique et d'une théorie de *critique sociale des signes*. Au moment de l'exposition « New Capital » organisée fin 1984 par les galeristes Milazzo et Collins, qui la présentent comme un événement *post*conceptualiste, un groupe plus restreint se constitue sous l'appellation de « néoconceptualistes » : Hyme Steinbach, Jeff Koons, Ross Bleckner, Julie Wachtel, Archie Pickerton, le deleuzien Tim Rollins (qui promeut parmi les siens les thèses de *Capitalisme et schizophrénie*) et le baudrillardien Peter Halley, que sa culture théorique place d'emblée au centre du groupe. Parmi leurs pistes de travail, de la « critique ironique » du capital au « réalisme social » de l'abstraction, ils privilégient notamment une vision dite *non-humaniste* de toutes les lignes géométriques urbaines vouées au contrôle des corps (le tracé des rues, les couloirs administratifs, les bretelles d'autoroute, etc.), autour du terme de « nouvelle géométrie » (*Neo-Geo*). Il s'agit d'inscrire sur la toile « la géométrie molle des autoroutes, des ordinateurs et du divertissement électronique » propre à ce « stade de développement du capital [16] », explique Peter Halley. Baudrillard est alors au sommet de sa gloire new-yorkaise. Ses livres en traduction sont réimprimés plusieurs fois par an. Il a été nommé *ex oficio* au comité de rédaction d'*Art Forum*. Surtout, il est cité à l'envi par le *New York Times* et le *Village Voice*, qui multiplient les articles sur l'« hyperréel » et le « simulacre ». Son concept de simulation, que les Américains entendent alors, sur un mode platonicien, comme le « faux » des illusionnistes, une simple imitation sans original, donne naissance peu à peu, pour désigner les néoconceptualistes mais aussi tous ceux qui expérimentent alors autour des signes sociaux, au terme d'école « simulationniste » américaine.

Puis c'est la rupture. Invité en mars 1987 au Whitney Museum puis à Columbia, pour deux conférences dont les milliers d'artistes new-yorkais s'arrachent les places – au point que Collins et Milazzo ont l'idée parodique d'organiser au même moment un « anti-Baudrillard show » –, l'auteur de *Simulacres et Simulation* y déclare de but en blanc qu'il « ne peut pas y avoir une école simulationniste parce qu'on ne peut pas *représenter* le simulacre ». Il refuse sa paternité au nouveau mouvement et dénonce même, indirectement, cet usage littéral d'un concept mobile, retors, par définition inapplicable – une « trahison » qui laisse à nouveau orphelins les artistes

---

16. Peter HALLEY, *Collected Essays 1981-1987*, Zurich, Bruno Bischofberger Gallery, 1989, p. 95.

new-yorkais subjugués par Baudrillard, et fait aussitôt les gros titres de la presse d'art. Pareil malentendu est riche de leçons. Le mot *simulation* est devenu ainsi en quelques années le sésame du monde de l'art new-yorkais, et l'une des clés de la culture américaine, comme l'avait été déjà celui de *déconstruction*. Mais là où Baudrillard y voyait un régime du signe succédant à celui de la représentation, advenu à la place de la représentation, les artistes américains en ont fait un *autre* mode de représentation, une étape nouvelle dans l'art moderne – qui leur permit d'imiter le monde marchand sans y être inféodé, de se jouer des mêmes illusions sans y succomber, compromis éthique et politique aux antipodes de la pensée foncièrement apolitique de Baudrillard.

D'un côté, il y a simulation parce qu'il n'y a plus d'art, c'est l'ode théorique baudrillardienne ; de l'autre, il faut qu'il y ait simulation pour qu'il y ait encore art, réaction pour son salut d'une caste artistique en crise. Françoise Gaillard a bien vu ce paradoxe : tandis que Baudrillard « [établissait] l'acte de décès de toute fonction critique dans le monde du simulacre » et voyait « dans la simulation la mort de l'art », les Américains cherchaient là « un moyen de continuer à faire jouer l'art contre la réalité, [...] de préserver la fonction critique, [...] [de] sauver l'art comme institution et comme business[17] ». La simulation est articulée, chez Baudrillard, à une forme d'écriture, à une théorie de la séduction, à une critique de l'objet symbolique – mais pas à une morale de la représentation. Ce qu'il voit aujourd'hui comme un « déviationnisme » ou un « littéralisme » de la part de ses (ex-)admirateurs américains révèle aussi chez eux, du moins dans le contexte du monde de l'art new-yorkais, une certaine inaptitude à la pensée paradoxale, telle qu'il l'a lui-même toujours pratiquée. Le décalage est d'autant plus frappant que Baudrillard s'est penché sur le travail de Warhol puis de la photographe Nan Goldin, deux artistes avec lesquels la collaboration n'eut finalement pas lieu, et a été un moment en contact avec l'artiste Barbara Kruger et le peintre Edward Ruscha ; mais il ne voyait dans la vague des années 1980, durant laquelle tous le sollicitèrent en vain (de Jeff Koons à Peter Halley), qu'un « sousproduit du pop art » – refusant de s'y intéresser, quand il n'avouait pas simplement que « tout le malentendu, [...] c'est que l'art, au fond, n'est pas mon problème[18] ».

---

17. Françoise GAILLARD, « D'un malentendu », *in* Jean-Olivier MAJASTRE (dir.), *Sans oublier Baudrillard*, Bruxelles, Éditions de la Lettre volée, 1996, p. 48-50.
18. Cité *in ibid.*, p. 45.

Le cas de Peter Halley n'en reste pas moins emblématique d'un nouveau rapport entre art et discours, au vu de ce que Françoise Gaillard appelle sa « bonne volonté théoricienne [19] ». Né en 1953 et éduqué à Yale, où il fait la découverte de Foucault et Derrida, il est à la fois l'auteur d'une œuvre picturale novatrice, à partir de lignes géométriques simples et d'un usage de la peinture murale fluorescente Day-Glo, et d'un véritable projet collectif – du groupe qu'il a rassemblé au magazine *Index* qu'il a fondé, et au crédo théorique qu'il a tenté de fixer. C'est ainsi qu'il peut invoquer Foucault pour réinterprèter l'œuvre de Barnett Newman, Virilio pour justifier l'idée curieuse d'une lutte entre l'Histoire et l'art abstrait, et Baudrillard bien sûr, pour expliquer le rôle de la « nostalgie » dans la pop culture ou même la fascination que suscite le travail de Frank Stella [20]. S'il reconnaît rétrospectivement avoir pris le simulacre « au premier degré », sur un mode réaliste, lisant Baudrillard « comme si c'était Warhol lui-même qui avait écrit un livre », il insiste en revanche sur un certain *besoin de théorie* qui s'était fait jour alors, en une situation historique singulière : la première génération d'artistes américains élevés avec la télévision dans les banlieues de la classe moyenne, et arrivant trop tard pour le pop art ou la culture *beat*, n'en éprouvait pas moins le besoin d'une rupture symbolique avec les valeurs du consensus – l'humanisme émersonien américain, la haute culture moderniste du demi-siècle, et ce qu'il appelle le « transcendantalisme » artistique. Le besoin d'effectuer *par* la théorie, *dans* la théorie, une rupture que la société postmoderne et sa *middle-class* triomphante, ouverte à tout et libre de toute utopie, leur empêchait désormais d'opérer effectivement. Cette idée d'un *besoin de théorie* n'est donc réductible ni aux stratégies de la distinction ni à une nécessité axiologique, et n'est pas si éloignée, en un sens, de ce que disait Adorno des rapports de l'art avec l'esthétique (comme théorie de l'art) : « L'art n'a pas à se faire prescrire des normes par l'esthétique [...], mais à développer dans l'esthétique la force de la réflexion qu'il ne pourrait accomplir seul [21]. » Soit le principe, en art cette fois, d'une *pratique théorique*.

Celle-ci est présente dans toutes les formes qu'a pu prendre aux États-Unis ce dialogue fragile, indirect, obsessionnel pourtant, entre théorie française et création artistique. Elle l'est dans les rares cas – symptômes autant que *productions* du lien en question – où le référent théorique a été intégré à même l'œuvre, révélant une

19. *Ibid.*, p. 49.
20. Peter HALLEY, *Collected Essays*, *op. cit.*, p. 164-165, 169 et 132-137 respectivement.
21. Theodor ADORNO, *Théorie esthétique*, Paris, Klincksieck, 1989, p. 434.

intimité de registre inattendue entre texte philosophique et fabrication artistique : photomontages de Mark Tansey sur lesquels Derrida et Paul de Man jouent les rôles de Sherlock Holmes et du professeur Moriarty ; travail de Robert Morris pour « illustrer » sur la toile le monde carcéral foucaldien ; ou encore les expériences de Rainer Ganahl affichant sur des écrans des phrases de Deleuze, sur les murs de la galerie californienne Thomas Solomon Garage. Art et théorie s'inscrivent ici l'un sur l'autre, jouent à oublier leur différence de régime symbolique. Ils le font aussi, plus souvent, par l'entremise d'un critique débusquant de la théorie française dans une œuvre qui n'en peut mais, comme ce critique du *Los Angeles Times* décrivant une installation vidéo de l'artiste Diana Thater comme « illustration audacieuse de *Logique du sens* de Deleuze[22] ». Et, à l'inverse, ce dialogue vivant a lieu même dans l'université, où les cours d'histoire de l'art – ceux d'Andrea Fraser, d'Hal Foster, de Rosalind Kraus et beaucoup d'autres – ne dégagent pas seulement les enjeux historiques ou politiques de la théorie française pour le champ artistique, comme il se fait dans le champ littéraire, mais envisagent aussi ses effets pratiques, sur les techniques de représentation ou même sur les *formes de vie* artistiques. C'est qu'à la différence des autres corpus théoriques sollicités par les discours sur l'art, celui-ci, de Deleuze à Lyotard et même Baudrillard, a eu l'ambition – ou l'humilité ? – non plus d'interpréter mais d'expérimenter, non plus de sémantiser l'œuvre mais de s'y connecter. Ainsi des concepts de « sublime » ou de « figure » chez Lyotard, qui n'*expriment* plus un contenu, comme un texte le fait, mais manifestent simplement « l'espace intensif du désir ». Ainsi des jeux d'écriture baudrillardiens, qui prolongent logiquement ou parodiquement ce qui sourd dans l'œuvre, plutôt que d'en explorer l'improbable « sens ». Ainsi, surtout, du travail capital de Deleuze, pour qui la peinture va « sous la représentation » ou « au-delà de la représentation », là où peut tenter de la saisir le *regard* du concept, comme il s'y essaie lui-même avec Francis Bacon : « en art [...], il ne s'agit pas de reproduire ou d'inventer des formes, mais de capter des forces » ; c'est là la « communauté des arts », ce qui fait « qu'aucun art n'est figuratif » mais que tous visent une *force* « en rapport étroit avec la sensation[23] ».

---

22. David PAGEL, « From Mysteries of Wonderland to the Realities of Modern Life », *Los Angeles Times*, 18 décembre 1998.
23. Gilles DELEUZE, *Francis Bacon. Logique de la sensation*, Paris, La Différence, 1981, p. 39.

Architectures immatérielles

L'architecture est un cas à part – au titre d'abord de sa participation à plusieurs mondes. Prise entre fonctionnalisme et utopie, elle n'acquiert droit de cité que *contre* ces deux horizons : en actualisant des projets que leur réalisation scinde tout à coup des discours qui les inspirèrent, et en s'affirmant en même temps comme négation du seul utilitarisme, puisque « l'architecture est tout ce qui dans un bâtiment ne renvoie pas à l'utilité », comme le notait déjà Hegel. Amalgame d'art et de technique, de strates fonctionnelles et de couches idéologiques, elle charrie des enjeux historiques et collectifs qui ont fait depuis toujours de son rapport au discours théorique (ou politique) un *sine qua non*, une alliance nécessaire, loin de la complémentarité dialectique inventée plus récemment entre beaux-arts et philosophie esthétique. Sa rencontre avec la théorie française était dès lors inévitable, à la mesure aussi de l'attention que lui portèrent les principaux auteurs du corpus – qu'on songe bien sûr à toute l'œuvre de Paul Virilio, qui cofondait dès 1963 le collectif (et la revue) *Architecture Principe*, mais aussi au travail de Baudrillard, théorisant Beaubourg ou dialoguant avec Jean Nouvel, et même aux réflexions de Foucault sur espace et pouvoir. Mais cette rencontre ne fut pas aussi furtive qu'en France, où l'enseignement comme la pratique de l'architecture gardent une méfiance séculaire envers la théorie, à l'image d'une revue professionnelle obstinément antithéorique (*Le Moniteur*), ou même du frontispice de l'école des Beaux-Arts parisienne qui appelle sans ambages à brûler tous les livres. Au contraire, la liaison prolongée, à partir du début des années 1980, entre l'architecture américaine et la théorie française, et plus particulièrement la déconstruction derridienne, se distingue doublement des emprunts occasionnels faits en France à quelques théories *utiles* : en premier lieu par un parti pris *textuel* sophistiqué, qui aura pour effet de dématérialiser l'architecture et d'inspirer même une architecture qui se veut sans réalisations, et en second lieu par l'imprégnation étonnamment réciproque des deux types d'énoncés, l'architecture se faisant déconstructive pendant que la *theory* elle-même s'est réfléchie soudain dans les questions de la ville et de l'espace. La raison en est, encore une fois, historique. Car la théorie française prend corps outre-Atlantique sur fond de disparition des fonctions critique et politique antérieures de l'architecture, celles qui présidaient à l'utopisme du Corbusier comme à la psychogéographie situationniste ; elle aborde les rivages américains au moment où une architecture « postmoderne » dépolitisée succède à la tradition moderniste plus politique – que réveille encore de temps à autre quelque débat de circonstance, comme récemment à propos de la reconstruction du World Trade Center new-yorkais et du projet finalement sélectionné de Daniel Libeskind.

Le critique Charles Jencks a même proposé, à titre symbolique, une date très précise pour cette chute du modernisme architectural : le 15 juillet 1972 à 15 h 32, lorsque fut dynamité à Saint-Louis un bâtiment de l'architecte Minoru Yamasaki, typique de l'épure fonctionnaliste et de la rationalité industrielle du demi-siècle architectural, celui des exilés allemands Gropius et Mies van der Rohe mais aussi du maître américain Frank Lloyd Wright. C'est aussi l'année où l'architecte Robert Venturi publie *Learning from Las Vegas*, manifeste à la gloire du chaos de néons et du kitsch de paillettes de la capitale du jeu. Le postmodernisme qu'inaugure l'architecture hybride des « seventies », celle d'Aldo Rossi, de Michael Graves ou de Ricardo Bofil, renverse les préceptes du minimalisme utopiste précédent, pour privilégier ironie et ostentation : mélange de tous les styles historiques, du rococo au maniérisme ; futurisme des formes et des matériaux, loin du cube moderniste de verre et de béton ; références ludiques ou parodiques à la *pop culture* ; et faveurs à l'arabesque ou à la dissymétrie aux dépens de la ligne droite.

Le nouveau rapport qui en découle à l'espace et au bâti est, cette fois sans métaphore, *textuel* à maints égards : on cite les périodes historiques à même la façade, on multiplie les styles comme pour poser la question même du style (qu'évacuait justement le dépouillement du Bauhaus), on déploie contre l'économie du strict nécessaire, de couleurs criardes en défis formels, tout un art de la dépense – qui se veut au modernisme, à force de digressions esthétisantes, ce que la littérature serait à l'annuaire téléphonique, l'ironie en plus. À mesure qu'est théorisée la nouvelle architecture postmoderne, elle se rapproche dans l'université des disciplines où émergent des discours théoriques similaires, de la littérature comparée aux *film studies*. En outre, à côté du tout-venant postmoderne ; convenu et clinquant, les années 1980 voient émerger dans la profession quelques styles singuliers, marqués par l'audace conceptuelle et la rigueur formelle – ceux du Néerlandais Rem Koolhas, de l'Anglo-Irakienne Zaha Hadid ou de l'Américain Frank Gehry. C'est autour de cette nouvelle avant-garde que se cristallise une *pratique théorique* de l'architecture, de colloques en projets collectifs et à grand renfort de textes français, ceux de Baudrillard, Virilio et surtout Derrida. Quelques auteurs français alimentaient déjà les discours de la période précédente, quand on lisait Henri

Lefebvre et Guy Debord dans les écoles d'architecture, ou faisait venir le collectif de la revue *Utopie*, autour de Baudrillard et Hubert Tonka, pour un congrès de design industriel. Mais, cette fois, la théorie n'est plus un outil, elle devient un véritable horizon architectural. Au grand dam de la presse généraliste, où les critiques d'architecture ont tôt fait de dénoncer le nouveau pouvoir du « penseur-parasite » sur l'« architecte-démiurge », comme le font Paul Goldberger dans le *New Yorker* et Ada Louise Huxtable dans le *New York Times*, quand ils ne moquent pas ce « moment de suprême idiotie qui *déconstruit* et s'autodétruit », dans les termes cette fois du critique Vincent Scully.

Car, dans le bouillonnement théorique qui agite les écoles d'architecture, mais aussi quelques agences, les textes de Derrida font bientôt figure de référence. Sans autre programme qu'une critique du fonctionnalisme et du causalisme inhérents à l'activité architecturale, s'élaborent ainsi, d'essai en table ronde, les principes diffus d'une architecture déconstructionniste (ou *déconstructiviste*), qui se veut « non anthropocentrique » et « posthumaniste » : jouer sur la fragmentation de l'espace et démontrer dans chaque projet une totalité *impossible*, privilégier les notions de déplacement et de contamination, remplacer la planification par l'« événement » concepteur – peu compatible avec la réalisation d'un projet –, dramatiser le conflit latent entre les exigences contradictoires du bâti (notamment en faisant circuler certains motifs formels d'un bâtiment, ou d'une pièce, à l'autre) et, plus concrètement, former les premiers architectes réellement interdisciplinaires. En effet, il importe désormais que les futurs diplômés soient théoriciens *et* techniciens, critiques *et* exécutants, pour dépasser l'aporie d'une profession condamnée d'un côté au conservatisme, dans la mesure où l'architecture a toujours reflété les structures sociales et les normes en place, et nostalgique d'autre part de ses grands engagements sociaux de l'après-guerre, quand modifier l'espace était vu comme une façon de changer le monde. L'introduction de la théorie au programme des cours et au sommaire des revues spécialisées (comme *Abstract*) s'effectue, vers 1987-1988, au moment où se généralise dans le métier l'usage de l'informatique et de la palette graphique, conçus parfois eux-mêmes comme laboratoires théoriques. Souvent praticiens et universitaires à la fois, les principaux tenants de ce nouveau *théorisme* architectural sont Peter Eisenman, fondateur de l'Institute of Architecture and Urban Studies de New York et directeur de la revue *Oppositions*, le franco-américain Bernard Tschumi (à la tête de l'école d'architecture de Columbia), son homologue Anthony Vidler à l'école new-yorkaise de Cooper

Union, le derridien Mark Wigley, le cofondateur de la revue *Zone*, Sanford Kwinter, le critique avant-gardiste Jeffrey Kipnis et ses aînés James Wines et Charles Jencks, et même le vieux Philip Johnson – critique et architecte passé du modernisme des années 1950 à l'éloge du postmoderne puis au rôle d'imprésario du nouveau courant, en organisant au Musée d'art moderne de New York en 1988 l'exposition et la série de conférences « Deconstructivist Architecture », à l'occasion de laquelle la presse américaine annonce un mouvement beaucoup plus vaste qu'il n'est en réalité.

En outre, celui-ci donne lieu à peu de réalisations effectives, qui relèvent plutôt de l'œuvre expérimentale que de l'espace de vie, depuis la « façade indéterminée » du groupe de recherche SITE, exposée à Houston, jusqu'à l'étrange colonne sans contact avec le sol mise en place par Peter Eisenman dans un hall de l'université d'État de l'Ohio. Celui-ci s'associe avec Derrida, à l'initiative de Bernard Tschumi, en vue d'un projet pour le parc de la Villette, qui viserait à déployer dans l'espace la notion de « Chora » tirée par Derrida du *Timée* de Platon – un projet qui ne verra jamais le jour mais laissera, de façon significative, un livre culte[24]. C'est qu'il s'agit surtout, grâce à la lecture de Derrida, de disposer d'outils théoriques permettant d'aborder le bâtiment, projeté ou existant, *comme un langage* : les figures littéraires de la métalepse ou de la métonymie et les genres de la fable ou de la parabole alimentent le nouveau discours, l'intertexte de références littéraires et philosophiques variées lui fournit sa trame, les différentes « métaphysiques » (de l'architecture, de la maison, ou des structures centrées) sont dénoncées dans un jargon paraderridien – quand un critique comme James Wines ne va pas jusqu'à regretter que « les immeubles contemporains [aient] rarement le type de contenu sociologique et psychologique qu'expriment, par exemple, une pièce de Beckett, un tableau de Magritte ou un film de Chaplin[25] ». Peter Eisenman va plus loin, en recommandant que le lecteur « traite les textes et chaque livre entier comme des objets, et *lise* les maisons […] comme des textes[26] ». Mais c'est Mark Wigley qui envisage avec le plus d'acuité ce « contrat » implicite entre texte et bâtiment, déconstruction et architecture, dans les termes duquel celle-ci fournit à la théorie ses métaphores spatiales et le langage même de la stabilité, tandis que celle-là lui apporte en échange une caution philosophique

---

24. Jacques DERRIDA et Peter EISENMAN, *Chora L Works*, New York, The Monacelli Press, 1997.

25. James WINES, *De-architecture*, New York, Rizzoli, 1988, p. 14.

26. Peter EISENMAN (dir.), *Houses of Cards*, New York, Oxford University Press, 1987.

et les éléments d'une « dislocation de l'espace » : relisant les premiers travaux de Derrida, notamment sur Husserl et la géométrie, il montre en quoi la déconstruction est intrinsèquement *architecturale*, dans ses arguments et son vocabulaire comme dans son projet d'origine, mais que l'architecture constitue aussi son « talon d'achille », ce à quoi elle pourrait ne pas survivre – inversant ainsi la perspective simpliste d'une architecture qui « appliquerait » les thèses de Derrida[27].

De son côté, plus proche du praticien – qu'il est par son agence new-yorkaise, et ses réalisations au parc de la Villette –, Bernard Tschumi n'en réinterroge pas moins sa pratique à l'aune d'un corpus théorique et littéraire varié. À partir du concept axial de « disjonction » comme projet même de l'architecture, il peut comparer celle-ci à la « folie » selon Foucault, au « transfert » et à la « dispersion » chez Lacan, ou même au motif de la « transgression » chez Georges Bataille, convoquant à l'appui des textes de Blanchot ou du premier Sollers, déclinant les concepts de la théorie littéraire (de la *défamiliarisation* à la *déstructuration*) et avouant même, au détour d'une note, que « faire des bâtiments qui fonctionnent et rendent les gens heureux n'est pas le but de l'architecture mais, bien sûr, un effet secondaire bienvenu[28] ». Le cycle ANY (Architecture New York) lancé en 1988, série de conférences et de publications étalée sur dix ans, est un parfait symptôme d'une telle évolution : revue et brochures de luxe, design novateur, financement international, participation de Derrida mais aussi de Rem Koolhas ou Frank Gehry, mais un public et des retombées élitistes, et un faible impact sur la profession. En *détotalisant* le bâtiment à partir de Derrida, ou en invoquant avec Deleuze une architecture du « pli » et du « flux » inspirée par sa distinction entre espaces « lisse » et « strié », la vogue théorique des années 1990, qui a pourtant laissé des traces dans les enseignements, n'aura pas permis de renouer avec les enjeux politiques de l'architecture moderniste, ni de rassembler des praticiens autour de projets effectifs. Mais elle aura fait faire à l'architecture, plus textuellement, l'expérience de ses limites – du côté des formes impossibles, de l'irréalisé, du bâtiment comme récit historique, ou encore des questions inédites qui lui sont posées alors par l'irruption des nouvelles technologies.

---

27. Mark WIGLEY, *The Architecture of Deconstruction : Derrida's Haunt*, Cambridge, MIT Press, 1993.

28. Bernard TSCHUMI, *Architecture and Disjunction*, Cambridge, MIT Press, 1995, p. 174-178, p. 65-80 et note 6 page 267 respectivement.

11

Machinations théoriques

> « Plus de vingt ans après avoir croisé les idées de Lacan, Foucault, Deleuze et Guattari, je les rencontre à nouveau dans ma nouvelle vie sur écran. Mais cette fois, les abstractions françaises sont plus concrètes. Dans mes mondes informatiques, le moi est multiple, fluide, il se constitue par ses interactions avec la machine ; il y est fabriqué et transformé par le langage ; l'alliance sexuelle y est un échange de signifiants ; et la compréhension y découle de la navigation et du bricolage bien plus que de l'analyse. »
>
> Sherry TURKLE, *Life on the Screen*

Reste la question de la technique – qui inclut celle des modes de circulation et d'inscription de la théorie française. Une question que les notions de « dispositif » chez Foucault, de « machine » chez Deleuze ou de « tekhné » chez Derrida placent au cœur du corpus de la théorie française. Curieusement, les techno-rationalistes américains, scientistes de tous bords voués à la défense inconditionnelle de la panacée technologique, et les moralistes technophobes du champ intellectuel français, derrière une conception symétriquement inverse de la technique, se retrouvent au moins sur un point : leur opposition à l'« irrationalisme » supposé des Foucault, Deleuze et Derrida. Le reste semble les séparer : les premiers réduisent depuis longtemps les « débats d'idées » européens à des arguties de sophistes ou des passe-temps de littéraires ; et depuis les années 1920, les seconds voient dans la religion américaine du machinisme et de la technolâtrie la source de tous les maux, qui révélerait en outre le dangereux conformisme de la société américaine, « pâte merveilleusement plastique » selon le mot d'André

Siegfried[1]. Par-delà les différences entre ode à l'avenir et nostalgie prémoderne, ce qui les réunit en fait n'est autre que l'échelle universaliste de l'Homme, maître de ses outils dans le premier cas, conscience critique de la science dans le second. Or, sous-jacente à la généalogie (plutôt qu'à la critique) de l'humanisme avancée sous diverses formes par la théorie française, une question provocatrice attend son heure, une question qui semble indisposer les chantres de la Raison ou de la Conscience, et qu'ils lui dénient même le droit de poser : et si tout simplement l'Homme avait vécu, remplacé désormais par une entité sans nom, interface sociale, singularité génétique, attracteur d'ondes, ou nœud de connexions techniques ? Et si l'Homme était seulement l'une des figures de la technique ?

Cette question, qui paraît elle-même relever de la science-fiction, n'a pas produit autant d'essais universitaires et de courants théoriques que la question du texte ou de la minorité, parce que les penseurs de la technique aux États-Unis puisent plus rarement leurs sources dans le champ littéraire. Mais elle a hanté, en revanche, les pratiques expérimentales des pionniers de la « révolution technologique » des deux dernières décennies du XXe siècle. Ils furent nombreux parmi eux, universitaires marginaux ou techniciens autodidactes, à lire Deleuze et Guattari, pour leur logique des flux et leur redéfinition élargie de la « machine », Paul Virilio aussi, pour sa théorie de la vitesse et ses essais sur l'autodestruction de la société technique, et même Baudrillard, malgré sa légendaire incompétence technologique. Étrangement, la présence de Derrida est ici plus discrète. Pourtant, comme l'a montré Bernard Stiegler, la grammatologie derridienne et sa critique du logocentrisme peuvent être lues comme un prolongement du travail de Leroi-Gourhan sur le processus d'*hominisation*, sur la façon dont la *tekhné* invente l'homme, et non l'inverse : « l'histoire du gramme, c'est aussi celle des fichiers électroniques et des machines à lire : une *histoire de la technique*, [...] la technique inventeuse aussi bien qu'inventée », une « hypothèse ruinant la pensée traditionnelle de la technique, de Platon à Heidegger et au-delà[2] ». Sans avoir été examinée par les usagers ordinaires de la théorie française, critiques littéraires et militants communautaristes, cette hypothèse d'un substrat technique premier de l'être, d'un réseau machinique tissant l'« humain » autant que le « social », a néanmoins donné lieu *ailleurs*, dans les marges de

---

1. Cité *in* Philippe ROGER, *L'Ennemi américain, op. cit.*, p. 492.
2. Bernard STIEGLER, *La Technique et le temps 1. La faute d'épiméthée*, Paris, Galilée/Cité des sciences et de l'industrie, 1994, p. 148.

l'université ou du boom technologique, à des usages inédits du texte français – à de véritables *machinations théoriques*.

Zone d'autonomie temporaire

Les premiers réseaux électroniques se développent au cours des années 1980, encore méconnus du grand public, familiers seulement aux experts de la programmation informatique et à certains universitaires. Ils incarnent pour certains d'entre eux un espace de résistance, un non-lieu social, territoire encore invisible à l'abri duquel rassembler une communauté nouvelle et subvertir les pouvoirs. C'est l'époque des premiers groupes de *hackers* : fraudeurs ou simplement désœuvrés, ces jeunes pirates électroniques, que traque une section nouvelle du FBI, se sont affublés de noms mythologiques, Seigneurs du Chaos (*Lords of Chaos*) ou Légion du Jugement dernier (*Legion of Doom*). Ils lancent des attaques surprises contre les grandes institutions, sabotage de bases de données ou blocage national des lignes téléphoniques, et forment alors, selon le mot de l'écrivain Bruce Sterling, un véritable « *underground* numérique[3] ». C'est aussi l'époque où, sous le pseudonyme d'Hakim Bey, un universitaire californien atypique, militant anarchiste et ami de Sylvère Lotringer, théorise ce qu'il appelle les « zones d'autonomie temporaire », TAZ selon leur acronyme anglais. La formule est appelée à un grand succès, parce qu'elle résumera bientôt parfaitement cette préhistoire de l'Internet où, pendant quelques années, un réseau sans publicité ni grands sites commerciaux, encore dans l'angle mort des pouvoirs, a été le support d'une véritable culture politique alternative. Le texte bientôt culte d'Hakim Bey, dont la première version date de 1985, en appelle aux « usages illégaux, clandestins et rebelles » du nouveau réseau, et au développement en son sein d'un « ombrageux contre-réseau » ou « toile [*web*] », structure ouverte d'échanges horizontaux d'information, à l'instar du samizdat et du marché noir[4]. Tout en renvoyant au Caliban de la *Tempête* et au mythe pionnier du colon non corrompu, mais aussi à Guy Debord et aux libertaires, l'ouvrage fait une large place à la théorie française, moyennant un double rapport : son pillage éclectique d'un côté, en invoquant l'« âge de la Simulation » ou la « pensée du chaos » sur un

---

3. Bruce STERLING, *The Hacker Crackdown : Law and Disorder on the Electronic Frontier*, New York, Bantam, 1992, chap. 2.

4. Hakim BEY, *The Temporary Autonomous Zone : Ontological Anarchy, Poetic Terrorism*, New York, Autonomedia, 1991, p. 108 et 115-116.

mode baudrillardien, et les « micropolitiques nomades » ou les « espaces imperceptibles » sur un ton deleuzien ; et la dénonciation, de l'autre côté, de ses usages serviles dans l'université, « sado-masochisme intellectuel » des années 1980 qu'il oppose aux usages libres, occasionnels et ludiques du corpus théorique, de Virilio à Guattari[5].

Si la « zone » en question perdra vite son autonomie, une mystique de l'enclave utopique et du contre-monde en-ligne lui survivra, qui décline – ou détourne – encore et toujours quelques formules fétiches des auteurs français. La page où Deleuze et Guattari assimilent le « penseur [à] une sorte de surfeur comme personnage conceptuel », et une « pensée qui "glisse" [à] de nouvelles manières d'être[6] » – quand bien même ils entendaient par là comparer la pensée aux vrais sports de mer, et non à la navigation en-ligne – vient ainsi justifier l'idée d'un autre mode de pensée, sur le réseau, que la raison linéaire. Une pensée digitale et modulaire que les sites web d'étudiants déjà évoqués associent, précisément, à la *theory*. L'œuvre individuelle de Félix Guattari a sur ces premiers *cyber*-communautaristes américains un impact spécifique, pour ses références à la « machine autopoiétique » du biologiste Francisco Varela, qui désigne une *ontogenèse* (construction de soi non subjective) passant par des « dispositifs machiniques[7] ». Mais aussi, sur un ton plus utopiste, pour son évocation des « banques de données » et des nouvelles formes d'« interactivité » comme « susceptibles de nous faire sortir de la période oppressive actuelle et de nous faire entrer dans une ère postmédia caractérisée par une réappropriation et une re-singularisation de l'utilisation des médias[8] » – soit l'équivalent des TAZ militantes en pleine France du Minitel. Mais plutôt que d'inviter ainsi à *politiser* le réseau, à penser l'Internet comme arme d'opposition, la théorie française est surtout l'occasion, outre-océan, d'une autoréflexion ludique de la technique. Les textes français fournissent le moyen d'élucider *grâce à la théorie* un outil encore peu analysé. On va y puiser phrases ou concepts permettant de thématiser le réseau, d'en décrire les mécanismes, de montrer même que son fonctionnement serait comparable à celui de la pensée théorique française – homologie récurrente de la toile et de la théorie, d'un vecteur de diffusion technique et d'un corpus de textes philosophiques, dont

---

5. *Ibid.*, p. 108-111 et 36-38.
6. Gilles DELEUZE et Félix GUATTARI, *Qu'est-ce que la philosophie ?*, Paris, Minuit, 1991, p. 70.
7. Félix GUATTARI, *Chaosmose*, Paris, Galilée, 1992, p. 130-131
8. *Ibid.*, p. 17.

on retrouve maints exemples sur les sites web de *French Theory* :
on retranscrit sélectivement un entretien avec Baudrillard pour en
faire un monologue sur les nouvelles technologies[9] ; on propose
sous le nom de « Deleuze & Guattari RhizOmat » un module de
citations « piratées » des deux auteurs qui se déclenche au gré des
liens hypertexte comme si leur pensée constituait elle-même une
machine aléatoire[10] ; ou on fait du motif de l'infection et de la dissémination chez Derrida le portrait même du Net[11]. Les auteurs
français sont présentés l'un après l'autre comme les prophètes du
grand réseau – au premier rang Deleuze et Guattari, dont le motif
botanique du *rhizome*, ce réseau souterrain et non hiérarchique de
tiges à liaisons latérales, annoncerait exactement l'Internet.

De tels effets de miroir entre l'arsenal théorique et les modalités
du réseau s'appuient sur leur nouveauté à chacun, discursive pour
celui-là, technique pour celui-ci. Certains forums de discussion
suggèrent de relire chaque œuvre française comme *réseau de
concepts* et, dans l'autre sens, d'aborder le Net lui-même en tant que
programme réalisé de la théorie française. C'est le cas sur la fameuse
« D&G List », une « *chat room* » réunissant depuis 1993 fans ou
exégètes de Deleuze et Guattari. De Montréal à Sydney, et de Los
Angeles à Warwick (fief universitaire des deleuziens britanniques),
les participants parlent ainsi, pour le réseau, d'une « BwO Zone »
(pour « corps sans organes »), de « démultiplications machiniques »
et de « synthèse conjonctive », variation sur les « synthèses
disjonctives » chères aux deux auteurs[12]. Ils assimilent la désubjectivation en-ligne, et tous les jeux de rôles qu'autorise le courrier
électronique, au souhait des auteurs de *Mille Plateaux*, dès la
première page, de se « rendre méconnaissables », de « rendre imper-
ceptible ce qui nous fait agir, éprouver ou penser[13] ». Aux
États-Unis comme en Europe, les internautes deleuzo-guattariens
rangent ces tactiques de disparition et de démultiplication sur le
réseau sous la rubrique générale de « matérialisme cybernétique »,
insistant sur la solution de continuité du réseau au monde matériel,
mais aussi du corps de l'usager au Corps du Net, sur les plaisirs
d'une perdition dans la « rhizosphère » – de même que Jaron Lanier,
co-inventeur du premier dispositif de réalité virtuelle, a pu louer

---

9. « Baudrillard on the New Technologies », in *www.uta.edu/english/apt/collab/baudweb.html*.
10. « The Deleuze & Guattari Rhiz-o-mat », in *www.bleb.net/rhizomat/rhizomat.html*
11. Cf. *www.hydra.umn.edu/fobo/index.html*
12. Charles STIVALE, *The Two-Fold Thought of Deleuze and Guattari : Intersections and Animations*, New York, Guilford Press, 1998, p. 74-78.
13. Gilles DELEUZE et Félix GUATTARI, *Mille Plateaux*, *op. cit.*, p. 9.

avec des accents barthésiens « le corps érotique du Réseau », l'« imprévisibilité » de l'hypertexte comme « force qui tient du désir [14] ». Qu'il s'agisse d'un tel *désir* de réseau ou du recours à un langage théorique qui en mime les mécanismes, des utopies anarchisantes ou des libertés plus textuelles (stylistique, lexicale, référentielle) qu'on a vu prises par les contributeurs aux *e-zines* de théorie, des formes de subjectivation inédites émergent ainsi sur le Net. Grâce à un langage neuf, c'est une véritable production de soi qui s'opère en effet à la croisée du médium nouveau et du référent théorique. Il y a convergence de l'habileté technique et de la caution théorique, personnalisation de la machine en même temps que du texte français, chaque usager empruntant aux deux pôles pour inventer des façons de faire singulières – et devenir aussi « autarcique » que le réseau, tout en étant aussi « affirmatif » que le texte, seul sur son clavier ou dans le cadre des innombrables microcommunautés d'internautes.

Pareille convergence a un double avantage. Elle fournit aux pionniers diffus de l'Internet un langage et des concepts où réfléchir leur pratique, et aux auteurs français un vecteur de diffusion beaucoup plus large, et moins coûteux, que l'industrie du livre – contribuant à étendre leur lectorat au-delà des seuls campus. Mais les promesses politiques de la zone d'autonomie temporaire ne survivent pas à l'accélération de l'essor des réseaux au milieu des années 1990. Parmi les cyber-cultures alternatives, toutes ces politiques du réseau nées de la période pionnière, la mouvance qui va l'emporter – et dont les arguments imprègnaient déjà le livre d'Hakim Bey – est celle des libertariens civils (*civil libertarians*), véritables héritiers en-ligne des premiers pionniers qui vont faire triompher sur le Net l'idéologie du « libre accès » : défense d'une liberté d'expression sans contenu, intransitive jusqu'à la tautologie, abolition du copyright au profit d'usages communautaires autorégulés, et surtout, sur le refrain du « complot de Washington », appel à la privatisation généralisée et diabolisation du pouvoir étatique, qui espionne les correspondances et encrypte ses propres informations. Promu par l'Electronic Frontier Foundation de John Perry Barlowe (ex-parolier du groupe de rock Grateful Dead) et quelques autres groupes de pression blancs et régionalistes, ce courant fait de la sacro-sainte liberté d'expression le seul « contenu » du réseau, aux dépens d'un programme politique exogène, d'une action collective *hors* du Net – puisqu'il refuse l'idée

---

14. Jaron LANIER, « Programmes informatiques, programmes politiques (entretien) », *Cahiers de médiologie*, n° 3, 1er semestre 1997, p. 233-234.

même d'espace public. En gagnant la bataille idéologique du réseau, les libertariens en ont écarté l'*autre* interprétation politique, plus tactique, moins envoûtée par la technologie, celle qui défend un usage parallèle du Net au service de luttes qui le précèdent, celle qu'appelait de ses vœux Guattari sur le modèle des radios libres – et que promeuvent en vain, et en citant Virilio et Deleuze, les jeunes époux Kroker, fondateurs du *e-zine Ctheory*, qui regrettent dès 1997 l'hédonisme réactionnaire d'une Toile sans limites qui n'est déjà plus, selon eux, qu'un vaste parc d'attraction[15].

Cyborgs, platines, objets trouvés

Reste à la *French Theory* l'espace plus onirique de la science-fiction. L'occasion d'aller explorer les figures du *posthumain* dans les imaginaires littéraires et les pratiques culturelles, puisque le réseau n'a pas tenu ses promesses politiques. Il n'est pas rare, en effet, que théorie française et science-fiction se trouvent associées l'une à l'autre. Il peut s'agir d'apporter sa caution théorique à un genre littéraire en pleine métamorphose, mais aussi de fusionner les deux types de discours – jusqu'à mêler simulacres, machines abstraites et microphysique du pouvoir en un monde romanesque futuriste, grouillant et animiste, peuplé de monstres et de concepts mais dont ont disparu les hommes. Soit le signe à la fois d'une distance au corpus français, refoulé par là vers une zone aveugle, et d'une familiarité avec l'objet théorique, fondu dans l'univers fantastique d'une culture futurophile. C'est ainsi qu'un journaliste scientifique du *New York Times* peut comparer Foucault, pour la souplesse de son concept d'identité, à l'« homme-élastique » des Quatre fantastiques, tandis que le critique Istvan Csicsery-Ronay va jusqu'à faire de la théorie une « forme de SF », l'un des registres spécifiques de la science-fiction[16]. Et là où Lotringer dépeint Baudrillard en « agent spécial dans l'espace extra-terrestre que devient notre monde[17] », le critique Erik Davis décrit Deleuze dans le *Village Voice* en « mutant », « philosophe virtuel » dont « l'étrange rhétorique et l'argot de monstres de science-fiction » nous « projettent vers des futurs inactuels[18] ».

---

15. Arthur et Marilouise KROKER (dir.), *Digital Delirium*, New York, St Martin's Press, 1997.

16. Istvan CSICSERY-RONAY, « The SF of Theory : Baudrillard and Haraway », *in Science-Fiction Studies*, n° 55, vol. 18, novembre 1991.

17. Sylvère LOTRINGER, « Doing Theory », *op. cit.*, p. 153.

18. Erik DAVIS, « After the Deleuze », *Voice Literary Supplement*, septembre 1994, p. 29.

Moins rhétoriquement, le genre même de la science-fiction a fait une place à la théorie française, pour avoir évolué de son côté d'une exploration de mondes lointains (dans le temps ou dans l'espace), l'âge classique de Ray Bradbury ou de *Star Trek*, à l'hypothèse de mondes parallèles, souterrains, invisibles ; soit l'émergence pour cette littérature de divertissement d'une fonction plus critique, celle d'interpréter le présent, de juger ce monde réel *hic et nunc*, ce monde que les internautes américains ont abrévié en RL (pour *Real Life*). À l'avant-garde de cette évolution, la science-fiction dite « cyberpunk », inspirée par les premiers récits de *hackers* et l'horizon (qu'elle dénonce) d'un devenir-machine de l'homme, se réclame souvent d'une filiation théorique française. De John Shirley au plus réflexif Samuel Delany (qui analyse la science-fiction comme « jeu de langage défamiliarisant ») et au pionnier du genre William Gibson – qui inventait en 1982 le terme de « cyberespace » –, ils sont plusieurs romanciers de renom à se trouver associés aux auteurs français. Citant parfois Deleuze ou Baudrillard en interview, ils sont lus par leurs critiques, ou leurs fans éclairés, à travers le prisme du « simulacre » ou, comme métaphore du réseau, du « corps sans organes ». Le missel de ce nouveau courant, *Mondo 2000*, fanzine cyberpunk et bientôt son dictionnaire anthologique, fait référence à Deleuze et Guattari mais aussi à Georges Bataille[19]. Et de façon significative, un recueil universitaire récent sur Deleuze le baptise « ingénieur de la différence[20] », prenant ainsi pour titre celui du roman-culte (*The Difference Engine*) qu'écrivirent ensemble les deux maîtres du genre, Gibson et Bruce Sterling – qui y mettaient en scène l'irruption de l'informatique en pleine Angleterre victorienne. Les échos sont nombreux entre le monde de la culture cyberpunk et les discours américains de la théorie française. Mais c'est avec la figure du *cyborg*, et ses enjeux plus théoriques, que les auteurs français deviennent pour de bon les références d'un univers futuriste, « posthumaniste » et surtechnologisé. On est là bel et bien dans le monde de la *science-fiction théorique*.

La théorie du cyborg a pour pionnière la critique féministe et historienne des sciences Donna Haraway, longtemps titulaire de la chaire d'histoire de la conscience à l'université de Californie à Santa Cruz. Haraway a d'abord étudié la cristallographie, puis la « construction » du singe expérimental en « primate » par les

19. Rudy RUCKER *et al.* (dir.), *Mondo 2000 A User's Guide to the New Edge*, New York, Harper Collins, 1992.

20. Keith Ansell PEARSON (dir.), *Deleuze and Philosophy : The Difference Engineer*, New York, Routledge, 1997.

scientifiques du XIXᵉ siècle (*Primate Visions*) – résolue à mettre au jour une *invention* historique de la nature, dont participe selon elle la naturalisation graduelle des catégories de sexe, de race et même de classe. Féministe atypique, elle estime que la biologie et la sociologie des sciences sont beaucoup plus utiles au fameux antiessentialisme féministe que la littérature et la psychanalyse. D'où son motif du cyborg, défini en 1985 dans son texte le plus célèbre (« A Cyborg Manifesto ») comme un « organisme cybernétique, hybride de machine et d'organisme, créature de la réalité sociale aussi bien que de la fiction » : il s'agit désormais d'assumer notre dimension de cyborgs, liée aux nouvelles technologies et aux simulacres machiniques, afin de dépasser non seulement deux siècles de « fausses séparations » (entre humain et animal, machine et organisme, et même « science-fiction et réalité sociale ») mais aussi le mythe féministe d'une « matrice naturelle de l'unité » – auquel Haraway oppose la devise qui fera sa gloire, « je préfère être un cyborg qu'une déesse », restée l'une des rares formules du champ théorique américain passée ainsi *à la première personne* au statut de mot d'ordre[21]. Car l'auteur en appelle à une véritable « politique cyborg », en détournant sur un mode prescriptif les « assemblages machiniques » deleuziens et même la « biopolitique » foucaldienne, dont elle fait moins la forme moderne du pouvoir, qu'elle est chez Foucault, qu'une souhaitable « prémonition ». Grâce aux prolongements cybernétiques que nous offrent l'ordinateur et la microélectronique, elle fait l'apologie d'un devenir-machine qui pût révéler en nous des facultés nouvelles, et nous débarrasser des résidus d'ontologie et d'illusion naturaliste. Son travail donne bientôt naissance à un véritable champ d'« études cyborg », injonctives autant qu'académiques, dont les plus audacieuses sont réunies en 1995 dans un livre-manifeste qui promeut, justement, les « expériences machiniques » et la pratique théorique sur le Net[22].

L'une de ces praticiennes les plus ferventes est l'universitaire transsexuelle Allucquere Rosanne (ou « Sandy ») Stone, ex-technicien informatique (né Zelig Ben-Nausaan Cohen) devenu, après son changement de sexe, professeur de théâtre et de communication à l'université du Texas. Qualifiant les nouvelles technologies « d'appareils pour la production de la communauté et du corps »,

---

21. « A Cyborg Manifesto : Science, Technology, and Socialist Feminism in the Late Twentieth Century », *in* Donna HARAWAY, *Simians, Cyborgs, and Women : The Reinvention of Nature*, New York, Routledge, 1991, p. 149-182.
22. Chris Hables GRAY *et al.* (dir.), *The Cyborg Handbook*, New York, Routledge, 1995.

elle défend le « mode schizo » des « processus machiniques [de] multiplicité et [de] réinvention » de soi, dont elle va puiser la méthode dans le « bricolage disrupteur de Deleuze[23] ». Mais sa défense d'une identité multiple et *machinée* ne passe pas seulement par l'analyse de ses enjeux politiques et sexuels, comme dans son essai de 1994 au titre vaguement benjaminien, *The War of Desire and Technology at the Close of the Mechanical Age*[24]. Elle s'y essaie aussi sur scène, par des spectacles qui font valoir les plaisirs troubles d'un monde entièrement transgenre, à l'occasion de ses représentations de « *theory-performance* » (pratique non plus militante ou picturale, mais *théâtrale*, de la théorie) – lors desquelles, chantant des « refrains » de théorie mis par elle en musique, ou dansant sur des chorégraphies « interactives », elle décrit les heureux quiproquos auxquels donne lieu, grâce au courrier électronique, le fait de changer d'identité sexuelle avec des interlocuteurs qu'on n'a jamais rencontrés. C'est l'un des thèmes forts, également, de l'essai à succès de la sociologue Sherry Turkle sur les nouvelles identités en-ligne, où un homme, montre-t-elle, peut trouver plus facile d'être « affirmatif » sous un nom de femme, et une femme, bien souvent, moins dangereux de se faire « agressive » en tant qu'homme[25] – outre que cet ouvrage rend un hommage appuyé à la théorie française, louant la « culture de la simulation » et associant, en introduction, les mécanismes de l'hypertexte à la théorie derridienne de l'écriture[26].

Pourtant, au-delà des expériences scéniques et des provocations (anti-)féministes, Haraway, Stone et leurs épigones restent liées avant tout au champ universitaire, où elles font surtout de la théorie française un moteur discursif, une machine à produire un *discours* de la machine. Pour accéder à des formes de machination effective de la théorie, il faut aller voir du côté d'une culture plus autodidacte, plus spécifique, présente sur les deux rives de l'Atlantique depuis le début des années 1990 – celle de la musique mixée alternative, des premiers DJ (*disk-jockeys*) expérimentaux, qui sont peu ou prou à la musique *jungle* et autre *techno* plus commerciales ce que la musique sérielle (qu'appréciait tant Deleuze, justement) est à la chanson de variété. Car Deleuze leur est *pratiquement* une référence majeure. En Europe, l'ex-punk anarchiste Achim Szepanski fondait en Allemagne en 1991 le label de musique électronique

23. Allucquere Rosanne STONE, « Virtual Systems », *in Zone* 6, 1992, « Incorporations », p. 618-621.

24. *La Guerre du désir et de la technologie à la fin de l'âge mécanisé.*

25. Sherry TURKLE, *Life on the Screen*, New York, Simon & Schuster, 1995, notamment le chap. 8.

26. *Ibid.*, p. 17-18.

« Mille Plateaux », et le label bruxellois Sub Rosa pouvait sortir dès 1996 un album d'hommage intitulé « plis et rhizomes pour Gilles Deleuze ». De leur côté, nombre de DJ anglais et américains, de Kirk à DJ Shadow, Mouse on Mars et l'ancien étudiant de philosophie à Columbia Paul Miller (*alias* DJ Spooky) – lequel plaçait des citations de *L'Anti-Œdipe* en couverture de ses premiers albums, insinuant ainsi Deleuze et Guattari jusque dans les bacs des disquaires – semblent avoir trouvé chez les deux auteurs la description même de leur pratique : l'ensemble constitué par le DJ, ses platines et le public forme une « machine désirante » ; la transe musicale qu'elle occasionne permet de se faire un « corps sans organes » ; et les morceaux de musique épars (« fragments de vinyl ») que le « mix » consiste à citer et détourner sont décrits comme des « blocs d'affect sonores », dont les « flux moléculaires » s'organisent en « assemblages soniques hasardeux », au gré des opérations de *cut*, *scratch* ou *sample* effectuées en direct par le DJ sur ses platines [27].

Le DJ expérimental est à l'avant-garde de la techno-culture, avec pour homologues, moins visibles encore, le graphiste et le programmateur web ; comme eux, il est la figure même de cette culture postmoderne que préfigurerait, pour ses lecteurs américains, la théorie française. Personnage de l'ombre, simple combinateur sous pseudonyme, le DJ annonce le crépuscule du vedettariat, la mort de l'auteur et le recyclage ironique des influences, ne serait-ce qu'en effaçant la frontière nette qui sépare l'auditeur du compositeur (ou du musicien). Il substitue peu à peu le seul travail du séquençage, ses ruses et ses rages, au mythe de la « création », et guide ses adeptes dans le labyrinthe d'une *pop culture* segmentée, molécularisée, largement démassifiée. Il ne se contente pas de réagencer les « objets trouvés » du modernisme (chansons détournées ou albums rock *remixés*), mais entend explorer le monde dépersonnalisé des sons postindustriels, expérimenter la folie à laquelle conduisent les flux vibratoires qui nous auréolent, flux de sons, d'ondes, d'informations. Pourtant, ces DJ alternatifs relèvent à leur tour d'une zone d'autonomie temporaire, bientôt avalés par la vague des « mix » commerciaux, détournés eux-mêmes vers des usages exclusivement festifs – pour lesquels la mention de Deleuze ou d'Artaud laisserait perplexes, ou susciterait des bâillements.

---

27. L'un des rares textes à systématiser ce type de langage est, sans surprise, un article universitaire, mais qui pourrait aussi bien avoir été écrit sous ecstasy : Robin MACKAY, « Capitalism and Schizophrenia : Wildstyle in Full Effect », *in* Keith Ansell PEARSON (dir.), *Deleuze and Philosophy : The Difference Engineer, op. cit.*, notamment p. 249-256.

Personne peut-être n'incarne mieux cette contre-culture transitoire, cette *pratique théorique* de la musique mixée, que l'éclectique DJ Spooky. Ce jeune Noir new-yorkais, à l'origine du collectif SoundLab et du genre hybride de la musique « illbient », se produit depuis 1995 sous le surnom de « subliminal kid » et mène, dans les fanzines techno-théoriques qu'il inspire (*Artbyte* et aujourd'hui *21C*) mais aussi sur les sites web de ses complices, un travail parallèle d'écriture critique lui-même conçu comme « *sample* » épileptique de concepts et de références. S'y croisent Duchamp et Franz Fanon, Nietzsche et Philip Glass, le haïku et le jazz, la musique comme « extension de la science-fiction » et la culture comme « cadavre exquis » de citations « en ruines », tandis qu'Andy Warhol ou Jimmy Hendrix y annoncent déjà « un monde pataphysique de disjonctions et de transitions fluides[28] ». Ainsi, du jazz au *cut up*, des théories de la surenchère à celles de la mélecture créatrice, de la « réappropriation » artistique aux « nuages de données » de DJ Spooky, c'est tout un continuum fluide de l'intensité et de la discontinuité, de la citation aléatoire et de ses brusques glissements de registres, qui relie aux États-Unis le corpus théorique français aux expériences machiniques d'une culture du détournement – du moment que ce lien relève lui-même d'une *pratique* du réagencement, d'un *événement* de la combinaison, et non plus, à l'abri d'un campus, d'un discours et d'une histoire légitimes.

Pop : circulation aléatoire

Mais c'est au cinéma que certaines hypothèses théoriques françaises, dûment reformatées pour le grand écran, vont trouver aux États-Unis leur plus large public. Le cas d'école, ici, est le film des frères Andy et Larry Wachowski, *The Matrix* (1998). Grâce aux pouvoirs de leur sauveur, le jeune Neo (joué par Keanu Reeves), une poignée de rebelles y résiste encore et toujours au pouvoir absolu des machines, dans un monde où l'ordinateur l'a emporté mais, parce qu'il a besoin des humains comme source d'énergie, les a asservis à un programme créé pour eux, la « matrice » (terme repris à William Gibson), réplique sensorielle exacte du monde de la fin du XXᵉ siècle qui a disparu – soit l'équivalent fictionnel total du « simulacre », la « copie sans original » dont accouche la modernité selon Baudrillard. Au cours d'une des premières scènes, commentée à l'envi par les fans du film versés dans la théorie, le héros brandit d'ailleurs, furtivement, un exemplaire de *Simulacres et Simulation*,

---

28. *Cf.* notamment *www.furious.com/perfect/djspooky.html*

qu'il ouvre au dernier chapitre, « Sur le nihilisme ». Mais si elle contribuera à son tour au culte du film, pareille signature théorique en l'espace de quelques secondes n'est pas moins trompeuse : depuis la parabole christique de ce Neo (anagramme de One) jusqu'à la belle résistance aux machines à grand renfort de scènes d'action et d'effets spéciaux, le ressort du film est fort peu baudrillardien. Comme en conclut le *New York Times*, les réalisateurs « ont juste habilement renouvelé une histoire de Messie archétypale en y ajoutant un zest de théorie postmoderne [29] ».

Sollicité par la production pour participer comme consultant « théorique » à la préparation des *Matrix* 2 et 3, sortis à grand bruit courant 2003, Baudrillard déclinera cette offre, jugeant aujourd'hui que la théorie est tout au plus, pour les frères Warchowski, un vague « horizon asymptotique ». De même qu'il avait refusé une proposition similaire pour la série télévisée *Wild Palms* (1993), produite par Oliver Stone, qui racontait la prise de pouvoir d'un magnat de la réalité virtuelle grâce aux « hologrammes » qu'il projette et contrôle. Au-delà, et de façon certes moins probante qu'avec la scène liminaire de *Matrix*, c'est tout un réseau lâche de concepts et de références théoriques qui circulent entre certains produits innovants de l'industrie culturelle, les reliant et les inspirant : tirés d'une lecture fragmentaire des textes français (souvent par d'anciens étudiants qui ont rejoint les grands studios de production), ils sont passés ensuite par la vogue cyberpunk ou même certains jeux vidéo, leurs échos se retrouvent jusque dans les chansons de certains groupes de rock grand public (l'album *Zooropa* du groupe U2 en offre un exemple), avant qu'ils n'imprègnent, plus ou moins sciemment, plusieurs grands succès hollywoodiens sur le thème du monde dupliqué, ou du simulacre machinique – ceux du réalisateur canadien David Cronenberg, dès *Videodrome* (1983), où un homme est avalé par la télévision, et surtout dans *Existenz* (1999), qui fait de la vie un scénario de jeu vidéo ; mais aussi le *Truman Show* de Peter Weir (1998), dans lequel Jim Carey est la victime d'une expérience de télé-réalité à échelle cosmique ; ou encore *Minority Report* de Steven Spielberg (2002), où le régime de contrôle panoptique s'étend cette fois jusqu'à l'anticipation psychique (et, partant, autoréalisatrice) de tous les crimes humains.

Pourtant, la référence théorique française, principalement à Baudrillard, que ces réalisateurs ne revendiquent pas explicitement mais qu'invoquent haut et fort fans et critiques, joue ici à

---

29. Michael AGGER, « And the Oscar for Best Scholar... », *New York Times*, 18 mai 2003.

contre-emploi, sinon même à contre-sens : les théories de la simulation, de l'hyperréel ou de la déréalisation du négatif n'ont aucun
rapport avec la mythologie humaniste, mélange de morale chrétienne et de libéralisme politique, que véhiculent ce projet d'un
contrôle humain de l'ordinateur contre l'apocalypse machinique
(*Matrix*) et ces dénonciations du démiurge étatique (*Minority
Report*) ou de l'illusion télévisuelle (*Truman Show*). Or si l'on peut
mettre ces quelques auteurs français, vénérés dans l'université, au
service précisément du message idéologique qu'ils dénoncèrent, c'est
qu'on touche ici à un régime de dispersion, de fragmentation, de
circulation superficielle et aléatoire de simples *traces* de théorie française ; on est loin de l'institution universitaire, qui en régule d'ordinaire l'usage et le langage, dans les rouages cette fois de cette
machine poreuse et indéfiniment malléable qu'est l'industrie culturelle américaine. Dès lors, tous les usages en deviennent possibles,
libres des logiques de production discursive à l'œuvre sur les
campus. La presse généraliste elle-même, instance de prescription et
de légitimation des industries culturelles, saupoudre dans ses
articles, au gré des modes lexicales ou des formations de ses journalistes, d'habiles pincées de *French Theory* : un reportage du *New
York Times* sur les parkings de Los Angeles évoque « une ville qui
aurait donné des spasmes à Roland Barthes[30] », tandis que la
critique rock du *Village Voice* décrit le rapport à son public de la
chanteuse Kathleen Hanna en citant Lacan et en parlant de « jouissance proliférante [...] toujours déjà-là[31] ».

Moins elliptiques, moins soumises au régime monologique des
médias, mais plus fantaisistes encore, se jouant d'un objet léger,
ludique, quelques intrigues romanesques grand public peuvent à
leur tour convoquer un seul motif théorique, ou le corpus dans son
ensemble, pour une déclinaison de la *French Theory* qui relève cette
fois d'un usage littéraire *extra-universitaire*. Ainsi, dans son roman
Glyph, Percival Everett raconte l'enlèvement et les tractations politiques dont fait l'objet le petit Ralph Ellison, fils de dix-huit mois
d'un derridien célèbre, mais qui par magie comprend (et parle) le
poststructuralisme déjà mieux que son père – procédés théoriques
et exergues pour initiés réservant toutefois ce roman à un lectorat
averti[32]. Jeune professeur de littérature, Patricia Duncker a commis
l'exploit, de son côté, de faire de Foucault un personnage de roman,
à travers le trio amoureux qui relie, dans *Hallucinating Foucault*, le

---

30. Peter MCQUAID, « Midnight at the Oasis », *New York Times*, 14 avril 2000.
31. Hillary CHUTE, « More, More, More », *Village Voice*, 22-28 décembre 1999.
32. Percival EVERETT, *Glyph*, Minneapolis, Graywolf Press, 1999.

philosophe éponyme, le narrateur étudiant et le romancier français Paul Michel que ce dernier, par amour de sa prose, s'est juré de libérer de l'asile où il est enfermé[33]. Plus proche de la satire universitaire réaliste, à laquelle David Lodge et Malcolm Bradbury ont (re)donné ses lettres de noblesse, *Book* de Robert Grudin élucide le meurtre du bon Adam Snell, un humaniste classique perdu sur un campus de radicaux dévoyés[34]. Plus récents encore, et de facture plus classique, *Ravelstein* de Saul Bellow, portrait romanesque de son ami disparu le critique conservateur Allan Bloom, et *La Tache* de Philip Roth, qui relate les mésaventures du professeur juif et noir Coleman Silk dans l'enfer du PC, révèlent le ressort narratif traditionnel qu'en est venu à constituer la controverse théorique[35]. On pourrait multiplier les exemples de ces traces indirectes de *theory*, plus ou moins effacées, parfois à peine lisibles, de la presse musicale aux dialogues de sitcom, des slogans publicitaires aux comédies romantiques mettant en scène des lettrés – des exemples qui mériteraient à eux seuls une étude exhaustive et, au delà, une réflexion sur les modes de diffusion contemporains des signifiants intellectuels consacrés.

Reste que cette dissémination aléatoire de traces de théorie française aux quatre coins de la *pop culture* américaine ressortit, tout comme leur inscription plus appuyée, sédentaire et argumentée, dans les discours de l'université, à une certaine machination culturelle – non pas dans le sens du complot, mais dans celui des technologies de diffusion que sont l'industrie culturelle, le régime médiatique, et l'écriture elle-même. À ceci près que la *dissémination* industrielle et l'*inscription* universitaire de ces mêmes traces fonctionnent selon des modalités symétriquement inverses : verticales, textuelles, anthologiques pour celle-ci, moyennant une certaine violence institutionnelle de systèmes de mémorisation clos (livres, cours, dogmes) que, faute de pouvoir les ouvrir, les universitaires américains s'évertuent à secouer depuis qu'a émergé la *theory* ; et horizontales, jetables, oublieuses pour l'industrie culturelle, condamnée gaiement à la succession sans conséquence des publications et des événements, stockant sans cesse ses énoncés comme pour mieux les oublier. En ce sens, on peut dire en effet qu'aux États-Unis la théorie française « disparaît » continûment dans la production de ses effets.

33. Patricia DUNCKER, *Hallucinating Foucault*, New York, Ecco Press, 1997.
34. Robert GRUDIN, *Book : A Novel*, New York, Random House, 1992.
35. Saul BELLOW, *Ravelstein* et Philip ROTH, *La Tache*, Paris, Gallimard, 2002.

III

Allers-retours

12

La théorie-norme : une influence prolongée

> « En Amérique, la majorité trace un cercle formidable autour de la pensée. Au-dedans de ces limites, l'écrivain est libre ; mais malheur à lui s'il ose en sortir. »
>
> TOCQUEVILLE, *De la démocratie en Amérique*

Quel impact, finalement, pour la théorie française aux États-Unis ? Question désespérément relative : autant demander quels effets tangibles, sur les hommes ou l'Histoire, ont eu un discours, une proposition philosophique, ou même une seule séquence de phrases – vieille interrogation qui donne au philosophe ses insomnies. Mais la question est elle-même moins théorique que balistique : jusqu'où, à quelle profondeur, de quel calibre, avec quelles séquelles ? D'un *effet* américain de ce corpus français, on a trouvé au moins les preuves dans le fait qu'on n'y pense plus désormais dans les mêmes termes au cœur de l'université, qu'on ait trouvé dans ces textes, du côté d'Hollywood ou des essayistes postmodernes, de quoi venir cautionner ou réenchanter le système en place, et au contraire, dans telle galerie d'art ou tel groupe d'activistes, les arguments d'une subversion, sinon d'une désertion, du nouvel ordre américain. Cette question de la *profondeur* de l'impact se prêterait même à des variations métaphoriques à l'infini, et de préférence à l'américaine : *French Theory*, anthrax ou poil à gratter ? Pic à glace ou cure-dents ? Virus indécryptable ou simple erreur de manipulation ? Férus d'indices tangibles et de preuves durables, d'aucuns privilégient la seconde série, celle d'un impact bénin et simplement distrayant, au nom des limites – discursives et institutionnelles – inhérentes à l'aventure américaine de la théorie française.

Effectivement, la radicalisation des discours identitaires s'en réclamant a été, on l'a vu, rhétorique avant tout. Les questions de l'écriture et de la textualité ont été explorées sous tous leurs angles, plus consciencieusement qu'au plus fort de la théorie littéraire en France, mais avec de faibles retombées au-delà du champ littéraire et, *a fortiori*, de l'université. Et le saupoudrage de fragments de théorie dans l'industrie culturelle, de la presse au cinéma, pour leur aura subversive ou leur caution intellectuelle, a achevé bien souvent de vider de son contenu – de ses enjeux philosophiques – l'objet même de *theory*. Alors ? Est-ce à dire que la théorie française serait effectivement *sans conséquence* pour une Amérique plus occupée à la course à l'emploi, bientôt à sa nouvelle croisade mondiale, et encore et toujours à « se divertir jusqu'à en mourir[1] », plutôt qu'à interroger le statut du texte ou le concept de minorité ? L'argument majeur de ceux, *pour* ou *contre* la théorie, qui sont tentés de répondre par l'affirmative consiste à réduire son succès à une vogue passagère, excitation sans lendemain, une étape particulièrement animée dans la succession ininterrompue de produits intellectuels que s'arrachent l'un après l'autre des universitaires condamnés à l'originalité – l'argument de l'effet de mode, en un mot, contre les véritables tournants épistémiques. La preuve en résiderait dans le déclin continu de la théorie française depuis le début des années 1990, au gré d'attaques de plus en plus hargneuses. Pourtant, au tournant du millénaire, l'état des lieux après un quart de siècle de *French Theory* ne corrobore pas vraiment cette hypothèse ; il mène en tout cas à un bilan incertain, dont chaque point est à double lecture.

En premier lieu, la multiplication des écoles, des sous-champs et des métadiscours rend la situation moins claire qu'au milieu des années 1980, quand multiculturalistes radicaux et déconstructionnistes se partageaient le terrain. Mais là où le critique Herman Rapaport voit un gâchis, une confusion inextricable (*theory mess*[2]), on peut voir au contraire la richesse d'un champ théorique composite, et loin d'être exsangue. À interroger les intellectuels américains, une autre impression dominante est celle d'une banalisation, d'une perte d'aura de la théorie française, victime de ce qu'en sociologie des religions, Max Weber nommait la « routinisation » du

---

1. Pour reprendre le titre d'un essai polémique de Neil POSTMAN, *Amusing Ourselves to Death : Public Discourse in the Age of Show Business*, New York, Viking, 1985.
2. Herman RAPAPORT, *The Theory Mess*, New York, Columbia University Press, 2001.

charisme. Ou bien victime, plus trivialement, de ce mode de vieillissement propre aux imports européens en terre américaine, incontournables un temps, puis qualifiés, une fois leur vogue passée, de *eurotrash*, jetables et dévalorisés – suspicion américaine d'un « mauvais goût » européen. Mais ce va-et-vient des innovations relève lui-même davantage d'une loi générale de l'histoire des institutions d'éducation, que d'un impact superficiel. Car chaque innovation intellectuelle imposée dans l'université par une génération participe bientôt d'un « monde déjà vieux qui, si révolutionnaires que puissent être ses actes, est, du point de vue de la génération suivante, suranné et proche de la ruine[3] », comme le notait Hannah Arendt en défendant le conservatisme intrinsèque de l'éducation. Dans l'arène universitaire, le mot même de changement est trompeur, et son processus présente des modalités bien particulières ; la moindre visibilité y désigne aussi une forme de pérennité. Signe des temps, un nouveau séminaire de théorie est inauguré à Berkeley à l'automne 2003, animé par le foucaldien Didier Eribon, sous le titre en forme de *flashback* « Seventies Revisited ». Est-ce à dire que la parenthèse se referme, la théorie française redevenue objet exotique d'une décennie passée, participant comme en France d'une mode « rétro », musicale et vestimentaire ? Il s'agit plutôt dans ce cas de tirer de cette décennie un bilan *pour aujourd'hui*. Et au-delà de ce seul exemple, d'un impact pérenne : attaques redoublées et perte d'aura, sécularisation et vogue des bilans signalent surtout la *normalisation* de la théorie, adoptée et institutionnalisée, rentrée en profondeur dans les mœurs intellectuelles américaines – et restée inscrite au programme des cours.

La ritournelle du déclin

L'opposition à la théorie française ne signale donc pas sa perte d'aura ; elle la précède, et date en fait du premier jour. Il est, tout d'abord, quelques pôles de résistance voués à l'endiguement du *théorisme* : soit depuis toujours, comme le département de littérature de Boston University, où fut fondée une autre « anti-MLA », l'Association of Critics and Literary Scholars (ACLS) de Roger Shattuck et Christopher Hicks, soit depuis les luttes idéologiques des années 1980, quand certains modérés se retournèrent contre la vogue théorique, à l'instar des presses de Princeton ou de la célèbre *New York Review of Books*. Mais c'est la violence des diatribes antithéoriques des années 1990 qui a pu accréditer la thèse

---

3. Hannah ARENDT, *La Crise de la culture*, *op. cit.*, p. 247.

du déclin, alors que la crudité des insultes était simplement à la mesure de la notoriété de leurs cibles – rançon de leur succès. Il faut revenir ici sur les interventions de la critique Camille Paglia, que leur zèle patriote et leurs arguments mordants vont faire connaître bien au-delà des campus : l'article déjà cité publié en 1991 en une du supplément littéraire du *New York Times* sera repris par le *San Francisco Examiner* puis le mensuel *Cosmopolitan*, avant que l'auteur n'en publie en recueil une version plus longue, qui devient un succès de librairie[4]. Ses origines modestes et ses faits d'arme dans les usines aéronautiques Sikorsky, où elle enseigna la littérature anglaise à des ouvriers, apportent une caution morale à son argument populiste. Paglia oppose terme à terme la vitalité jouissive et innocente de la *pop culture* américaine aux gémissements « de larves » et au « ressentiment » pervers de la caste théorique (française *et* américaine). Elle dit « choisir » le rock contre Samuel Beckett et les Marx Brothers contre Paul de Man, et rêve même qu'Aretha Franklin fouette Lacan et ses petits camarades le long des Champs-Élysées – « nous n'avions pas besoin de Derrida, nous avions Jimmy Hendrix[5] », insiste-t-elle encore, moyennant une comparaison si incongrue qu'elle trahit précisément l'impact culturel large de ladite théorie française.

Sa rage contre Foucault, notamment, paraît sans limites : « incompétent », « minaudeur volubile » mais « théoricien frigide et constipé », « gauchiste en chaise roulante » et même « bâtard arrogant[6] ». Une véritable extase francophobe porte le texte de Paglia. Le « sujet décentré » devient l'un des « plus gros morceaux de fromage pourri » qu'aient eu à avaler les Américains, un concept de *décentrement* qu'aurait d'ailleurs inspiré à la France le fait d'avoir « mordu la poussière sous la botte allemande » ; et les clichés de l'« ironie froide » et de l'« affectation pompeuse » françaises cachant un « vide intellectuel » complet mènent à une conclusion proprement *révolutionnaire*, un appel à se libérer des « idéologues » français comme il fut fait, en 1776, des colons britanniques : « Jetons les Français par-dessus bord dans le port de Boston [où commença la révolution américaine], et laissons-les rentrer chez eux à la nage[7]. » Une défense, en un sens, de l'*exception culturelle* américaine. Pour ses libertés de ton et pour avoir, estiment ses alliés, dessillé les yeux de ses compatriotes qui « prenaient béatement pour

---

4. « Junk Bonds and Corporate Raiders : Academe in the Hour of the Wolf », *op. cit.*
5. *Ibid.*, p. 216-219.
6. *Ibid.*, p. 175, 187, 197, 216 et 224.
7. *Ibid.*, p. 180, 211, 215 et 213.

des énoncés de vérité ce qui n'était que des boutades malicieuses de *flâneurs*[8] », Paglia devient une star, elle est même la « pin up intellectuelle des années 1990[9] » selon le tabloïd *Newsday*. Elle s'affiche en couverture des magazines *New York*, *Harper's* et du *Village Voice*, sur la « liste de l'année » de *Rolling Stone*, et fait les belles pages de la presse internationale, du *Spiegel* au *Corriere della Sera*, de Moscou à Barcelone. Mais comme les attaques néoconservatrices de la décennie précédente, dont celles qu'avait encouragées l'affaire Paul de Man, la provocation de Paglia contribue aussi à surévaluer, dans l'esprit du public, l'impact réel de la théorie française sur la jeunesse américaine. Jusqu'à en faire cette fois, à l'égal du free jazz ou du cinéma d'aventures, l'un des genres à part entière de la culture contemporaine, ou du moins le ver intellectuel dans le fruit gorgé de suc de la créativité culturelle américaine. Les controverses qui succèdent à l'affaire Paglia, moins retentissantes, ont à leur tour le même effet.

Parue l'année suivante, la biographie de Michel Foucault par le critique James Miller dresse un parallèle entre ses théories du pouvoir et sa « passion » supposée pour les rituels sado-masochistes des *backrooms* de San Francisco, qu'il fréquenta effectivement à la fin des années 1970 : en un raccourci biographiste, et psychanalytiquement bancale, Miller place la vie comme l'œuvre de Foucault sous un même « instinct de mort » – mort de l'auteur et mort réelle – auquel maints journaux, à sa suite, vont réduire tout le parcours foucaldien[10]. Plus étayés historiquement, mais tout aussi douteux idéologiquement, les essais du politologue Tony Judt conspuent, au même moment, l'irresponsabilité et les errances « totalitaires » des intellectuels français d'avant-garde, pour réhabiliter les figures du réformisme démocratique, ou du « centre » intellectuel français, de Camus à Mendès-France[11]. En d'autres disciplines, l'emportement est moins contrôlé : le critique d'art Robert Hughes choisit les métaphores liquides du tsunami puis du marais putride, regrettant qu'il soit impossible de faire carrière sur un campus à moins « d'ajouter quelque chose à ce lac de jargon dont les eaux (mises en bouteilles pour être exportées aux États-Unis) jaillissent entre Nanterre et la Sorbonne, et sur les rives

---

8. *Ibid.*, p. 215 [en français dans le texte].
9. M. G. LORD, « This Pinup Drives Eggheads Wild », *New York Newsday*, 6 octobre 1991.
10. James MILLER, *The Passion of Michel Foucault*, New York, Simon & Schuster, 1992.
11. Tony JUDT, *Past Imperfect : French Intellectuals, 1944-1956*, Berkeley, University of California Press, 1992 et *The Burden of Responsibility : Blum, Camus, Aron, and the French Twentieth Century*, Chicago, University of Chicago Press, 1998.

bourbeuses duquel des troupeaux bêlants de poststructuralistes vont chaque nuit s'abreuver [12] » ; plus laconique, un trio d'historiens bien décidés à sauver leur discipline du « relativisme » français assimile celui-ci à la « répugnance pure [13] ». Difficile de faire justice à ce riche camaïeu d'injures poussives et de railleries – sinon en rappelant que la fougue de pareils appels à l'indépendance culturelle est à la mesure de l'admiration inverse suscitée par les Français, ou de ce que Walter Benjamin appelait « le fétichisme du nom du maître ».

De fait, au lieu de décrédibiliser le courant théorique, la recrudescence de telles diatribes enclenche au contraire un processus rétroactif par lequel l'attaque contribue au maintien de l'objet. Car la diabolisation d'une catégorie de théorie française est aussi une façon de prendre acte d'un tel regroupement d'auteurs et de concepts ; elle naturalise un postulat, valide par la négative ce que les passeurs les plus zélés de la *French Theory* peinaient à faire passer pour un ensemble homogène. Et elle a le mérite, comme on l'a vu, de placer soudain au cœur de l'espace public américain un champ de savoir spécialisé, sinon abscons. Sans compter qu'au profit de certaines œuvres individuelles, mais aux dépens cette fois de la catégorie dans son ensemble, la succession des polémiques peut inciter certains critiques à *jouer* un auteur contre un autre, à condamner les jeux théoriques de Baudrillard pour mieux défendre le travail autrement important de Deleuze et Guattari, ou à stigmatiser les ambiguïtés politiques de la déconstruction pour mieux réhabiliter Lyotard et sa capacité, justement, à interroger la « pertinence politique » d'une « pensée critique [14] ». À l'effet quantitatif d'une rétroaction d'ensemble – selon laquelle critiquer revient aussi à offrir une place dans l'espace des débats, et à conférer à l'objet proscrit tous les attributs de séduction du paria –, s'ajoute ainsi un effet de rétroaction *sélectif*, qui oblige chacun à préciser ses positions et à mieux distinguer entre eux les auteurs français. Au-delà, le fait même que ces débats, idéologiques ou plus spécialisés, tournent autour de l'héritage théorique en confirme le rôle de principe organisateur du champ intellectuel américain, conformément à la logique bourdieusienne de la translation de tout le « système de goûts » : « Imposer sur le marché à un moment donné un nouveau producteur, un nouveau produit et un nouveau

---

12. Robert HUGHES, « The Patron Saint of Neo-Pop », *New York Review of Books*, 1er juin 1989.

13. Propos rapporté par Sylvère Lotringer.

14. Bill READINGS, *Introducing Lyotard : Art and Politics*, New York, Routledge, 1991, p. XI-XII.

système de goûts, c'est faire glisser au passé l'ensemble des producteurs, des produits et des systèmes de goûts hiérarchisés sous le rapport du degré de légitimité[15]. » Soit une translation lourde, durable, qui dépasse le furtif effet de mode – il y a ainsi un *avant* et un *après* la théorie dans l'espace public américain. En un mot, elle n'aura pas permis seulement, de campus en galeries, de *réenchanter le monde* quelques années durant, mais d'y modifier à plus long terme un certain rapport américain au savoir.

Ce qui fait croire aussi à un déclin de la théorie française n'est autre que le déclin continu et inexorable de l'influence culturelle française outre-Atlantique depuis un demi-siècle – dont on conclut dès lors au déclin de la *theory*, alors même qu'on s'accorde sur ce que celle-ci a d'américain, d'inventé sur place (*homegrown*). Car ce déclin-là est, lui, incontestable, par-delà les sautes d'humeur francophobes d'une presse américaine en guerre : déclin de l'enseignement du français dans l'université au profit de l'espagnol et du chinois, déclin du nombre d'ouvrages traduits du français (avec la crise qu'on a évoquée des presses universitaires), et suite au déclin du rôle mondial de la France, déclin depuis 1945 de la place consacrée à la culture française dans la presse généraliste américaine – le nombre d'articles sur la France se trouvant, en termes relatifs, sept fois moins élevé pour la période 1994-1998 que pour la période 1920-1924, selon le très officiel *Reader's Guide to Periodical Literature*[16]. D'un *contexte* de déclin, on infère donc un peu hâtivement l'idée d'un déclin de certains *textes*, ceux-là mêmes que s'est réappropriée depuis trente ans l'université américaine, et qu'aucune politique culturelle française ne promeut plus. On peut aller plus loin et suggérer, avec Derrida, que les critiques françaises de l'humanisme et du sémantisme ont peut-être *toujours* été vues par certains, depuis leur émergence américaine, comme une pensée en déclin, une pensée *du* déclin que d'aucuns préfèrent voir en chute libre : « dès le début des années 1970, on commençait déjà à pronostiquer [...] la chute, la décadence, le déclin, que ça s'abîmait, que ça sombrait dans l'abîme », propose-t-il, ironique, « [d'ordinaire], la chute a lieu une fois et c'est fini ; ici, s'agissant de la fin [...] de la théorie française, elle dure, se répète, insiste, se multiplie, [...] imminence suspendue, [...] désir de la chute[17] ». En ce sens, le déclin est moins le sort que,

---

15. Pierre BOURDIEU, *Les Règles de l'art, op. cit.*, p. 226-227.

16. Cité *in* Bertram GORDON, « The Decline of a Cultural Icon : France in American Perspective », *in French Historical Studies*, vol. 22, n° 4, automne 1999, p. 627.

17. Jacques DERRIDA, « Deconstructions : The Im-possible », *in* Sande COHEN et Sylvère LOTRINGER (dir.), *French Theory in America, op. cit.*, p. 16-17.

pour certains, le motif même, en miroir, de la théorie française – et de ses ambitions déçues.

Quant aux années 1990, elles sont surtout, derrière la vigueur des attaques, celles d'une institutionnalisation de la théorie française. Rentrée dans le rang, critiquée même par certains activistes communautaires, elle est moins directement associée au radicalisme identitaire qu'au cours de la décennie précédente. Vilipendée dans la presse, elle est largement dédramatisée sur les campus, où les noms de Foucault, Derrida et Deleuze attendent encore leurs lecteurs, plus sagement que naguère, au programme des cours. Les polémiques se taisent peu à peu, et des bilans plus strictement académiques, moins théâtralement belliqueux, en sont tirés par de nombreux critiques. Le *Derrida Reader* de 2001, volume consacré à l'impact du philosophe sur tout le champ des humanités, signale le changement de ton des commentaires : la table des matières décline l'anaphore didactique « Derrida and... » au gré des disciplines (la littérature, l'esthétique, l'éthique, le droit etc.) ; sous couvert d'un projet ambitieux (dégager un avenir pour les humanités), le préfacier propose de Derrida un bilan plus strictement universitaire, et encore plus jargonnant, que ceux de ses prédécesseurs ; et la déconstruction s'y défend d'un air digne contre les accusations de nihilisme, mais n'y pourfend plus comme hier ses accusateurs « impéralistes[18] ». De même, le film documentaire *Derrida*, d'Amy Ziering Kofman et Kirby Dick, sorti en salles en 2002, est accueilli par la presse sans les excès qui prévalaient jadis. On ne peut échapper aux petites formules sur sa notoriété (« Derrida est le Madonna de la pensée »), mais le film fait l'objet d'une lecture presque... derridienne, qui regrette que la caméra ne saisisse le « jeu » ni « l'ironie de Derrida à son propre sujet[19] ». Au-delà de son seul cas, les cours de *theory* ont beau choisir de s'intituler désormais « après la théorie » ou « postthéorie », ils reprennent la même liste d'auteurs, des thématiques voisines, peut-être un peu plus soucieuses des textes littéraires ; mais en offrant la même valse, désormais classique, de noms et de courants, qui fait tournoyer autour d'un axe français quelques satellites isolés, susceptibles de mettre l'ensemble en perspective – de Walter Benjamin à Ludwig Wittgenstein, ou encore Peter Sloterdijk[20].

---

18. Tom COHEN (dir.), *Jacques Derrida and the Humanities : A Critical Reader*, op. cit.

19. Rhonda LIEBERMAN, « Jacques le Narcissiste », *Art Forum*, octobre 2002.

20. Programme du séminaire « After theory » (2002-03) au Graduate Center de la City University de New York.

La persistance culturaliste

L'explication du succès de la *French Theory*, telle qu'elle a été proposée au fil de ce panorama, a délibérément sous-évalué le rôle joué par les représentations culturelles, préférant conclure, avec tant d'acteurs américains du phénomène, que, si théorie française il y a aux États-Unis, elle découle d'un intérêt pour la *théorie* beaucoup plus que pour la France. Il faut pourtant s'y résoudre finalement. Le paradigme de la discontinuité cher aux experts de l'axe trans-atlantique, qui élargit les petites différences culturelles en fossés historiques et en fractures de valeurs, reste avant tout un mythe de journalistes, ou du moins une déformation d'ethnographes : ceux-ci comme ceux-là s'intéressent fort logiquement aux contrastes, qui justifient leur activité, plus qu'aux moins excitantes similarités – lesquelles renvoient en outre à l'unité culpabilisante d'un « premier monde » homogène, un « nord » étale de part et d'autre de l'Atlantique. Mais, vrai ou faux, la prégnance de ce disconti-nuisme dans les esprits n'en a pas moins joué un rôle clé. Disconti-nuité d'abord du concept à la « réalité » : ainsi, la critique française de l'histoire ne pouvait que faire des émules au pays où la sagesse populaire veut que « l'histoire [soit] des sornettes » (*History is bunk*, selon le mot d'Henry Ford) ; et au paradis de la mobilité sociale et du capital sans garde-fous, la schizo-théorie deleuzo-guattarienne devait bien finir par se sentir chez elle – variation sans fin sur le thème d'une *complémentarité* dialectique franco-américaine, complémentarité du discours et de la pratique, du vitalisme et de sa généalogie, des mots européens et des choses américaines. Un schéma que n'a certes pas inventé le discours journalistique : ce sont, avant qu'émerge la théorie française, deux siècles de récits culturels croisés – et même plus avant, si l'on remonte aux témoi-gnages des premiers évangélisateurs – qui déclinèrent, et par là même produisirent, un rapport d'emboîtement dialectique entre le Vieux et le Nouveau Monde, l'image courante d'une Amérique qui serait en quelque sorte le référent du concept français, ou la pensée européenne *toujours-déjà-réalisée*[21].

Tocqueville lui-même y contribua, en soulignant par exemple le cartésianisme « spontané » des Américains : « l'Amérique est l'un des pays du monde où l'on étudie le moins et où l'on suit le mieux les préceptes de Descartes », les Américains n'ayant « pas eu besoin

---

21. L'essai de Jean-Philippe MATHY, *Extrême-Occident : French Intellectuals and America* (Chicago, University of Chicago Press, 1993), constitue une riche recension de cette vieille « rhétorique de l'Amérique ».

de puiser dans les livres » les maximes du *Discours de la méthode*
« puisqu'ils [les] ont trouvées en eux-mêmes[22] ». De même qu'un
siècle plus tard, l'exilé André Breton estimera que ses remarques sur
le surréalisme des grandes villes « valent [...] encore plus pour New
York que pour Paris[23] ». Et que Sartre décrira l'Amérique comme
l'accomplissement de la dialectique : il verra comme une révélation,
par les rues de New York, l'Esprit hégelien réconcilié avec la
matière, « cette présence concrète, quotidienne, d'une Raison de
chair et d'os, d'une Raison qu'on voit[24] ». Philippe Sollers signale
très justement que, pour Paul Morand comme pour tous les
écrivains français face au gigantisme américain, écrire sur les
États-Unis consiste à « [entrer] dans une superproduction », à être
alors *dans l'écriture* « à la mesure de l'audiovisuel qui s'annonce[25] ».
La liste est encore longue, jusqu'aux auteurs eux-mêmes du corpus
théorique. Ceux-ci reprennent parfois le flambeau d'une écriture à
la (dé)mesure du pays, comme Baudrillard avec *Amérique* ou
Lyotard et son roman *Le Mur du Pacifique* ; ou alors ils y sont lus
comme les sismographes de la tectonique américaine, les calmants
de la grande angoisse états-unienne. Tout se passe comme s'ils
verbalisaient, parlant de « simulacre » ou de « dissémination », un
mystère de l'Amérique contemporaine qui aurait échappé à ses
observateurs ordinaires – comme si l'Amérique et la théorie française *se ressemblaient*. C'est le cas de Foucault quand il y décèle les
« nouveaux modes de vie » et de « construction de soi » dont son
propre travail explore les antécédents antiques[26]. Ou encore de
Kristeva qui, donnant des cours de théorie à des étudiants et de
jeunes artistes, a l'impression « de parler à des gens [...] [pour qui]
cela correspondait à un vécu, à une expérience, picturale, gestuelle
ou sexuelle[27] ». Et enfin de Baudrillard, bien sûr, qui ne cesse de
trouver les paradoxes qu'il évoque *déjà* formulés dans l'existence
même de Disneyland, d'une autoroute du Nevada ou du film
Apocalypse Now – l'Amérique futuriste y étant un original dont
l'Europe passéiste n'est plus que la copie. Schizophrénie américaine

22. TOCQUEVILLE, *De la démocratie en Amérique*, vol. 2, *in Œuvres II*, Paris, Gallimard,
Bibliothèque de la Pléiade, 1992, p. 513-515.
23. André BRETON, *Entretiens (1913-1952)*, Paris, Gallimard, coll. « Idées », 1969, p. 244.
24. Jean-Paul SARTRE, « Individualisme et conformisme aux États-Unis », *in Situations
III*, *op. cit.*, p. 82.
25. Philippe SOLLERS, « Un Français à New York », préface à Paul MORAND, *New York*,
Paris, Garnier-Flammarion, 1988, p. 10.
26. « Le triomphe social du plaisir sexuel : une conversation avec Michel Foucault », *in
Dits et écrits*, vol. 4, *op. cit.*, p. 308-314.
27. Julia KRISTEVA, Marcelin PLEYNET, Philippe SOLLERS, « Pourquoi les États-Unis ? »,
Tel Quel, *op. cit.*, p. 5.

contre paranoïa européenne, vitalisme contre idéalisme, discours contre intensité : ces binômes prolongent certes la vision éculée, maintes fois ressassée, que l'Amérique fournirait le spectacle, et l'Europe, la pensée, mais ils n'en marquent pas moins la spécificité de l'objet de théorie française. Car ses lecteurs américains soulignent constamment son altérité radicale à leur mode de pensée *en même temps* qu'une forme de radicalité seule à même de saisir dans ses rets la folie propre de l'Amérique.

Complémentaire parce que différent, éclairant parce que radicalement autre ou, plus trivialement, d'autant plus précieux qu'introuvable sur place. Rien ne démontre mieux le rôle de ce vieux discontinuisme franco-américain dans les succès de la *French Theory* que l'exemple, *a contrario*, des échecs récents outre-Atlantique de pensées françaises plus proches de la tradition politico-philosophique américaine – redondantes donc invisibles, familières donc inutiles. En 1994, le professeur de littérature Thomas Pavel et son collègue en sciences politiques Mark Lilla, liés à la Fondation Saint-Simon et aux aroniens français, lancent ainsi le projet New French Thought (NFT, pour Nouvelle pensée française), dont les motivations idéologiques sont claires : imposer aux États-Unis, contre le monopole des « nietzschéens » et des « heideggeriens » français, les « penseurs de la démocratie », tocquevilliens et néokantiens, de Pierre Manent à Gilles Lipovetsky, Alain Renaut et Blandine Kriegel, mais aussi Jacques Bouveresse et Marcel Gauchet. Inaugurée par un colloque éponyme, la collection « New French Thought » des presses de Princeton, subventionnée par les services culturels de l'ambassade (résolue elle aussi à trouver des successeurs à Foucault et Derrida), publie ainsi en anglais, en quelques mois, les essais majeurs du libéralisme français des années 1980. Mais « NFT », dont ses initiateurs rêvaient qu'il fût le nouvel acronyme en vogue et détrônât sur les campus les maîtres de la « pensée 68 », s'avère vite un échec : ventes médiocres, rares articles de presse, réception universitaire méfiante. « Quelle différence de ton, d'ambition et de revendications [28] ! », commente Edward Said, tandis que l'éditorialiste de gauche Richard Wolin, peu suspect de faveurs vis-à-vis de la théorie française, note qu'à « l'avant-garde française » antidémocratique, tente de succéder ici « une nouvelle génération de penseurs néolibéraux, politiquement respectables mais intellectuellement ordinaires [29] ». Sans entrer dans le débat idéologique, on voit ici clairement à l'œuvre l'argument culturaliste : le

---

28. Edward SAID, « The Franco-American Dialogue », *op. cit.*, p. 156.
29. Richard WOLIN, « French Political Philosophy », *in Dissent*, été 1996, p. 123.

champ intellectuel américain a davantage besoin d'une pensée
critique qui lui reste étrangère (venue d'Allemagne), ou d'une pensée
intensive qu'il n'avait pas (arrivée de France), que d'une pensée légaliste qu'affinent depuis un siècle, mieux que quiconque, les figures
tutélaires de sa propre culture libérale, de William James à John
Rawls. De même, Gayatri Spivak et Michael Ryan, commentant
l'émergence en France des nouveaux philosophes – qu'ils associent
curieusement à un « anarchisme » hérité de la théorie française –,
notaient déjà le caractère redondant de leurs propositions par
rapport au « conservatisme américain [du] moindre gouvernement »
et à la « position libertaire » d'une « révolte continue sans révolution [30] ». La *différence* n'est donc pas seulement un thème politique : c'est aux États-Unis, en matière de théorie, un visa d'entrée.

La théorie française, pour finir, ne doit pas seulement d'avoir *fait
la différence* à son radicalisme esthétique et politique, mais aussi à
son incontournable francité – dans la définition américaine de
laquelle, n'en déplaise aux chasseurs de clichés, les valeurs de
séduction et d'ironie occupent toujours une place centrale. Car la
théorie relève aussi d'une séduction de l'ironie. *It's so French* : dans
cette ritournelle du francophile américain, degré zéro de l'expression
culturaliste – mais qui n'est ainsi tournée que pour désigner les
Français (*It's so German* ou même *so Italian* sont beaucoup plus
rares) –, l'adverbe de quantité désigne un excès comme par défaut,
une exagération insidieuse, comme si l'excès de francité tenait à une
certaine politesse de l'arrogance, une façon d'user d'un verbiage
courtois ou d'une écriture sophistiquée pour mieux attirer sur des
chemins de traverse, et induire en erreur ses interlocuteurs, soit le
premier sens du *seducere* latin. C'est en quelque sorte l'équilibre
instable, miraculeux pour un œil américain, entre le classicisme de
la forme (chez Foucault, par exemple) et l'extrêmisme de
l'argument, ou entre la simplicité d'accès de l'homme (souvent louée
chez Derrida) et la difficulté de l'auteur, qui produit ce combiné de
séduction française auquel les auteurs en question doivent une
bonne part de leur fortune américaine. La féministe Jane Gallop,
méfiante comme il se doit envers toute séduction, reconnaît à son
tour qu'il y a là « une intersection particulière de Séduction et de
Théorie » : « Bon nombre d'entre nous se sont laissées emporter
depuis quelques années par quelque chose de charmant et de
dangereux à la fois que j'appellerai, faute d'un nom adéquat, la

30. Gayatri Chakravorty Spivak et Michael Ryan, « Anarchism Revisited : A New
Philosophy », *in Diacritics*, été 1978, p. 69-70.

théorie française[31]. » Et il n'est pas jusqu'aux forts accents de Derrida ou Baudrillard, lorsqu'ils s'adressent en anglais à leur auditoire, qui ne participent de cette même séduction, puisqu'en conférence publique, comme le notait Erving Goffman, « ce qui est du bruit du point de vue du texte » peut devenir « musique du point de vue de l'interaction[32] ». Ainsi, certains archétypes culturels sur la *séduction* ou le *bavardage* français précèdent, englobent, et façonnent même pour une bonne part l'objet de *theory*. C'est aussi pourquoi, depuis trente ans, l'université américaine s'est intéressée, dans le sillage de ce corpus restreint d'une douzaine d'auteurs, à tout ce qu'elle associait de près ou de loin à la théorie française et à son charme d'ironie, jusqu'à voir comme ses produits dérivés le cinéma de la Nouvelle Vague ou le Nouveau Roman, ce dernier étudié souvent sur les campus comme si Robbe-Grillet illustrait Derrida, ou Georges Perec prolongeait Deleuze – une France avant-gardiste revisitée à la lumière de sa « théorie ». Polyphonique, nonchalemment critique, obscure, séductrice, retorse : ainsi définie, la théorie française est bien une norme culturelle.

De Foucault à Barthes : le nuancier des paradoxes

Reste à briser une dernière fois la belle unité du corpus pour esquisser, de chacun des grands auteurs, un bilan de l'*effet* américain. Et délimiter la norme singulière que chacun en est venu à incarner. Mais quelques lignes ne sauraient suffire pour dresser un portrait complet de ce que sont le Foucault américain, le Derrida américain ou le Lyotard américain – ni, hélas, pour faire une place à tous les auteurs français associés aux États-Unis à la mouvance théorique, de René Girard, qui vit aux États-Unis depuis quarante ans, à Michel Serres, devenu son collègue à Stanford, de Jacques Rancière à Alain Badiou, ou encore de Paul Virilio à Jean-Pierre Dupuy, qui enseigne lui aussi en Californie. Il s'agit, plus sommairement, de se concentrer sur les sept auteurs dont les œuvres forment l'armature de la *French Theory*, à laquelle elles fournissent ses grands axes conceptuels aussi bien que son *style* théorique. Et de viser moins, pour chacun, une synthèse exhaustive qu'un bilan des *contradictions*, évoquées ici et là, de leur importation et de leur réinvention américaines, en rappelant les tensions qui sont apparues peu à peu entre la logique d'ensemble d'une œuvre (qui inclut son

---

31. Jane GALLOP, « French Theory and the Seduction of Feminism », *in* Alice JARDINE et Paul SMITH (dir.), *Men in Feminism*, New York, Methuen, 1987, p. 111.
32. Erving GOFFMAN, *Façons de parler*, Paris, Minuit, 1987, p. 194.

contexte français d'origine) et ses usages ou ses besoins américains – tensions dont la solution toujours précaire, qu'on l'appelle distorsion ou déterritorialisation, est précisément ce qui a permis de pérenniser et d'institutionnaliser chacun de ces *alias* américains.

L'hypothèse émise ici est que le transfert américain de chacun de ces auteurs a donné lieu à un paradoxe pragmatique, ou à une « double contrainte » (*double bind*), au sens qu'avaient donné à ce terme Gregory Bateson et ses collègues dans leur rapport de 1956 « vers une théorie de la schizophrénie » : c'est la contradiction entre deux aspects d'un énoncé, le plus souvent entre son registre et son contenu de sens (comme dans l'ordre : « sois spontané ! »), telle qu'elle le rende pratiquement « indécidable » et empêche « le récepteur [de] sortir du cadre fixé par [l'énoncé][33] ». Lorsqu'un message « affirme quelque chose », et dans le même temps « affirme quelque chose sur sa propre affirmation » de telle façon que les deux choses s'excluent, un paradoxe pragmatique se fait jour, dont la solution ne pourra être elle-même que pragmatique : soit en ne tenant pas compte d'un des aspects en question, soit en inversant les niveaux de message (de telle sorte, par exemple, que « le commentaire devient le texte et vice versa[34] », comme le propose Yves Winkin), ou encore en imposant le rétablissement de la « méta-communication » qu'avait interrompue ce blocage – d'où, peut-être, l'inflation des commentaires et des métadiscours dont les auteurs français sont l'objet aux États-Unis. La contradiction, en l'occurrence, est bien sûr implicite. Elle tient à ce que la logique même du texte théorique français en proscrit certains usages, en écarte d'avance certaines interprétations, lesquels, bien souvent, seront pourtant nécessaires à leurs interprètes américains pour qu'ils puissent *mettre en œuvre* ce texte. Soit la dialectique connue de la trahison et de la réappropriation. Pour le dire plus abruptement, le texte de Foucault affirme qu'*il y a* du « souci de soi », et celui de Baudrillard, qu'*il y a* de la « simulation », mais le registre de ces textes comme leur logique d'ensemble interdisent d'en tirer pour autant une méthode de vie ou une école simulationniste – à moins, justement, d'aller à rebours de la lettre des textes. La part d'« invention » américaine désigne dès lors l'aptitude à *faire dire aux auteurs français ce qu'on en comprend*, ou du moins ce qu'on a besoin d'en tirer. C'est pour réconcilier, autrement dit, le texte et le

---

33. Paul Watzlawick *et al.*, *Une logique de la communication*, Paris, Seuil, coll. « Points », 1979, p. 211-213.
34. Yves Winkin (dir.), *La Nouvelle Communication*, Paris, Seuil, coll. « Points », 1981, p. 42.

monde, réduire l'inévitable décalage entre la logique autarcique d'une œuvre et l'impératif de son utilité, qu'ont été mis au point, d'impasses en tâtonnements, un Derrida, un Deleuze ou un Lyotard entièrement *inédits* en France.

L'œuvre de Foucault en est le cas d'espèce. Même comparé à Derrida, statufié de son vivant, son impact à long terme aux États-Unis est sans égal, aussi bien par l'ampleur de ses ventes en traduction (plus de 300 000 exemplaires pour *La Volonté de savoir*, plus de 200 000 pour *Histoire de la folie*, plus de 150 000 pour *Les Mots et les choses*) que par la variété des disciplines qu'il a contribué à ébranler ou à faire naître, et même par la diversité de ses publics : dans l'épaisse bibliographie de ses *readers* et autre *digests*, on trouve un Foucault pour travailleurs sociaux [35], un Foucault en bande dessinée pour débutants [36], et même un Foucault pour rappeler que l'Afrique du sud de Nelson Mandela n'en a pas « fini » avec l'apartheid [37]. De John Rajchman, qui voit en lui le *sceptique* moderne et loue son « éthique de la liberté » [38], à l'étude classique de Dreyfus et Rabinow [39], la qualité de certaines de ses lectures américaines a peu d'équivalents en France. Mais un fossé n'en sépare pas moins les Foucault français et américain, que Vincent Descombes déclarait même « incompatibles » dans un article qui fit date – où il opposait un Foucault anarchiste et provocateur lisant les surréalistes, le Français, et un Foucault penseur des pratiques et moraliste politique, l'Américain, qui tente de « redéfinir l'*autonomie* en termes purement humains [40] ». La différence tient surtout au statut : Foucault est aux États-Unis l'*intellectuel-oracle*, celui dont la prose démasque le biopouvoir, arme les nouvelles luttes, ou annonce le tournant *queer*, celui aussi, au plan éthique, dont le revigorant « rire philosophique » est seul garant d'une distance à ses propres discours. C'est qu'au cœur de sa lecture américaine, occupant une place plus centrale que dans son propre itinéraire, le duo explosif du « savoir-pouvoir » est devenu la clé de son œuvre, mais aussi de

35. Laura EPSTEIN *et al.* (dir.), *Reading Foucault for Social Work*, New York, Columbia University Press, 1999.

36. Lydia FILLIGHAM *et al.* (dir.), *Foucault for Beginners*, New York, Writers & Readers, 1993.

37. Doug MCEACHERN, « Foucault, Governmentality, Apartheid and the "New" South Africa », *in* Pal AHLUWALIA *et al.* (dir.), *Post-Colonialism : Culture and Identity in Africa*, Commack, Nova Science, 1997.

38. John RAJCHMAN, *Michel Foucault : The Freedom of Philosophy*, New York, Columbia University Press, 1986.

39. Hubert DREYFUS et Paul RABINOW, *Michel Foucault : un parcours philosophique*, Paris, Gallimard, 1984.

40. Vincent DESCOMBES, « Je m'en Foucault », *London Review of Books*, 5 mars 1987.

toute une intelligence du monde. Aux États-Unis, on tire de ce cri de ralliement qu'est devenu le binôme *power-knowledge* le souci que la tour d'ivoire universitaire ait aussi ses devoirs performatifs, la preuve qu'universalisme et rationalisme peuvent être des discours de conquête, et l'idée que c'est l'exclusion (du fou, du délinquant) qui seule fait advenir la norme (la raison, la justice). Une triple lecture de Foucault qui offre à ses usagers américains une véritable *théorie du complot*, pour laquelle on s'évertue à désigner coupables et victimes. Dans les textes de *Cultural Studies* ou d'études minoritaires américains inspirés de Foucault, il s'agit toujours de « démasquer » ou de « délégitimer » une forme de pouvoir qui « occulte » ou « marginalise » telle ou telle minorité opprimée – à revers de la démarche généalogique de Foucault.

Car celui-ci visait une analytique, et non pas une axiologie, du pouvoir. Quant à en faire l'avocat le plus zélé des sans voix, c'est oublier les deux limites d'une « politique » foucaldienne : la difficulté tactique de fixer un *sujet* cohérent, de l'histoire ou du combat politique, quand le pouvoir lui-même « s'exerce à partir de points innombrables » et que « la résistance [...] n'est jamais en position d'extériorité par rapport à [lui] »[41] ; et le reproche contraire qui lui est adressé de dérober cette voix des sans voix, de faire parler les silencieux de l'asile ou de la prison pour les flammes qu'ils produiront sous la plume de l'auteur – lequel demandait aussi qu'on lui épargnât cette « morale d'état civil » exigeant d'un penseur qu'il sache « rester le même[42] ». Le décalage grandit encore avec la thématique des dernières années, autour de l'« éthique de soi » et du « dire-vrai ». Son triomphe, amorcé en 1977, est alors tel que nombre d'épigones voudraient pouvoir tirer de son travail une « méthode » de construction de soi, comme il lui est demandé au terme de son cycle de conférences de 1980 à la New York University (« mais je ne veux surtout pas vous dire comment vivre ! », aurait-il répondu[43]). Il s'agit d'y puiser les préceptes d'un savoir-vivre, gay ou stoïcien, penseur ou militant. À la revue *Salmagundi*, dans un entretien de 1982, Foucault est même obligé de répéter, lancinant : « je veille à ne pas imposer mes propres vues », puis « je veux éviter d'imposer mon système », ou encore « quant à prescrire l'orientation [...], je préfère ne pas légiférer dans ce

---

41. Michel FOUCAULT, *Histoire de la sexualité 1. La volonté de savoir*, op. cit., p. 123 et 125-126.

42. Michel FOUCAULT, *L'Archéologie du savoir*, Paris, Gallimard, 1969, p. 28.

43. Propos rapporté par Edmund White.

domaine[44] ». Une prescription que certains critiques croiront même entendre sur un mode patriotique : le lexique foucaldien renvoie cette fois à une « éthique américaine » en tant que « stylisation de soi des États-Unis », mélange de « résistance à la norme » et d'une « esthétique de la liberté[45] » – une ode parafoucaldienne à l'Amérique pionnière et répressive, et à ses mythes ininterrogés, que n'aurait sans doute pas goûtée l'activiste Foucault.

On a déjà évoqué, à propos de la déconstruction, le paradoxe pragmatique derridien : *construire*, comme méthode de lecture et corps de règles transmissible, une approche déconstructionniste de n'importe quel texte, soit une contradiction moins entre la méthode et le pur surgissement qu'entre *autonomie* du texte et *volonté* lectrice. On ne *choisit* jamais, en effet, de déconstruire l'essence ou l'origine, comme le répète Derrida à sa façon : « Dans la déconstruction de l'archie, on ne procède pas à une élection[46]. » La double contrainte renvoie donc ici au projet de « mettre en œuvre » la critique de toute mise en œuvre. Car ce qui est visé par la déconstruction est aussi requis par elle comme sa condition de possibilité. Ainsi que le suggérait Paul de Man, déconstruire l'« illusion de la référence », la possibilité qu'un texte renvoie à une *réalité* non textuelle, ne peut se faire que sur un mode référentiel, même au second degré ; et comme le rappelait Derrida, si c'est la métaphysique qui rend possible la pensée critique, une critique de la métaphysique ne peut en être que la complice. Ainsi la déconstruction comme projet ne cesse-t-elle de se dérober, faisant briller au loin comme un objet de désir, pour ses usagers américains, l'horizon d'une sortie de la métaphysique, d'un dépassement de la nostalgie, alors même que ces catégories d'*intérieur* et d'*extérieur* sont elles-mêmes des concepts métaphysiques. L'évolution des écrits de Derrida, d'une théorisation plus ou moins systématique de la déconstruction à sa mise en pratique textuelle et intertextuelle, moyennant un langage expérimental et des raisonnements plus elliptiques, n'a pu que renforcer ce décalage en rendant son travail ultérieur d'autant moins *littéralement* opératoire aux États-Unis. D'autant que l'intéressé n'a cessé, si l'on peut dire, de jeter de l'huile sur le feu, moquant la « didactique » d'une certaine déconstruction, reformatée en « théorie pratique, facile, commode et même

---

44. « Choix sexuel, acte sexuel » (entretien), repris in *Dits et écrits*, vol. 4, *op. cit.*, p. 334-335.

45. Lee QUINBY, *Freedom, Foucault, and the Subject of America*, Boston, Northeastern University Press, 1991.

46. Jacques DERRIDA, *De la grammatologie, op. cit.*, p. 91.

vendable », là où elle « était indissociable d'une loi d'expropriation [...] qui résiste à tout mouvement d'appropriation subjective du type : moi, JE déconstruis[47] ». Certes, parce qu'elle met au jour les ressorts de la pensée métaphysique, cette contradiction elle-même est logée au cœur de l'œuvre derridienne, qui en explore les moindres inflexions. Mais c'est sa systématisation pédagogique qui l'éloigne de Derrida. Elle réduit la souplesse de sa démarche, sa ductilité autant que sa minutie, au profit d'un réflexe de contre-lecture souvent grossièrement dialectique – selon lequel le texte déconstruit est vu comme le retournement, la face cachée du texte apparent, là où il n'en était souvent chez Derrida que le léger décalage, l'infime glissement. C'est qu'un contraste fort, ici aussi, est bien plus opératoire.

L'impact plus tardif de Deleuze, et surtout des quatre livres qu'il a cosignés avec Félix Guattari, a été précédé quant à lui par deux décennies de malentendus. La traduction avant ses autres titres de *Proust et les signes* et de son *Sacher Masoch* l'a fait passer, auprès d'un lectorat encore très restreint, pour un critique littéraire atypique doublé d'un sexologue alternatif. Les raccourcis déjà évoqués de quelques marxistes américains (dont Fredric Jameson) l'associent ensuite à un esthète de la postmodernité, tandis que, de son côté, la revue de gauche *Telos* voit dans *L'Anti-Œdipe* et la schizo-analyse « une extension de Reich et, dans une moindre mesure, de Marcuse[48] ». Pour ses motifs du désir-machine et du sujet nomade, le célèbre début de *L'Anti-Œdipe* sera pourtant cité au cours des années 1980, à l'appui le plus souvent d'une critique du sujet, colonial ou hétérosexuel. Mais sauf les expérimentations éphémères de la revue *Semiotext(e)* et l'usage plus personnel qu'en ont eu certains praticiens (de Kathy Acker à DJ Spooky), les enjeux philosophiques de la pensée intensive, et de son mode affirmatif, ne seront vus que beaucoup plus tard aux États-Unis, à partir du milieu des années 1990 – réintégrés alors immédiatement dans le discours de l'institution universitaire, qui semble avoir jeté son dévolu désormais sur Deleuze et Guattari, aux dépens de leurs usages hors campus. Sans qu'ait jamais été cerné pour autant l'horizon proprement politique du projet deleuzo-guattarien, qui fait de *Mille Plateaux* un véritable traité de guerre, et des micropolitiques une nouvelle dimension de la communauté. Le paradoxe pragmatique tient ici au traitement par le seul *commentaire*,

47. Jacques DERRIDA, « Deconstructions : The Im-possible », *op. cit.*, p. 20.
48. Robert D'AMICO, « Introduction to the Foucault-Deleuze Discussion », *Telos*, n° 16, hiver 1973, p. 102.

dévidage obligé de la pelote discursive, d'une pensée qui appelait bien plutôt à la *création de concepts*. De Charles Stivale à Brian Massumi, le commentaire que proposent les grands exégètes américains de Deleuze en est souvent mimétique ; il théâtralise à même le texte la survenue de l'« événement », invoque tel ou tel concept de Deleuze sur le mode magique de l'incantation, quand il n'appelle pas, rhétoriquement, à « devenir deleuzien » ou à « fusionner avec l'œuvre pour en transporter un ou plusieurs concepts le long » de leurs lignes de fuite[49]. Une littéralité contraire au projet – et même à l'éthique – de Deleuze et Guattari, qui nommaient « technonarcissisme » l'ensemble de ces « procédés mimétiques[50] ». Comme en conclut le philosophe Elie During, en se faisant « du deleuzisme une idée bien trop doctrinaire », ses commentateurs américains se font « de la philosophie une idée bien peu deleuzienne », là où l'on ne pourrait être « vraiment fidèle au Maître qu'en le trahissant, [...] en appliquant à Deleuze ses propres méthodes de travail[51] », par exemple en mettant en mouvement ses propres contradictions plutôt qu'en mimant pieusement une pensée canonique.

Quant à Jean-François Lyotard, ses lectures américaines ont trop souvent limité son œuvre à la question postmoderne. D'où l'exemple frappant qu'il représente d'un glissement de registre, d'un malentendu *tonal* en quelque sorte – favorisé dans son cas par les libertés qu'il a prises avec l'écriture argumentative ordinaire. Car ce dont il fait le constat philosophique, ce dont il propose une généalogie théorique, ce que son style même tente parfois d'imiter pour mieux souligner son argument – la fin des grands récits, l'alternative de la paralogie, les intensités pulsionnelles du capital – a bien souvent été lu aux États-Unis sur le seul registre de la prescription : comme épiphanie postmoderne, éloge des petits récits, injonction libidinale, ou appel à faire imploser les dernières totalités. Alors même que la richesse du parcours lyotardien tient à une certaine distance maintenue entre la réfraction du présent et le jugement programmatique, entre assertions et prescriptions – celles auxquelles il se laisse aller dans les textes plus courts, comme de se féliciter d'une « décadence de la vérité » dans *Rudiments païens*, n'étant pas la règle. Cette lecture prescriptive américaine peut aussi virer au contre-sens. Lyotard a été lu en grand révélateur d'un tournant

---

49. Brian MASSUMI, « Becoming Deleuzian », *in* Constantin BOUNDAS (dir.), *The Deleuze Reader*, New York, Columbia University Press, 1993, p. 401.

50. Gilles DELEUZE et Félix GUATTARI, *Mille Plateaux, op. cit.*, p. 33.

51. Élie DURING, « Deleuze, et après ? », *Critique*, n° 623, avril 1999, p. 292 et 301.

historique, d'un avènement de la postmodernité, là où celle-ci a toujours été pour lui une composante interne, une étape récurrente de la modernité, sans qu'il s'agisse de deux *phases* séparées. De même, sa critique politique du concept de représentation justifiera le recours à Lyotard des féministes et des minorités ethniques, au nom d'un messianisme postmoderne des exclus et des subalternes qui n'est pas vraiment dans la logique de son œuvre – et aux dépens, en tout cas, du Lyotard théoricien esthétique, celui de *Discours figure* et de l'« analytique du sublime », méconnu outre-océan.

Dans le cas de Baudrillard, le paradoxe tient avant tout aux multiples *-ismes* qu'on lui a imputés successivement aux États-Unis, toujours à contre-emploi. Marxisme d'abord : ses premiers ouvrages, du *Système des objets* à *L'Échange symbolique et la mort* et surtout *Le Miroir de la production*, lui valent d'être placé dans la lignée d'Adorno et de Lefebvre. Sa sémiologie politique est lue comme critique des signes marchands, continuation sémiotique ou déconstruction symbolique de Marx, selon les lectures. Mais déjà, ses extrapolations théoriques sont lues sur un mode réaliste ; là où il traite de l'épuisement de certains paradigmes, on y lit la fin réelle de certains référents : sa critique du déterminisme marxiste puis des mirages de la sémiologie annonce, selon certains de ses lecteurs, « la [fin] du social puis de la réalité en tant qu'essences[52] ». Le reste, comme on l'a vu, sera à l'avenant : sa théorie de la simulation inspire aux artistes un courant « simulationniste », ses remarques sur l'hyperréel persuadent journalistes ou cinéastes qu'il est « hyperréaliste », et c'est tout juste si ses envolées sur le désert et les casinos n'ont pas accouché d'un courant *hasardiste*. La pensée paradoxale, qui est chez lui écriture autant que théorie, et joue souvent à semer ses émules, fait l'objet chez les experts anglo-saxons de Baudrillard d'une véritable fixation exégétique. De Mark Poster à Douglas Kenner, son œuvre a suscité en effet une vingtaine de monographies universitaires, organisées en thèmes et minutieusement argumentées, contre aucune à ce jour en France – où l'intéressé n'a jamais eu très bonne presse. L'Amérique n'a cessé de lire Baudrillard avec moins d'ironie que de passion, proférant des formules du *Crime parfait* ou de *La Transparence du mal* comme autant de mantras postmodernes, mais conspuant aussi *Amérique*, qui sera même brûlé sur un campus, et appelant à interdire de séjour, après le 11 septembre 2001, l'auteur de *L'Esprit du terrorisme*, qui osait affirmer que les

---

52. Chris McAULIFFE, « Jean Baudrillard », *in* Kevin MURRAY (dir.), *The Judgement of Paris : Recent French Theory in a Local Context*, North Sydney, Allen & Unwin, 1992, p. 98-101.

Twin Towers s'étaient « suicidées ». C'est qu'elle n'a pas réussi à le suivre sur la voie trop évasive d'une « théorie [qui] devient son objet même », qui « doit se faire simulation si elle parle de simulation, [...] séductrice si elle parle de séduction[53] », sauf à parler, sur un mode plus tautologique, d'une théorie « baudrillardienne » dès qu'y apparaît son nom.

Enfin, par-delà les cas de Jacques Lacan et Julia Kristeva – dont la réception n'est pas moins paradoxale, adulés par les littéraires tandis que la profession psychanalytique américaine leur voue une hostilité farouche –, restent les avatars américains de Roland Barthes. « Parmi toutes les notabilités intellectuelles qui sont apparues en France depuis la Seconde Guerre mondiale, Roland Barthes est celui dont l'œuvre, j'en suis persuadée, est la plus sûre de durer[54] », commençait l'écrivain Susan Sontag dans un texte d'hommage à Barthes, avec qui elle s'était liée d'amitié – et dont elle a contribué à faire connaître le travail aux États-Unis[55]. Le premier Barthes, le structuraliste du *Degré zéro de l'écriture*, avait reçu dans le monde anglo-saxon un accueil excessivement politique, qu'il s'agisse de condamner sa « linguistique recyclée [de] marxiste rive-gauche *(sic)* » mise au service de ses « grimaces antibourgeoises », ou de célébrer au contraire une forme de « critique libératoire [qui] débusque l'idéologie au moment même où elle est produite[56] ». Après la politisation du sémioticien, c'est la sexualisation du libre penseur : le dernier Barthes, pourtant lui-même si nombreux (d'*Incidents* à *La Chambre claire*), a connu une seconde vie universitaire aux États-Unis à partir du milieu des années 1980 autour des questions de l'autobiographie, de la critique comme confession, et d'un *style* littéraire homosexuel – toutes thématiques contraires à la discrétion de Barthes, à son allergie aux *doxa*, à son abord indirect, toujours périphrastique, des questions sexuelles. Le *Plaisir du texte*, qui est outre-Atlantique l'un des grands succès de librairie universitaires des années 1970, a été lu, de son côté, comme prophétie postmoderne, allégorie d'une « textualisation » du monde, à rebours du *plaisir* en question. Même l'idée récurrente qu'il incarnerait le modèle contemporain de l'« écrivain complet[57] » fait peu de

---

53. Jean BAUDRILLARD, *L'Autre par lui-même. Habilitation*, Paris, Galilée, 1987, p. 84-85.

54. Susan SONTAG, *L'Écriture même : à propos de Roland Barthes*, Paris, Christian Bourgois, 2002 [1992], p. 3.

55. Susan SONTAG (dir.), *A Barthes Reader*, New York, Vintage, 1982.

56. Cité *in* Steven UNGAR, *Roland Barthes : The Professor of Desire*, Lincoln, University of Nebraska Press, 1983, p. XIII-XV.

57. *Ibid.*, p. XI-XII.

cas des tensions, des tournants et des fractures entre les multiples facettes de son itinéraire. C'est qu'imposer un nom d'auteur, dans une liste déjà pléthorique, requiert aussi d'assigner un label, d'unifier un auteur pluriel en personnage singulier – degré zéro du paradoxe pragmatique.

Il s'agit donc, le plus souvent, d'une contradiction entre la logique de l'usage et celle de textes labiles, inassignables, réfractaires à leur utilisation prescriptive. Une hésitation première se fait jour face aux auteurs qui se solde en imposant un registre prescriptif, qu'il fût politique, éthique, ou joyeusement textualiste, à des textes dont le registre, précisément, persistait à échapper. Mais la contradiction en question n'est pas seulement pragmatique, ultérieure, imputable à tous les mélecteurs américains. Elle renvoie aussi à une tension inhérente au programme théorique, une tension qu'en leur urgence à mettre les textes en œuvre, en pratique, en circulation, leurs usagers américains ont aussi permis de déployer dans toutes ses dimensions. Cette tension, dont se nourrissent les œuvres concernées – et qu'elles problématisent elles-mêmes explicitement –, tient à l'*impossibilité* propre au texte théorique d'opposer à la raison autre chose que la raison, de critiquer la métaphysique sans les ressources de la métaphysique, de déconstruire la continuité historique sans recomposer sur ses ruines une autre forme de continuité historique. Impossible, peut-être, n'est pas américain : il faut alors dépasser vers l'action, ou du moins l'injonction d'action (campus obligent), la tension en question, l'esthétiser pour en mieux retrouver les traits dans tous les « textes » de la culture contemporaine, ou la dramatiser solennellement pour qu'elle produise le sentiment d'un tournant historique, d'un avenir imminent – tels sont peut-être les modes de gestion américains de cet *impossible* théorique.

13

La théorie-monde : un héritage planétaire

> « Je définis l'intellectuel comme un exilé, un marginal, un amateur, et enfin l'auteur d'un langage qui tente de parler vrai au pouvoir. »
>
> Edward SAID, *Des intellectuels et du pouvoir*

Son interprétation américaine n'est qu'une des mutliples formes qu'a prises la théorie française à travers le monde, de Pékin à Bogota, des néolibertaires russes aux activistes brésiliens – ou encore, pour ses traductions, du coréen au swahili. Textualisme d'avant-garde et radicalisme minoritaire, ses deux principaux avatars sur les campus américains, n'en sont finalement que deux usages locaux, deux métamorphoses culturelles possibles. Il est autant de lectures et de mises en pratique de Foucault, Deleuze ou Derrida, qu'il y a de champs d'accueil de leurs textes, de contextes politiques et de traditions culturelles dans lesquels ils viennent se fondre, ou se dissoudre. La formidable mondialisation de la théorie française, enclenchée selon les pays entre le début des années 1970 et la fin des années 1980, a encore aggravé le chiasme évoqué pour commencer : pendant que la France enterrait peu à peu, souvent de leur vivant, les hérauts de la *pensée intensive* (à laquelle ressortissent les œuvres de Foucault, Deleuze, Lyotard et même Derrida) pour se replier sur l'humanisme démocratique plus présentable de certains de ses jeunes clercs, ce ne sont pas seulement les États-Unis mais le reste du monde qui trouvaient à des auteurs délégitimés chez eux une fécondité heuristique, politique et interculturelle – moyennant un croisement avec auteurs et discours locaux – sans précédent. Ils y prélèvent, depuis lors, les éléments d'une pensée en prise sur le nouveau désordre mondial et, bien souvent, les outils d'une émancipation intellectuelle par rapport aux discours et aux mouvements de libération locaux, marxistes et/ou nationalistes. Un destin planétaire qui donne tort à Baudrillard lorsqu'il voit, dans *Amérique*, comme un « transfert malheureux » les « émouvantes tentatives pour acclimater » des théories européennes qui seraient en fait « comme les vins fins et la cuisine » – elles « ne [franchiraient] pas vraiment[1] » les océans.

Pour ne pas être réduite à l'idéologie Benetton de la belle diversité, ici celle des lecteurs bariolés et des usages polychromes, cette dissémination mondiale mériterait une étude approfondie, plus en tout cas que le survol rapide qui suit. Mais elle est, surtout, indissociable de la domination sans partage des industries culturelles et des institutions universitaire et éditoriale américaines. Car les États-Unis exportent aussi leurs vogues théoriques, depuis la diffusion globale de leurs *Readers* jusqu'aux nombreux impacts locaux des *Cultural Studies*. Au point que la *French Theory* passe souvent par Stanford ou Columbia avant d'accéder aux campus moins bien lotis des nations subalternes – leur imposant le défi d'une lecture des textes français à la fois *par* et *contre* l'Amérique. Ce qui compte, ici, relève donc d'une réappropriation critique, d'une hybridation active : il s'agit que la théorie *réfléchisse* sans *reproduire* pour autant les rapports de forces mondiaux, dans les régions du monde où précisément leur loi d'airain est la plus patente. En fin de compte, qu'une interprétation avant-gardiste française de philosophes allemands atteigne des lecteurs indiens ou argentins par le détour de ses commentaires anglo-américains ne correspond en aucun cas à l'éloignement d'une improbable « source » – parce que seul le présent des usages en détermine la valeur, et que toute pensée, comme l'énonçait Deleuze, est d'abord déchiffrage d'une distance : « il n'y a pas de Logos, il n'y a que des hiéroglyphes », proposait-il, car « penser, c'est interpréter, c'est donc *traduire*[2] ».

L'Amérique et ses autres

Il a été question, à plusieurs reprises, d'un ensemble universitaire *anglo-américain* indifférencié qui fait bien peu de cas d'un champ intellectuel britannique largement autonome. Le distinguent en effet de son homologue américain, face à la théorie française, plusieurs traits importants : une tradition plus ancienne d'intellectuels publics,

---

1. Jean BAUDRILLARD, *Amérique*, Paris, Grasset/Le Livre de poche, 1986, p. 79.
2. Gilles DELEUZE, *Proust et les signes*, Paris, Presses universitaires de France, 1970, p. 195.

une moindre incitation à l'innovation pour l'innovation, le poids supérieur des marxistes dans le champ littéraire et, plus largement, le maintien du même paradigme socio-politique des classes sociales qu'en France. Mais reste qu'en matière de politique intellectuelle – celle des courants consacrés, des campus les plus en vue, des éditeurs universitaires –, tous les pays exclusivement anglophones sont entièrement soumis ici à l'autorité américaine, à ses auteurs-phares, à ses orientations pédagogiques et à ses colloques interna-tionaux généreusement sponsorisés : la Grande-Bretagne donc, malgré ses divergences, le Canada bien sûr, l'Autralie et la Nouvelle-Zélande où l'on se contente souvent de moduler les questions mino-ritaires (pour traiter du rapport à la couronne britannique, ou de la ségrégation dont sont victimes sur place Aborigènes ou Maoris[3]), l'Afrique du Sud depuis la fin de l'apartheid, ou encore Israël et ses campus américanisés – mais aussi quelques satellites économiques et militaires des États-Unis, où les fondations américaines financent programmes d'études et échanges de chercheurs, de Singapour à l'Arabie Saoudite. Invitée en 1980, avec d'autres, à enseigner la déconstruction et le structuralisme à l'université (masculine) de Riyad, Gayatri Spivak a été stupéfaite par les moyens et l'accueil généreux qui lui furent offerts ; mais elle a pu constater aussi comment « l'Arabie Saoudite, avec l'aide américaine, était en train de se fabriquer en fait une élite intellectuelle [...] incapable de voir le lien entre sa propre production et les flux du pétrole, de l'argent et des armes[4] », une élite « humaniste » et technocratique dont avait aussi besoin la dictature wahabite pour peser sur la scène mondiale.

Une telle domination directe de la machine universitaire américaine explique qu'en ces pays la théorie française ait circulé d'abord sous la bannière de ses vulgarisateurs américains. On lit Paul de Man de Sydney à Tel-Aviv. Foucault est avant tout, à Montréal comme à Johannesburg, l'auteur que viennent prolonger la pensée *queer* de Judith Butler ou le postcolonialisme d'Homi Bhabha. Et les polarités modernisme-postmodernisme ou essentialisme-constructionnisme fonctionnent aussi bien à Londres qu'à Auckland. Mais l'Amérique, que conspuent les « radicaux » du campus de Duke comme le font les intellectuels de gauche du Québec à l'Irlande, ne met pas en œuvre ici une *volonté* exportatrice – ou hégémonique –, comme c'est le cas du côté de ses studios de cinéma ou de ses industries d'armement. Ce que signale l'uniformisation des règles pédagogiques et des discours

---

3. *Cf.* Kevin MURRAY (dir.), *The Judgement of Paris : Recent French Theory in a Local Context*, *op. cit.*
4. Gayatri Chakravorty SPIVAK, *In Other Worlds*, *op. cit.*, p. 100.

théoriques dans le champ des humanités de *toutes* les universités anglophones n'est autre que l'émergence d'une nouvelle « classe » universitaire transnationale. Le sociologue Alvin Gouldner analysait ce phénomène, dès 1979, dans une perspective marxiste : il y voyait l'irruption d'une « bourgeoisie culturelle internationale », composée d'universitaires polyglottes issus de l'« intelligentsia technique » aussi bien que du champ « intellectuel-humaniste », alliée à la « structure de pouvoir bureaucratique » (celle de l'université comme de la société politique) mais pour défendre « ses propres intérêts », et formant une « classe universelle viciée [*flawed*] » détentrice d'un véritable « monopole mondial du savoir général et des discours critiques[5] ». La thèse de Gouldner pèche parfois par simplisme, en postulant une soumission organique de ces nouveaux professeurs transfrontières au pouvoir bureaucratique. Mais elle prend acte d'une transition d'ensemble à l'échelle mondiale : le passage de l'intellectuel public du milieu du siècle, écrivain engagé ou barde de la décolonisation, à l'« intellectuel spécifique » dont parlait Michel Foucault. Car on passe, en deux ou trois décennies, d'une internationale de plume, intelligentsia oligarchique vouée à s'adresser directement aux pouvoirs et à l'opinion (et dont serait un reliquat, par exemple, l'actuel Parlement international des écrivains), à une internationale de campus, réseau parallèle organisé et professionnalisé dont les membres s'adressent avant tout les uns aux autres, et dont les règles sont celles de la globalisation universitaire – ou de ce que Bourdieu nommait « le réseau complexe d'échanges internationaux entre détenteurs de positions académiques dominantes[6] ». Pour autant, contrairement à ce que suggérait Gouldner, et parfois certains bourdieusiens, une telle évolution, qui correspond bien à une reterritorialisation universitaire du débat intellectuel mondial, ne préjuge en rien des audaces conceptuelles et politiques de ces nouveaux francs-tireurs de campus, désormais sans frontières.

À la fois chefs de file et critiques intempestifs de cette nouvelle « classe » académique, une série d'intellectuels novateurs issus du champ des humanités (en général des philosophes de formation), et plus souvent européens qu'américains (mais sans Français), forment ainsi aujourd'hui une véritable avant-garde universitaire mondiale – qui se trouve être le triple produit de la puissance universitaire américaine, de la nouvelle mobilité de l'élite intellectuelle, et d'un

5. Alvin GOULDNER, *The Future of Intellectuals and the Rise of the New Class*, New York, Seabury Press, 1979.

6. Pierre BOURDIEU, « Les conditions sociales de la circulation internationale des idées », art. cit., p. 5.

héritage vivant (et indéfiniment débattu) de la théorie française. On peut citer quelques noms, beaucoup trop succinctement. L'influence mondiale du philosophe italien Antonio Negri, par exemple, réfugié à Paris après les luttes autonomistes, ne serait pas ce qu'elle est sans la caisse de résonance des campus américains. Du *négrisme*, se réclament désormais nommément plusieurs franges radicales du mouvement altermondialiste, depuis les activistes transalpins *tute bianche* de Luca Casarini jusqu'aux jeunes anarchistes allemands, et des syndicats alternatifs latino-américains à la revue *Multitudes* en France. Ce courant hybride défend, avec Negri, une ontologie de la libération deleuzo-spinoziste, liée à un marxisme hétérodoxe du sujet politique éclaté (les « multitudes ») et à une redéfinition post-struturale élargie du pouvoir impérial (un « empire » microphysique et multipolaire). Or c'est là aussi un produit du chaudron universitaire américain. Car c'est bien de là qu'est issu le succès de librairie mondial d'*Empire* (publié en 2000 aux presses d'Harvard)[7], là seul qu'aurait pu se faire ce mélange inédit aux accents parfois mystiques de Foucault, Marx et Derrida, et là où, plus concrètement, officie l'avocat le plus discret mais le plus efficace du négrisme, Michael Hardt, ancien élève de Negri à Paris et coauteur d'*Empire*, qui enseigne la littérature à Duke – et à qui l'on doit une brève introduction politique à l'œuvre de Deleuze[8] ainsi que le *Reader* consacré à son collègue Fredric Jameson.

Un autre philosophe italien est à la fois la référence majeure de certains courants dissidents de l'ultra-gauche à travers le monde et la valeur montante du marché théorique américain : Giorgio Agamben. Invité et étudié désormais sur les plus grands campus de l'Union, il y draine des foules que peinent à rassembler ses séminaires de Paris ou de Venise. Depuis la fin des années 1980, ses travaux variés n'ont eu de cesse de mettre au jour une contre-histoire politique et culturelle de l'Occident : enquête sur les enjeux poétiques et/ou marchands des notions de fétiche et de fantasme, théorie de l'impossible communauté politique comme agencement de singularités « quelconques » et, plus récemment, analyse de l'« état d'exception » depuis le droit romain jusqu'à l'après-11 septembre[9] – chacune entrant en résonance avec son projet majeur, celui des trois volets d'*Homo sacer*,

---

7. Michael HARDT et Antonio NEGRI, *Empire*, Paris, Exils, 2001 pour la traduction française.

8. Michael HARDT, *Gilles Deleuze : An Apprenticeship in Philosophy*, Minneapolis, University of Minnesota Press, 1992.

9. Giorgio AGAMBEN, *Stanze : parole et fantasme dans la culture occidentale*, Paris, Payot et Rivages, 1994, et *La Communauté qui vient* et *État d'exception*, Paris, Seuil, 1990 et 2003 respectivement.

une généalogie historique du politique en tant qu'instance d'exclusion et pouvoir sur la vie. Son œuvre se situe au carrefour conceptuel de la biopolitique foucaldienne, que vient compléter son travail sur la « souveraineté » et la « vie nue », d'un heideggerianisme de gauche français et des hypothèses de Walter Benjamin sur messianisme et histoire. Trois filiations fortes qu'Agamben entrecroise et prolonge, de l'histoire des religions à la philosophie du droit, au plus près de la transition historique de ce tournant de millénaire.

De son côté, l'œuvre prolixe du philosophe slovène Slavoj Zizek se noue précisément aux confins de Marx, de la *pop culture* américaine et de la théorie française. C'est à partir d'un libre croisement de Marx et de Lacan, dont il fut l'un des tout premiers lecteurs en Europe de l'Est, et d'emprunts partiels aux théories deleuzo-lyotardiennes du capitalisme libidinal, que Zizek analyse la rémanence du fantasme dans la société marchande, et dans sa nouvelle « idéologie » supposément *post*politique – avec un art consommé de la provocation théorique et du catapultage des registres[10], qui l'incite à débusquer l'« inconscient linguistique » chez David Lynch ou même à aborder de front Heidegger et la comédie fantastique *Men in Black*. Mais plutôt que de proposer comme d'autres une ontologie politique *sans sujet*, il appelle après Lacan, et contre les vulgates postmodernes, à conserver cette figure « chatouilleuse » du sujet[11] à condition de la dissocier radicalement de celle de l'homme. Son cas est peut-être le plus emblématique d'une mondialisation de la *French Theory* : né en 1949 à Ljubljana (où il enseigne toujours une partie de l'année) en pleine Yougoslavie titiste, passé par Londres et le quartier latin, traduit désormais en plus de douze langues, c'est dans l'université américaine seulement, où il est l'auteur d'une trentaine de titres et l'objet déjà d'une demi-douzaine d'introductions critiques, qu'il a pu déployer pleinement son projet théorique protéiforme – y dialoguant du féminisme et du poststructuralisme avec Judith Butler, y relisant Georg Lukàcs ou Alain Badiou, y stigmatisant haut et fort le « fondamentalisme capitaliste » après le 11 septembre 2001[12], ou encore jouant à y repolitiser les trop textuelles *Cultural Studies*[13].

10. *Cf.* par exemple son *Everything You Always Wanted to Know About Lacan (But Were Afraid to Ask Hitchcock)*, New York et Londres, Verso, 1992.

11. Selon le titre d'un de ses essais : *The Ticklish Subject*, New York et Londres, Verso, 1999.

12. Slavoj ZIZEK, *Welcome to the Desert of the Real : Five Essays on September 11 and Related Dates*, Londres, Verso, 2002.

13. Pour une introduction en français, *cf.* Laurent JEANPIERRE, « Postface : d'un communisme qui viendrait... », *in* Slavoj ZIZEK, *Le Spectre rôde toujours*, Paris, Nautilus, 2002.

Ainsi, des Italiens à Zizek, des déconstructionnistes de gauche américains (comme Spivak ou Tom Keenan) aux marxistes anglais encore véhéments, et de l'inclassable Peter Sloterdijk en Allemagne aux nouveaux sociologues japonais ou latino-américains, s'est formée peu à peu une véritable arène politico-théorique mondiale nourrie de théorie française et centrée sur l'université américaine. Pourtant, les universitaires français en sont presque entièrement absents – moins polyglottes que leurs confrères européens, isolés au plan institutionnel par la rareté en France des programmes d'échanges et des congés sabbatiques, marginalisés chez eux par les intellectuels grand public et bien souvent passés sans transition du consensus marxiste d'hier à un antimarxisme systématique.

La vitalité de ce réseau universitaire international doit beaucoup au rôle d'animateurs qu'y jouent d'anciens exilés politiques ou des représentants des minorités et, au-delà, au véritable carrefour migratoire mondial qu'est devenue en trente ans l'université américaine. C'est en ce sens que ses nouveaux arrivants aussi bien que ses vieux binationaux, tous universitaires exiliques (sur un mode plus ou moins bénin), façonnent ensemble une « théorie-monde », faite des parcours et des horizons de chacun. Pour en rester aux auteurs et aux courants déjà évoqués, on peut rappeler quelques exemples de ces brassages : le champ postcolonial a pour auteurs canoniques l'Indienne de naissance Gayatri Spivak et l'Anglo-Nigérian Homi Bhabha ; deux chefs de file du courant de critique multiculturaliste du droit (*critical legal studies*) sont l'Hispano-Américain Richard Delgado et la Japonaise Mari Matsuda ; le pionnier du postmodernisme en critique littéraire, Ihab Hassan, est né en Égypte ; Edward Said est resté un Palestinien militant ; les études ethniques ont pour grandes figures les Afro-Américains Cornel West et Henry Louis Gates et le Zaïrois V. Y. Mudimbe ; les « *subaltern studies* » ont été formalisées par l'Indien Ranajit Guha ; sans oublier bien sûr les exilés européens – Paul de Man venu de Belgique, Geoffrey Hartman d'Allemagne, Wlad Godzich de Suisse ou Sylvère Lotringer de France, tandis que sa compagne et associée Chris Kraus arrivait de Nouvelle-Zélande. La dénationalisation des grands débats intellectuels, et la théorisation de l'exil et du métissage comme condition politique du sujet contemporain, commencent aussi là. Elles ont d'abord leurs sources dans ces parcours plus ou moins sinueux, plus ou moins pénibles, qui convergent l'un après l'autre vers les clochers gothiques des campus de Californie ou de Nouvelle-Angleterre. Symptôme de cette polyculture déjà ancienne de l'université américaine, la question caraïbe se trouve elle-même au cœur de la réflexion plurielle sur pouvoirs et discours, et sur la

« théorie-monde », dont les campus nord-américains sont devenus le théâtre.

En effet, déplacées là par les dictatures politiques ou le marasme économique de leurs îles, littératures et politiques caribéennes y posent crûment la question des rapports de forces mondiaux : parce qu'elles sont issues d'une région ravagée par les intérêts politiques et économiques du géant américain voisin, qu'elles sont situées sur une ligne de partage entre les aires linguistiques francophone et anglophone, qu'elles entretiennent avec chacune de ces langues-cultures dominantes un véritable conflit « intime » depuis plus d'un siècle, et qu'elles sont liées en outre (géographiquement *et* histori-quement) aux deux grandes cultures subalternes que sont, par rapport aux États-Unis, la latino-américaine et l'africaine – cette dernière justifiant même la référence croissante à un axe politique *afro-caribéen*. D'où l'impact outre-Atlantique, au-delà des enjeux spécifiques de la culture et des langues créoles, du motif capital de la *créolisation*, et des théories qu'il alimente de l'hybridité originelle ou de la résistance par les croisements culturels. Les campus américains figurent ici une terre d'accueil, à mesure qu'y trouvent refuge les écrivains de la bourgeoisie cubaine anticastriste, les militants de gauche jamaïcains, les intellectuels originaires de Trinidad ou de Saint-Domingue, et surtout les nombreux auteurs francophones autour desquels se recrée, à Montréal ou à New York, une communauté littéraire haïtienne ou antillaise – la Guadelou-péenne Maryse Condé à Columbia, Édouard Glissant à la City University de New York, ou les Haïtiens Joël des Rosiers et Émile Ollivier au Québec. Outre la perspective plus mondialiste, et plus politique, qu'apporte cette « antillanité » à des départements de français souvent convenus, les croisements sont nombreux, ici encore, avec la théorie française. Ainsi, à côté de son œuvre roma-nesque, le travail théorique très suivi d'Édouard Glissant recoupe plusieurs axes de la théorie française, servi par une langue singu-lière où s'indistinguent écritures poétique et critique[14]. Il défend une « oralité » non soumise à l'autorité de l'écrit, une écriture elle-même définie comme série de « tremblements de terre », et une rupture avec la narration « linéaire » et sa culture de la « compréhension » (« dans comprendre, il y a l'intention de prendre, de soumettre », répète-t-il), en des termes qui sont autant de points de rencontre avec Derrida et la déconstruction. Ses théorisations elliptiques du

---

14. Les citations qui suivent sont extraites d'Édouard Glissant, « Le chaos-monde, l'oral et l'écrit », *in* Ralph LUDWIG (dir.), *Écrire la « parole de nuit ». La nouvelle littérature antillaise*, Paris, Gallimard, coll. « Folio », 1994, p. 111-129.

« chaos-monde » et des « opacités [de] l'existant », contre l'ontologie européenne et sa lourde « prétention à l'Être », rejoignent le nomadisme et les lignes de fuite de Deleuze et Guattari, qu'il lui arrive de citer. Et son éloge du « barattement du temps » dans la littérature créole, contre le temps linéaire de « la légitimité et [de] la filiation », n'est pas sans échos avec la critique foucaldienne de l'histoire.

De son côté, le romancier martiniquais Patrick Chamoiseau connaît depuis la traduction de *Texaco*, en 1996, un succès critique remarquable aux États-Unis, où le *New York Times* célèbre en lui un « Garcia Màrquez des Antilles » et John Updike, pour le *New Yorker*, un « Céline tropical » mâtiné de Lévi-Strauss et de Derrida[15]. Quant à la critique littéraire universitaire, elle n'est pas en reste ici non plus. Françoise Lionnet, de l'université de Chicago, propose par exemple d'étudier les auteurs-femmes des Caraïbes à la lumière d'une opposition foucaldienne entre « continuité du discours historique » et « dispersion linguistique, spatiale et temporelle d'un sujet hier colonisé[16] », sollicitant Foucault pour éclairer, dans le contexte postcolonial, une différence sexuelle qui n'avait guère retenu son attention. Quant à Michael Dash, immigré jamaïcain étudiant l'histoire d'Haïti, il voit dans l'« *hétérocosme* haïtien », piétiné puis abandonné à son sort par les États-Unis, le « point aveugle » d'où se déploie, inentendue par les puissants, une critique des Lumières et d'un ordre du monde « américano-centré »[17].

L'Inde offre un tout autre exemple, extra-territorial cette fois, des croisements culturels et politiques que favorise la *French Theory* comme produit d'exportation universitaire américain. Le facteur clé, ici, est l'ascension sur les campus américains des universitaires d'origine indienne, de Gayatri Spivak à l'anthropologue Arjun Appadurai (à Yale). À partir de 1965, quand le président Lyndon Johnson abroge les restrictions sur l'immigration asiatique, Indiens déracinés de la première puis de la seconde génération vont venir peu à peu grossir les rangs des « minorités » converties aux *Cultural Studies* et aux nouveaux outils théoriques dans l'université américaine – d'où ils maintiennent un lien fort, de colloques en publications conjointes, avec l'université indienne. C'est ainsi que l'Inde est devenue peu à peu un « terrain » théorique privilégié, sur lequel

---

15. Cité *in* François CUSSET, « Écritures métissées », *Magazine littéraire*, n° 392, novembre 2000, p. 41.

16. Françoise LIONNET, *Postcolonial Representations : Women, Literature, Identity*, Ithaca, Cornell University Press, 1995, p. 170-171.

17. Michael DASH, *Haiti and the United States : National Stereotypes and the Literary Imagination*, New York, Macmillan, 1988.

démontrer notamment les limites des paradigmes politiques occidentaux : Edward Said a pu critiquer les articles de Marx sur l'Inde coloniale pour la hiérarchie implicite qu'ils véhiculent entre deux mondes[18] ; on a vu que les « *subaltern studies* » ont été mises au point à Delhi comme alternative à l'historiographie occidentale de la décolonisation ; quant à Gayatri Spivak, prompte à dénoncer les stéréotypes des intellectuels du monde riche, elle a fait elle-même l'objet de critiques acerbes de la part d'enseignantes indiennes, qui lui reprochent sa gloire américaine mais aussi son « usage excessif [des] théories d'élite du Premier-Monde[19] ».

C'est peut-être en Inde, et non aux États-Unis, que s'est posée avec le plus d'acuité la question d'un usage *politique* des arguments antirationalistes et antioccidentaux tirés de la théorie française par certains de ses lecteurs américains. Ces arguments y ont été brandis en effet, au tournant des années 1990, par les idéologues du Bharatiya Janata Party (BJP), le parti de la droite religieuse et nationaliste, afin de justifier l'« hindouisation » des sciences et des valeurs, notamment en réintroduisant à l'école les mathématiques védiques et en érigeant le Rashtra (la nation hindoue) en principe moral suprême. En assimilant ainsi la science rationnelle à l'impérialisme occidental, ces idéologues (notamment dans la Déclaration de Penang de 1988) promouvaient par la force une « ethno-science » moins motivée par la diffusion d'un savoir populaire que par leur guerre éternelle contre les « ennemis héréditaires » de la nation hindoue – musulmans au nord, et chrétiens à l'ouest. L'occasion en tout cas d'un bien curieux croisement : telles que les raconte la critique Meera Nanda, ces « guerres des sciences » indiennes ont ainsi vu se former, le temps de quelques rencontres, une alliance improbable entre nationalistes hindous et postcolonialistes américains, de l'épistémologue féministe Sandra Harding, favorable à une « science multiculturelle », au critique Ashis Nandy assimilant rationalité scientifique et colonisation de l'intérieur[20]. Loin d'invalider le potentiel de diffusion (en direction notamment des ex-colonies) des théories radicales américaines, cet exemple inquiétant suggère plutôt la persistence de fortes inégalités au sein de ce réseau universitaire mondial : si, par leur dialogue et leur collaboration, locaux et immigrés font des campus américains où ils

---

18. Edward SAID, « Secular Criticism », *op. cit.*, p. 228.

19. Cité *in* Jean-Philippe MATHY, « The Resistance to French Theory in the United States : A Cross-Cultural Inquiry », *French Historical Studies*, vol. 19, n° 2, automne 1995, p. 347.

20. *Cf.* Meera NANDA, « The Science Wars in India », *Dissent*, hiver 1997.

se rencontrent de véritables foyers d'activisme et de réflexion politique alternative, les liens sont encore loin d'être aussi solides avec les universités de la plupart des pays du sud – où sont formées pour l'heure, le plus souvent, des élites locales vouées au monopole du savoir et des postes politiques, bien plus qu'à la « révolution » des subalternes.

Impacts lointains, effets directs

La carte des circuits mondiaux de la *French Theory* ne recouvre pas exactement la mappemonde géopolitique. L'empire américain semble même favoriser à son insu, dans son périmètre direct, la formation d'enclaves autonomes, sinon franchement hostiles. Pour le dire vite, les œuvres de Foucault ou Deleuze sont lues plus *directement* à Mexico et à Sao Paulo qu'à Melbourne, Calcutta ou même Londres : elles y sont moins soumises aux médiations académiques américaines. En effet, si les logiques migratoires et linguistiques ont fait des pays anglophones riches, mais aussi de la zone caraïbe et même de la lointaine Inde, des marchés captifs pour les produits théoriques américains, le cas de l'Amérique latine si proche – et si inféodée de fait à la puissance financière et militaire des États-Unis, dont elle est même l'arrière-cour depuis la doctrine Monroe de 1824 sur la « souveraineté continentale » des États-Unis – est beaucoup plus ambivalent. Il infirme même certaines lois générales de la domination intellectuelle mondiale. Un changement de génération y a certes favorisé la pénétration des *Cultural Studies* : là où Chiliens ou Mexicains éduqués juste après la guerre lisent encore le français et se réfèrent avant tout à la pensée politique européenne, leurs cadets, confrontés très tôt à l'emprise économique américaine, lisent seulement l'anglais et suivent plus volontiers, même à distance raisonnable, les modes intellectuelles qui fleurissent en deçà du Rio Grande. Et les « *subaltern studies* » ou la déconstruction derridienne y ont aussi leur impact, à la mesure des moyens dont disposent leurs fiefs universitaires américains pour les promouvoir jusque dans l'hémisphère Sud. Mais une triple tradition explique, encore aujourd'hui, la plus grande résistance des vingt pays d'Amérique centrale et du Sud au nouveau *théorisme* américain. D'une part, le mépris plus ou moins tacite pour les migrants partis vendre leur force de travail sur le marché américain rejaillit, dans l'université, sur les *Chicano studies* et autres « études frontalières », tout juste bonnes, selon les universitaires latino-américains, pour les sociologues de Tijuana et les littéraires réfugiés en Californie. En second lieu, le champ disciplinaire le plus actif, tant pour

l'innovation intellectuelle que le militantisme politique, y a toujours
été celui des sciences sociales – par lequel sont donc passés les
grands textes français, de ce fait moins *littérarisés* qu'entre les mains
des textualistes nord-américains. Si Hillis Miller et Geoffrey
Hartman racontent être partis « expliquer » la déconstruction aux
Uruguayens fin 1985, à l'invitation de l'université de Montevideo,
les différents déconstructionnismes inspirés de Derrida ont toujours
eu moins d'impact au sud qu'au nord du 30ᵉ parallèle.

Le rôle des sciences sociales comme paradigme de référence
explique aussi que l'influence des *Cultural Studies* y ait suscité,
plutôt que des analyses littéraires de la *pop culture*, des réflexions
plus proches de l'ethnographie – et prolongées en France par un
anthropologue comme Serge Gruzinski – sur le syncrétisme, le
métissage et l'hybridité ethno-culturelle. Ainsi, les essais du
Colombien Jesus Martin-Barbero sur domination culturelle et
médias de masse, devenus en traduction américaine des classiques
des *Cultural Studies*, relèvent pourtant davantage d'une perspective
marxiste européenne, pour leur analyse des rapports entre nations
dominées et hégémonie mondiale[21]. Quant à l'Argentin Néstor
Garcìa Canclini, lu lui aussi sur les campus américains mais plus
influencé par Foucault et Paul Ricœur (dont il a été l'élève à Paris)
que Derrida ou de Man, il étudie la réaction des cultures populaires à la mondialisation touristique, mais s'y intéresse moins pour
leur « régime symbolique » que pour leur potentiel de résistance
politique – contre tout le folklore de l'artisanat local et des produits
« authentiques », d'autant plus encouragé qu'il vient renforcer les
dogmes occidentaux de l'initiative privée et du développement
« harmonieux », comme il le montre dans le cas du Mexique[22].
Enfin, la méfiance latino-américaine envers le textualisme américain
renvoie aussi à la persistance dans certaines couches sociales, et plus
particulièrement dans l'université (qui lui a longtemps servi de
vivier), d'un militantisme révolutionnaire marxiste-léniniste
nettement moins abstrait que l'extrêmisme de papier des
« radicaux » américains – et beaucoup plus dangereusement vécu.
Un marxisme orthodoxe qui explique le succès dès les années 1960
des écrits d'Althusser, mais dont il faudra aussi étudier un jour les
modifications décisives qu'il a connues, de Santiago à Lima, suite à

---

21. *Cf.* Jesus Martin-Barbero, *Communication, Culture and Hegemony : From the Media to Mediations*, Londres, Sage, 1993.
22. Néstor Garcia Canclini, *Transforming Modernity : Popular Culture in Mexico*, Austin, University of Texas Press, 1993.

l'impact important des traductions de Foucault et Deleuze dans les universités andines.

Le cas particulier du Mexique est d'autant plus intéressant que sa proximité culturelle et géographique avec les États-Unis ne le prédisposait pas à se forger sa propre version de la théorie française. De fait, le Mexique a été le pays pionnier en langue espagnole pour la diffusion du structuralisme français, longtemps avant l'Espagne, où règne alors encore Franco, et dix ans même avant les États-Unis. Le grand passeur, ici, est l'éditeur Arnaldo Orfila, marié à une anthropologue française, et qui publia Foucault, Althusser et Lévi-Strauss un ou deux ans seulement après leur publication française, en tant que directeur du Fondo de Cultura Economica. Orfila crée ensuite sa propre maison, Siglo 21, et continue à y faire traduire Foucault et Althusser, plus que Derrida, et à s'intéresser au structuralisme français, plus qu'au poststructuralisme américain. Soit un destin local, pour ces auteurs, qui est finalement plus proche de leur réception française, effet sans doute d'un vieil intérêt mexicain pour la culture française, et d'un système universitaire calqué historiquement sur les modèles espagnol et français. C'est ainsi à l'université de Mexico, la plus ancienne du continent (fondée en 1531, plus d'un siècle avant Harvard), qu'un certain Rafael Guillèn, futur leader de l'Armée zapatiste de libération nationale sous le nom de sous-commandant Marcos, a fait il y a plus de vingt ans sa thèse de philosophie sur Foucault et Althusser. L'élite intellectuelle mexicaine a tant et si bien baigné dans la théorie française – du côté de Foucault et d'Althusser, encore une fois, plus que de Baudrillard et Derrida – que le conseiller culturel de l'ambassade du Mexique en France, l'écrivain Jorge Volpi, a pu écrire la première saga romanesque qui lui soit directement consacrée, publiée en France en 2003[23].

L'Argentine est un autre cas particulier, pour ses liens plus serrés avec l'Europe, pour la vitalité et l'hétérodoxie de sa scène psychanalytique – qui explique les succès argentins de Lacan et surtout de Félix Guattari –, et pour la tradition de ses libres penseurs. Un philosophe atypique comme Tomàs Abraham est le type même de ces intellectuels hybrides, moins soumis aux textes des maîtres, et plus en phase avec les modulations de jeu et d'ironie d'une certaine écriture française : Roumain éduqué en France et installé depuis vingt ans à Buenos Aires, où il enseigne, il a créé la revue *La Caja* et discuté, au fil de ses ouvrages, des beautés de ces « bas penseurs » (*pensadores bajos*) que sont pour lui Foucault et Deleuze, ou de

---

23. Jorge VOLPI, *La Fin de la folie*, Paris, Plon, 2003.

l'emprise du discours économique sur les formes de vie (en analysant l'« entreprise de vivre »), quand il n'a pas renouvelé avec humour le genre des « vies illustres » (ici, de philosophes) en inventant des dialogues entre Sartre et John Huston ou la philosophe Simone Weil et le financier George Soros[24]. Moins frivole, le sociologue argentin Martin Hopenhayn, qui fit une thèse de philosophie sous la direction de Deleuze, met les grandes intuitions de ce dernier au service d'une critique du concept de travail et des formes occidentales de « développement » – critique à laquelle la longue crise argentine de 2001-2002, et le renouveau concomitant des formes de contestation sociale, confèrent soudain une grande actualité[25]. Enfin, le Brésil constitue lui aussi un cas à part, pour des raisons plus évidentes – l'usage d'une autre langue que l'espagnol, qui lui vaut des circuits de diffusion et de traduction distincts, la spécificité de la culture et de l'histoire lusophones, et même, au contraire des pays hispanophones, un système social plus proche du modèle américain, depuis l'organisation fédérale jusqu'au multiculturalisme officiel. Baudrillard, quand il s'y rend, est accueilli par les caméras de télévision, et a été sollicité là aussi pour participer à la conception d'une série télévisée sur… l'histoire des États-Unis, suite au succès d'*Amérique* en portugais. Michel Foucault, dont l'un des critiques les plus incisifs reste le grand sociologue brésilien José-Guilherme Merquior[26], et Jacques Derrida, dans une moindre mesure, y sont lus avidement par la gauche universitaire et politique. « Derrida, Foucault, Lyotard […] ne sont pas les objets de culte d'un petit fan club provincial, ils sont les idoles de l'intelligentsia internationale », peut même lancer pour leur défense le chroniqueur Olavo de Carvalho, quand l'affaire Sokal atteint en 1996 les côtes brésiliennes[27]. Mais ce sont Deleuze et Guattari qui ont eu au Brésil le plus puissant impact, comme si le pays se prêtait plus qu'aucun autre à une mise en pratique des hypothèses deleuzo-guattariennes : de Rio de Janeiro à Recife et au sud jusqu'à Belo Horizonte (où fut fondé l'Instituto Felix Guattari), et grâce au dynamisme de leurs traducteurs et de leurs commentateurs (de Suely Rolnik à Peter Pàl Pelbart), se sont ainsi créés, en lien avec les universités locales mais aussi les activistes de quartier, de véritables

---

24. Tomàs ABRAHAM, *Vidas Filosoficas*, Buenos Aires, Prometeo Libros, 1999.

25. *Cf.* sa contribution à Manfred MAX-NEEF (dir.), *Desarollo a escala humana*, Montevideo, Nordan-Comunidad, 2001.

26. José-Guilherme MERQUIOR, *Foucault ou le nihilisme de la chaire*, Paris, Presses universitaires de France, 1986.

27. Olavo de CARVALHO, « Sokal, parodista de si mismo », *Folha de São Paulo*, 21 octobre 1996.

instituts d'action sociale pluridisciplinaires consacrés à la schizo-analyse, à la pensée rhizomatique et aux thérapies institutionnelles – sans oublier l'amitié qu'avait nouée Félix Guattari avec le syndicaliste Luiz « Lula » da Silva, futur président du Brésil.

On pourrait continuer ce tour du monde de la théorie française du côté des régions où se trouvent associés un impact direct des textes concernés, lus sans effacer leur contexte français, et l'incontournable médiation herméneutique américaine – en Russie, où les derridiens prétendent que la meilleure traduction du mot « perestroïka » serait *déconstruction* ; dans l'Europe des nations frontalières de la France bien sûr, où la théorie française fut quelques années durant moins rubrique académique que programme effectif de résistance politique (qu'on songe au succès de Foucault dans la bohème militante de Kreutzberg, à Berlin, ou aux accents deleuzo-guattariens de l'impertinente Radio Alice à Bologne) ; et même jusqu'en Chine, où l'éditrice et ancienne victime de la révolution culturelle Yue Daiyun[28] fait traduire aujourd'hui Jameson et Lyotard pour le compte des presses universitaires d'État, et où déconstruction et poststructuralisme connaissent à présent un franc succès comme théorisations d'un « épuisement de la culture occidentale[29] ». Mais c'est au Japon qu'il faut maintenant achever ce bref survol, pour comprendre la vitalité indemne de la théorie française au contact de cultures antipodiques, mais aussi le mélange désormais inextricable de textes français et de commentaires américains qu'elle est devenue hors de France. Sans compter que la puissance économique et le volontarisme culturel du Japon – qui est aussi le premier client des presses universitaires américaines en matière de droits étrangers – en font bien souvent un sas d'entrée en Asie des imports intellectuels occidentaux, rediffusés ensuite, *via* la médiation nipponne, vers la Corée, Taïwan ou l'Asie du Sud-Est.

A priori, la distance linguistique et culturelle est ici maximale. « Déconstruction », « essentialisme », « postmodernité » ou encore « géométrie » font partie de ces mots occidentaux apparus tels quels dans la langue japonaise depuis deux ou trois décennies, parce qu'il n'en existait aucun équivalent *conceptuel* japonais. Mais les échanges intellectuels avec l'Occident n'y datent pas d'hier. Kitaro Nishida, le grand philosophe de l'ère Meiji, mort en 1945, avait déjà croisé quelques motifs majeurs de la culture japonaise, de l'expérience du *zen* à la lumière du *satori* et toujours la conscience mélancolique de

---

28. *Cf.* Yue DAIYUN, *To the Storm : The Odyssey of a Revolutionary Chinese Woman*, Berkeley, University of California Press, 1985.
29. Propos rapporté par l'éditeur Lindsay Waters, de retour d'un colloque à Pékin.

la fragilité des choses (le *monomo-aware*), avec les grands thèmes de la philosophie européenne – tout en en dénonçant les mêmes dualismes conceptuels que critiquera précisément la théorie française (croyance-connaissance, moi-monde, nature-culture). C'est même ce dialogue noué peu à peu entre les continuités souterraines de la pensée japonaise et les partitions dynamiques de la métaphysique, de même qu'entre durée bergsonienne et temps bouddhique, ou entre la ville baudelairienne et l'urbanité « flottante » d'Édo (Tokyo), qui rendra possible, quarante ans plus tard, une réception *active* – et non simplement l'importation exotique – de la théorie française. Après guerre, l'existentialisme de Sartre et Beauvoir rencontre un grand succès dans la bourgeoisie japonaise, où leur dialectique de la liberté *en situation* et leur éthique de la responsabilité contribuent à apaiser les traumas de la défaite et de l'occupation américaine. De leur côté, les mouvements gauchistes et anticapitalistes, dont les rangs grossissent après la guerre, font alors un large usage de la philosophie allemande, et pas seulement d'Hegel et Marx : au Japon, on parle bientôt familièrement de *Ka-ni-sho* pour désigner la triade Kant-Nietzsche-Schopenhauer. Puis vers la fin des années 1960, la théorie française atteint le Japon, sous la bannière d'abord du structuralisme triomphant. Mais elle y connaîtra dès lors deux phases bien distinctes : c'est d'abord une phase pionnière et dialogique, celle des premières traductions de Foucault, Deleuze et Derrida, promus par quelques introducteurs de talent (du foucaldien Moriaki Watanabe au deleuzien Yujiro Nakamura, qui seront aussi leurs traducteurs), la phase également des grands voyages dans l'archipel de Barthes (1967-1968), Foucault (1970 et 1978) ou Baudrillard (1973 et 1981), période d'intense activité politique et d'une stratégie de la main tendue entre gauchistes européens et japonais ; puis à partir du milieu des années 1980, c'est une phase d'américanisation de la *French Theory*, sous l'impact des *Gender* et des *Cultural Studies*, et des nouveaux activismes féministe et homosexuel au Japon. On croise alors, à l'américaine, théorie française et *pop culture*, réinterrogeant la tradition des Mangas à la lumière du « simulacre », ou le monstre fantastique Godzilla à l'aune de la « schizo-science deleuzo-guattarienne[30] ». Sur Foucault, on lit désormais surtout David Halperin ou Dreyfus et Rabinow, et sur Derrida, de Man ou Gayatri Spivak.

---

30. *Cf.* Shinichi NAKAZAWA, « Gojira no Raigou », *in Chuo Kóron*, 1983 (Cité *in* Yoshihiko ICHIDA et Yann MOULIER-BOUTANG, « La fin de l'histoire : un jeu à trois », *Multitudes*, n° 13, été 2003, p. 18).

Les audaces de l'art et de l'architecture japonais contemporains s'inspirent à la fois de l'activisme politique local, des pratiques traditionnelles de l'archipel, et des théories esthétiques de Deleuze, Lyotard ou Derrida (lequel peut être mis à contribution pour assurer le retentissement d'une exposition contre l'apartheid, comme à Tokyo en 1988-1990) – depuis les animations urbaines fantaisistes organisées par le galeriste et militant Fram Kitagawa, jusqu'aux « habitats provisoires » mis au point par l'architecte Shigeru Ban dans les cas de catastrophes naturelles (tremblement de terre de Kobé) ou politiques (le génocide rwandais). De fait, le *paysage théorique* au Japon, au tournant du millénaire, est riche et contrasté, mélange d'un antidualisme ancestral et d'une rencontre entre théorie française et imports américains. Ainsi, le cycle d'événements Architecture New York (ANY) s'est achevé, en 1998, en liaison avec architectes et critiques d'art japonais, tandis que le grand critique littéraire Karatani Kôjin plaçait une « volonté de puissance architecturale » (*will to architecture*) au fondement de la pensée occidentale, déplaçant du côté du formalisme, mais aussi de Deleuze et de sa critique du capital, le projet américain initial de l'architecture déconstructiviste[31]. De son côté, lauréat en 1999 du célèbre prix Suntory pour les humanités, le jeune philosophe et critique social Hiroki Hazuma étudie la désubjectivation de l'*otaku* (l'amateur anomique de mangas et de jeux vidéo), tout en poursuivant son travail sur la « seconde » déconstruction derridienne, qu'il appelle « postale », et met en perspective avec les œuvres de Lacan et de Slavoj Zizek[32]. Même l'acteur japonais de la troupe de théâtre parisienne de Peter Brook, Yoshi Oida, qui contribuait avec Barthes à la revue *Théâtre public* dans les années 1970, peut écrire aujourd'hui sur sa pratique en croisant les traditions du Nô et du Kabuki avec les réflexions d'Artaud ou la thématique deleuzienne du « devenir-invisible »[33]. Surtout, le philosophe Akira Asada, auteur au fil des années 1980 de plusieurs traités de théorie politique sur « structure et pouvoir » (*kouzou to chikara*) inspirés des thèses de Deleuze et Foucault, et particulièrement débattus au Japon, a ouvert la voie à un usage contestataire direct des textes français : il préfère s'y référer pour dénoncer les illusions du « capitalisme infantile » nippon plutôt que de s'en tenir au plus sage *dialogue des cultures*

---

31. Karatani KÔJIN, *Architecture as Metaphor : Language, Number, Money*, Cambridge, MIT Press, 1995.

32. Hiroki HAZUMA, « Two Letters, Two Deconstructions », *Hihyo Kukan*, vol. 2, n° 8, 1993, p. 77-106 (version anglaise consultable sur www.t3.rim.or.jp/hazuma/en/texts/deconstructions. html).

33. *Cf.* Yoshi Oida, *L'acteur invisible*, Arles, Actes Sud, 1998.

entre philosophie occidentale et pensée japonaise[34]. Une voie
prometteuse dont l'avenir dépend moins des textes français, ou
américains, que des luttes sociales effectives engagées, sur place,
contre une puissance économique en crise et une démocratie
souvent défaillante – une voie dont l'enjeu avait été entrevu par
Félix Guattari en 1986, lorsqu'il notait comme une vision, marchant
dans les rues de Tokyo : « vertige d'une autre voie japonaise :
Tokyo renonçant à être la capitale de l'Est du capitalisme occidental pour devenir la capitale du Nord de l'émancipation du Tiers
Monde[35] ». Soit l'horizon, qui n'est pas qu'imaginaire, d'un véritable contre-pouvoir mondial : un axe Mexico-Rio-Tokyo le long
duquel seraient associées théorie française et contestation politique,
l'expérience micropolitique effective et la recherche d'alternatives au
dogme occidental de la « modernisation ».

Les sources allemandes

Si les *effets* de la théorie française peuvent mener jusqu'aux
plateaux andins ou aux pentes du mont Fuji, sa généalogie culturelle emprunte un circuit plus classique puisqu'elle est à chercher
d'abord outre-Rhin – où le « néostructuralisme » français a bénéficié en outre d'une réception critique qui, pour être plus restreinte,
n'en a pas moins été plus fine, souvent plus approfondie qu'aux
États-Unis. Les circuits mondiaux de la pensée française des années
1970 ramènent ainsi en dernier recours à la terre et à l'héritage
philosophique allemands, dont la *French Theory* fait parfois figure
de simple traducteur culturel – médiation française qui permet à
l'héritage de Marx et de Hegel, et aux figures de Nietzsche et
d'Heidegger, d'être à leur tour discutés en espagnol, en japonais, ou
dans les différents anglais de campus parlés à travers le monde. Car
la théorie française, de Foucault à Derrida, constitue d'abord une
forme d'explication critique avec la double tradition philosophique
allemande, husserlienne et hégéliano-marxiste, introduite dans
l'université française par la génération précédente, celle de l'entre-
deux-guerres. Si ses détracteurs français des années 1980, lorsqu'ils
diabolisent le quatuor Nietzsche-Heidegger-Marx-Freud qui en
serait la source, procèdent par simplisme en réduisant la théorie
française à n'être « que le prolongement épigonal [de] cet

---

34. Akira ASADA, « Infantile Capitalism and Japan's Postmodernism : A Fairy Tale », *in*
Miyoshi MASAO *et al.* (dir.), *Postmodernism and Japan*, Durham, Duke University Press,
1989, p. 273-278.

35. Félix GUATTARI, « Tokyo l'orgueilleuse », *Multitudes, op. cit.*, p. 58.

antihumanisme allemand[36] », il n'en reste pas moins vrai que celle-ci correspond, par-delà sa diversité, à une relecture novatrice des quatre Allemands – plus profondément qu'à un prolongement critique du structuralisme, ou de la phénoménologie française.

Ses adversaires américains ne s'y trompent pas non plus, en l'assimilant à la fois à une « lecture sélective » et une « lecture agressive » des quatre Allemands[37]. Il s'agit donc, avec la *French Theory*, d'une interprétation américaine de lectures françaises de philosophes allemands. Tout se passe comme si les libertés d'évaluation et de réappropriation, de réagencement et de détournement prises par Foucault, Deleuze ou Derrida avec Nietzsche, Freud ou Heidegger avaient été ensuite étendues au champ intellectuel américain, retournées cette fois sur les auteurs français eux-mêmes – mimétisme inconscient qui relève lui aussi de cette *transdiscursivité* déjà évoquée, et explique en outre que le thème de la lecture soit devenu l'un des grands chantiers de la *French Theory* américaine. Au point que ce que dit assez justement Louis Pinto des libres lectures de Nietzsche par Foucault ou Deleuze, et du « capital philosophique » qu'elles leur permirent d'accumuler, convient à son tour parfaitement aux libres lectures américaines de Foucault ou Deleuze : « Nietzsche devient le miroir dans lequel les interprètes admirent le discours à la fois sophistiqué et libre dont ils visent à faire la forme nouvelle de l'accomplissement philosophique » (ou aux États-Unis, *théorique*), si bien que son œuvre n'est plus que le « support des discours qu'elle suscite » – *travail* français du texte allemand, puis *travail* américain du texte français, qui consistent moins à « proposer des hypothèses sur des contenus analysables et évaluables [qu'à] repérer dans le texte les singularités, paradoxes et anomalies qui lui confèrent toute sa plénitude herméneutique[38] ». L'enjeu est moins de proposer une synthèse de Nietzsche, puis aux États-Unis de Foucault ou Derrida, que d'opérer une *scission* de part et d'autre de leur nom de toute l'histoire, aussi bien que du champ contemporain, de la philosophie – ou de la théorie.

Derrière certaines polarités du nouveau champ intellectuel américain, on peut même reconnaître le débat philosophique franco-allemand des années 1970 et 1980 : le face-à-face entre marxistes et poststructuralistes, ou même modernistes et postmodernistes, qui

---

36. Ce sont les derniers mots de Luc FERRY et Alain RENAUT, *La Pensée 68, op. cit.*, p. 343.

37. Denis DONOGHUE, « Deconstructing Deconstruction », *op. cit.*, p. 37.

38. Louis PINTO, *Les Neveux de Zarathoustra. La réception de Nietzsche en France*, Paris, Seuil, 1995, p. 154-156.

polarise le champ universitaire américain à partir des années 1980, reflète et reduplique en effet le dialogue animé, parfois houleux, qui oppose alors théorie française et théorie critique allemande. Ce dialogue plus fondamental, et beaucoup plus ancien, les Américains tentent d'ailleurs souvent de l'arbitrer, de Richard Rorty au philosophe du communautarisme Charles Taylor, des revues *Telos* à *New German Critique* – quand ils n'y participent pas activement, du côté des tenants de la *theory* (Butler, Spivak ou Stanley Fish) et surtout, en face, des continuateurs américains de l'école de Francfort (Nancy Fraser à la New School de New York, Seyla Benhabib à Yale, ou Martin Jay à Berkeley). Mais comme toute polarisation, celle-ci fige des décalages en différends, des désaccords en oppositions d'ensemble, aux dépens de ce qui pourrait rapprocher deux questionnements historiques communs. Ou plutôt, elle fait passer des positions extrêmes – naturalisme conservateur contre relativisme radical aux États-Unis, et côté allemand la guerre déclarée à l'« irrationalisme » et au « néovitalisme » français par la vieille garde kantienne – pour représentatives du centre du champ. Certes, sans revenir sur un débat qui a déjà suscité en français une bibliographie profuse, il faut rappeler que les divergences entre théorie française et théorie critique, ou entre critique *intensive* de la raison et pragmatique démocratique de la raison, ont souvent présenté tous les aspects d'un véritable *Kulturkampf*.

Ainsi, de Deleuze à Lyotard, l'ode française aux « effets de surface » et aux signes « intensifs », contre la profondeur métaphysique et les « signes intelligents », a souvent paru, à raison, dirigée contre l'obsession germanique pour les fondements et l'absolu. Surtout, ce dialogue franco-allemand esquissé dès les années 1970 a été jalonné ensuite par quelques grands débats. Le premier, commencé en 1981 à l'Institut Gœthe de Paris, oppose Derrida et Hans-Georg Gadamer : si le déconstructeur et l'herméneute s'accordèrent pour dénoncer l'illusion transcendantale d'un langage « extérieur », ou soumis à notre contrôle (puisqu'il parle par nous, plus qu'il n'est parlé), ils divergèrent ensuite sur la possibilité même d'une discussion, conditionnée par l'accord des participants selon Gadamer, travaillée sans cesse par l'absence et la disjonction selon Derrida[39]. Un débat similaire réunit peu après Lyotard et Jürgen Habermas, dans les termes d'une opposition entre l'éthique habermassienne de la discussion, qui suppose l'accord des interlocuteurs, et la critique du consensus « universel » menée au nom des « petits

39. *Cf.* Diane MICHELFELDER *et al.* (dir.), *Dialogue and Deconstruction : The Gadamer-Derrida Encounter*, Albany, State University of New York Press, 1989.

récits » et des singularités de la paralogie[40]. Enfin, au moment de la mort de Foucault, un débat franco-allemand se fait jour autour de l'héritage philosophique de sa critique des Lumières : Manfred Frank lui oppose un rationalisme « critique », et lui reproche « les apories d'une critique de la société qui se passe d'éthique et retombe ainsi dans des catégories relevant du vitalisme et du darwinisme social[41] », avant qu'Habermas, au nom d'un rationalisme « communicationnel », ne critique dans un article célèbre les théories du pouvoir « réductionnistes » de Foucault et la filiation française d'une pensée « transgressive », renvoyant même toute son œuvre à celle de Georges Bataille[42]. Un débat d'ensemble qu'avait d'ailleurs lancé Habermas lui-même : dans la conférence qu'il prononçait en 1980 à Francfort, en recevant le prix Adorno, il appelait déjà à prolonger le « projet de la modernité » contre le « conservatisme » postmoderne et ses « compromissions » avec le capitalisme avancé.

Pourtant, les convergences franco-allemandes sont nombreuses. Par-delà les facilités de la polarisation philosophique, c'est bien souvent en plaçant en vis-à-vis, en mettant l'une l'autre en perspective théorie française et théorie critique postfrancfortienne (ou « frites françaises et saucisse de Francfort », comme les a comiquement réunies le critique Rainer Nägele[43]), que la communauté universitaire mondiale, de Tokyo à Mexico, cherche à élucider les modalités contemporaines du pouvoir et du capital, et les enjeux de la lutte sociale – et qu'elle se forge les outils d'une « théorie-monde ». Car de part et d'autre, les diagnostics historiques et l'horizon critique ne sont pas si éloignés. C'est même le cas avec la fameuse critique du sujet, pour laquelle ne sont pas sans rapport le sujet désubstantialisé, ou construit par assujettissement, de la théorie française, et l'identité individuelle désormais « fluidifiée par la communication » chez Habermas : Albrecht Wellmer réunit même les deux concepts au sein d'une même « forme de subjectivité qui ne correspond plus à l'unité rigide du sujet bourgeois[44] ». De son côté, Seyla Benhabib évoque une continuité entre la « suspicion à l'égard

---

40. Un dialogue qui s'est poursuivi ensuite entre Lyotard et Richard Rorty (*cf.* leurs contributions et leur débat *in Critique*, n° 456, mai 1985, « La traversée de l'Atlantique », p. 559-584).

41. Manfred FRANK, *Qu'est-ce que le néo-structuralisme ?*, *op. cit.*, notamment p. 136-141.

42. Jürgen HABERMAS, *Le Discours philosophique de la modernité*, Paris, Gallimard, 1988, chap. 9, p. 281-314.

43. « Frankfurters and French fries » (cité *in* Andreas HUYSSEN, « Mapping the Postmodern », *op. cit.*, p. 32).

44. Albrecht WELLMER, *Zur Dialektik von Moderne und Postmoderne*, Francfort, Suhrkamp, 1985, p. 163.

de la logique de l'identité » déjà présente chez Adorno et les thèses foucaldo-derridiennes des féministes américaines (de Judith Butler à Joan Scott) sur « les catégories identitaires [...] comme menant nécessairement à l'exclusion » – continuité à l'aune de laquelle elle appelle à « repenser le projet d'une théorie critique » pour l'adapter au présent historique, celui d'une « venue simultanée de l'inté-gration globale et de la fragmentation culturelle[45] ». Les partisans d'une telle *alliance* théorique la justifient par la nécessité de penser aujourd'hui, en en puisant les intuitions chez Deleuze et Foucault aussi bien que chez les descendants d'Adorno, ce qui est en train de succéder au modèle libéral de l'espace public bourgeois – dont Habermas proposait la généalogie il y a déjà quarante ans. De même qu'entre la notion de « mépris » chez le philosophe allemand Axel Honneth et le concept lyotardien de « tort », une convergence peut être établie qui permette de penser les nouvelles formes d'invisi-bilité et d'humiliation sociales[46]. L'avenir de la théorie-monde réside donc *aussi* dans la complémentarité franco-allemande ; il repose sur une alliance limitée, mais cruciale, entre des démarches qu'opposent leur éthos, leur *style* de pensée, leurs options thématiques même, et avant tout leurs disciples respectifs, mais que ne rapproche pas moins l'horizon commun d'une critique en acte du présent historique.

45. Seyla BENHABIB, « Renverser la dialectique de la raison : le réenchantement du monde », *in* Emmanuel RENAULT *et al.* (dir.), *Où en est la théorie critique ?*, Paris, La Découverte, 2003, p. 84-85 et 78-79.
46. Yves CUSSET, « Lutter pour la reconnaissance et/ou témoigner du différend : le mépris, entre tort et reconnaissance », *in ibid.*, p. 201-216.

14

Et pendant ce temps-là en France...

> « Tout vieillit à vue d'œil, et l'on parlera bientôt des vieux *anti*-soixante-huitards. »
>
> Philippe SOLLERS, « Le nihilisme ordinaire »

La France, ou le monde à l'envers. Pendant qu'à la suite des États-Unis le reste du champ intellectuel mondial incorporait peu à peu les perspectives lacano-derridiennes et foucaldo-deleuziennes, non seulement celles-ci mais, très vite, la possibilité même d'un débat à leur sujet se trouvaient bannies de l'Hexagone. Elles n'y seraient bientôt plus qu'un monopole de nostalgiques et, à mesure que disparaissent les auteurs concernés (Barthes en 1980, Lacan en 1981, Foucault en 1984, Guattari en 1992, Deleuze en 1995, Lyotard en 1998), l'apanage des seuls héritiers intellectuels et des ayants-droits officiels. Leur seule actualité y serait éditoriale, calendaire, commémorative – ostensiblement posthume. Si la politique économique française a eu l'audace, entre 1981 et 1983, d'aller à rebours des options suivies partout ailleurs, le paysage intellectuel français, lui, et à ce titre en tout cas, tourne obstinément le dos au reste du monde depuis plus d'un quart de siècle. La socio-démographie intellectuelle pourra peut-être éclairer un jour les conséquences à long terme de ce revirement soudain, au tournant des années 1980, dont il reste maintenant à rappeler l'histoire. Elle pourrait expliquer l'interruption brutale de croissance, la coupe des bourgeons, l'obsolescence subite des jeunes pousses, toutes métaphores botaniques en vertu desquelles la théorie française a fait en France si peu d'émules et, tout compte fait, de successeurs. Ce qui explique notamment, compte tenu du délai propre aux transferts culturels (puisque *L'Anti-Œdipe* n'a enfiévré l'Argentine ou le Japon que quinze ans après la France), l'inexorable déclin de l'influence intellectuelle française dans le monde depuis l'apogée de la théorie française – déclin auquel la France « pensante » n'a pas l'air en mesure de remédier de si tôt. Ce fâcheux décalage est une histoire de traditions, de rancœurs, de mauvaise foi et d'idéologie, une histoire tactique et politique bien sûr ; un effet peut-être aussi de cet injustifiable complexe de supériorité intellectuelle qui pouvait faire dire des Américains, en 1909, au dénommé Saint-André de Lignereux, comme pensent tout bas aujourd'hui tant de ses arrière-petits-neveux : « Ils auront beau fonder, à coups de chèques gigantesques, des universités, des académies, des bibliothèques, des musées, tout cela est inutile ; il leur faudra venir s'incliner devant notre suprêmatie intellectuelle[1]. »

L'humanisme isolé, ou la résurgence des gros concepts

On connaît les faits. Avec l'affaire Soljenitsyne, en 1974, que suivent l'arrivée à Paris du célèbre dissident soviétique puis la publication de *L'Archipel du Goulag*, et les empoignades des mois suivants entre les intellectuels antimarxistes et un PCF droit dans ses bottes (suggérant même que les dissidents sont des « fascistes » ou des agents de la CIA), le leitmotiv de la *révolution* resté sur toutes les bouches depuis 1968 est éclipsé en quelques mois du devant de la scène, au profit d'une autre question, plus morale qu'utopique : « la question clé de notre temps, celle [...] de l'État totalitaire[2] », résume Bernard-Henri Lévy en 1977. Autour du soutien aux dissidents, des pétitions antisoviétiques et des premières opérations humanitaires à grande échelle (avec bientôt la controverse médiatique du « bateau pour le Vietnam » de Bernard Kouchner), se cristallise ainsi, pendant les années 1976 à 1978, une opposition intellectuelle organisée à toutes les formes de la gauche révolutionnaire encore actives en France : revirements et basculements se succèdent, ex-militants Mao et anciens leaders étudiants prennent fait et cause contre les Goulags (Chine comprise) ou pour les *boat people*, jusqu'à systématiser le nouveau chantage moral fait aux intellectuels – se convertir tout de suite, ou souffrir bientôt l'opprobre général, car cette fois, prévient-on, les résistants « de la dernière heure » ne passeront pas entre les mailles du filet. Il faut

---

1. Cité *in* Philippe ROGER, *L'Ennemi américain*, *op. cit.*, p. 548.
2. Bernard-Henri LÉVY, *La Barbarie à visage humain*, *op. cit.*, p. 155.

sonner la fin, clame-t-on encore, des grands maîtres et des oukazes dans la sphère intellectuelle, comme y appellera Pierre Nora en créant *Le Débat* pour faire ce qu'il nomme « la République *dans* les lettres[3] ».

À l'avant-garde de cette offensive contre les dictatures autant que contre mai 1968, contre la révolte *et* contre la théorie, un groupe de jeunes intellectuels, soutenus par *Les Nouvelles littéraires* et les éditions Grasset, s'autoproclame « les nouveaux philosophes » : Bernard-Henri Lévy, André Glucksmann, Maurice Clavel et quelques autres enregistrent des succès de librairie spectaculaires avec des essais de circonstance qui dénoncent la pensée révolutionnaire et replacent les droits de l'homme au centre du « débat ». L'opération s'apparente à une mise au pas du champ intellectuel. Car Lévy semble plus hargneux envers l'« idéologie du désir » deleuzo-guattarienne qu'à propos des camps soviétiques, et Glucksmann citant Hegel assène que « penser, c'est dominer », imputant nazisme et stalinisme aux grands philosophes allemands. La pensée, dernière idole qu'abattra la République laïque : au dire des nouveaux censeurs, critique théorique, ou même théorie critique, mènerait droit à Auschwitz et à la Kolyma, désormais interchangeables. Comme le résument Michael Löwy et Robert Sayre, « "nouveaux philosophes" et autres piétinent allégrement leurs idoles idéologiques de naguère, jetant avec l'eau sale du bain toute idée de critique sociale[4] ». Tandis que naît dans l'ombre *Les Révoltes logiques*, revue créée par Jacques Rancière pour repenser la question prolétaire, se lancent à grand bruit la nouvelle collection d'*Esprit*, la revue *Commentaire* de Raymond Aron, et même *Le Matin de Paris*, le quotidien du PS. Ou encore la nouvelle formule d'*Actuel*, autrement festive : « Les années 1980 seront actives, technologiques et gaies », avertit l'éditorial.

Elles seront surtout celles d'une exhumation dans le champ intellectuel, et d'une dédramatisation idéologique, de la tradition libérale française du XIXe siècle, avec l'horizon concomitant (après un siècle d'exception politique française) d'une « république du centre[5] » : Marcel Gauchet et Pierre Rosanvallon font redécouvrir Tocqueville et Benjamin Constant ; Alain Renaut et Gilles Lipovetski explorent la figure de l'« individu » comme accomplissement de la modernité ;

---

3. Pierre NORA, « Que peuvent les intellectuels ? », art. cit., p. 11.

4. Michael LÖWY et Robert SAYRE, *Révolte et mélancolie. Le romantisme à contre-courant de la modernité*, Paris, Payot, 1992, p. 284.

5. Selon le titre de l'essai de François FURET, Jacques JULLIARD et Pierre ROSANVALLON, *La République du Centre*, Paris, Calmann-Lévy, 1988.

Roger Fauroux, Alain Minc et François Furet créent la Fondation Saint-Simon ; *Le Débat* de Pierre Nora va jusqu'à renvoyer au Moyen Âge marxien l'idée même d'aliénation[6] ; Blandine Kriegel assimile tout romantisme politique à la logique totalitaire ; John Rawls mais aussi Friedrich Hayek sont enfin traduits en français ; et Mona Ozouf et François Furet affirment – à quelques mois de son bicentenaire, et contre l'historiographie marxiste – que « la Révolution française est terminée », invalidée même dès 1793 par la Terreur selon la relecture qu'en proposait Furet en 1979[7]. En attendant, ce tournant des années 1980 est aussi l'époque où Foucault et Deleuze, rejoints par le vieux Sartre ou même Claude Mauriac, s'engagent pour les réfugiés du Vietnam ou contre les répressions policières dans le quartier parisien de la Goutte d'Or. Ils réagiront bientôt avec d'autres à la crise polonaise, et à l'interdiction du syndicat Solidarité par le général Jaruzelski. Actions ponctuelles, activisme spécifique, sans qu'aucun d'eux ne participe à la chasse aux sorcières qui commence.

De leur côté, les nouveaux philosophes ont su emprunter une part de leur prestige aux penseurs qu'ils clouent au pilori, récupérant discrètement, pour les retourner précisément contre elle, enseignements ou concepts de ce que les Américains n'appellent pas encore alors la *French Theory*. Car Glucksmann a été l'élève de Foucault, et Lévy, de Derrida, de même que Blandine Kriegel et Pierre Rosanvallon ont été un temps des piliers du séminaire de Foucault au Collège de France. La tactique du détournement d'héritage est rondement menée : Lévy affirme dès 1978 que mai 1968 a été « la première grande résistance *anticommuniste* de masse en Occident[8] », puis il attaque la « barbarie » et la « volonté de mort » foucaldo-deleuziennes (*L'Anti-Œdipe* est selon lui le « maître livre du mouvement ») mais en usant en même temps de leur vocabulaire du « flux » et de l'« *ubris* » pour décrire le capitalisme[9], tandis que Glucksmann, dans *La Cuisinière et le mangeur d'hommes*, reprend les catégories de *Surveiller et punir* pour dénoncer le Goulag. Si la nouvelle mouvance n'est pas encore homogène au plan idéologique, puisque les « christo-gauchistes » Christian Jambet et Guy Lardreau y forgent de leur côté une

---

6. Anne GODIGNON et Jean-Louis THIRIET, « Pour en finir avec le concept d'aliénation », *Le Débat*, n° 56, sept.-octobre 1989.

7. François FURET, *Penser la Révolution française*, Paris, Gallimard, 1979.

8. « La preuve du pudding » (entretien avec Bernard-Henri Lévy), *Tel Quel*, n° 77, automne 1978, p. 25-35.

9. Bernard-Henri LÉVY, *La Barbarie à visage humain*, *op. cit.*, p. 134-140 notamment.

version postmoderne et anarchisante de l'hégelianisme de gauche[10], elle oublie vite la « tentation anarchiste » et les accents libertaires des premières années pour promouvoir un sursaut moral et, politiquement, un *centrisme* tactique et sans attaches – sauf les connexions des uns et des autres avec la « gauche institutionnelle », à qui Lévy dédiait déjà *La Barbarie à visage humain* en assurant qu'elle aurait bientôt « nos destins entre ses mains ». Et pour cause.

Le premier septennat de François Mitterrand voit se multiplier, au profit des nouveaux humanistes « centristes », les accrocs entre la gauche au pouvoir et l'avant-garde intellectuelle de la décennie précédente. Sur l'affaire polonaise, Jack Lang dénonce dans *Le Matin* en décembre 1981 « une inconséquence typiquement structuraliste[11] », avant que Max Gallo, porte-parole du gouvernement, ne prenne acte du divorce en regrettant dans *Le Monde* de juillet 1983 « le silence des intellectuels de gauche » et leur faible soutien aux « forces » de l'union de la gauche. Des désaffiliations des uns jusqu'aux clichés des autres sur la « fin des idéologies », la montée du désarroi intellectuel dans la France des années 1980 exigerait une véritable analyse historique, dont essayistes et magazines pointaient alors déjà certains facteurs connus – le triomphe social de l'individu (plutôt que le « retour du sujet »), la promotion de l'ironie et de l'insouciance festive comme valeurs-refuges, le nouveau réalisme anti-utopique lié à la hausse du chômage, ou encore la conversion des enfants du *baby boom* (et des agités de 1968) à une culture d'entreprise longtemps dédaignée. Le désarroi est lié à une recomposition en profondeur du champ intellectuel français, dont les positions dominantes sont peu à peu transférées de l'université alternative vers les médias officiels, d'une ultra-gauche sans étiquette aux nouveaux cercles du centre-gauche, et des critiques du capital et de la culture bourgeoise vers les nouvelles imprécations géopolitiques et humanitaires. Car un mélange de néokantisme républicain, dans le champ intellectuel, et d'une mobilisation « éthique » ponctuelle et médiatisée comme forme ultime de rassemblement politique, explique alors l'essor, sur les ruines du tiers-mondisme, à la place laissée vide par la démobilisation intellectuelle, et dans les tribunes d'un débat déserté, d'une nouvelle idéologie consensuelle officiellement promue par les gouvernants – le moralisme humanitaire.

La question, ici, n'est pas celle de sa légitimité, ou des besoins de ses lointains « bénéficiaires ». Elle est celle du rôle de référence

---

10. Christian JAMBET et Guy LARDREAU, *L'Ange. Pour une Cynégétique du semblant*, Paris, Grasset, 1976.

11. Cité *in* Didier ÉRIBON, *Michel Foucault, op. cit.*, p. 318.

qu'elle en est venue à jouer, remodelant les contours du champ
intellectuel français et suscitant, autour des ONG comme horizon
du nouveau biopouvoir humanitaire, une forme de *médicalisation* de
la pensée politique – au moment où les multiculturalistes américains
aussi bien que les marxistes britanniques, certes galvanisés chez eux
par un pouvoir reagano-thatchérien plus clairement réactionnaire,
stigmatisaient « mépris » occidental et « bonne conscience » bourgeoise derrière cette nouvelle vogue de la philanthropie mondiale.
L'ingérence humanitaire devient, pour ses idéologues français, le
« onzième commandement[12] » ; elle joue bientôt dans le paysage
intellectuel le rôle exact qui était celui de l'impératif de révolte pour
la génération précédente. Une nouvelle « martyrologie » se met en
place qui ne fait pas que combler un vide politique mais, plus tactiquement, frappe de nullité morale l'analyse idéologique ou la
discussion critique qui tenteraient de la mettre en perspective
– outre qu'elle offre, de Médecins du monde aux Restos du cœur,
un écrasant plébiscite populaire au nouvel humanisme « postméta-
physique » défendu par les jeunes cerbères du champ intellectuel
recomposé. Une « martyrologie » qui « [vit] de cadavres », et dont
Deleuze attaquait dès 1977 la morale du ressentiment et le paterna-
lisme censeur, sa façon de dérober la parole et de désamorcer la
puissance d'affirmation (vitale, ou même révolutionnaire) des
« victimes » en question : « Il a fallu que les victimes pensent et
vivent tout autrement pour donner matière à ceux qui pleurent en
leur nom, et qui pensent en leur nom, et donnent des leçons en leur
nom[13]. »

Pourtant, entre les nouveaux « démocrates » du champ intellectuel français et des auteurs, leurs aînés, qu'ils dénoncent dans les
termes d'un fatras idéologique délibéré (pensée 68, barbarie libertaire, irrationalisme, dictature, irresponsabilité) – lesquels, occupés
à poursuivre leur œuvre, considèrent à juste titre avoir mieux à faire
qu'à leur répondre –, le débat n'aura jamais vraiment lieu. Tandis
que Lyotard se contente de moquer, dans *Instructions païennes*, le
nouveau « jeu » parisien consistant à se passer le « grand récit » de
« Jessie » (Jésus) à « Clavie » (Clavel) et « Gluckie » (Glucksmann),
Deleuze a déjà tout dit dans cet article de 1977, passé presque
inaperçu : retour des « dualismes sommaires » et des « gros
concepts, aussi gros que des dents creuses » (*la* loi, *le* monde, etc.),
retour « massif à un auteur ou un sujet vide très vaniteux », une

12. *Cf.* André GLUCKSMANN, *Le XIᵉ commandement*, Paris, Flammarion, 1991.
13. Gilles DELEUZE, « À propos des nouveaux philosophes et d'un problème plus
général », *Minuit*, supplément au n° 24, mai 1977 (non paginé).

« force de réaction » fâcheuse, l'invention d'un « marketing littéraire ou philosophique » et du « journalisme [comme] pensée
autonome et suffisante » – avant de conclure qu'« ils ont recons-
titué une pièce étouffante, asphyxiante, là où un peu d'air passait »,
soit « la négation de toute politique, et de toute expérimentation [14] ». Manquait juste à sa brève analyse le double argument,
plus sociologique, des motivations stratégiques, celles d'un nouveau
« carriérisme » moral, et des valeurs d'anticonformisme et de liberté
d'esprit attachées à toute dénonciation populiste des penseurs
légitimes. Bourdieu avait formulé cette dernière loi générale, qui
règle la concurrence au sein du champ intellectuel, en des termes
qui, au plan des logiques de champ, conviennent à merveille aux
nouveaux moralistes français (de Lévy à Finkielkraut ou Bruckner)
aussi bien qu'à leurs cousins conservateurs américains (les Kimball,
Kramer ou D'Souza de l'offensive anti-PC) : « Il s'agit de retourner
la représentation dominante [...] et de montrer que le conformisme
est du côté de l'avant-garde [...] : la vraie audace appartient à ceux
qui ont le courage de défier le conformisme de l'anticonformisme [15]. » Le message nouveau, autrement dit, se veut œcumé-
nique et décomplexant, d'où son large succès : rassurez-vous,
répètent-ils, l'aristocratie du jargon excluant et du « radical chic » a
vécu, emportée par les forces de l'histoire ; la place est libre pour
qu'y fassent enfin retour les honnêtes gens.

Moins de dix ans après le début de l'offensive, l'estocade ultime
– qui horrifiera un temps les disciples assoupis – est donnée par Luc
Ferry et Alain Renaut dans *La Pensée 68* [16]. Leurs écrits abondants
dénoncent le nietzschéisme puis, dans la foulée de l'affaire
Heidegger, l'heideggerianisme français, appelant au « retour à
Kant » et à l'idéal des droits de l'homme, quand ils ne procèdent
pas même à une double opération de divinisation de l'homme et
d'humanisation du divin qui fait prendre soudain toute la mesure
de la distance parcourue depuis les années 1970 [17]. Mais *La Pensée
68* est encore plus ciblée : les auteurs n'y condamnent pas seulement
Foucault, Derrida ou Lacan pour avoir « surenchéri » sur l'« irrationalisme allemand », ils y expriment un antimarxisme obsessionnel
qui les fait bien sûr passer entièrement à côté du véritable enjeu de
la théorie française (en tant qu'alternative et complément à Marx),
et en profitent pour poser les jalons d'un humanisme fin de siècle

---

14. *Ibid.*
15. Pierre BOURDIEU, *Les Règles de l'art, op. cit.*, p. 232.
16. Luc FERRY et Alain RENAUT, *La Pensée 68, op. cit.*
17. *Cf.* Luc FERRY, *L'Homme-Dieu, ou Le sens de la vie*, Paris, Grasset, 1996.

moins « naïf » qu'avant les « sixties », une maturité qu'il doit aussi aux « apories [de] l'antihumanisme[18] ». La parenthèse se referme, concluent les deux auteurs, et pour avoir armé les citoyens responsables contre les illusions du premier humanisme, le folklore des « idéologies du désir » n'aura pas été tout à fait inutile. Surtout, l'argument vertueux, l'engagement moral sont de rigueur, ici comme partout : là où Lévy lançait sa croisade en 1977 en concluant qu'il « ne reste que l'éthique et le devoir moral » pour éviter « démission [et] abandon devant la procession du Mal[19] », Pierre Nora accusait les sciences humaines d'avoir mis fin pendant vingt ans à la « fonction éthique » et à « la morale du quotidien[20] », et Ferry et Renaut parviennent même à reprocher à Foucault et Deleuze d'avoir favorisé, en deçà de leur critique du sujet, « le Moi du narcissisme contemporain », son émiettement « cool » et son hétéronomie[21] – leur imputant ainsi, sans ciller, la longue fête égoïste des années 1980.

Convaincus que tous les malheurs de la France, et accessoirement du reste du monde, sont la triple conséquence de mai 1968, des philosophies échevelées des années 1970 et du nouveau « relativisme » communautariste en provenance d'Amérique, les héros de ce sursaut moral tiennent encore, vingt-cinq ans plus tard, les rênes du pouvoir intellectuel français : Lévy de la presse à l'édition et aux couloirs du pouvoir, Nora à la tête du *Débat* et en lien avec ses confrères d'*Esprit* et de *Commentaire*, aroniens et tocquevilliens jeunes et moins jeunes de la Sorbonne à l'EHESS, Rosanvallon et Kriegel de la CFDT aux grands rapports ministériels, enfin Renaut au Conseil national des programmes et Luc Ferry comme premier ministre de l'Éducation nationale issu de la « société civile » – un ministre sermonneur qui, lors des débats sur ses réformes controversées ou dans sa *Lettre à tous ceux qui aiment l'école* envoyée d'office à tous les enseignants, met encore et toujours le « désastre » de l'école sur le compte des « dérives communautaristes » ainsi que du « jeunisme [...] démagogique » et de l'« idéologie spontanéiste » héritée de « mai 68 » et de ses maîtres-penseurs[22].

---

18. Luc FERRY et Alain RENAUT, *La Pensée 68*, op. cit., p. 36.
19. Bernard-Henri LÉVY, *La Barbarie à visage humain*, op. cit., p. 218-219.
20. Pierre NORA, « Que peuvent les intellectuels ? », art. cit., p. 7.
21. Luc FERRY et Alain RENAUT, *La Pensée 68*, op. cit., p. 121-123.
22. « Placer l'élève au centre du système est démagogique » (entretien avec Luc Ferry), *Le Monde*, 17 avril 2003.

Le lent retour du refoulé

Mais tous les grands acteurs de cette société française « moder-
nisée » ne sont pas d'accord pour jeter aux oubliettes Foucault,
Deleuze ou Baudrillard, ni même Guy Debord : théoriciens de
l'entreprise, stratèges en management, assureurs et gestionnaires de
risque, publicitaires et pionniers de l'« événementiel », cadres dirigeants de l'industrie culturelle ou chroniqueurs de la presse
branchée, et tous les autres chantres de « l'auto-organisation comme
néoconservatisme festif [23] », trouvent quant à eux des usages inédits
aux auteurs incriminés – au profit de ce nouvel ordre social « auto-
organisé » qu'ils promeuvent. C'est d'abord le détournement des
logiques du flux et de la dissémination, et de leur vocabulaire
distinctif, au service de vagues théorisations de l'entreprise « légère »
ou « en réseau » : « avec l'argument d'autorité que confèrent les
innombrables références à Derrida, Foucault et Lyotard », résume
ainsi Armand Mattelart, « [on] nous explique la naissance de
l'"entreprise postmoderne" [comme] entité immatérielle, [...] figure
abstraite, [...] monde vaporeux de flux, de fluides et de vases
communicants [24] ». Et dans les milieux français de la communication, de la presse à la publicité, d'aucuns brandissent, pour leur
aura de maléfice, quelques formules tournées en ritournelles tirées
de *La Société du spectacle* de Debord, sur le « spectaculaire intégré »
ou « le glissement de l'avoir au paraître ». D'une façon générale,
toutes les pensées canoniques auxquelles il est possible de faire
réciter, à rebours de leur logique propre, le nouveau crédo de l'auto-
émergence et de l'organisation sans sujet – variante en vogue (et
moins connotée) de la métaphore de la main invisible – se trouvent
sollicitées dans la presse ou par les consultants-philosophes des
années 1990. Du *conatus* spinoziste au plan d'immanence deleuzien,
et de la microphysique foucaldienne aux thèses plus mystiques d'un
bouddhisme édulcoré, tout est bon soudain pour entonner cette ode
nouvelle à l'autodiscipline du marché, fût-ce sous couvert d'un
nouveau lyrisme libertaire.

Plus spécifiquement, l'œuvre de Michel Foucault a fait l'objet,
dans ce contexte, d'une récupération idéologique, discrète mais
récurrente, par certains milieux dirigeants – depuis les réseaux scientifiques de l'École polytechnique, où sont théorisés conjointement

---

23. Pour reprendre le titre d'un article incisif de Gilles Châtelet (« Du chaos et de l'auto-
organisation comme néoconservatisme festif », *Les Temps modernes*, n° 581, mars-avril
1995).
24. Armand MATTELART, *La Communication-monde*, Paris, La Découverte, 1992, p. 255.

gestion sociale et contrôle cybernétique, jusqu'à la CFDT de Jacques Julliard et de Nicole Notat [25], au sein de laquelle s'effectue le passage décisif de l'utopie autogestionnaire des années 1970 aux nouveaux programmes dits de management « participatif », et jusqu'aux tables rondes de hauts fonctionnaires sur la réforme de l'assurance-chômage ou de la Sécurité sociale. De façon plus systématique, la pensée foucaldienne a aussi été soumise à une relecture droitière et entrepreneuriale dans la logique des nouvelles théories *assurantielles*, à l'initiative de François Ewald, son ancien assistant au Collège de France, et du président de la Fédération française des sociétés d'assurance Denis Kessler – bientôt vice-président du Medef, et inspirateur de son projet de « refondation sociale ». La nouvelle gestion sociale préconisée par Ewald et Kessler est fondée sur une distinction entre « riscophiles » et « riscophobes », et fait du concept de *risque* une « morale et [une] épistémologie », la seule « manière de définir la valeur des valeurs [26] ». Ewald, qui théorisera le « principe de précaution » suite à l'affaire de la vache folle [27], avait bifurqué juste avant la mort de Foucault vers des études de droit, et vers les nouveaux réseaux de la Fondation Saint-Simon – dont il rédige même la première « note verte » en 1982. Il a tôt détourné l'héritage de Foucault : incité par ce dernier à le « remplacer » (mais pour qu'il y « développe [son propre] point de vue ») lors d'un colloque à La Haye fin 1983 sur philosophie et droit international, Ewald y résuma la « crise » de l'universel kantien tel que l'avait diagnostiquée Foucault, mais avant de conclure, plus légaliste que foucaldien, que toute « la pensée de Michel Foucault invite […] à examiner comment les transformations de la communauté internationale, des relations politiques, des pratiques commerciales et des relations culturelles peuvent être et seront à la base d'un *nouvel ordre juridique* [28] ».

Mais c'est avec *L'État providence*, publié en 1986 et dédié à Foucault, qu'Ewald pose les bases théoriques de ce foucaldisme de droite, ou *libéral-assurantiel*. Car il y cite certains concepts clés du

25. Qui peut même, interrogée par la presse nationale, détourner dans le sens d'un réalisme négociateur un vieux mot de Foucault dénonçant le « régime politique […] indifférent à la réalité » (*in* « La société veut savoir pourquoi bouger… » [entretien avec Nicole Notat], *Le Point*, 22 mars 2002).

26. François EWALD et Denis KESSLER, « Les noces du risque et de la politique », *Le Débat*, n° 109, mars-avril 2000.

27. François EWALD *et al.*, *Le Principe de précaution*, Paris, Presses universitaires de France, coll. « Que sais-je ? », 2001.

28. François EWALD, « Droit : systèmes et stratégies », *Le Débat*, n° 41, sept.-novembre 1986, p. 63-69.

dernier Foucault au service d'un projet idéologique diversement formulé, qui correspond peu ou prou à « la formulation d'un *nouvel imaginaire politique*, comme *imaginaire assurantiel*[29] ». De l'archéologie foucaldienne, on glisse en effet vers un fatalisme historique et un biais prescriptif strictement « ewaldiens ». Ainsi, le constat historique majeur de Foucault d'un « passage de la loi à la norme » n'est pas convoqué pour penser cette nouvelle forme de pouvoir « qui a pour tâche de prendre la vie en charge[30] », mais la nécessité d'un assouplissement du droit social et d'une « révision du Code civil » pour couvrir tous les risques pensables ; et la catégorie des « anormaux », étudiée par Foucault dans son séminaire de 1975, renvoie désormais plus particulièrement, dans cette logique, à tous ceux qui, « s'écartant par trop de la norme [...], [deviennent] pour le groupe un *risque*, un danger[31] ». Justifiant son travail sur l'État-providence par l'urgence qu'il y aurait à réfléchir aux « meilleures modalités de sa gestion », soit une « hypothèse postcritique » qu'il oppose aux « discours douillets de la dénonciation qui sont trop souvent ceux des sciences humaines », Ewald entreprend ici rien moins qu'une généalogie mais aussi (outrepassant la méthode généalogique) une justification politique du « processus d'assurantialisation de la responsabilité » et de la société, qui aurait succédé historiquement à l'âge de l'« identification juridique faute-responsabilité[32] ». Il s'agit de montrer que l'assurance est le dernier lien social viable à l'heure où chacun – de l'armateur de pétroliers au fumeur impénitent et à tous les précaires – est défini avant tout comme porteur d'une certaine dose de risque collectif : l'assurance « est [devenue], dans la diversité et l'articulation de ses *réseaux*, ce qui, en dehors des rapports *libres et volontaires* de la famille, du travail ou du voisinage, nous lie, *pratiquement*, les uns aux autres : le lien social en personne, sa *matérialité*[33] » – loin, très loin des modes d'assujettissement étudiés par Foucault. Par-delà le seul travail d'Ewald et Kessler, qui redéfinissent ainsi la société comme « une vaste assurance contre les risques que provoque son propre développement[34] », s'opère en sous-main toute une réinterprétation cybernétique des théories foucaldiennes du « biopouvoir » et des « sociétés de sécurité », qui en propose moins l'archéologie historique que la légitimation technocratique. Autour du concept de

---

29. François EWALD, *L'État providence*, Paris, Grasset, 1986, p. 530.
30. Michel FOUCAULT, *Histoire de la sexualité 1. La volonté de savoir*, *op. cit.*, p. 189.
31. François EWALD, *L'État providence*, *op. cit.*, p. 482-483 et 405-406 respectivement.
32. *Ibid.*, p. 10-11, 603 et 524-526 respectivement.
33. *Ibid.*, p. 527 [je souligne].
34. *Ibid.*, p. 10.

« société du risque » (*Risikogesellschaft*) proposé par l'Allemand Ulrich Beck[35], s'élabore depuis presque vingt ans, entre apocalyptisme postmoderne et rationalité dirigeante, toute une socio-économie du chaos collectif et de sa gestion assurantielle ; elle réévalue la hiérarchie sociale en fonction du « coût » que représentent, pour la santé ou le financement des retraites, les uns et les autres (les dominés se voyant dès lors reprocher le « risque » que fait courir leur précarité à la société), et préconise des dispositifs de réaction en temps réel aux « accidents » et aux « inégalités ». Une forme ouvertement idéologique de rémanence spectrale dont Foucault se serait sûrement passé.

Au moment où ses enjeux politiques et philosophiques prennent une place centrale dans l'université américaine, la théorie française se trouve ainsi doublement malmenée en France : évacuée d'un côté du champ intellectuel public, par les libéraux ou les traditionalistes appelant tous à « dépasser » mai 1968, elle est souvent dévoyée, de l'autre, entre les mains des nouveaux experts soucieux de renouveler une pensée gestionnaire convenue. Quant à l'université française, où elle s'était épanouie initialement, mais où son statut a toujours été finalement assez marginal (plus lue à Vincennes qu'à la Sorbonne, évoquée dans quelques cours de théorie littéraire et rarement inscrite au programme des UFR de philosophie), elle fait figure dans le même temps d'institution repliée sur elle-même – en retrait des débats qui agitent l'espace public médiatique français, aussi bien que des questions tout autres qui occupent au même moment le réseau universitaire mondial. Sauf en quelques institutions atypiques et dûment marginalisées, cloisonnements disciplinaires et corpus légitimes, méthodes pédagogiques d'hier et « universalisme » cognitif semblent souvent n'y avoir pas changé depuis des décennies. Ils sont les symptômes d'une crispation de l'université française contre tout ce qui, de l'interdiscipline aux études identitaires, risquerait d'entamer sa belle *autonomie* anhistorique. La discipline philosophique, notamment, a préféré en rester au programme *préstructuraliste* plutôt que de faire une place à ce paradigme de la *pensée intensive* dont Foucault avait prévenu, en 1969, que l'histoire de la philosophie telle qu'elle était enseignée ne s'en remettrait pas facilement : « penser l'intensité [...], c'est récuser le négatif, [...] c'est rejeter d'un coup les philosophies de l'identité et celles de la contradiction, [...] c'est récuser enfin la grande figure du Même qui, de Platon à Heidegger, n'a pas cessé de boucler dans

---

35. *Cf.* Ulrich BECK, *La Société du risque. Sur la voie d'une autre modernité*, Paris, Aubier, 2001.

son cercle la métaphysique occidentale[36] ». Mais c'est surtout aux avatars théoriques (et politiques) anglo-saxons de la pensée intensive que l'université française a offert la plus grande résistance, faisant barrage aux études minoritaires, au débat sur le communautarisme, aux théories de l'identité sexuelle ou même à la sociologie des sciences constructionniste.

Dans l'université française, philosophie et littérature, avec leur méthodologie homogène et leur corpus unitaire, sont en outre très rétives à l'éclectisme épistémologique et à l'hétérogénéité bibliographique caractéristiques de toutes les transdisciplines abâtardies apparues aux États-Unis depuis vingt-cinq ans, des *Gender* aux *Cultural Studies*. Quant aux sciences sociales, elles se font souvent fort d'avoir fait front à l'invasion du « postmodernisme » américain, où elles rangent pêle-mêle l'anthropologue Clifford Geertz et les courants postcolonialiste ou d'étude de la *pop culture*. Au point qu'elles sont toujours attachées, dans certains domaines, aux paradigmes anthropologiques des années 1950. Proposer d'organiser un séminaire sur les minorités sexuelles, ou même les pratiques culturelles des travailleurs frontaliers, revient parfois à passer pour un dangereux communautariste, ou un brasseur de concepts postmoderne et superficiel – tous défauts attribués, par ouï-dire, à l'universitaire d'outre-océan. Et, plus largement, à une société américaine que les observateurs français ont toujours vu comme un monstre financier et technologique, gangrené par l'inculture et les tribalismes : « de Duhamel à Bernanos et de Mounier à Garaudy, la cause semble entendue », résume Philippe Roger pour désigner cette tradition bien française, « l'antiaméricanisme est un humanisme [...]. Pas un détracteur de l'American Way of Life qui ne se pose en avocat de l'humanité bafouée[37] ».

Et pourtant. Malgré les résistances de l'université, malgré la diabolisation de l'Amérique et de ses campus « balkanisés », malgré le quadrillage en règle de l'espace public français par les chantres de l'humanisme universaliste et des idéaux abstraits de la République, la porte s'est finalement entrouverte en France, avec près de vingt ans de retard, aux apports théoriques américains – y provoquant très graduellement, très péniblement, très polémiquement, un retour du refoulé des années 1970 sous la forme, cette fois, d'un questionnement théorique sur l'identité et les communautés. La longue durée de la controverse dite du « foulard islamique »,

---

36. Michel FOUCAULT, « Ariane s'est pendue », *Le Nouvel Observateur*, n° 229, 31 mars-6 avril 1969.

37. Philippe ROGER, *L'Ennemi américain*, *op. cit.*, p. 482-483.

déclenchée en octobre 1989 quand deux lycéennes de Creil refusent de « laisser Dieu à la grille du collège », permit peu à peu que s'y fissent jour des points de vue modérés, audibles, que le camp légitime de la laïcité ne pouvait plus taxer de « traîtres à la République » – faute d'interdire tout débat. L'année 1997 est celle du premier grand colloque national sur « les études gaies et lesbiennes », organisé à Beaubourg à l'initiative de Didier Éribon, et du vote du PACS au parlement, un « pacte d'union civile » mis au point par le gouvernement de Lionel Jospin grâce auquel les couples homosexuels ont accès à un statut légal. Au même moment, les lois sur la parité ouvrent un débat, longtemps tenu pour impossible, sur la discrimination positive, limité pour l'heure aux relations entre les deux sexes. Mais peu à peu, sous les quolibets des uns et les sermons universalistes des autres – qui crient encore dans les médias à la dérive « tribaliste » ou au « léninisme » culturel –, les questions de la discrimination minoritaire, de la présence des minorités ethniques dans les médias, de l'homoparentalité, ou encore des stratégies de détournement de la *pop culture* dans certaines communautés, se trouvent ici et là prises au sérieux en France, où elles acquièrent finalement droit de cité.

Mais le chemin est encore long. Et l'isolement culturel français, sur ces questions de l'être-ensemble communautaire et de la politique identitaire, bien loin d'être résorbé. Car il ne suffit pas de concéder à quelques-un(e)s une légitimité catégorielle et folklorisante, comme on fait une place à une nouvelle rubrique sur un formulaire de recensement. On n'a fait encore qu'aborder à tâtons la question du sujet multiple, et de sa participation à plusieurs formes de minorité simultanées – contre la requête républicaine de bien vouloir les laisser toutes à la porte lorsqu'on entre dans l'espace neutre des « valeurs communes » : il reste en effet à l'intégrer pour de bon dans les sciences sociales, les organisations militantes, les grandes institutions (ou les pôles alternatifs) du champ intellectuel et, à plus long terme, comme paradigme historique. Sans compter qu'aucun des grands intellectuels américains concernés, largement traduits en allemand, italien ou espagnol, n'a été publié à ce jour en français, où l'on dispose en tout et pour tout de quelques essais théoriques (souvent épuisés) d'Edward Said et d'un seul titre de Judith Butler, publié fin 2002. Une tradition tenace d'isolationnisme intellectuel, puisqu'il avait déjà fallu plus de vingt ans pour que des ouvrages aussi reconnus que *La Structure des révolutions scientifiques* de Thomas Kuhn ou *Théorie de la justice* de John Rawls vissent le jour en français. Parmi les grands courants américains du dernier quart de siècle, n'ont d'existence éditoriale en

France, traduites ou commentées, ni la philosophie analytique, ni les convergences entre pragmatique et philosophie continentale, ni les thèses du multiculturalisme radical, ni les lectures déconstruction-nistes en littérature, ni la pensée subalterne et postcoloniale, ni même les nouvelles théories de l'identité de genre – malgré une timide émergence récente, « discrètement mais sûrement », de la question *queer*[38]. La France, décidément, ne change que lentement, ou dans la douleur. Outre qu'y semble toujours valable, en tout cas plus aujourd'hui qu'il y a trois décennies, le jugement de Walter Benjamin au début des années 1930 sur l'« intellectuel de gauche » français, depuis la République des professeurs jusqu'aux ex-nouveaux philosophes du siècle suivant : « leur fonction positive procède entièrement d'un sentiment d'obligation, non à l'égard de la révolution, mais à l'égard de la culture traditionnelle », puisqu'en France, bien souvent, « le conformisme des hommes de lettres leur dissimule le monde dans lequel ils vivent » – avant d'ajouter, pour illustrer son propos, que ce que « le roman a apporté [alors] à la liberté » est à trouver dans les pages de Proust sur l'homosexualité plus que dans tout le « roman social » de l'entre-deux-guerres[39].

C'est en quoi finalement, rejetée politiquement chez elle et largement textualisée sur les campus américains, la *French Theory* renvoie toujours, trente ans après la publication de ses textes majeurs, à un inaccompli collectif, à un potentiel intellectuel intact, à l'horizon qui reste le sien d'une pratique théorique pleine et entière, qui ne soit ni diabolisée par les moralistes ni muée en abstraction rhétorique ou en radicalisme de chaire. Improbable troisième voie, qu'évoquait le critique Peter Starr en renvoyant dos à dos le chantage moral des nouveaux philosophes et, en face, les invectives d'universitaires « trop arnachés au corps sublime de la théorie » pour aller affronter les luttes sociales ou le chaos de la marchandise : il est urgent d'inventer des alternatives, concluait-il en 1995, à ce « choix trop grossier entre un antiterrorisme lui-même terroriste [en France] et le monarchisme d'universitaires [aux États-Unis] que guide leur seule terreur de la marchandise[40] ». Autrement dit, entre le moralisme et la sophistique, ou entre la rationalité monovalente

---

38. Robert HARVEY et Pascal LE BRUN-CORDIER, « Horizons », *in Rue Descartes : revue du Collège international de philosophie*, n° 40, été 2003, « *Queer* : repenser les identités », p. 4.

39. Walter BENJAMIN, « Le surréalisme » (1929) et « La position sociale actuelle de l'écrivain français » (1934), *in Œuvres II*, Paris, Gallimard, coll. « Folio », 2000, p. 126, 389 et 393-394.

40. Peter STARR, *Logics of Failed Revolt : French Theory after May' 68*, Stanford, Stanford University Press, 1995, p. 202

des chiens de garde français et une discussion de la crise de la raison qui tourne bien souvent, aux États-Unis, à la seule « crise de vers ».

Science pure et raison d'État

De calembour en manifeste, le censeur Alan Sokal sur lequel s'ouvrait cette enquête n'aura donc fait que soulever un voile pudique sur la véritable orgie de théorie qui agite l'université américaine depuis trente ans, débauche conceptuelle et discursive dont la France, de son côté, n'avait pas vraiment idée. Il n'a fait qu'en extraire un fil hirsute, qu'il suffisait de tirer pour dévider toute la pelote. Le physicien bien sûr avait ses raisons – défense moins d'un programme idéologique, malgré son douteux appel aux « valeurs », qu'avant tout d'un territoire disciplinaire, celui des sciences exactes. Car s'il en a été moins question, au fil de ce panorama, que de la guerre des cultures, celle-ci a déclenché aussi par ricochet une véritable *guerre des sciences* aux États-Unis, menée tambour battant au pied de l'imprenable forteresse techno-scientifique américaine. Dès le départ, la tentation était grande chez les pionniers de la théorie française d'aller appliquer leurs nouveaux outils subversifs à l'univers des sciences et à son séparatisme austère : les critiques Marilyn August et Ann Liddle proposaient ainsi, dès 1973, de « renverser le processus [structuraliste] qui utilise la science pour interroger la littérature » afin que « des œuvres comme celles d'Artaud et de Bataille deviennent des instruments permettant de faire fonctionner [à contre-emploi] et de contester les sciences[41] ». Mais c'est en 1976, avec un colloque interdisciplinaire à Cornell et la création de la Society for Social Studies of Science, que naît le courant de sociologie *constructionniste* des sciences. Il se développe moins dans la lignée de Bataille qu'au croisement de la théorie française, de l'anthropologie marxiste britannique des sciences issue de l'école d'Édimbourg, et de la sociogie fonctionnaliste américaine des institutions – inaugurée par Robert Merton dans les années 1950. Ainsi, à une phase plus épistémologique de la sociologie des sciences, liée à la réception anglo-saxonne du travail de Thomas Kuhn, succède alors – autour des enquêtes de Bruno Latour et Steve Woolgar sur les laboratoires californiens – une phase plus empirique, qui va bientôt intégrer à ses recherches les facteurs culturels, ethniques ou même sexuels. Avant que les communautarismes radicaux des années 1990, déchaînés contre la Raison machiste ou la

---

41. Marilyn August et Ann Liddle, « Beyond Structuralisme », *SubStance*, n° 5-6, printemps 1973, p. 227.

Science impérialiste, ne brouillent les cartes en déclenchant dans l'université, entre écoles de sciences et départements de sciences sociales et de littérature, un nouveau type de conflit des facultés.

Mais plutôt que de pointer un ennemi ou de désigner ses victimes, la mission que confie Bruno Latour aux *science studies*, autrement rigoureuse et tout aussi ambitieuse, est de dépasser les approches normative (distinguant entre *bonne* et *mauvaise* science) et historiciste (rendant compte d'un simple *progrès* du savoir) antérieures, afin de pouvoir « comprendre comment la science et la technologie fournissent certains des éléments requis pour assurer la construction et la stabilité de la société dans son ensemble[42] ». La science comme modèle rationnel, comme garante ultime de l'ordre social : une hypothèse épistémo-politique que la sociologie des sciences française, qui s'est évertuée à isoler un Bruno Latour ou une Isabelle Stengers et à contourner leurs réseaux de recherche, n'a pas souhaité reprendre à son compte – refusant obstinément que la science fût avant tout *une construction*[43], qu'elle tînt en entier dans les limites de l'histoire, et que sa « passion » française (à côté de la technophobie de salon) pût nous renseigner aussi sur nos mœurs politiques. Car la vieille confiance radicale-socialiste française dans les sciences et la recherche cache le modèle spécifiquement français d'un « État rationnel », un État dont le modèle est celui-là même de la rationalité scientifique, une République française dont la science est constitutive historiquement. La science, en tant qu'ultime référence, y figure une véritable « raison » d'État, et un rempart ultime contre tous les relativismes, identitaires ou cognitifs. De même que l'activité d'un laboratoire est dite « scientifique » en France avant (mais aussi en lieu et place) d'être spécifiée – comme si la catégorie même de *science* rendait soudain indifférent le fait de savoir si l'activité en question porte sur tel matériau, tel protocole, ou dépend de telle communauté sociale, ou ethnique –, de même la République déclare-t-elle aux minorités qui la composent qu'elle ne les considère pas comme juifs, beurs, ou homosexuels, mais *exclusivement* comme citoyens. La citoyenneté aussi bien que la science fonctionnent ici, sinon comme fictions idéologiques, du moins comme les avatars politiques d'une rationalité unifiante, chargée de décréter la généralité aux dépens des conditions spécifiques qui

---

42. Bruno LATOUR, « The Promises of Constructivism », *in* Don IHDE *et al.* (dir.), *Chasing Technoscience : Matrix for Materiality*, Bloomington, Indiana University Press, 2003, chap. 2.

43. *Empirique*, car l'épistémologie française (où l'on parle de « construire les faits ») a toujours vu dans la science, en revanche, une construction de la *théorie*, comme le rappelle Latour, mais d'une théorie qui ne dépendrait que d'elle-même.

pourraient l'invalider. Rien d'étonnant, compte tenu de cette exception française, que les thèses constructionnistes, popularisées aux États-Unis par les travaux de Bruno Latour et de Ian Hacking, et *a fortiori*, les questions de la minorité ou de la différence culturelle, n'aient jamais pu pénétrer l'épistémologie et la sociologie des sciences en France – d'où l'isolement institutionnel d'un Bruno Latour, cantonné à Paris au laboratoire de sociologie de l'École des mines. La confiance dans la raison ni même l'unité de la République n'y survivraient, semble-t-il.

C'est non seulement contre la ferveur rationaliste française – qu'ont en commun l'empirisme transcendantal de Bergson et l'épistémologie de Bachelard ou même de Canguilhem – mais aussi, à l'inverse, contre la textualisation des sciences américaine (abordées, dans la logique des *Cultural Studies*, sur le seul registre du « symbolique ») que Bruno Latour et son confrère Michel Callon déploient tous les outils d'un *empirisme constructionniste*. Ils s'intéressent dans l'univers des sciences, sur un mode pragmatique, aux objets, aux instruments singuliers, aux flux immatériels, aux êtres-hybrides et aux machines animées, à tout ce qui échappe ainsi au domaine du « symbolique » ; mais aussi en géographisant la science ou en lui appliquant une sociologie quantitative, parce que la localisation, le contexte culturel ou les données statistiques et budgétaires ne sont pas ces facteurs seconds, vulgaires, de l'activité scientifique qu'en ont fait tant de rationalistes français. Derrière ce projet constructionniste, que Latour a même rebaptisé « compositionniste », il s'agit donc – pour mettre au jour les mécanismes discursifs endogènes mais aussi la fonction idéologique des sciences – de démonter le dualisme simpliste, encore omniprésent en France, entre la science-discours et la science comme pratique, ou entre les mots et le monde (*words and world*), entre le réalisme et le nominalisme – « pour ne pas laisser le champ libre [...] aux seuls naturalistes d'un côté et aux déconstructionnistes de l'autre[44] », conclut Latour, soucieux aussi que le textualisme derridien omnipotent aux États-Unis ne vienne pas galvauder à son tour le projet des *science studies*. Ainsi, ce que Latour et les latouriens cherchent à démystifier, à invalider empiriquement, est précisément ce que défendent obstinément Sokal et Bricmont contre la « menace » postmoderne, et contre ce qu'ils appellent les « erreurs » de Thomas Kuhn et de Paul Feyerabend (qui ont voulu, disent-ils, « [contourner] les problèmes de vérité et d'objectivité[45] ») : ce que ceux-là infirment, et

44. Bruno LATOUR, « The Promises of Constructivism », *op. cit.*
45. Alan SOKAL et Jean BRICMONT, *Impostures intellectuelles*, *op. cit.*, p. 132.

ce que ceux-ci veulent sauver à tout prix, c'est d'une part la continuité *progressiste* que postulent les scientistes des « connaissances ordinaires » au discours scientifique accompli, comme s'ils étaient deux degrés d'une même explication objective du réel, et d'autre part la nette discontinuité qu'ils affirment, à l'inverse, des faits aux discours, des « vérités » de la science aux extrapolations de ses commentateurs – double démontage, en un mot, du savoir unifié et de la « vérité » sauve.

Contre le progressisme et le naturalisme encore dominants, les *science studies* visent, autrement dit, à mettre au jour les effets de pouvoir au sein de chaque formation discursive, et les effets de discours au cœur même des pratiques. Elles cherchent à montrer, après bien d'autres, la façon dont ce monde supposément extérieur, ou référentiel, est toujours déjà tramé, enrubanné, traversé de discours. Au-delà du seul cas des sciences, le désenclavement intellectuel français passe nécessairement par ces quelques *pratiques théoriques* qui ont en commun de ne pas faire du discours une sphère strictement délimitée, ni du « réel » un donné premier, pur ou extérieur. Car ce que tous les rationalistes français sûrs de leur fait voient ici un peu vite comme une vieille rengaine structuraliste, un *linguistic turn* mal digéré, ou même un relativisme textuel d'« Amerloques », correspond tout simplement à ce qui se fait et se pense, bon an mal an, depuis un quart de siècle dans le reste du champ intellectuel mondial.

Conclusion

Différence et affirmation

> « Être traître à son propre règne, être traître à son sexe, à sa
> classe, à sa majorité – quelle autre raison d'écrire ? Et être traître à
> l'écriture. »
>
> Gilles DELEUZE, *Dialogues*

Ainsi la France a-t-elle répudié sans broncher ses maîtres à penser
d'hier. Puis elle a barré la route aux politiques identitaires en provenance d'Amérique, et aux théories de la société comme enchevêtrement de communautés. Elle n'a pu opposer, dès lors, aux peurs
nouvelles de la mondialisation et des déracinements culturels que la
même échelle moyenne, formalisée il y a plus de deux siècles, de
l'universalisme humaniste – *le* sujet, *le* débat, *la* société, ou encore
cette abstraction progressiste d'un « autre monde possible ».
L'universalisme abstrait, protocolonial ou néokantien, et sa violence
symbolique – que charrient les figures normatives de la *République*
ou du *progrès* – résonnent parfois comme les noms de code d'un
certain provincialisme culturel. Pour toutes ces raisons, la France
semble avoir déserté le débat intellectuel mondial, dont elle n'a pas
adopté les nouvelles modalités universitaires ni vraiment rejoint les
réseaux internationaux, et auquel elle a laissé en pâture une dizaine
d'auteurs (et, au-delà, toute une *Stimmung* intellectuelle et historique) marginalisés chez eux. L'élite française a jugé inutile, sinon
dangereux, de mettre leurs hypothèses théoriques au service d'une
compréhension du présent, d'une exploration de ce monde
« redevenu infini » dont parlait déjà Nietzsche, ce monde qui

« renferme une infinité d'interprétations[1] ». Les débats d'idées dont bruissaient il y a trente ans, entre quelques rues de la rive gauche, les bureaux d'éditeurs, les lieux de parole consacrés ou les tribunes de la grande presse pesaient et pèsent encore d'un poids certain, parfois démesuré (théière universitaire oblige), de New York à Mexico et de Tokyo à San Diego ; les débats dont résonnent aujourd'hui ces mêmes couloirs parisiens peinent à franchir le Pont Neuf, ou à intéresser leurs propres participants.

La clé d'un tel changement, et du déclin qu'il précipite de l'influence française dans le monde, est peut-être à chercher, en fin de compte, dans le rapport à Marx du champ intellectuel français. Celui-ci est passé en une dizaine d'années, sans autre transition que la prise de pouvoir intellectuel dont on a rappelé les faits, du dogmatisme marxiste d'hier à l'abandon pur et simple de la pensée critique marxienne, que n'approchent plus qu'exégètes ou nostalgiques. En effet, n'en déplaisent aux détracteurs marxistes de la théorie française, son succès mondial n'a été possible qu'à côté, en complément, en remplacement peut-être, mais toujours sur les brisées de Marx, et des marxismes orthodoxes que l'histoire a rendus obsolètes. Deleuze, Foucault, Lyotard et même l'« hypercritique » derridienne incarnent ainsi, partout sauf en France, la possibilité d'une critique sociale radicale *continuée* mais, par rapport à Marx, enfin détotalisée, affinée, ramifiée, ouverte aux enjeux du désir et de l'intensité, des flux de signes et du sujet multiple – les outils, en un mot, d'une critique sociale *pour aujourd'hui*. De Chicago à São Paulo, les luttes sociales contemporaines, même à courte vue, ou par trop métaphoriques, ou limitées bien souvent aux militants de campus et à la caste intellectuelle, ont néanmoins toutes intégré, dans leurs enjeux et leurs formes tactiques, la question cruciale de la *différence* – sexuelle, ethnique, culturelle, ontologique même, mais toujours mobile, changeante, disponible à tous les usages et à tous les croisements. Cette question décisive, indissociablement épistémologique et sociale, est celle qu'affrontèrent les projets philosophiques de Foucault, Deleuze et Derrida, et que contournèrent ensuite les nouveaux maîtres du champ intellectuel français, au nom d'une fiction de l'Homme commun et de la démocratie bourgeoise. Pourtant, des immigrés inassimilés aux groupuscules infraculturels de collectionneurs ou de vidéastes, des nouvelles hybridités sexuelles ou ethniques aux enjeux renouvelés du terroir, et des identités clandestines d'internautes aux nouvelles

---

1. Friedrich NIETZSCHE, *Le Gai Savoir*, Paris, Gallimard, coll. « Folio », 1982, paragr. 374 (p. 284).

formes de précarité professionnelle (qu'a notamment mises en lumière la lutte des intermittents du spectacle), cette question de la différence recouvre toutes les situations, de plus en plus nombreuses, qui ne rentrent plus dans les grands découpages de la démocratie de marché, républicaine ou fédérale – les *restes* invisibles que produisent peu à peu, faute de pouvoir les englober, les signifiants régulateurs de la communauté politique traditionnelle : professions, classes, districts, confessions, générations. Aussi cette question de la différence est-elle aujourd'hui le lieu des croisements les plus féconds, le seul moyen d'articuler micropolitique et luttes sociales, de connecter les décrets abstraits de la communauté aux problèmes du corps et du quotidien. Cette question moléculaire de la différence vient aujourd'hui traverser les vastes totalités réifiées du marxisme, de la *plus-value* à l'*idéologie*, elle les travaille, les fendille, les renouvelle. Porteurs d'une différence irréductible, les marginalités sexuelles, les contre-rituels de quartier, l'opacité des obsessions et tous les exils intérieurs sont là qui « tracent un plan de consistance [minant] le plan d'organisation du Monde et des États » ; il importe en d'autres termes, aujourd'hui plus que jamais, de confronter l'une à l'autre, et en acte, les catégories de *révolution* et de *femme*, les luttes sociales et les « classes affectives », ou encore les formes de vie et les solidarités militantes lointaines, pour favoriser ces agencements inédits grâce auxquels « un nouveau type de révolution est en train de devenir possible[2] » – cette fois au présent, le long de certaines strates, *in vivo* dans des modes de désertion ou, plus tactiquement, de sabotage, mais loin en tout cas du mythe substantialiste du « Grand soir », lequel a toujours été, en tant qu'horizon inaccessible, plus fondamentalement monothéiste que communiste.

Face aux problèmes d'organisation et d'énonciation auxquels ont à faire face les minorités de tous ordres qui tentent de se regrouper, la différence représente aussi, au quotidien, l'épreuve décisive de la *communauté*, de ses métamorphoses historiques et de ses apories politiques – ce vieux concept de communauté dont le XXᵉ siècle a révélé les sanglantes déchirures, mais aussi le nécessaire « principe d'incomplétude ». Car c'est bien dans la différence, et ses tactiques affinitaires sublimées, débattues, mais indéfiniment reconduites, que se fait aujourd'hui l'expérience de la communauté « inavouable » dont parlait Maurice Blanchot. Laquelle toujours « prend fin d'une manière aussi aléatoire qu'elle commence », dévoile les illusions de la « communion » mais aussi s'oppose aux abstractions collectives

---

2. Gilles Deleuze, Claire Parnet, *Dialogues, op. cit.*, p. 176.

imposées par l'ordre social et la mythologie du travail – car cette communauté-là est liée à un *désœuvrement* premier, à ce qui « s'interdit de faire œuvre et n'a pour fin aucune valeur de production », et par là même à ce que n'arrête aucune frontière, puisqu'elle est « ce qui inclut l'*extériorité* d'être qui l'exclut[3] ». Expériences primordiales, dans cette logique, que celles du fanzine communautaire, de l'action de groupe ponctuelle ou de l'association militante lorsqu'ils sont confrontés à la question de l'inclusion et de ses limites (qui regrouper, à qui s'adresser, qui et comment attaquer ?) – expériences largement impensées, pourtant, par la culture universaliste française. Mais cette communauté singulière, précaire, confrontée sans cesse à l'impossible assomption de la différence, n'est pas l'échelle médiane, ou le mythe de la juste mesure entre « individu » et « société » ; elle est ce dont le projet, les échecs et les expérimentations vivantes permettent seuls de repeupler l'espace froid, anomique, qui s'est creusé peu à peu entre des idéaux désavoués (la volonté générale, la nation souveraine) et des reterritorialisations identitaires agressives, ou entre les abstractions du commun (*la* société, *le* monde) et un repli individualiste, ou familial, salutaire mais excluant, et dont on se rappelle la célèbre définition tocquevillienne – « s'isoler de la masse de ses semblables et se retirer à l'écart [...] de telle sorte que, après s'être créé une petite société à son usage, [on] abandonne volontiers la grande société à elle-même[4] ». Fusion séparatiste, amiotique, qui a lieu *en deçà* de la différence – tout le contraire de la communauté.

Enfin et surtout, la différence est une question politique et philosophique trop urgente pour être laissée à ceux qui la gèrent, l'organisent, la redistribuent sciemment le long de ses segments de marché. Car, pendant qu'elle était interdite de séjour dans le champ intellectuel français et qu'elle alimentait les débats théoriques de l'université américaine, la différence devenait l'allié providentiel du capitalisme avancé, l'une des composantes même du « nouvel esprit du capitalisme[5] » en train d'émerger, riche d'avoir absorbé ses critiques et tous ses contraires. Discutée par les penseurs de la minorité des années 1980, théorisée par les philosophies radicales des années 1970, surgie avec les avatars communautaires du grand mouvement de contestation sociale des années 1960, la différence a fini surtout par autoriser une segmentation plus fine du marché, une

---

3. Maurice BLANCHOT, *La Communauté inavouable*, Paris, Minuit, 1997, p. 91 et 24-25.
4. TOCQUEVILLE, *De la démocratie en Amérique*, vol. 2, *op. cit.*, p. 612.
5. *Cf.* Luc BOLTANSKI et Eve CHIAPELLO, *Le Nouvel Esprit du capitalisme*, Paris, Gallimard, coll. « NRF essais », 1999

extension du capital aux sphères de l'affinité furtive et de l'intimité clandestine, de la petite ou de l'invisible différences. Alors qu'elle devait renverser les forces uniformisantes du capitalisme occidental, « la différence [...] est entre-temps devenue le principal outil de gestion du biopouvoir[6] », outil d'une personnalisation de la « demande », d'une partition des corps, d'une renaturalisation des types sociaux, comme l'observe le collectif français Tiqqun – lui-même emblématique des nouvelles formes militantes que peut revêtir une critique *postidentitaire* de l'universel, sa théorie du « désastre » contemporain s'inspirant de Marx autant que des nouvelles subjectivités errantes, du messianisme révolutionnaire autant que des apports plus récents de Deleuze et Foucault.

C'est de ce côté-là que la théorie peut et doit faire retour, sur les deux rives de l'Atlantique, comme la seule forme de vigilance politique appropriée à la transition historique que nous vivons. C'est de ce côté-là que peuvent n'avoir pas été inutiles, ni purement rhétoriques, les discussions sur la *theory* qui occupent certaines franges de l'université américaine, et mondiale, depuis un quart de siècle. Car elles ont été, par-delà le verbiage et les rituels de campus, davantage en prise sur le monde, et sur son double processus conjoint de pluralisation et d'absorption (ou d'exclusion et d'intégration), que les débats français de la même période. Au moment où des milliers de jeunes rouges européens abandonnaient *la* Théorie (sa majuscule fervente et son article défini péremptoire), vieille science marxiste des démystifications, pour reprendre études ou carrières, émergeait outre-océan, derrière les agendas idéologiques des multiculturalistes, et les lunettes scolastiques des textualistes, une *theory* composite, exploratoire, praticable – conformément à la recherche qu'inaugurèrent Foucault et Deleuze d'une *théorie* en rupture avec l'idéalisme métaphysique, une théorie qui ne fût ni une loi rationnelle, ni une morale, ni une histoire des textes, ni seulement une métaphilosophie, une théorie qui consistât finalement à *émettre des hypothèses* mais en un sens tout autre que celui de la tradition scientiste, hypothèses *intensives*, générales et spécifiques à la fois, sur les dispositifs communautaires, les régimes de discours, ou la machinerie de désir capitaliste.

Finalement, s'il est une leçon de cette invention américaine de la théorie française, comme de son abandon en France et de ses avatars mondiaux, c'est celle d'une continuité à rétablir coûte que coûte, contre les représentations polarisantes et les discours binaires

---

6. « Echographie d'une puissance », *Tiqqun 2*, « Zone d'Opacité Offensive », 2001, p. 217.

marxisme allemand contre nietzschéisme français, alors même que
la micropolitique est le prolongement (et non la négation) de l'idée
de révolution ; phénoménologie française contre « perspectivisme »
(multiplication des points de vue, pluralisation du sujet) poststructuraliste, là où celui-ci n'est peut-être qu'une radicalisation (et une
politisation) de celle-là, comme le suggérait Vincent Descombes[7] ;
ou encore communautarisme américain contre universalisme
français, qui dissimulent derrière des décalages de champs la convergence profonde de deux puissances alliées, ou les querelles que
suggérait Bourdieu entre « deux impérialismes de l'universel[8] »
concurrents mais complémentaires. Reste donc à souder, à
connecter, à continuer de brancher – Marx sur les théories non
dialectiques de la différence, les luttes pour les droits civiques sur
les politiques identitaires de l'université, le romantisme révolutionnaire sur les micropolitiques plus tactiques, le sexe ou la race sur la
classe sociale, et les radicalismes théoriques américains sur les
nouvelles formes de dissidence sociale en France : des salles de cours
aux politiques groupusculaires, ce sont autant de continuités à
rétablir contre les fatalismes en vogue du postmoderne, de la fin de
l'histoire et de la génération perdue, et leurs impuissances. Le matérialisme, en tant que tradition intellectuelle, est d'abord cette
méfiance joyeuse envers tous les discontinuismes, et leurs fausses
séparations. C'est un travail de branchement, en d'autres termes,
contre le mythe des ruptures, le fantasme des arrachements et des
déconnexions.

Ces questions de la différence et de la communauté, ce devoir de
rétablir les continuités, ce vieux problème du discours dans ses
rapports avec l'action et avec les pouvoirs, sans doute était-ce aux
États-Unis, plus qu'ailleurs, qu'ils devaient se poser avec une telle
intensité. Là et non ailleurs, pour des raisons multiples qui sont
propres à la situation de l'Amérique à la fin du XXᵉ siècle : une
machine universitaire à produire du concept, l'aptitude expérimentale d'un pays neuf et pluriel à toujours *passer à autre chose*
(*move to something else*), le triomphe historique de l'empire
américain pendant cette même période, la nouvelle polarité idéologique fin de siècle qu'y dessinent en réaction ses élites intellectuelles
(l'Occident contre ses minorités), et jusqu'à l'affolante capacité de
son libre marché à sans cesse absorber à son profit la négativité qui
s'en voulait extérieure – et qui finira *distrayante*. Peut-être nulle part

7. Vincent DESCOMBES, *Le Même et l'Autre, op. cit.*, p. 218-220.
8. Pierre BOURDIEU, « Deux impérialismes de l'universel », *in* Christine FAURÉ *et al.*
dir.), *L'Amérique des Français*, Paris, François Bourin, 1992.

ailleurs qu'aux États-Unis, un ensemble de textes philosophiques étrangers aussi exigeants, aussi radicalement novateurs, et pourtant aussi contextualisés, pouvait-il devenir assez familier pour revêtir les dimensions narrative, allégorique, et même anthropomorphique qu'y a bientôt présentées la *French Theory* – et qui sont toujours le signe indubitable que quelque chose est parvenu à pénétrer l'*imaginaire* américain. Car panoptique ou simulacre, on l'a vu, y sont devenus des personnages conceptuels familiers ; le signifiant flottant ou le corps sans organes, des refrains culturels ; et les noms même de Foucault ou Derrida, des patronymes héroïques. C'est même ce qui fait de cette aventure, plus qu'un banal épisode de l'histoire intellectuelle transatlantique, une véritable *prosopopée* – l'histoire de concepts, d'auteurs, de textes et de procédés tous personnifiés, *in situ*, l'un après l'autre.

La théorie, une fois extraite de sa gangue universitaire, délogée de ses campus, ou libérée du moins de l'emprise qu'ont sur elle ses exégètes professionnels, peut encore offrir à ses usagers une aptitude à déchiffrer dans le discours dominant toutes les opérations de pouvoir et d'imposition des normes. Aussi, comme rêve d'une *prise théorique sur le monde*, vieux rêve d'universitaire mais aussi de militant, cette histoire de la *French Theory* est exemplaire à la fois du processus dont elle est contemporaine de retrait de la modernité, de ce processus postmoderne de mise en discours de ce qui reste de vie[9], et en même temps d'un appel à la vie, de ce pur désir d'héroïsme qu'entretinrent toujours, sans oser s'y risquer, les intellectuels de transition, les passeurs anonymes et tous les commentateurs. Car la théorie française incarne aussi, dans l'université et au-delà, l'espoir que le discours redonne vie à la vie, qu'il donne accès à une force vitale intacte, qu'auraient épargnée la logique marchande et les cynismes ambiants.

Il ne faudrait pas oublier pour finir, en effet, l'authentique désir d'héroïsme qu'elle manifeste, comme le fait toute pensée radicale, ou radicalisée : le rêve d'une action où s'annule tout discours, rêve d'une résistance en acte, ou d'un sacrifice définitif. Ce rêve-là non plus n'est pas le propre d'une caste de professeurs américains douillettement installés entre les bâtiments mousseux d'un campus sans frontières. Il est aussi, de fait, ce qu'ont reçu en héritage tous les jeunes Occidentaux dépossédés par l'histoire, militants révolutionnaires d'il y a trente ans qui n'avaient pas eu à faire le choix de la résistance, activistes associatifs d'aujourd'hui qui n'ont pas eu à faire

---

9. Processus qui faisait dire, déjà, à Theodor Adorno que « la vie est devenue l'idéologie de sa propre absence « (*in Minima Moralia*, Paris, Payot, 1980, p. 177).

le rêve de la révolution, néo-tiers-mondistes de toujours qui n'ont pas eu à prendre les risques de la décolonisation. C'est l'héroïsme tardif, théorique *faute de mieux*, de ceux qu'obsédera toujours l'expérience antérieure. Or il y a différemment chez chacun de ces auteurs, dans leur éthique de l'*affirmation*, une même machine de guerre contre ces logiques du ressentiment, de la nostalgie, de la culpabilité, une machine programmée pour dérégler la haine de soi, pour démonter le sentiment – qu'a su raffiner l'intellectuel contemporain jusqu'à l'intime cruauté – d'arriver trop tard, en vain, au mauvais endroit (*wrong place* et *wrong time*). Une machine *éthique* aujourd'hui plus précieuse que jamais, à Paris comme à Harvard.

Il faut réconcilier l'héroïsme avec l'ici et le maintenant, en déculpabiliser les motivations. Ou plus exactement, garder l'héroïsme, et sa belle énergie extatique, mais le libérer d'une certaine soumission aux instances négatives (la référence, le Père, l'action conçue comme *autre*, et toujours à venir) et le tirer plutôt du côté de la trahison positive, de la « traîtrise » tel que Deleuze était parvenu, à propos de Jean Genet ou de T. E. Lawrence, à repositiver ce concept – en l'associant à un exil du sujet, à l'errement créateur, à une certaine puissance de la honte, et à la souplesse première de l'éthique [10]. Car la traîtrise est bien ce dont il est question lorsqu'un texte, un art, un concept s'en vont en des terres lointaines *devenir* tout autre chose que ce qu'en avaient fait leur source, leur contexte d'origine – heureuses trahisons, glissements productifs. Méprise, mélecture, mésusage, triple vertu des transferts culturels. Derrière son pessimisme et ses partitions contestables, le vieil Oswald Spengler le reconnaissait lui-même à l'orée du XX⁰ siècle, lorsqu'en diagnostiquant le premier un inexorable « déclin de l'Occident », il notait comme au passage l'importance des croisements, des influences, de cet « art du *mécompte* méthodique » qu'on ne pourra plus jamais dissocier d'une pure essence de chaque culture : « plus on exalte les principes d'une pensée étrangère, plus on en altère à coup sûr profondément le sens » – ce dont il semblait déjà se féliciter, louant pour illustrer son propos la « trace » de Platon chez Gœthe, et « l'histoire des "trois Aristote", celui des Grecs, des Arabes, des Goths [11] ». De ces mécomptes providentiels, de ces trahisons créatives, sinon performatives, l'histoire mouvementée, retracée parfois ici et là, reste encore à

10. *Cf.* Gilles DELEUZE, « La honte et la gloire : T. E. Lawrence », *in Critique et clinique*, Paris, Minuit, 1993, p. 144-157.

11. Oswald SPENGLER, *Le Déclin de l'Occident. Esquisse d'une morphologie de l'histoire universelle*, vol. 2, Paris, Gallimard, 1948, p. 57-58.

écrire. Vaste chantier sur lequel découvrir les vertus politiques, et non seulement culturelles, des emmêlements et des réappropriations, dont les exemples historiques ne se comptent plus : formalisation occidentale de la mathématique arabe, détournements humanistes de la morale antique dans la poésie de la Renaissance, emprunts de l'estampe japonaise à la gravure européenne, lectures françaises de Heine ou de Hegel sous la IIIe République, aujourd'hui les programmateurs indiens de l'informatique américaine ou les DJ chinois remixant des musiques elles-mêmes hybrides en provenance du grand Ouest, ou encore cette combinaison de forces antinomiques jusqu'à leur « disparition » caractéristique des cultures frontalières d'Istanbul ou Hong Kong[12] – sans oublier, dans le Mexique colonial du XVIe siècle, ces étonnantes fresques qu'allaient composer les ouvriers indiens dans les logis de leurs maîtres, en y mêlant à leur tradition picturale ancestrale les apports de la peinture italienne et des références aux récits de navigateurs ou même aux *Métamorphoses* d'Ovide[13].

Pensées vivantes. Elles sont surfaces sensibles, peaux effleurées, sombres replis – moins un *corps* de pensées, débonnaire et charnu, qu'une zone de contacts aux frontières érodées. Il suffit d'une seule citation, d'un argument repris, d'un livre mentionné ou d'une œuvre entière dans l'effacement de son nom propre. Leur circulation, leur détournement, leur transfert loin du contexte qui les vit naître et l'audace même de leurs usages, contre les modes d'emploi d'une didactique des textes, font ensemble – après qu'ils ont quitté leur auteur, mais avant qu'un corpus déjà ne les ait embaumés – toute l'*érotique* de la pensée. Son errance, incertaine. Le frottement des deux termes paraît secouer la poussière d'une époque révolue ; pourtant, l'idée d'une *libido théorique* (non une jouissance de mots, bien sûr, mais un rapport *libidinal* à la théorie) n'avait pas attendu les années 1970 pour nous rappeler l'ancestral tapin des textes, leurs œillades aguichantes sur les trottoirs de l'histoire, d'autant plus prometteuses qu'elles échappent au contrôle de leurs tristes souteneurs, héritiers officiels ou exégètes d'école. Avec cette drague des textes il n'est pas question de métaphore, mais d'opposer le désir comme jeu – au sens de la mécanique –, délai, ripage, à la proscription du moindre flottement, à l'inspection des bons

---

12. *Cf.* Ackbar ABBAS, *Hong Kong, Culture and the Politics of Disappearance*, Minneapolis, University of Minnesota Press, 1997.
13. Un art syncrétique auquel Serge Gruzinski a consacré une très belle étude (*La Pensée métisse*, Paris, Fayard, 1999).

emboîtements, qui président de leur côté aux interprétations légitimes. Celles-ci postulent une source magique, majuscule, une essence textuelle avec sa vérité monosémique. Et jugent sévèrement, à son aune, les lectures étrangères, les feuilletages étudiants, les reprises fragmentaires et toutes les instrumentalisations, autant de distorsions sympathiques, mais qu'invaliderait leur caractère de blasphème. Le désir en question, au contraire, s'échauffe au contact des textes, entiers ou en lambeaux, à la mesure d'un intervalle premier auquel on doit la *vie* des textes : intervalle entre l'irruption de l'écriture et sa normalisation anthologique, entre les logiques de champ et les aléas de la postérité, entre les effets de mode et le changement souterrain des paradigmes. S'ouvre ainsi une zone de non-droit entre contrôleurs d'origine et propriétaires à venir, une zone toute d'interstices à l'abri de laquelle, loin des gardiens de l'Œuvre, des textes seront mis en œuvre : ils s'inscriront le long de certains parcours, tatoueront des corps, investiront des pratiques et rassembleront des communautés inédites. C'est au sein d'un tel intervalle que s'est jouée aux États-Unis, au tournant des années 1980, l'invention de la théorie française – un intervalle ouvert, au creux duquel sa puissance est toujours intacte.

Postface à l'édition de 2005

Quelques courtes années suffisent. Entre le temps long des mutations anthropologiques et les instants synchrones de la micropolitique, l'échelle médiane de quelques années se prête certes à toutes les erreurs de perspective, et aux simplifications du temps médiatique. Il faut pourtant s'y risquer. Car c'est bien depuis quelques années, et même depuis le temps si proche où ce livre fut rédigé, qu'on assiste à une accélération soudaine du phénomène qu'il évoquait d'entrouverture du champ politique et intellectuel français à tout ce que ses animateurs officiels avaient cru pouvoir y proscrire sous les noms passe-partout de « communautarisme » et de « relativisme » américains – études minoritaires, *Cultural Studies*, théories multiculturelles, analyse interdisciplinaire *sérieuse* des produits de l'industrie culturelle, et tous les militantismes identitaires et postidentitaires (du *queer* au métissage) non nationaux. La France semble enfin à même de rattraper ce retard-là, sinon d'y ajouter, fût-ce encore trop rarement, sa vigilance propre, sous la forme d'une critique *politique* des nouveaux dogmes culturalistes, pris cette fois au sérieux[1], et non plus seulement de leur condamnation idéologique *a priori*. De l'internationalisation irrésistible des problématiques au changement de génération intellectuelle en passant par les nouveaux circuits de diffusion des savoirs, les facteurs d'une telle évolution sont eux-mêmes trop nombreux, trop enchevêtrés pour pouvoir être évoqués ici. On peut néanmoins en

---

1. Comme le montrent, parmi d'autres exemples, les débats tenus en mai 2004 lors des journées d'étude de la Société d'histoire moderne et contemporaine autour du thème « Faut-il avoir peur des *Cultural Studies* ? ».

énumérer quelques *signes* indubitables, parmi ceux que détaillait ce livre pour regretter l'isolement français.

C'est d'abord la floraison des traductions en sciences humaines, qui viennent mettre un terme à vingt-cinq ans d'isolationnisme intellectuel hexagonal, et ne sont pas par hasard le fait (le plus souvent) d'une nouvelle catégorie d'éditeurs, petites maisons engagées s'adressant avant tout au lectorat étudiant et militant. Pour s'en tenir à quelques exemples, on a ainsi vu paraître en français, en deux ans seulement, le classique de Paul Gilroy *L'Atlantique noir*[2], pas moins de cinq titres de la philosophe Judith Butler (dont le très attendu *Gender Trouble*)[3], six ou sept titres du critique slovène Slavoj Zizek[4], mais aussi le premier livre traduit de l'intellectuel noir Cornel West[5], les deux premières introductions en français à l'œuvre du philosophe Richard Rorty[6], et les premiers textes disponibles en français (pour l'heure au sein d'actes de colloque ou de recueils collectifs) d'universitaires nord-américains de l'importance de Leo Bersani, David Halperin, Gayle Rubin ou Drucilla Cornell. La disparition d'Edward Said a été l'occasion de lui rendre un hommage tardif mais appuyé (et qui ne s'en tînt pas à sa défense de la cause palestinienne), et de réimprimer certains de ses essais majeurs. On annonce même pour 2006 un recueil d'essais de l'historienne des sciences et « cyborg-féministe » (telle qu'elle se définit elle-même) Donna Haraway, y compris son texte-culte de la fin des années 1980, le *Cyborg Manifesto*[7]. Élément clé d'une triangulation possible du débat intellectuel transatlantique, la tête de pont américaine de l'école de Francfort, de Nancy Fraser à Selya Benhabib, se fait à son tour mieux connaître en France[8]. Si

---

2. Paul GILROY, *L'Atlantique noir : modernité et double conscience*, Paris, L'Éclat, 2003.

3. Judith BUTLER, *Trouble dans le genre. Pour un féminisme de la subversion*, Paris, La Découverte, 2005 ; *Antigone, la parenté entre vie et mort*, Paris, EPEL, 2003, et *Humain, inhumain. Le travail critique des normes* ; *Le pouvoir des mots. Politique du performatif* et *Vie précaire. Les pouvoirs du deuil et de la violence après le 11 septembre 2001*, Paris, Éditions Amsterdam, 2004.

4. On peut citer au moins *Que veut l'Europe ? Réflexions sur une nécessaire réappropriation* et *La Subjectivité à venir. Essais critiques sur la voix obscène*, Paris, Climats, 2005, et *Vous avez dit totalitarisme ? Cinq essais sur les (més)usages d'une notion*, Paris, Éditions Amsterdam, 2004.

5. Cornel WEST, *Tragicomique Amérique*, Paris, Payot, 2005.

6. Jean-Pierre COMETTI (dir.), *Lire Rorty. Le pragmatisme et ses conséquences*, Paris, L'Éclat, 2004 [1992], et Marc Van DEN BOSSCHE, *Ironie et solidarité. Une introduction au pragmatisme de Rorty*, Paris, L'Harmattan, 2004.

7. Donna HARAWAY, *Des singes, des cyborgs et des femmes*, Nîmes et Rodez, Jacqueline Chambon/Éditions du Rouergue, 2006.

8. Nancy FRASER, *Qu'est-ce que la justice sociale ?*, Paris, La Découverte, 2005.

manquent cependant encore à cette moisson traductrice les plus grands critiques marxistes ou paramarxistes de la théorie française dans le champ anglo-américain (ni Fredric Jameson, archéologue critique du postmoderne, ni Gayatri Spivak, féministe postcoloniale, ni le duo Chantal Mouffe-Ernesto Laclau, théoriciens de la « démocratie radicale », ne sont encore disponibles en français), une attaque *ad hominem* contre l'idéologie néolibérale et l'« affadissement » de la pensée française depuis trente ans, en provenance cette fois du marxisme littéraire britannique, est venue nous rappeler le statut de référence incontournable dans le monde anglo-saxon des Foucault, Deleuze et Derrida, mais aussi de Lacan ou Jean-Luc Godard : ce fut la controverse savamment organisée début 2005 autour du bref essai de Perry Anderson, *La Pensée tiède*, qui regrettait la prise de pouvoir des intellectuels de gouvernement et des nouveaux philosophes dans les années 1980 aux dépens de la « tradition française de rébellion » – à quoi Pierre Nora répondait en tentant de dissocier « pensée libre » et rébellion (ou révolution)[9].

Surtout, au-delà des seules traductions, il est possible désormais de mettre les apports théoriques et politiques des universitaires radicaux américains au service d'une critique politique forte de l'universalisme républicain à la française, même si un tel geste, impensable pour l'instant dans le champ intellectuel grand public, passe encore par les raccourcis du plaidoyer pour la minorité sexuelle en tant que telle, par exemple chez Marie-Hélène Bourcier[10], ou par les dossiers à charge des revues les plus acquises à la pensée foucaldo-deleuzienne, de *Chimères* à *Multitudes*. Pendant ce temps, l'Université française, moins timidement qu'il y a quelques années, monte colloques et centres d'études sur la théorique *queer*, les débats féministes américains, le paradigme postcolonial ou même les « *performance studies* », au croisement des théories du corps performatif (de Derrida à Judith Butler) et des univers français de la danse et du théâtre[11]. L'important, ici, est qu'il s'agit souvent moins d'un décalque des positions et des polarités étatsuniennes que de fourbir, en puisant dans le corpus anglo-saxon aussi bien que dans les textes canoniques de la « théorie française », ses propres armes critiques et théoriques, adaptées au contexte spécifique de la France de ce début de millénaire. Car on peut

---

9. Perry ANDERSON, *La Pensée tiède. Un regard critique sur la culture française*, suivi de Pierre NORA, « La pensée réchauffée », Paris, Seuil, 2005.

10. *Cf.* Marie-Hélène BOURCIER, *Sexpolitiques. Queer Zones 2*, Paris, La Fabrique, 2005.

11. Comme en témoigne par exemple la table ronde « Penser la performance ? » organisée à l'université Paris-X en juin 2005.

transplanter des textes, mais on ne saurait bien sûr importer un contexte, et c'est forts d'un tel sens du déplacement que certains intellectuels et militants français développent aujourd'hui avec les textes en question le rapport d'usage, de mise en œuvre, donc aussi d'inventaire critique, qu'a su déployer avant eux l'Université améri-caine, et qu'avaient longtemps tenu pour illégitime l'Université fran-çaise et sa tradition d'exégèse désincarnée. Ce dont est venue témoigner récemment, malgré la fièvre commémorative et les enthousiasmes ponctuels et solennels qu'elle suscite, une certaine inflexion pratique, politique, donnée ici et là aux célébrations de Foucault et Deleuze – respectivement pour les vingtième (2004) et dixième (2005) anniversaires de leur mort –, mais aussi à l'hommage national bien paradoxal (pour un pays qui a longtemps boudé son œuvre) rendu à Jacques Derrida au moment de sa disparition en octobre 2004 : à bien y regarder, on pouvait en effet discerner, parmi le concert de louanges contrites ou même hypocrites, les aveux autrement intéressants de militants, de poètes ou même de musiciens venus raconter l'usage qu'ils avaient de certains de leurs textes ou de leurs concepts. L'exemple le plus frappant de ce nouveau rapport d'usage, libre et politiquement chargé, est peut-être le stimulant numéro consacré par la revue *Vacarmes* à Michel Foucault, là aussi au milieu d'une pléthore de commémorations plus convenues : des stratégies d'Act Up au nouveau paysage carcéral, et de SOS Racisme à la carte européenne des camps de détention d'immigrés clandestins, il s'agissait de mettre à l'épreuve du présent les outils foucaldiens, quitte à faire honnêtement la part de ce qui nous y relie et de ce qui nous en sépare [12].

Difficile, bien entendu, de tirer des conclusions définitives d'une telle évolution et de symptômes aussi disparates, sinon aussi localisés. D'autant qu'à la faveur de ces retours en grâce, médias et institutions ne manquent pas à leur tour de déployer leurs propres tactiques de réappropriation, ou de circonscrire parfois un nouveau créneau porteur autour de ces « pensées rebelles [13] ». Qu'un rapport neuf à ces textes d'il y a trente ou quarante ans et l'ouverture tardive aux courants qu'ils ont alimentés outre-Atlantique et dans le reste du monde puissent venir féconder en France de nouvelles pratiques, artistiques ou militantes, et contribuer à modifier la carte du champ intellectuel, on ne pourra en juger qu'à moyen et long terme. Car une telle évolution renvoie, en fin de compte, à l'espace social dans

---

12. « Michel Foucault : 1984-2004 », *Vacarmes*, n° 29, automne 2004.
13. Pour reprendre le titre d'un hors-série sur Foucault, Derrida et Deleuze publié en mai 2005 par la revue *Sciences humaines*.

son ensemble, à l'appareil idéologique dominant tout autant qu'à des bouleversements culturels et symboliques de grande ampleur, et non pas seulement à l'organisation de l'institution universitaire ni même au champ de production des discours. Si les signes se font jour d'une décrispation française face aux questions et aux courants de pensée décrits dans ce livre, de puissants obstacles demeurent encore pour qu'ils essaiment au-delà des cercles les plus directement concernés. Mais le pli semble pris, le mauvais sort brisé, et le ressort remonté pour qu'émerge finalement en France, à l'heure de l'Europe en débat et de la gauche en crise, une politique des textes inédite – et une critique sociale largement renouvelée. À ce titre en tout cas, la trop longue parenthèse des années 1980 se referme peut-être enfin.

Index

Remerciements

Ce livre n'aurait pas été possible sans la disponibilité, les intuitions personnelles et la parole généreuse de tous les acteurs et observateurs de cette histoire de la *French Theory* qui ont bien voulu m'en donner leur version, en me faisant l'amitié d'un ou plusieurs entretiens, en France ou aux États-Unis. Je leur exprime ici toute ma gratitude :

Jean Baudrillard, Richard Bernstein, Leo Bersani, Sara Bershtel, Tom Bishop, George Borchardt, Peter Brooks, Fulvia Carnevale, Mary-Ann Caws, Sande Cohen, Antoine Compagnon, Régis Debray, Michel Delorme, Michael Denneny, Jacques Derrida, Joël des Rosiers, Élie During, Éric Fassin, Michel Feher, Stanley Fish, Jim Fleming, Todd Gitlin, Stephen Greenblatt, Peter Halley, Jeanine Herman, Denis Hollier, Dick Howard, Laurent Jeanpierre, John Kelsey, Fram Kitagawa, Chris Kraus, Lawrence Kritzman, Sanford Kwinter, Michèle Lamont, Knight Landesman, Bruno Latour, Jean-Jacques Lebel, Sylvère Lotringer, Masuda Matsuie, Jeffrey Mehlman, Nancy Miller, J. Hillis Miller, Paul Miller *alias* DJ Spooky, Claire Parnet, John Rajchman, Willis Regier, Carlin Romano, Edward Said, Marc Saint-Upéry, André Schiffrin, Eve Kosofsky Sedgwick, Richard Sieburth, Thomas Spear, Gayatri Chakravorty Spivak, Allucquere Rosanne Stone, Enzo Traverso, Bernard Tschumi, Jorge Volpi, Moriaki Watanabe, Lindsay Waters.

Mes remerciements amicaux vont également à Hugues Jallon, dont le regard acéré et l'intelligence de lecture m'ont permis d'élaborer le texte définitif.

Table des matières

III / ALLERS-RETOURS

Dans la même collection

Littérature et voyages

Fadhma Amrouche, *Histoire de ma vie.*

Taos Amrouche, *Le grain magique.*

Ibn Batûtta, *Voyages* (3 tomes).

Louis-Antoine de Bougainville, *Voyage autour du monde.*

René Caillié, *Voyage à Tombouctou* (2 tomes).

Christophe Colomb, *La découverte de l'Amérique. Journal de bord et autres écrits, 1492-1493* (tome 1).

Christophe Colomb, *La découverte de l'Amérique. Relations de voyage et autres écrits, 1494-1505* (tome 2).

James Cook, *Relations de voyages autour du monde.*

Hernan Cortés, *La Conquête du Mexique.*

Bernal Díaz del Castillo, *Histoire véridique de la conquête de la Nouvelle-Espagne* (2 tomes).

Charles Darwin, *Voyage d'un naturaliste autour du monde.*

Charles-Marie de La Condamine, *Voyage sur l'Amazone.*

Homère, *L'Odyssée.*

Jean-François de Lapérouse, *Voyage autour du monde sur* l'Astrolabe *et la* Boussole.

Bartolomé de Las Casas, *Très brève relation de la destruction des Indes.*

Louis-Sébastien Mercier, *L'an 2440, rêve s'il en fut jamais.*

Louis-Sébastien Mercier, *Le tableau de Paris.*

Louise Michel, *La Commune, histoire et souvenirs.*

Martin Nadaud, *Léonard, maçon de la Creuse.*

Paul Nizan, *Aden Arabie.*

Mongo Park, *Voyage dans l'intérieur de l'Afrique.*

Lady M. Montagu, *L'islam au péril des femmes.*

Marco Polo, *Le devisement du monde, le livre des merveilles* (2 tomes).

Victor Serge, *Les Années sans pardon.*

Horace Benedict de Saussure, *Premières ascensions au Mont-Blanc, 1774-1787.*

Mémoires de Géronimo.

Victor Serge, *Les Années sans pardon.*

Victor Serge, *Le Tropique et le Nord.*

Inca Garcilaso de la Vega, *Commentaires royaux sur le Pérou des Incas* (3 tomes).

Essais

Mumia Abu-Jamal, *Condamné au silence.*

Mumia Abu-Jamal, *En direct du couloir de la mort.*

Lounis Aggoun et Jean-Baptiste Rivoire, *Françalgérie, crimes et mensonges d'États.*

Fadela Amara, *Ni putes ni soumises.*

Michel Authier et Pierre Lévy, *Les arbres de connaissances.*

Étienne Balibar, *L'Europe, l'Amérique, la guerre.*

Louis Barthas, *Les carnets de guerre de Louis Barthas, tonnelier, 1914-1918.*

Nicolas Beau et Jean-Pierre Tuquoi, *Notre ami Ben Ali.*

Michel Beaud, *Le basculement du monde.*

Stéphane Beaud et Younès Amrani, *« Pays de malheur ! ».*

Sophie Bessis, *L'Occident et les autres.*

Paul Blanquart, *Une histoire de la ville.*

Augusto Boal, *Jeux pour acteurs et non-acteurs.*

Augusto Boal, *Théâtre de l'opprimé.*

Lucian Boia, *La fin du monde.*

Philippe Breton, *L'utopie de la communication.*

François Burgat, *L'islamisme en face.*

Ernesto Che Guevara, *Journal de Bolivie.*

François Chobeaux, *Les nomades du vide.*

La Découverte/Poche

La Découverte/Poche

Sciences humaines et sociales

Louis Althusser, *Pour Marx.*

Jean-Loup Amselle et Elikia M'Bokolo, *Au cœur de l'ethnie.*

Benedict Anderson, *L'imaginaire national.*

Paul Bairoch, *Mythes et paradoxes de l'histoire économique.*

Étienne Balibar, *L'Europe, l'Amérique, la guerre.*

Étienne Balibar et Immanuel Wallerstein, *Race, nation, classe.*

Stéphane Beaud, *80 % au bac... et après ?*

Jean-Jacques Becker et Gilles Candar, *Histoire des gauches en France* (2 volumes).

Miguel Benasayag, *Le mythe de l'individu.*

Miguel Benasayag et Gérard Schmit, *Les passions tristes.*

Yves Benot, *Massacres coloniaux 1944-1950.*

Yves Benot, *La Révolution française et la fin des colonies.*

Bernadette Bensaude-Vincent et Isabelle Stengers, *Histoire de la chimie.*

Pascal Blanchard et al., *Zoos humains.*

Philippe Breton, *La parole manipulée.*

François Chast, *Histoire contemporaine des médicaments.*

Jean-Michel Chaumont, *La concurrence des victimes.*

Yves Clot, *Le travail sans l'homme ?*

Serge Cordellier (dir.), *La mondialisation au-delà des mythes.*

Georges Corm, *L'Europe et l'Orient.*

François Cusset, *French Theory.*

Mike Davis, *City of Quartz. Los Angeles, capitale du futur.*

Alain Desrosières, *La politique des grands nombres.*

François Dosse, *L'histoire en miettes.*

François Dosse, *L'empire du sens.*

François Dosse, *Paul Ricœur.*

Mary Douglas, *Comment pensent les institutions.*

Mary Douglas, *De la souillure.*

Florence Dupont, *L'invention de la littérature.*

Jean-Pierre Dupuy, *Aux origines des sciences cognitives.*

Abdou Filali-Ansary, *Réformer l'islam ?*

Patrice Flichy, *Une histoire de la communication moderne.*

François Frontisi-Ducroux, *Dédale.*

Yvon Garlan, *Guerre et économie en Grèce ancienne.*

Peter Garnsey et Richard Saller, *L'Empire romain.*

Jacques T. Godbout, *L'esprit du don.*

Olivier Godechot, *Les Traders.*

Nilüfer Göle, *Musulmanes et modernes.*

Anne Grynberg, *Les camps de la honte.*

E.J. Hobsbawm, *Les bandits.*

Will Kymlicka, *Les théories de la justice. Une introduction.*

Camille Lacoste-Dujardin, *Des mères contre les femmes.*

Yves Lacoste, *Ibn Khaldoun.*

Bernard Lahire, *L'invention de l'« illettrisme ».*

Bernard Lahire (dir.), *Le travail sociologique de Pierre Bourdieu.*

Bruno Latour, *La fabrique du droit.*

Bruno Latour, *La science en action.*

Bruno Latour, *Nous n'avons jamais été modernes.*

Bruno Latour, *Pasteur : guerre et paix des microbes.*

Bruno Latour, *Politiques de la nature.*

Bruno Latour et Steve Woolgar, *La vie de laboratoire.*

Bernard Lehmann, *L'Orchestre dans tous ses éclats.*

Prosper-Olivier Lissagaray, *Histoire de la Commune de 1871.*

Geoffrey E.R. Lloyd, *Pour en finir avec les mentalités.*

Georg Lukacs, *Balzac et le réalisme français.*

Armand Mattelart, *La communication-monde : histoire des idées et des stratégies.*

Armand Mattelart, *Histoire de l'utopie planétaire.*

Armand Mattelart, *L'invention de la communication.*

John Stuart Mill, *La nature.*

Arno Mayer, *La « solution finale » dans l'histoire.*

La Découverte/Poche

Gérard Mendel, *La psychanalyse revisitée*.

Annick Ohayon, *Psychologie et psychanalyse en France*.

François Ost, *La nature hors la loi*.

Bernard Poulet, *Le pouvoir du Monde*.

Élisée Reclus, *L'homme et la Terre*.

Roselyne Rey, *Histoire de la douleur*.

Maxime Rodinson, *La fascination de l'islam*.

Maxime Rodinson, *Peuple juif ou problème juif ?*

Richard E. Rubenstein, *Le jour où Jésus devint Dieu*.

André Sellier, *Histoire du camp de Dora*.

Jean-Charles Sournia, *Histoire de la médecine*.

Isabelle Stengers, *Cosmopolitiques* (2 tomes).

Francisco Varela, *Quel savoir pour l'éthique ?*

Francisco Vergara, *Les fondements philosophiques du libéralisme*.

Jean-Pierre Vernant, *Mythe et pensée chez les Grecs*.

Jean-Pierre Vernant, *Mythe et société en Grèce ancienne*.

Jean-Pierre Vernant, Pierre Vidal-Naquet, *Mythe et tragédie en Grèce ancienne* (2 tomes).

Pierre Vidal-Naquet, *Le chasseur noir*.

Michel Vovelle, *Les Jacobins*.

Max Weber, *Économie et société dans l'Antiquité*.

Max Weber, *Le savant et le politique*.

William Foote Whyte, *Street Corner Society*.

C. Wright Mills, *L'imagination sociologique*.

État du monde

L'État du monde en 1945.

États-Unis, peuple et culture.

Rochdy Alili, *Qu'est-ce que l'islam ?*

Bertrand Badie (dir.), *Qui a peur du xxie siècle ?*

Marc Ferro et Marie-Hélène Mandrillon (dir.), *Russie, peuples et civilisations*.

Anne-Marie Le Gloannec (dir.), *Allemagne, peuple et culture*.

Pierre Gentelle (dir.), *Chine, peuples et civilisation*.

Camille et Yves Lacoste (dir.), *Maghreb, peuples et civilisations*.

Jean-François Sabouret (dir.), *Japon, peuple et civilisation*.

François Sirel, Serge Cordellier et al. *Chronologie du monde au 20e siècle*.

La Découverte/Poche

BUSSIÈRE

GROUPE CPI

Composition Facompo, Lisieux
Impression réalisée par Bussière
à Saint-Amand-Montrond (Cher).
Dépôt légal du 1ᵉʳ tirage : août 2005.
Suite du 1ᵉʳ tirage (2) : mars 2006.
N° d'impression : 060958/1.
Imprimé en France